P9-CQP-053

La grande histoire des Français sous l'occupation

La grande histoire des Français sous l'occupation
1939-1945

Plan général

1
LE PEUPLE DU DÉSASTRE

2
QUARANTE MILLIONS DE PÉTAINISTES

3
LES BEAUX JOURS DES COLLABOS

4
LE PEUPLE RÉVEILLÉ

5
LES PASSIONS ET LES HAINES

6
L'IMPITOYABLE GUERRE CIVILE

7
UN PRINTEMPS DE MORT ET D'ESPOIR

8
JOIES ET DOULEURS DU PEUPLE LIBÉRÉ

DU MÊME AUTEUR

Histoire

LA GRANDE HISTOIRE DES FRANÇAIS SOUS L'OCCUPATION

1. Le peuple du désastre, 1939-1940 (Robert Laffont).
2. Quarante millions de pétainistes, juin 1940-juin 1941 (Robert Laffont).
3. Les beaux jours des collabos, juin 1941-juin 1942 (Robert Laffont).
4. Le peuple réveillé, juin 1940-avril 1942 (Robert Laffont).
5. Les passions et les haines, avril-décembre 1942 (Robert Laffont)
6. L'impitoyable guerre civile, décembre 1942-décembre 1943 (Robert Laffont).

La vie des Français sous l'occupation (Fayard).
Le 18 juin 1940 (Fayard).
Pétain avant Vichy (Fayard).

Politique

Ce que vivent les roses (Robert Laffont).

Romans

Une fille de Tel-Aviv (Del Duca).
Le ghetto de la victoire (Grasset).

Reportages

Israël... Israël (Domat).
Croix sur l'Indochine (Domat).
Le monde de long en large (Domat).
J'ai vu vivre Israël (Fayard).

Critique littéraire

Louis Emié (Seghers)
(en collaboration avec Albert Loranquin).

Albums

Quatre ans d'histoire de France (Hachette).
Aquitaine (Réalités, Hachette).

Théâtre

Et ça leur faisait très mal ? (Robert Laffont).

HENRI AMOUROUX

La grande histoire des Français sous l'occupation.

VII

un printemps de mort et d'espoir

Novembre 1943 - 6 Juin 1944

ÉDITIONS ROBERT LAFFONT
PARIS

ISBN 2-221-00130-3 (édition complète)
ISBN 2-221-04897-0 (vol. 7)

A mes lectrices et à mes lecteurs qui, depuis dix ans bientôt, m'ont informé, aidé, compris.

SOMMAIRE

Ce livre est dédié à mes lectrices, à mes lecteurs.

Depuis dix ans, en effet, il n'est pas de jour où je ne reçoive un témoignage, un document, une confidence me permettant non certes de modifier fondamentalement l'histoire des années 40, telle que nous la connaissons, mais de lui mettre aux joues les véritables couleurs de la vie.

Pour avoir vu, quarante ans après l'événement, des hommes et des femmes pleurer en évoquant des drames qui avaient influencé, ennobli ou ruiné leur existence et celle de leur famille ; mais aussi parce que m'ont été confiés les reliques les plus chères et, parfois, les secrets les plus difficiles à dire, j'ai mieux compris la phrase de Michelet justifiant les très longues années passées à consulter les archives : « Chaque mort laisse un petit bien, sa mémoire. »

Mais ce sont des vivants auxquels j'ai affaire. Les hommes et les femmes qui me confient leur passé, leur mémoire, avaient vingt ou vingt-cinq ans au temps de l'occupation. C'est à vingt, à vingt-cinq ans qu'il faut voir vivre ces sexagénaires, ces septuagénaires. A l'âge des engagements, des passions et des sacrifices.

Le détestable manichéisme a brouillé et continue à brouiller l'interprétation d'une époque qu'il faut déchiffrer, avec pitié, avec piété pour en comprendre l'évolution qui ne fut ni simple, ni rapide.

Les raccourcis historiques, les glorifications officielles et les profitables mensonges, dont presque plus personne n'ose dire qu'il s'agit de mensonges, ne peuvent être combattus que par de longs travaux auxquels des témoins et des acteurs acceptent de s'associer en toute loyauté et sans esprit de parti.

Voici pourquoi j'ai voulu, à travers Un Printemps de mort et d'espoir, *dédier toute mon œuvre à des lecteurs qui m'ont permis une meilleure intelligence et une plus juste approche d'une époque incomparablement trouble et troublée.*

Arrêtée en octobre 1943 pour son action à la tête du réseau Mithridate, *déportée en mars 1944, la traductrice Denyse Clairouin, qui avait tant fait pour que les Français connaissent Steinbeck, Bromfield et Scott Fitzgerald, continuait, dans le bagne de Ravensbrück, à écrire des poèmes, reflets de la désolation du paysage et des abominations de la vie quotidienne.*

Ses derniers vers qui nous sont parvenus posaient la plus terrible des questions.

Et si nous revenons un jour
Comme un troupeau de spectres hâves
Affamées de joie et d'amour
Serons-nous les tristes épaves
Qu'on enfouit sous un sable lourd ?

Je souhaite qu'aucun vivant et qu'aucun mort de cette Histoire des Français sous l'occupation ne soit étouffé sous le « sable lourd » de l'incompréhension, de l'indifférence ou de la mauvaise foi.

Août 1985

PREMIÈRE PARTIE

LE FLÉAU S'INCLINE

« Il y a des moments dans la vie d'un peuple où son destin semble hésiter : rares moments de détresse et de grandeur où le fléau de la balance oscille. Qu'une volonté charge l'un des plateaux et le fléau s'incline, même imperceptiblement, vers la vie ou vers la mort... »

Jacques SOUSTELLE

1

LA DERNIÈRE BATAILLE DE PÉTAIN

— M. Laval, dira Pétain à la fin de décembre 1943, M. Laval a une véritable maladie. Le 13 de chaque mois, il imagine toujours qu'il lui arrivera un malheur. C'est un enfantillage ridicule.

Ridicule vraiment ? Que Pierre Laval soit hanté par le souvenir de ce 13 décembre 1940 où il s'est vu, lui, le politicien exercé, chassé du pouvoir par Philippe Pétain, soldat qu'il imaginait sans malice ni mystère, c'est l'évidence. Jusqu'à sa mort, il remâchera l'amertume de ce 13 décembre 1940, en portera la blessure, en souhaitera la revanche. Et y travaillera.

Pierre Laval, que Maurice Martin du Gard montre de plus en plus sensible aux réponses que lui apportent les cartes, n'a d'ailleurs pas tout à fait tort de tenir le 13 pour un jour maléfique.

Alors qu'il est revenu au pouvoir le 22 avril 1942, qu'il a obtenu du maréchal Pétain les garanties qu'il exigeait, qu'il est chef du gouvernement, ministre de l'Intérieur, des Affaires étrangères et de l'Information, le 13 novembre 1943 a failli lui être fatal.

Dans l'après-midi du 12 novembre, il a été alerté par un fonctionnaire de la radio, respectueux de la hiérarchie. Le cabinet du Maréchal vient d'envoyer pour traduction et diffusion à l'étranger le texte d'un important message que le Maréchal a l'intention d'enregistrer et qui sera retransmis le lendemain. Le président Laval est-il au courant ? Non, le président n'est pas au courant.

Cet homme soupçonneux est également un homme négligent, trop occupé d'ailleurs par son combat quotidien contre les exigences allemandes, contre tout ce qui réduit l'autorité de Vichy, dans un pays dont l'administration se défait et où le pouvoir change de mains, pour attacher de l'importance aux complots du modeste entourage du Maréchal comme aux manifestations de volonté qui agiteraient encore le chef de l'Etat.

En avril 1942, Laval s'était imposé une heure de conversation quotidienne vespérale avec le Maréchal. Etant le dernier à parler, il s'imaginait certain de l'emporter.

Mais, très vite, il a abandonné une habitude qui lui pesait, si bien que, lorsque le 12 novembre, à 16 h 30, il se rend dans le bureau du Maréchal, sa surprise va être totale.

Philippe Pétain lui tend deux textes. Un acte constitutionnel n° 4 sextiès relatif à la succession du chef de l'Etat, succession qui devait lui revenir. Or, en cas de décès du Maréchal, toutes « dispositions prises depuis le 10 juillet 1940 qui porteraient atteinte à la jouissance et à l'exercice de l'Assemblée nationale » se trouvant abolies, le pouvoir constituant « fera[it] retour au Sénat et à la Chambre des députés, actuellement prorogés, dont la réunion constitue l'Assemblée nationale ».

Après avoir lu cet acte constitutionnel qui le dépouille de ses prérogatives et le condamnerait, en cas de décès du chef de l'Etat, à se présenter devant un Sénat et une Chambre des députés vraisemblablement hostiles, Pierre Laval prend connaissance du texte de l'allocution que le Maréchal a décidé de prononcer le lendemain, 13 novembre, à 18 h 30.

> « Français,
>
> Le 10 juillet 1940, l'Assemblée nationale m'a donné mission de promulguer, par un ou plusieurs actes, une nouvelle Constitution de l'Etat français.
>
> J'achève la mise au point de cette Constitution. Elle concilie le principe de la souveraineté nationale et le droit de libre suffrage des citoyens avec la nécessité d'assurer la stabilité et l'autorité de l'Etat.
>
> Mais je me préoccupe de ce qui adviendrait si je venais à disparaître avant d'avoir accompli, jusqu'au bout, la tâche que la nation m'a confiée.
>
> C'est le respect de la légitimité qui conditionne la stabilité d'un

pays. En dehors de la légitimité, il ne peut y avoir qu'aventures, rivalités de factions, anarchie et luttes fratricides.

J'incarne aujourd'hui la légitimité française. J'entends la conserver comme un dépôt sacré et qu'elle revienne, à mon décès, à l'Assemblée nationale de qui je l'ai reçue, si la nouvelle Constitution n'est pas ratifiée.

Ainsi, en dépit des événements redoutables que traverse la France, le pouvoir politique sera toujours assuré conformément à la loi.

Je ne veux pas que ma disparition ouvre une ère de désordres qui mettrait l'unité de la France en péril.

Tel est le but de l'acte constitutionnel qui sera promulgué demain au *Journal officiel.*

Français, continuons à travailler d'un même cœur à l'établissement du régime nouveau dont je vous indiquerai prochainement les bases et qui, seul, pourra rendre à la France sa grandeur. »

Ce texte, dont Laval dira immédiatement : « Ce n'est pas un acte politique, c'est un acte de contrition », a été préparé par le cabinet du Maréchal, remanié, corrigé, soumis à Romier, revu enfin par Philippe Pétain qui, de sa main, a ajouté le dernier paragraphe, celui par lequel il lance un appel à l'union.

Si la première réaction de Laval a été sarcastique, il cherche ensuite à gagner du temps. Aussi ne réclame-t-il au Maréchal qu'un délai, un bref délai afin de pouvoir mettre en condition l'opinion et négocier avec les Allemands.

— ... Enfin, monsieur le Maréchal, je relisais récemment quelques textes de vous, certains messages dans un petit livre. Vous avez été plutôt dur pour les parlementaires. Et c'est vous, aujourd'hui, qui les appelez à l'aide ! Moi, les parlementaires, je les connais, je les vois, je les traite par petits paquets, je les travaille au déjeuner. Je vous trouve pressé, monsieur le Maréchal. Et puis, nous ne sommes pas seuls. Il y a l'occupant. Cette annonce d'un retour au régime parlementaire est un véritable coup de poing dans la figure d'Hitler. Je ne sais pas comment les Allemands vont prendre cela. Vous m'avez délégué la responsabilité des rapports avec eux, j'ai aussi mon mot à dire... Il ne faudrait pas tout brusquer.

Philippe Pétain, dont la lucidité est, ce jour-là, intacte, sait parfaitement qu'un délai conduirait à l'enterrement d'un projet qui, pour exister sinon pour réussir, doit bénéficier de la surprise... et surtout vis-à-vis des Allemands.

— C'est une opération de politique intérieure qui ne regarde pas les Allemands. S'il convient de prévenir les autorités occupantes, il n'y a aucune autorisation à solliciter d'elles. Je parlerai demain soir à la radio.

Avant de quitter le bureau du Maréchal, Laval lui conseille toutefois d'informer par « courtoisie » Krug von Nidda, qui représente, à Vichy, l'autorité allemande.

— Je le préviendrai seulement demain, juste avant la lecture du message à la radio.

A 21 h 30, Laval, qui s'est longuement entretenu avec plusieurs de ses collaborateurs, dont Guérard et Bousquet, à qui il dira : « J'ai horreur du 13, ce chiffre porte malheur. Demain, c'est le 13 novembre ! C'est le 13 décembre que le Maréchal me fit interner à Châteldon... Le 13, c'est un mauvais jour », téléphone à Ménétrel. Que l'on interdise, demande-t-il, non le discours lui-même, mais l'annonce, par la radio, d'un prochain discours.

Il ne sera pas tenu compte de l'observation du chef du gouvernement et, dans la matinée du 13, la radio de Vichy avertira ses auditeurs de l'imminence d'un message de Pétain. Message auquel — pas plus qu'à l'acte constitutionnel — les ministres présents à Vichy : Pierre Laval, Gabolde, Bichelonne, Bridoux, Bléhaut, Bonnafous ainsi que Rochat, Guérard, Bousquet et le Dr Ménétrel, ne trouveront officiellement rien à redire lorsque, à 11 h 30, le Maréchal leur en donnera communication.

Mais le silence de Pierre Laval ne vaut pas approbation.

Il est midi lorsque Philippe Pétain enregistre son message.

Il est midi lorsque Jardel donne connaissance à Krug von Nidda des textes adoptés par le chef de l'Etat français. Il le fait en affirmant qu'il s'agit d'une « affaire de politique intérieure », qui n'affectera nullement les rapports franco-allemands. Comment le diplomate allemand pourrait-il le croire ? A peine Jardel a-t-il quitté son bureau que Krug von Nidda alerte à Paris Schleier, son supérieur direct, qui lui-même téléphone à Ribbentrop, ministre des Affaires étrangères du Reich, et à Fernand de Brinon, ambassadeur de France, à qui il demande des explications.

Mais Brinon ignore tout. Sans doute, le 8 novembre, a-t-il eu une longue conversation avec le Maréchal, mais celui-ci, cachant bien son jeu, l'a fait parler plus qu'il n'a parlé.

Enfin, à 13 h 45, le voici renseigné. Depuis Vichy, en effet, Ménétrel lui a téléphoné, lui a dit ce que répète l'entourage du Maréchal : le projet ne vise pas les Allemands... mais la dissidence. Les Allemands peuvent-ils faire obstacle à un projet hostile à la dissidence !...

C'est les prendre pour plus naïfs qu'ils sont. Ils vont réagir avec rapidité. A peine Brinon revient-il de chez Oberg, qui lui a fait savoir qu'il alertait Himmler, le voici appelé au téléphone par Schleier.

Comment le Maréchal a-t-il osé prendre semblables initiatives sans solliciter l'accord de Berlin ?

Que Brinon fasse immédiatement savoir à Vichy — il est 17 heures et il n'y a plus grand temps à perdre — que la diffusion du message est interdite. Cependant, si le Maréchal décidait de passer outre, les troupes allemandes occuperaient le studio avant l'heure de la diffusion.

C'est à Laval, alors en réunion avec ses principaux collaborateurs, c'est également à Jardel que Brinon téléphone et c'est Jardel qui lui fait savoir, à 18 h 30, que le Maréchal « renonce à prononcer aujourd'hui (il ne la prononcera jamais) son allocution, mais [qu']il proteste contre cet empêchement d'exercer son rôle et ses prérogatives ».

Sur une feuille de carnet, Bernard Ménétrel note, en style télégraphique :

> « 6 h 30 — Ordre d'interrompre émission transmis par M. de Brinon.
>
> 7 h 15 — Ordre M. Guérard[1] suspendre envoi O.F.I.[2].
>
> 7 h 25 — Ordre Dr M. à la radio.
>
> 7 h 28 — Ordre censure allemande.
>
> *Idem* Demaison qui téléphone au Dr B. M.
>
> 7 h 35 — Krug chez le Maréchal + Rochat, Romier, Jardel, Ménétrel. »

1. Secrétaire général du gouvernement.
2. Office français d'information.

Trois minutes après que Bernard Ménétrel eut téléphoné à Demaison, président du Conseil national de la radiodiffusion, Ameke, « deuxième censeur pour les questions militaires de la radio », l'appelle directement et, depuis l'ambassade d'Allemagne à Paris, intime à ce fonctionnaire français l'ordre de ne pas passer le message du Maréchal !

Demaison va obéir à Ménétrel et à Ameke, mais il ne pourra empêcher le speaker d'annoncer : « Vous allez entendre maintenant le maréchal Pétain », annonce suivie, quelques secondes plus tard, à l'immense stupéfaction des auditeurs, d'extraits de l'opérette *Dédé :*

Dans la vie faut pas s'en faire
Moi j' ne m'en fais pas
Ces petites misères seront passagères
Tout ça s'arrang'ra[1].

Le disque brutalement arrêté, suit cette annonce : « Le Maréchal ne parlera pas ce soir. »

Au même instant, les journalistes étrangers accrédités à Vichy attendaient, dans le hall de l'hôtel du Parc, la communication du texte de l'allocution par le ministre de l'Information ou son représentant.

Texte dont le chef du service de la presse étrangère va leur donner lecture, après avoir fait cette courte déclaration :

— Il est 19 h 32. Depuis deux minutes, le Maréchal a commencé l'allocution suivante…

La lecture est à peine achevée, les journalistes ont à peine fini de prendre des notes — c'est le cas de Robert Vaucher, correspondant de *La Gazette de Lausanne* par qui nous connaissons l'incident[2] — qu'un jeune fonctionnaire vient informer le chef du service de presse que, d'ordre de l'Allemagne, la diffusion du message est interdite et qu'est également interdite l'expédition à l'étranger des télégrammes y faisant allusion.

Les journalistes ne se sont pas encore séparés lorsque retentit la sonnerie du téléphone. La communication vient du cabinet de

1. *Dédé,* d'Albert Willemetz et Christiné, est chanté par Maurice Chevalier.
2. Il publiera son récit dans *La Gazette de Lausanne* du 14 avril 1944.

Bonnefoy, secrétaire d'Etat à l'Information. Dans le silence qui s'est établi, tous peuvent entendre une voix déclarer péremptoirement :

— Surtout pas un mot concernant le message du chef de l'Etat. Le message n'existe pas. Il n'a jamais existé. Vous m'entendez, il n'a jamais existé !

Pendant que se déroulent, dans les studios de la radio et à l'hôtel du Parc, des scènes à la limite du ridicule[1], mais qui ont l'avantage d'alerter des millions de Français et quelques dizaines de journalistes, le Maréchal est en train de recevoir Krug von Nidda à qui il déclare tout d'abord que cette « affaire » ne regarde pas les Allemands. Comme Krug von Nidda proteste, Pétain, faisant allusion à l'une des plus récentes défaites allemandes en Russie, réplique :

— Vous ai-je demandé pourquoi vous avez évacué Jitomir[2] ?

C'était remuer le fer dans la plaie, l'armée allemande accumulant, depuis Stalingrad, défaites sur défaites.

Mais Pétain n'a nulle envie de prolonger la conversation. Au bout de quelques minutes, il va remettre à Krug von Nidda le message suivant[3], à l'intention du gouvernement allemand.

> « Une communication du gouvernement allemand demande l'ajournement du message que je dois prononcer ce soir et M. de Brinon vient de me faire savoir que des mesures militaires seraient prises par les autorités allemandes pour empêcher l'émission.
>
> Je constate le fait et je m'incline.
>
> Mais je vous déclare que, jusqu'au moment où je serai en mesure de diffuser mon message, je me considère comme placé dans l'impossibilité d'exercer mes fonctions. »

« Ajournement », le mot était écrit. Les Allemands ayant d'ailleurs laissé entendre qu'ils désiraient *étudier* le problème posé par le nouvel acte constitutionnel, que leur décision d'interdiction constituait seule-

1. Demaison devait s'excuser le lendemain du choix malheureux du disque (*Dédé*) par lequel ses services avaient remplacé l'allocution du Maréchal.
2. En vérité, c'est le 31 décembre 1943 seulement que Jitomir, occupée par les Allemands le 9 juillet 1941, sera définitivement libérée par les troupes du général Vatoutine. Mais, le 12 novembre, les Soviétiques ont atteint la ville qui sera reprise momentanément le 20 par une contre-offensive de von Manstein.
3. Jardel en a été le rédacteur.

ment la réaction d'hommes surpris et n'acceptant pas d'être placés devant le fait accompli, Krug von Nidda avait pu, en toute bonne foi, émettre l'espoir que la réponse de son gouvernement interviendrait dans les quarante-huit heures. Or elle ne sera remise au maréchal Pétain que le samedi 4 décembre. On verra dans quelles conditions et quel est son contenu.

Quittant le bureau du Maréchal, après l'entretien avec Krug von Nidda, Ménétrel, qui avait pour les « mots », justes ou approximatifs, un goût immodéré, s'était exclamé :

— Il va faire la grève sur le tas... sur l'Etat plus exactement.

Faire la grève « sur l'Etat » pour un chef encore aussi populaire que le maréchal Pétain, cela consiste tout d'abord à s'abstenir de paraître en public.

Le 14 novembre — un dimanche —, Philippe Pétain est donc absent de la traditionnelle cérémonie qui, pour le lever des couleurs, rassemble, chaque dimanche, une foule plus religieusement passionnée que politiquement enthousiaste.

Comme la radio suisse a laissé entendre que le Maréchal souffrait de troubles cardiaques, les Vichyssois — on le sait par les écoutes téléphoniques — évoquent déjà le spectre de la maladie lorsqu'ils ont la surprise de voir paraître canne au bras, cette canne qui est, chez lui, symbole de commandement bien davantage que bâton de vieillesse, le Maréchal qui se dirige alors non pas vers l'église Saint-Louis, où se déroulaient toutes les cérémonies officielles, mais vers l'église Saint-Blaise, où il entre par une porte latérale et va s'asseoir au milieu des fidèles.

A son retour à l'hôtel du Parc, il s'amusera à piquer sur l'uniforme de l'un de ses gardes — gêné mais impassible — l'insigne dont les quêteuses du Secours national l'ont, contre quelques francs, décoré cinq minutes plus tôt.

Et puis, sans décommander toutes ses audiences — il recevra pour le déjeuner du lundi 15 les représentants de la Turquie et de la Hongrie accompagnés de leurs épouses —, il fait dire qu'il s'agit de réceptions intimes.

— Je ne convoquerai pas les ministres, dit-il ensuite. Ils feront, s'ils le veulent, un conseil de cabinet, mais, comme je n'entérinerai pas les décisions à l'*Officiel,* M. Laval, qui a soi-disant les pleins pouvoirs, ne pourra rien faire.

M. Laval, « qui a soi-disant tous les pouvoirs », a passé une partie du dimanche 14 novembre dans son domaine de Châteldon où il règne sur l'univers qu'il aime.

— Quand je rentre le soir à Châteldon, je mets mes sabots, je vais voir mes poules et mes cochons, ça console des humains.

Et M. Laval, « qui a soi-disant tous les pouvoirs », n'ignore pas que les ennuis vont redoubler.

Ainsi débute la crise du 13 novembre 1943. Crise qui durera plusieurs semaines et se dénouera à la confusion de ceux qui, après avoir pris une initiative anti-allemande, se retrouveront à la suite de l'arrivée de Darnand, d'Henriot et de Déat soumis au bon vouloir d'une équipe gouvernementale plus qu'autrefois favorable aux Allemands.

Crise qui agitera l'opinion française aussi bien qu'étrangère et, provisoirement, aura pour conséquence d'augmenter la popularité du maréchal Pétain.

Pierre Nicolle, qui observe tout et, sans grand esprit critique, note tout ce qu'il a observé, écrit le 14 novembre[1] : « On craint que, d'une minute à l'autre, les radios étrangères ayant pu connaître le texte ne se donnent le malin plaisir de le diffuser, ce qui plongerait dans l'embarras aussi bien le Maréchal et le gouvernement que les Allemands. »

Le Maréchal plongé dans l'embarras ? Certainement pas puisque, à l'instigation de Ménétrel, c'est son entourage direct qui assure la diffusion d'un discours qui a d'ailleurs, on le sait, été lu aux journalistes, qui est connu d'ambassades neutres parfaitement et quotidiennement tenues au courant — notamment grâce à Ménétrel[2] — de l'évolution de la situation.

1. Dans *Cinquante mois d'armistice.*
2. Qui renseigne presque quotidiennement l'ambassadeur de Suisse.

Laval ordonnera une enquête sur l'origine des fuites. Pour le principe, car il sait fort bien que les « fuites » viennent de cet hôtel du Parc où, comme le Maréchal... comme Ménétrel, il a son bureau.

En novembre 1943, ce n'est pas seulement le crédit du gouvernement qui se trouve au plus bas, mais également — c'est une nouveauté — celui du Maréchal.

Mais *le discours non prononcé* entraînera une sensible modification de l'opinion.

Le 27 novembre, une note du service des Renseignements généraux de Bordeaux décrit ainsi l'attitude de la population.

> « Les Bordelais, qui ne sont pas encore en possession du feuillet reproduisant l'allocution que le Maréchal devait prononcer le 13 novembre, font leur possible pour se le procurer.
>
> Tout le monde veut savoir ce que le Maréchal n'a pu dire à la radio.
>
> *Depuis longtemps, on n'avait vu pareil courant en faveur du Maréchal*[1]...
>
> Nombreux étaient ceux qui croyaient que le Maréchal laissait à M. Laval le soin de diriger seul la politique intérieure.
>
> Ils reconnaissent leur erreur et manifestent leur contentement de voir le chef de l'Etat participer à nouveau à la vie politique du pays. »

Ce texte donne raison à Pierre Nicolle qui décrit l'atmosphère « d'asile de fous » régnant à Paris et, le 24 novembre, ajoute : « La diffusion clandestine du message du Maréchal prend une telle ampleur qu'il n'est pas douteux que des instructions aient été données dans ce sens ! » Nicolle poursuit en remarquant que les tracts mis en circulation ne se bornent pas à reproduire le discours interdit, qu'ils comportent des commentaires prouvant « que tout est mis en œuvre pour présenter le Maréchal comme ayant été victime d'une machina-

1. Je souligne intentionnellement. Document inédit.

tion, et aussi comme le chef de la Résistance. Il n'est pas douteux, écrit encore Nicolle, que l'on essaie de redonner au chef de l'Etat une nouvelle popularité dans les milieux républicains et chez les Français demeurés germanophobes ».

Le Maréchal a beau dire officiellement — mais sans trop insister — qu'en prenant sa décision il n'a eu qu' « une seule pensée, celle de porter un coup fatal à la dissidence d'Alger » — ce qui est vrai dès lors qu'il s'agit, dans la perspective de la prochaine défaite allemande, de la lutte pour la possession du pouvoir —, nul n'en croit rien ou, plus exactement, nul ne croit que les choses soient aussi simples.

A Berlin, l'on estime, en tout cas, que le discours non prononcé de Pétain constitue une véritable « carte de visite envoyée à Roosevelt ».

A Londres, aussi bien que dans la Résistance intérieure, la manœuvre du Maréchal est essentiellement comprise comme une manœuvre contre de Gaulle, le projet de convocation du Parlement comme une menace contre cette Assemblée consultative provisoire qui se réunit à Alger et, le 1er décembre 1943, Maurice Schumann donne lecture d'un texte émanant du Conseil national de la Résistance, dans lequel se trouvent des phrases menaçantes à l'intention des parlementaires tentés d'écouter favorablement les sirènes de Vichy.

> « Considérant que la convocation d'une Assemblée nationale par le pouvoir usurpateur qui siège à Vichy ne peut être qu'une nouvelle occasion de fournir aux ennemis extérieurs et intérieurs de la nation des moyens supplémentaires d'aggraver le joug qui pèse sur la France et sur la liberté des citoyens, [le Conseil de la Résistance française] signifie à tous les parlementaires qu'ils ont le devoir de refuser leur signature à toute demande de convocation et de refuser de se rendre à la convocation si elle se produit, quels que soient les inconvénients ou les menaces qu'ils auraient à subir de ce fait. »

La crise du 13 novembre 1943 surprend cependant bien à tort puisqu'elle s'inscrit dans la logique de la situation nationale et internationale, puisqu'elle s'explique aussi bien à travers les événements qui viennent de se dérouler en Italie qu'à travers ceux qui se déroulent à Alger.

L'Italie tout d'abord. A la lumière de ce qui s'est passé dans la péninsule, les réactions de l'entourage du Maréchal deviennent plus intelligibles.

C'est le 19 juillet 1943 — date du premier bombardement de Rome mais également de la rencontre, à Feltre, entre Hitler et Mussolini — que s'est nouée la conjuration qui allait aboutir non seulement à la chute de Mussolini, mais également au changement de camp de l'Italie.

En accord avec le roi, qui supporte d'autant plus mal la dictature mussolinienne que les armées alliées avancent victorieusement en Sicile, la majorité des 28 membres du Grand Conseil fasciste a décidé, selon le mot de Brissaud, de « sacrifier l'Etat fasciste pour sauver la patrie italienne ».

Tout se déroulera à l'italienne : sur fond de mensonges et dans un étonnant mélange de comédie et de tragédie.

Le 21 juillet, Mussolini paraît tout-puissant encore. Le roi le flatte, l'encourage, lui tape même sur l'épaule — « cher Mussolini, soyez persuadé que vous avez en moi un ami, un véritable ami » —, mais il a déjà pris la décision de le faire arrêter.

Tout va très vite ensuite. Il suffit d'une dramatique séance du Grand Conseil fasciste, dans la nuit du 24 au 25 juillet, pour que le fascisme disparaisse avec la dictature. Mis en minorité par les siens, découragé, physiquement épuisé, le Duce se laisse arrêter le 26 juillet. Entre cette arrestation et l'annonce officielle de l'armistice accepté par l'Italie, le 8 septembre, un mois et demi s'écoulera, un mois et demi pendant lequel le maréchal Badoglio s'efforcera de faire croire à Hitler, qui n'en croit rien d'ailleurs, que l'Italie sans Mussolini demeurera fidèle à l'alliance allemande[1].

Plus sans doute que la situation en Russie où les troupes allemandes,

1. Hitler repliera presque immédiatement ses troupes encore engagées en Sicile et fera occuper Rome.

désormais inférieures non seulement en hommes mais en matériel[1], reculent désormais à un rythme accéléré, mais encore relativement ordonné, plus que les bombardements sur l'Allemagne dont les Français ne peuvent imaginer tous les ravages, plus que les bruits du prochain remplacement d'Hitler par Goering[2], plus encore que les conférences de Moscou et de Téhéran, dont l'opinion française ne sait que ce que lui en disent les propagandes opposées et contradictoires de Londres et de Berlin[3], oui, plus que tout cela, ce sont donc la situation italienne et l'exemple italien qui vont inspirer l'action des conjurés proches du maréchal Pétain.

A Paris, dans le clan collaborateur, un homme a presque immédiatement compris. Il s'agit de Marcel Déat, éditorialiste de *L'Œuvre.* Sa vieille haine contre Vichy explique sa soupçonneuse vigilance.

Déat n'a erré que quelques jours, écrivant sottement, le 29 juillet, alors que le gouvernement italien vient de dissoudre le parti fasciste, que la politique extérieure de l'Italie ne s'en trouverait nullement affectée.

Mais, dès le 10 août, il voit clair dans le jeu de Vichy. Son article intitulé « Du tragique au bouffon » évoque lucidement la situation à Vichy où l' « *on se met en quête de personnalités de transition, d'anciens ministres, voire d'anciens présidents du Conseil qui, éventuellement, pourraient former l'armature d'une nouvelle équipe. On recommence à amadouer les députés et les sénateurs en chômage, on ne refuse pas d'envisager, en temps opportun, une convocation de l'Assemblée*

1. L'Armée rouge dispose alors de 327 divisions d'infanterie et de 51 divisions blindées contre 200 divisions d'infanterie et 37 divisions blindées allemandes, mais parmi lesquelles on trouve une quarantaine de divisions de qualité inférieure.
2. Selon Nicolle qui fait écho, le 28 octobre, à des sources suisse et suédoise.
3. Evoquant ces conférences, la radio de Londres souligne « la volonté de construire un monde meilleur... où les peuples, sans être menacés d'une tyrannie quelconque, vivraient libres, selon leurs désirs particuliers et leur propre conscience », tandis que la radio de Berlin insiste sur la volonté de Staline d'obtenir un accès à la Méditerranée et sur l'inquiétude des « milieux bourgeois » devant les avantages que Staline aurait arrachés à Roosevelt et à Churchill. Que cette inquiétude existe — en France notamment —, plusieurs rapports des Renseignements généraux l'affirment, notamment en octobre 1943, et *Ici Londres,* le 2 janvier 1944, consacrera l'une de ses émissions à « dédouaner » les Soviétiques. La radio gaulliste le fait en citant de larges extraits du *Daily Mail,* journal d'un optimisme béat, dès lors qu'il s'agit de l'évolution du régime soviétique. A la conférence de Téhéran, il est vrai, Roosevelt avait exprimé sa joie d'accueillir les Russes « qui feraient désormais partie du cercle de famille ».

nationale ». Il va plus loin encore puisqu'il stigmatise ces hommes qui « *sont prêts à appeler le Maréchal* “ *Monsieur le Président de la République* ” ».

Le 13 août, Déat fait écho à « certains bruits » de convocation d'une Assemblée nationale ; le 19 août, il ironise à propos de ceux qui « s'apprêtent à offrir au Maréchal la position de repli d'une présidence de la République » et prend à partie ceux pour qui « Pierre Laval reste toujours l'ennemi numéro un ».

Dans son éditorial du 6 septembre — l'Italie a signé l'armistice le 3, mais le secret demeure bien gardé —, Déat, avec deux mois d'avance sur les événements de novembre, dénonce les manœuvres des familiers du Maréchal, en quête de parlementaires chevronnés pouvant, grâce à leur expérience des combinaisons politiques, imaginer pour la France quelque solution « à l'italienne ».

Le 28 septembre, enfin, alors qu'en Italie tout est joué, Déat établit la comparaison entre ce qui s'est passé dans la péninsule et ce qui se passe en France.

> « En attendant (en attendant Giraud et les Américains), on prépare cet avenir avec le même zèle qu'y durent apporter le roi félon et son maréchal capitulard. Avec l'idée fixe, la même depuis trois ans de guerre blanche, de compromis final, où la France “ libre de tout engagement ”, comme une bonne qui cherche une place, jouera un rôle extraordinaire et inspiré. »

Déat devine, mais ne sait pas exactement. Il ne sait pas que, depuis plusieurs mois, tous ceux qui n'ont jamais douté qu'une victoire totale de l'Allemagne entraînerait la fin du régime de Vichy, mais qu'une victoire des armées anglo-américaines, amenant les gaullistes au pouvoir, aurait le même résultat *si un retournement identique à celui qui est en train de s'opérer en Italie ne se réalisait rapidement en France,* sont les artisans d'une longue et complexe manœuvre.

Spéculant sur les embarras de De Gaulle aux prises avec Giraud et, pour longtemps encore, avec les Américains ; spéculant sur l'amitié américaine et sur une passivité allemande bien improbable, car les Allemands feront sans cesse référence à « l'expérience Badoglio » pour affirmer qu'elle ne se répétera jamais en France, quelques hommes mènent depuis plusieurs mois une action souterraine anti-allemande, anti-Laval, mais également anti-gaulliste et qui vise à préserver l'essentiel de Vichy : un régime débarrassé des extrémistes et qui pourrait présenter aux Américains vainqueurs un visage résolument paternaliste et relativement démocratique.

Dès le mois d'avril 1943, Pétain a fait consulter Charles Roux et Léon Noël, deux diplomates en qui, bien qu'ils aient des liens avec la Résistance, il s'obstine à garder confiance.

Les contacts entre Jean Baudry, qui appartient au cabinet du Maréchal, Périer de Féral, secrétaire général de la préfecture de la Seine, Charles Roux, Léon Noël s'étendront sur plusieurs mois et, bientôt, l'amiral Auphan, qui a quitté le gouvernement après l'entrée des Allemands en zone libre, y prendra une part active en préconisant, dans une note de dix-neuf pages, le renvoi de Laval, la prise en main par le Maréchal de la totalité des pouvoirs, l'établissement de contacts étroits avec les Américains comme avec les Anglais, et même avec la partie « saine » d'une « dissidence » menacée de tomber sous la coupe des communistes[1].

A nous qui connaissons la fin du drame, ces manœuvres de dernière heure paraissent parfaitement irréalistes. Elles ne le sont pas aux yeux de ceux qui (en France et dans certains pays alliés de l'Allemagne) espèrent une paix blanche capable d'arrêter, tant qu'il est temps encore, l'avance soviétique.

Ces sentiments inspirent Lucien Romier, Henri Moysset, Jacques Barnaud, François Lehideux, d'autres encore à Vichy et à Paris ; ils animent le Maréchal lorsqu'il demande à l'amiral Auphan de porter à Charles Roux et à Léon Noël[2] deux notes, la première leur déléguant, ainsi qu'à Auphan, tous les pouvoirs pour « le remplacer et agir en son nom » au cas où il serait empêché d'occuper ses fonctions, la seconde déléguant cette responsabilité au seul Léon Noël.

---

1. Avant qu'à Alger Giraud ne soit totalement éliminé, le colonel Rivet, chef des services spéciaux d'Alger, mais qui se trouvait à Vichy jusqu'en novembre 1942, demande au colonel Navarre, chef clandestin des services de renseignements et de contre-espionnage en France occupée, d'entrer en contact « avec le maréchal Pétain pour savoir si une entente serait possible au sujet du gouvernement à établir en France au moment de la Libération ». Quelques jours plus tard, Pétain fait répondre : « Oui, s'il s'agit de Giraud. Non, s'il s'agit de De Gaulle. »

2. Ce sera fait le 4 septembre.

A cette offre, Noël répondra, le 23 septembre, par un refus sans ambiguïté et par une proposition qui, retenue, aurait certainement, devant l'Histoire, modifié l'image du Maréchal.

> « L'heure est passée où il pouvait être temps encore pour votre gouvernement de tenter lui-même le redressement de la politique française.
>
> Les fautes commises depuis trois ans par les cabinets successifs, l'évolution des éléments militaires et diplomatiques, l'état matériel et moral dans lequel se trouve la France, l'existence et l'action du Comité d'Alger, enfin, ne vous laissent plus, monsieur le Maréchal, d'autre choix que de constater solennellement, sans plus tarder, l'impossibilité dans laquelle vous vous trouvez d'exercer vos fonctions gouvernementales et de déclarer que vous chargez les secrétaires généraux des ministères d'assurer, dans la mesure où les circonstances le permettent, l'administration du pays. »

Quelques jours plus tard, le Maréchal avait ordonné au colonel de Gorostarzu de partir pour Lisbonne et de consulter les Américains en la personne du colonel Robert Sölborg, chargé des opérations spéciales par l'*Office of Strategic Service.*

Gorostarzu avait pour mission de faire connaître à Sölborg le plan de manœuvre — et aussi le projet de Constitution — du chef de l'Etat français. Il lui rapportera une réponse qui rejoint l'avis donné par Léon Noël.

> « Prévenez le Maréchal que le débarquement en Europe ne tardera pas. Les autorités américaines souhaitent que le Maréchal ne s'occupe plus des affaires de l'Etat, qu'il se retire dans un château et qu'il se considère prisonnier, de telle sorte que les armées alliées, en libérant le territoire, délivreront la légalité et la légitimité [1]. »

---

1. Rapporté par Tournoux (*Pétain et de Gaulle*) qui a obtenu le témoignage du colonel de Gorostarzu et du colonel Sölborg. Le colonel de Gorostarzu, dans le rapport rédigé à l'intention de Tournoux, poursuit en donnant la réponse du Maréchal à la proposition américaine. « Je ne quitterai pas la France. Je n'abandonnerai pas les Français. Je n'ai plus que les Allemands pour me protéger. »

C'était, dans un cas — Noël — comme dans l'autre — les Américains —, conseiller au Maréchal d'adopter la position choisie, à partir du 28 août 1943, par le roi Christian de Danemark [1]. A plusieurs reprises d'ailleurs, en 1944, le Maréchal demandera à Tracou de lui expliquer comment fonctionnent les rapports avec les occupants allemands dans un pays dont le roi s'est constitué prisonnier et où les ministres ont délégué leur autorité à leurs secrétaires généraux.

Mais le sort de Christian X ne tente guère le maréchal Pétain qui nourrit l'illusion de pouvoir s'entremettre entre les belligérants ; de servir toujours les Français en les protégeant du pire ; de faire adopter enfin cette Constitution promise au peuple après la défaite et à laquelle — en compagnie de Lucien Romier, de Moysset, du professeur Gidel, de Jean Jardel et de plusieurs de ceux dont il appréciait le jugement et la loyauté — il n'a cessé de travailler, fût-ce au plus fort de la crise de novembre 1943.

Il s'agissait, pour le Maréchal, de tenter de résoudre, par-delà les vicissitudes de l'heure, les problèmes qui lui semblaient les plus importants pour l'avenir de la France. Tout d'abord, ceux qui concernaient des rapports sociaux trop systématiquement fondés sur la lutte des classes. Il espérait, grâce à l'introduction la plus large de la représentation proportionnelle dans les élections professionnelles, modifier progressivement l'état d'esprit des différents partenaires sociaux pour mettre un terme aux querelles idéologiques stériles. Il avait également l'ambition d'en finir avec une centralisation administrative excessive qu'il pensait rompre par la création de provinces dont le « gouverneur » devrait être « un très grand fonctionnaire ayant auprès de lui les représentants de tous les ministères ».

A la suite de réflexions et de débats entre initiés, le Maréchal avait donc conçu une Constitution relativement audacieuse, augmentant l'autorité d'un président de la République qui devait être élu par un

---

1. C'est à la suite d'une vague de grèves et d'attentats que le roi Christian X, refusant, comme l'exigeaient les Allemands, de proclamer l'état d'exception dans tout le pays et de décréter la peine de mort pour les saboteurs, devait, le 28 août 1943, se considérer comme prisonnier. Le Parlement, élu en mars 1943, et dominé par une large majorité sociale-démocrate, se sépara alors ; le gouvernement disparut et les ministres furent remplacés par les directeurs et secrétaires généraux.

collège élargi ; accordant le droit de vote aux femmes[1] ; transformant les rapports entre la classe ouvrière et le patronat, dans un sens favorable à la première ; avançant résolument sur la voie de la décentralisation ; modifiant le rôle d'assemblées qui devaient avoir une importance accrue dans le domaine économique et social, tout en perdant de ce pouvoir politique destructeur qui avait été le leur sous la IIIe République.

Pétain s'était même résigné à accepter la suggestion de ses conseillers et à placer sa Constitution sous le patronage de la République. Il ne l'avait pas fait sans réticences, le mot « République » étant synonyme, dans son esprit, de scandales financiers, de désordres politiques et de querelles nationales.

Telle quelle, la Constitution semblait bien faite pour séduire ces Américains dont, à Vichy, on n'ignorait pas quels différends les opposaient aux gaullistes d'Alger.

La Constitution, dont le Maréchal signera le texte définitif le 30 janvier 1944, texte, tant sa méfiance est grande, qui ne sera communiqué à Pierre Laval que le 14 mars, la Constitution est donc l'une des armes dont Philippe Pétain et ses proches espèrent user pour gagner de vitesse Charles de Gaulle et tous ceux qui, à Alger comme en France métropolitaine, travaillent à mettre en place tous les instruments de la conquête du pouvoir.

Alors qu'en Italie l'effondrement du régime fasciste montre l'exemple qu'il faudrait suivre, si les événements en offraient la possibilité, et donne d'ailleurs à Vichy l'occasion de « réoccuper » à petit bruit, car les Allemands interdisent toute manifestation publique, Menton et les quelques kilomètres carrés de territoire français occupés par les Italiens en juin 1940, les passions politiques qui se développent avec intolérance à Alger, comme dans les milieux résistants de la métropole, indiquent clairement aux fidèles du Maréchal les moins engagés dans les voies de la collaboration qu'il leur faut, au plus vite, trouver

1. Il existe ainsi des points de rencontre avec les réformes élaborées à Alger.

une honorable porte de sortie s'ils veulent éviter d'être roulés et emportés par la vague de l'épuration[1].

Il suffira, pensent-ils, de créer artificiellement l'occasion favorable. Dans l'incapacité d'attaquer de front les Allemands, Pétain, ce « Badoglio désarmé » dira, avec ironie, Fernand de Brinon, orientera donc toute son action contre Laval.

Cependant, il ne devrait pas avoir oublié la lettre du 28 avril 1943 par laquelle Hitler lui rappelait que « le gouvernement du Reich ne permettra[it] pas le retour d'incidents analogues à ceux du 13 décembre 1940 et ne laissera[it] pas mettre à nouveau en question la continuité du développement politique entre la France et les puissances de l'Axe ».

Imaginant le Reich moralement et militairement plus ébranlé qu'il ne l'est, Hitler distrait du front de l'hôtel du Parc par les soucis que lui donnent front russe et front italien, les Etats-Unis, certainement, et l'Angleterre, sans doute, prêts à abandonner un de Gaulle accusé de visées dictatoriales pour un Philippe Pétain rassurant dans son démocratique habit neuf de maréchal-président, sachant surtout qu'ils jouent leur dernière carte, le Maréchal et son entourage — l'entourage avec davantage de volonté que le Maréchal — précipiteront l'offensive anti-allemande camouflée en offensive anti-Laval.

Comme un homme qui a beaucoup vu, beaucoup entendu et que les complots de couloirs — ceux de l'hôtel du Parc plus encore que, naguère, ceux du Sénat et de la Chambre des députés — laissent indifférent, Pierre Laval ne prendra pas au sérieux des manœuvres dont les auteurs, depuis toujours, lui semblent, politiquement, quantité négligeable.

Au maréchal Pétain qui veut se mêler de politique, prétend renvoyer tel ou tel ministre, il fait la leçon, le 26 octobre.

— Je veux bien faire toute la sale besogne, monsieur le Maréchal. Je vous l'ai déjà dit : « Restez au-dessus de tout cela, ne mettez pas la main dans le panier de crabes, vous êtes une icône, ne vous salissez pas », mais tout de même, monsieur le Maréchal, je voudrais bien qu'on le reconnaisse, qu'on ne me fasse pas la vie dure, qu'on ne me fasse pas de croche-pied...

1. *Cf.* p. 111 et suiv.

Il ne répondra pas, malgré sa promesse, à la lettre par laquelle, le 2 novembre, le Maréchal a insisté sur la nécessité de « rétablir une autorité qui fuit », mais il la montrera (de loin) à ceux qui s'inquiètent d'un différend possible entre lui et le chef de l'Etat : « Avec le Maréchal, nos rapports sont excellents. Précisément, il vient de m'écrire. »

Prêtera-t-il assez vite attention aux bruits qui courent — mais tellement de bruits ont couru !... — dans ce Vichy aujourd'hui déserté par la foule des habiles, et où les commerçants se plaignent de « ne plus faire d'affaires » ?

Comme tous les hommes de premier plan, que le labeur quotidien accable et qui, accoutumés à la jalousie et aux périls, ne prêtent plus attention au remue-ménage que leurs initiatives — comme leurs absences d'initiative — provoquent, Pierre Laval se déplace en aveugle dans ce Vichy où, depuis longtemps, les borgnes sont rois.

Indifférent à l'agitation coutumière, comment, cependant, a-t-il pu ignorer cette lettre qu'Anatole de Monzie a adressée le 5 novembre au Maréchal et dont Martin du Gard écrit qu'à peine Philippe Pétain l'avait-il lue, elle « se trouvait dans toutes les mains et commentée à Lyon, comme à Toulouse et à Paris comme à Vichy, par tous ceux qui sont en place et qui, n'y étant plus, ou n'y étant pas encore, brûlent de sauver la patrie ».

Député et plusieurs fois ministre avant juin 1940, ami fervent de l'Italie, même après qu'elle nous eut déclaré la guerre, lettré qui séduit par le brio de la conversation et le brillant de l'écriture plus que par la rigueur des arguments, esprit rapide, habile à saisir, pour les utiliser à son profit, l'instant et l'événement qui passent, n'hésitant nullement à laisser imaginer qu'il est l'inventeur de formules ou de thèmes découverts par d'autres, mais qu'il sait mieux que d'autres exploiter, dépassant par « mille pointes de son intelligence » la masse des parlementaires de cette IIIe République dans laquelle il plonge « par ses racines les plus secrètes [1] », chantre d'amitiés reposant sur le pur et l'impur d'une morale douteuse, Monzie, qui ne manque pas d'une certaine forme de courage raisonné, a publié avec l'autorisation allemande, bien entendu, *La Saison des juges,* petit livre intelligent,

1. La formule est de Fabre Luce.

savoureux et rapide, qui a connu un vif succès[1]. S'abstenant de condamner ce qu'il y avait de plus blâmable dans Vichy : la sujétion aux cruelles exigences allemandes, Monzie condamnait, en revanche, dans ce pamphlet boiteux, ce que le régime avait de plus mesquin ; l'étroitesse d'esprit de roitelets de province, la prolifération des bureaux et des bureaucrates, l'arrestation et l'emprisonnement de quelques paysans pour cause de marché noir.

Ayant sermonné Vichy dans un livre destiné à une forte audience Monzie sermonne maintenant Philippe Pétain en faveur de qui il a voté le 10 juillet 1940 et sa lettre a l'habileté d'être écrite au début de la crise, ce qui pourrait laisser penser à quelques-uns qu'elle en a été le détonateur.

Evoquant discrètement — trop discrètement — la présence allemande et les horreurs qu'elle fait naître, Monzie rédige, sur un ton de procureur d'Ancien Régime, une lettre destinée moins à être efficace qu'à être lue, et passionnément commentée, dans les petits cercles où se rencontrent initiés, notables, ambassadeurs.

Cette lettre n'a nullement été contresignée, comme on le murmure, et comme Monzie le laisse croire, par 359 parlementaires mais, indiscutablement, elle reflète le sentiment d'hommes aux ambitions inemployées.

Parce que la vérité, souvent, s'y fait insolente, elle réjouit ceux qui n'ont ni la capacité d'être insolents avec talent, ni le courage de dire la simple vérité.

> « Où en êtes-vous, monsieur le Maréchal, après 40 mois de pouvoir légal ? Où est l'ordre français, la paix entre Français, la solidarité entre Français ?...
>
> ...
>
> Tout est aux ordres de votre gouvernement et de ses préposés. Et, cependant, le désordre grandit, s'élargit.
>
> On sort de vos prisons presque aussi facilement qu'on y est entré. Jadis, les hors-la-loi rossaient le guet ; aujourd'hui, ils le tuent. Ne pouvant accomplir certaines tâches qui répugnent au

1. Le livre a été publié aux éditions Flammarion, au troisième trimestre de 1943.

sentiment public, vos agents cherchent des compromis entre leur consigne et leur conscience ; vous n'ignorez pas qu'une partie, sinon une élite de vos cadres, participe à cette résistance passive de l'administration, à cette grève perlée de l'ordre tel que vous l'entendez. La contrainte a fait faillite, monsieur le Maréchal.

...

Il est temps, monsieur le Maréchal, d'acheminer la France " de la colère à la justice " et de réaliser notre pacification intérieure par le retour à la vie normale d'une République... Il est temps d'envisager la convocation de l'Assemblée nationale à Vichy si vous ne voulez pas qu'elle vous convoque à Versailles...

...

Notre patrie était entière le 10 juillet 1940 ; elle ne l'est plus et l'unité nationale n'a désormais d'autre expression que cette même Assemblée nationale dont vous avez reçu délégation provisoire. Tout se passe dans le monde comme s'il y avait deux France ; il faut rappeler au monde que la France une et indivisible subsiste au-dessus de toutes les sécessions provisoires. Votre prestige ancien ne suffit plus, monsieur le Maréchal, à cette affirmation nécessaire. Il a été usé, gaspillé dans trop de simulacres. Nous nous sommes dessaisis ; il nous appartient de nous ressaisir. L'adresse que voici est une sommation respectueuse, mais ferme ; nous vous invitons à nous convoquer dans la même forme et aux mêmes fins que nos aïeux de 1871. »

« *Nous nous sommes dessaisis... Il nous appartient de nous ressaisir* ». Il entre beaucoup de vanité littéraire dans la formule. L'Assemblée nationale ne se réunirait certes pas à l'appel de Monzie. Et d'ailleurs les Allemands — ces Allemands dont Monzie ne tient pas compte comme s'ils se trouvaient toujours de l'autre côté de la frontière de 1939 — réagiraient immédiatement et feraient rentrer dans leur trou les parlementaires sans emploi.

Qu'il soit, ou non, informé de la lettre de Monzie (il l'est certainement), Laval ne s'intéresse pas à l'écume des choses. Le

Maréchal demeurant l'enjeu de la bataille, il lui faut convaincre l'entourage du chef de l'Etat de la nécessité de pratiquer encore et toujours une politique de souplesse, de renoncer à la publication d'un message qui choquera la susceptibilité de l'occupant et surtout de l'erreur qu'il y aurait à l'éloigner définitivement du pouvoir, lui, Pierre Laval.

Quant aux conseillers du Maréchal, ils s'efforcent, de leur côté, d'entretenir sa volonté de résistance, à l'aide de petites notes. Celle du 17 novembre, par exemple.

> « Le Maréchal ne doit rien accepter de M. Laval qui va apporter des quantités de documents, bonnes raisons, consultations juridiques (inspirées par Gabolde, Abel Bonnard, Marion) pour prouver au Maréchal qu'il a tort, qu'il faut changer, etc. Quand le Maréchal n'accepte rien, tout est tenté, même les pires chantages, pour le faire fléchir et le but final est de ruiner son autorité. Ce serait définitif et semblable à une *abdication.* »

Abdication, c'est dans le mot, et dans l'idée, que Pétain puise la force de résister à la pression quotidienne de Laval, de repousser les textes qu'il a élaborés avec Rochat et Bousquet, de refuser de présider le prochain Conseil des ministres.

A Romier, à Jardel et à Ménétrel, ses conseillers habituels, est venu provisoirement se joindre, le 23 novembre, le général Serrigny, ami et confident de l'autre guerre, mais qui, depuis six mois, « boudait » le chef de l'Etat.

Que conseille-t-il au Maréchal ? De ne plus paraître en public, de fermer sa porte à tous, non seulement de se considérer comme prisonnier, mais « d'être » véritablement prisonnier ou, tout au moins, de renvoyer Laval, de restaurer une véritable politique nationale, de se réfugier derrière l'application stricte des clauses de l'armistice.

Se séparer de Laval ?

— Vous n'y pensez pas. J'ai reçu une lettre de Berlin me menaçant de l'envoi d'un Gauleiter, si je me séparais de Laval. Songez aux souffrances qui en résulteraient pour les Français.

— Vous pensez trop aux Français et pas assez à la France, monsieur le Maréchal, réplique Serrigny, qui dit également au chef de l'Etat ces vérités dures à entendre : « Vous ne pouvez pas continuer à patronner une politique que réprouve le pays. Beaucoup de braves gens s'y sont ralliés par confiance en vous ; aujourd'hui, ils sont fusillés et rançonnés à cause de vous. Vous troublez la conscience nationale au lieu de l'éclaircir. »

Entre les conjurés de l'hôtel du Parc, d'ailleurs, le climat n'est pas toujours à l'inquiétude et à la morosité.

Au plus fort de la crise, Ménétrel, dont les sentiments anti-allemands ne font pas de doute, dont les Allemands affirmeront même, ce qui est fort exagéré, qu'il est « le chef secret du Mouvement de la Résistance française[1] », racontera cette histoire[2] qui fera le tour de la ville et constituera, pour Laval, une cruelle blessure.

> Effrayé par les défaites de l'armée allemande, Hitler a décidé de demander la nationalité française. Arrivé à l'hôtel du Parc, il se rend chez le chef du gouvernement.
>
> — Allez voir le vieux, lui dit Laval. C'est une trop grosse affaire pour moi.
>
> Hitler monte à l'étage supérieur. Il redescend une heure plus tard.
>
> — Eh bien ! demande Laval qui, depuis un moment, guettait dans l'escalier, qu'a fait Pétain ?
>
> — Il m'a accordé la nationalité française, répond Hitler en s'éloignant vers le hall.
>
> — Pourquoi vous sauvez-vous, Hitler ? crie Laval. La nationalité française, cela s'arrose, nous allons prendre quelque chose...
>
> Mais Hitler continue son chemin et, enfonçant sa casquette, grommelle :
>
> — Ah ! non, je ne cause pas avec les Boches !

1. Archives américaines de Nuremberg n° N.G. 5211.
2. Maurice Martin du Gard la rapporte, le 14 décembre 1943.

De même entre le maréchal Pétain qui continue à bouder cérémonie des couleurs et Conseil des ministres, et Pierre Laval qui insiste quotidiennement pour le faire revenir sur ses décisions, la situation n'est pas toujours aussi tendue qu'on pourrait l'imaginer, et il arrivera au Maréchal de gagner du temps par des procédés empruntés à Molière.

Le chef de l'Etat a refusé de présider le Conseil des ministres du samedi 20 novembre. Il a refusé également d'assister à celui du 27, mais Pierre Laval se croit obligé de lui rendre compte des débats. Voici le début de leur conversation :

— Monsieur le Maréchal, je tiens à vous mettre au courant de ce qui s'est passé au Conseil...
— Comment va Mme Laval ?
— Très bien, je vous remercie, monsieur le Maréchal.
— Et votre santé à vous ? Vous ne souffrez pas de votre blessure[1] ?
— Mais non, monsieur le Maréchal. Nous avons eu Conseil...
— Et à Châteldon, comment cela va-t-il ? Les vignes ont bien donné ? Vous êtes content ? Et votre scierie ? Et vos cochons ?...

La scène fait songer à celle où Dom Juan reçoit M. Dimanche, son marchand...

— Comment se porte Mme Dimanche, votre épouse ?
— Fort bien, monsieur, Dieu merci.
— C'est une brave femme.
— Elle est votre servante, monsieur. Je venais...
— Et votre petite fille Claudine, comment se porte-t-elle ?
— Le mieux du monde.
— Et le petit Colin, fait-il toujours bien du bruit avec son tambour ?
— Toujours le même, monsieur, je...
— Et votre petit chien Brusquie ? gronde-t-il toujours aussi fort, et mord-il toujours aux jambes les gens qui vont chez vous ?...

1. Blessure reçue, le 27 août 1941, lors de l'attentat commis, à Versailles, contre Laval et Déat.

Que tout ne se déroule pas toujours sur ce rythme de comédie et que la volonté de Pétain de se séparer de Laval et de convoquer l'Assemblée nationale soit prise au sérieux par les extrémistes de la collaboration, l'assassinat de Maurice Sarraut, le 2 décembre 1943, en apportera la preuve.

Directeur de la très influente *Dépêche de Toulouse,* qui avait fait excellent accueil au Maréchal, lors de son triomphal voyage à Toulouse en novembre 1940 ; franc-maçon sans sectarisme ; politique aux innombrables amitiés ; garant « d'un ordre à la fois bourgeois et socialement avancé [1] » ; frère d'Albert Sarraut, plusieurs fois ministre et deux fois président du Conseil, Maurice Sarraut — on le lui a d'ailleurs fait savoir — pourrait être amené à jouer un rôle de premier plan dans la combinaison anti-allemande, anti-Laval, anti-de Gaulle, élaborée à Vichy.

Immédiatement après la défaite, Maurice Sarraut avait été dénoncé et menacé par des hommes pour qui il incarnait tous les péchés de la République franc-maçonne, laïque et combinarde. En décembre 1942, la Gestapo l'avait même arrêté et il avait dû sa liberté à la protestation de Laval ainsi qu'à la violente intervention auprès d'Oberg et de Knochen, de son ami Bousquet qui avait menacé de démissionner de son poste de secrétaire d'Etat à la Police. Mais ses adversaires n'avaient pas désarmé. Ils l'épiaient toujours et, à plusieurs reprises, à l'heure où Sarraut rejoignait, en banlieue toulousaine, sa propriété « *Les Tilleuls* » des conducteurs de voitures, s'arrêtant près de la grille, avaient klaxonné sur le rythme qui était celui de son chauffeur. Au jardinier accouru pour ouvrir le portail, des garçons, avant de démarrer, jetaient au visage des injures et ces mots encore incompréhensibles :

— Farce ! Farce !

Le 2 décembre, il ne s'agit plus d'une farce. Vers 19 heures, le moteur de la voiture de Maurice Sarraut cale à quelques mètres de la grille. Le tueur n'en est que plus à l'aise pour ajuster sa victime et pour ouvrir commodément le feu. Ses balles atteignent la mâchoire, la

1. La réflexion est de Maurice Martin du Gard.

tempe et Maurice Sarraut, sans avoir repris connaissance, va mourir dans les bras de son frère Albert, venu précisément lui conseiller de s'éloigner de Toulouse.

A Toulouse, où la réprobation est générale (30000 personnes défileront devant le cercueil), il ne faut pas longtemps à la 8e brigade de police pour identifier des assassins dont les journaux de la collaboration ont tenté de faire croire qu'ils appartenaient à la Résistance, puisque, il est vrai, Maurice Sarraut était haï et craint par les extrémistes de l'un comme de l'autre camp[1].

En réalité, c'est le P.P.F. Maurice Dousset, arrivé de Paris à la fin de novembre, qui a été l'exécutant d'un assassinat, préparé à l'hôtel Lutétia, au cours d'une réunion où s'étaient retrouvés des membres du Mouvement social révolutionnaire, de la L.V.F. et de la Gestapo.

A Toulouse, le chef régional de la Milice, l'avocat Jean Colomb, a mis Dousset en rapport avec le chef départemental Henry Frossard[2], qui aurait fourni une mitraillette, une voiture et un chauffeur au tueur. Son crime accompli, Dousset regagnera immédiatement Paris pour se placer sous protection allemande.

C'est dans cette inquiétante atmosphère que l'hôtel du Parc

---

1. Le journal clandestin *Bir Hakeim* avait annoncé que les Sarraut étaient condamnés à mort par la Résistance. Et, après l'assassinat, le clandestin *Libération* dénoncera Sarraut : « Il comptait parmi ceux que les hommes de Vichy tiennent en réserve pour tenter de légaliser au bon moment leur illégale dictature. »

2. Lors du procès (9-10 avril 1945) au terme duquel il sera condamné à mort, Henry Frossard se défendra d'avoir été associé au meurtre de Maurice Sarraut. Il dira notamment n'avoir jamais prêté de voiture à Dousset. Son accusateur — une prostituée, maîtresse de Dousset — emportera cependant la conviction du tribunal et Frossard sera exécuté le 14 mai.

Quelques jours après la mort de Maurice Sarraut, le 7 janvier 1944, Joseph Darnand, qui est intervenu en faveur des assassins et de leurs complices, presque immédiatement arrêtés par la police de Bousquet, dira, dans une interview accordée à *Je suis Partout :* « La milice française a supporté pendant cinq mois les coups des assassins, sans riposter. La terreur s'est accrue... Nous nous sommes organisés pour la lutte, nous avons étendu notre réseau de renseignements, nous nous sommes armés et, vous le savez, notre réplique a été brutale. Nous poursuivrons sans faiblesses nos justes représailles. »

s'apprête à recevoir l'ambassadeur Otto Abetz, rentré en grâce pour la circonstance[1].

Struwe, diplomate allemand en poste à Vichy, a précisé à Lucien Romier que l'ambassadeur Abetz serait porteur d'une réponse allemande à la note de Pétain, réponse promise par Krug von Nidda pour le 15 ou le 16 novembre.

On est déjà le 30 novembre. Exaspéré par d'insultants retards, Pétain adresse à Laval le billet suivant :

« La communication du message aux Allemands a été faite le 13 novembre.

Aujourd'hui, 30 novembre, 17 jours écoulés, pas encore de réponse.

Cette situation compromet mon autorité dans le pays. Je pense qu'il conviendrait de ne plus me parler des affaires publiques avant que vous ne me remettiez la réponse apportée par M. Abetz. »

Mais Abetz ne se presse pas. Et comment pourrait-il se rendre à Vichy alors qu'il n'a pas encore en sa possession la lettre de Ribbentrop qu'il a reçu mission de remettre à Pétain ? Il met à profit ces délais imposés pour renouer avec Brinon et pour demander à Otto Skorzeny, qui fut l'un des libérateurs de Mussolini, d'organiser autour de Vichy un système de sûreté et de sécurité visant à empêcher tout enlèvement ou toute fuite du Maréchal.

Pendant ce temps, à Vichy, les conseillers du Maréchal, dans l'attente anxieuse de la visite d'Otto Abetz, s'efforcent d'armer sa volonté, de blinder son caractère, de bien lui faire comprendre qu'il joue pour lui, pour eux, pour l'Histoire, une partie capitale.

Sachant qu'il leur faut en peu de mots frapper l'attention d'un vieillard à la mémoire fragile, ils résument leurs réflexions et leurs espoirs dans cette note de la dernière chance.

« Aucune discussion ne doit avoir lieu devant l'envoyé alle-

1. Après le sabordage de la Flotte française, à Toulon, le 27 novembre 1942, Abetz, rappelé en Allemagne, connaîtra une longue période de disgrâce.

mand. Le Maréchal, après l'avoir écouté, doit demander à réfléchir pour fournir une réponse.

On peut résumer tous les conseils respectueux qui ont été donnés au Maréchal de la façon la plus simple. Il n'y a que deux solutions :

1re solution : Ou bien le Maréchal cède aux sollicitations des envoyés allemands.

Si le Maréchal cède, il a définitivement tout perdu.

2e solution : Ou bien il reste sur la position qu'il a prise : publier l'acte constitutionnel et le message et, ensuite seulement, accepter une conversation avec M. Laval.

Dans ce cas, il reprend une autorité considérable vis-à-vis du monde entier et des Français qui ont les yeux sur lui. »

Le samedi 4 décembre 1943, il est 11 h 30 lorsque Otto Abetz, ambassadeur d'Allemagne, pénètre, à l'hôtel du Parc, dans le bureau du Maréchal.

2

DARNAND, HENRIOT, DÉAT AU GOUVERNEMENT

Abetz se présente accompagné du conseiller Otto Struwe et de Fernand de Brinon.

Il n'est nullement porteur, comme l'imaginait Pétain, d'une lettre d'Hitler mais d'une interminable lettre (13 feuillets) du ministre des Affaires étrangères du Reich, Joachim von Ribbentrop, lettre qu'Abetz a reçue à 2 heures du matin et dont il n'a pu faire assurer qu'une traduction hâtive.

Ce document, qui exprime naturellement la pensée d'Hitler, et qui est d'une importance capitale à l'instant où, tous les voiles se déchirant, l'hypocrisie diplomatique n'est plus de mise, Jardel en donne lentement lecture au maréchal Pétain.

Datée du 29 novembre 1943, la lettre de Ribbentrop débute ainsi :

> « Monsieur le Maréchal,
>
> L'ambassade à Paris a été informée, le 13 novembre, de l'intention que vous aviez, monsieur le Maréchal, d'annoncer le même jour, dans une allocution radiodiffusée, une modification des textes constitutionnels relative à la succession du chef de l'Etat français. Le texte communiqué par le gouvernement français ainsi que le projet de révision constitutionnelle transmis à Berlin par l'ambassade d'Allemagne ne sont arrivés ici que peu de temps avant le moment prévu pour la radiodiffusion de votre discours. De cette manière, le gouvernement du Reich n'a pas été en mesure d'examiner, au préalable, si cette loi pouvait, dans ses

effets, affecter les intérêts légitimes de l'Allemagne en tant que puissance occupante.

Cependant, le gouvernement du Reich est en droit de demander qu'il lui soit donné connaissance, préalablement et à temps, de toutes les lois et décrets français importants[1]. »

Ainsi, dès les premières lignes, ce qui restait au Maréchal de liberté d'action disparaît. Soumettre à l'occupant *toutes les lois et décrets importants,* c'est entrer en servitude totale, accepter que la France ne soit plus que l'une des provinces du Reich. C'est, en tout cas, la fin des illusions qu'il était encore possible d'entretenir.

Jardel poursuit sa lecture. En quelques lignes désinvoltes, Ribbentrop bouscule la position adoptée par le Maréchal, son refus d'exercer toute fonction publique, sa discrète intention de démissionner. Le ton du ministre du Reich est celui du professeur sermonnant un élève qui a souhaité s'émanciper.

Le « professeur » Ribbentrop en a référé au directeur suprême Hitler, dont voici les réactions :

« Ces informations, en même temps que l'évolution de la situation en France, m'ont amené à présenter un rapport au Führer. Après quoi le Führer m'a chargé de vous faire savoir, monsieur le Maréchal, ce qui suit. »

Cinq paragraphes pour le réquisitoire.

Comment le Maréchal a-t-il pu avoir l'étrange idée de remettre à l'Assemblée, cette Assemblée qui, en septembre 1939, a commis le crime de déclarer la guerre à l'Allemagne, le soin de désigner un jour le futur chef de l'Etat ? En conséquence :

« *Le gouvernement du Reich doit repousser avec indignation et comme une prétention impossible l'intention du chef de l'Etat français de remettre en fonction une pareille Assemblée par l'acte constitutionnel projeté et, pour ainsi dire, de légaliser par là une nouvelle activité de traîtres et de gens qui ont violé le droit*[2].

1. Je souligne intentionnellement.
2. Souligné dans le texte allemand.

Aujourd'hui, l'ancienne Assemblée nationale n'est plus d'aucune manière la représentation légale de la volonté du peuple français[1]. Pendant la guerre, les élections sont impossibles en Allemagne ainsi que dans d'autres Etats, *a fortiori* dans la France actuelle... En conséquence, il n'existe en ce moment aucun corps légal susceptible d'exercer la fonction que le discours à radiodiffuser voudrait lui attribuer et qui, pour cette fin, pourrait être reconnu par l'Allemagne. »

Historiquement, le troisième point de la lettre Ribbentrop-Hitler est le plus important.

Il constitue, pour l'action passée du Maréchal, un véritable brevet de résistance puisque décerné par un ennemi revenu des illusions nées de Montoire, ce rêve fracassé.

> « Le coup d'Etat, contraire à la Constitution, tenté le 13 décembre 1940, par lequel Laval devait être éliminé en tant que chef du gouvernement... plus tard encore la trahison de vos généraux et amiraux en Afrique du Nord et la participation indirecte à cette trahison de certaines personnalités les plus haut placées de Vichy, la preuve de la violation de nombreuses dispositions militaires du traité d'armistice et, finalement, le récent essai d'une révision constitutionnelle, en fin de compte également dirigée contre l'Allemagne et apparemment destinée, par la remise en activité de l'ancienne Assemblée nationale, devenue entièrement illégale, à ménager l'avenir par une prise de contact avec le Comité d'Alger et, par là, avec les Anglais et les Américains, tout cela caractérise les étapes d'un chemin qui s'éloigne de plus en plus de Montoire. »

Voici maintenant, *visant directement Pétain,* la conclusion que Ribbentrop et Hitler tirent de l'attitude passée et présente du Maréchal. Les mots, ici, ne sont pas innocents. Ils ont été médités et choisis pour entraîner, aux yeux des collaborateurs, une destitution morale de Pétain et pour provoquer la mise en place, à Vichy, d'une équipe gouvernementale totalement dévouée à l'occupant.

---

1. Souligné dans le texte allemand.

« Cette lutte *constante*[1] contre tout travail *positif*[1] de reconstruction française a particulièrement eu, par contre, comme conséquence *de rendre impossible, par votre résistance permanente*[1], monsieur le Maréchal, la nomination aux postes les plus importants du gouvernement et de l'administration française des hommes dont l'attitude loyale aurait assuré l'exécution d'une politique raisonnable de consolidation intérieure de la France, ainsi que l'élimination, à tout le moins, des pires manifestations de l'injustice sociale.

Pour toutes ces raisons, vous ne serez pas surpris, monsieur le Maréchal, si le gouvernement du Reich a observé votre activité de chef de l'Etat *avec une réserve toujours grandissante*[1]. *Les difficultés constantes opposées à l'application d'une politique de collaboration véritable*, qui, ainsi qu'il résulte de mes [c'est le chancelier Hitler que Ribbentrop fait parler] informations, ont provoqué pendant les derniers mois des crises intérieures toujours nouvelles, montrent clairement une attitude dont les motifs et les buts ne laissent plus guère de doutes. Toute cette évolution en France prouve, en tout cas, une chose, à savoir que *la direction suprême de l'Etat français à Vichy s'est engagée dans une voie que le gouvernement du Reich ne saurait approuver et qu'il n'est pas disposé non plus à accepter à l'avenir en tant que puissance occupante, vu sa responsabilité pour le maintien de l'ordre et du calme public en France*[2].

Pour mettre fin à un état de choses dont il précise qu'il est devenu « *intolérable* », Hitler — par la plume de Ribbentrop — « se voit dans l'obligation de demander à la direction suprême de l'Etat français » :

« — Que désormais toutes les modifications de lois projetées soient soumises à temps à l'approbation du gouvernement du Reich,

— Qu'en outre M. Laval soit chargé de remanier sans délai le

1. Je souligne intentionnellement.
2. Passage souligné dans le texte original.

cabinet français dans un sens acceptable pour le gouvernement allemand et garantissant la collaboration. »

Laval conforté, Laval chargé, *contre Pétain et les siens,* de former un gouvernement agréable à l'Allemagne, Ribbentrop (et Hitler) font maintenant la morale à ces Français, aussi incapables de maîtriser le marché noir que l'agitation maquisarde.

« En tant que puissance occupante, l'Allemagne, de son côté, est aussi légitimement intéressée à ce que l'ordre et la justice règnent dans les zones de l'arrière de ses armées combattantes et elle espère que le gouvernement français prendra toutes les mesures nécessaires pour leur assurer cet ordre et cette justice. *Si le gouvernement français n'était pas en mesure de le faire, le gouvernement du Reich devrait se réserver de prendre d'autres décisions au sujet de la situation intérieure en France*[1]. »

Voici à présent la conclusion de cet étonnant document. Après avoir rappelé — de maître à serviteur — que les dirigeants de l'Etat français ne tenaient leur autorité « que de la générosité allemande », Ribbentrop et Hitler précisent rudement au Maréchal qu' « *aujourd'hui le seul et unique garant du maintien du calme et de l'ordre public à l'intérieur de la France et, par là aussi, de la sécurité du peuple français et de son régime contre la révolution et le chaos bolchevique, c'est la Wehrmacht allemande*[2]... A l'avenir, son attitude dépendra de l'attitude de la France... ».

Enfin, le Maréchal ayant laissé entendre qu'il pourrait se considérer comme définitivement empêché d'exercer ses fonctions, Ribbentrop lui signifiait, « au nom du Führer », qu'il était, en ce domaine, entièrement libre d'agir à sa guise.

C'était lui faire savoir qu'il avait assez servi, que sa retraite, aujourd'hui, serait indifférente à l'Allemagne qui ne ferait aucune concession pour l'empêcher.

---

1. Souligné dans le texte original. Les Allemands ne se privent cependant pas d'agir contre la Résistance et, depuis longtemps, se mêlent de l'évolution de la situation intérieure française !
2. Souligné dans le texte original.

Voici le Maréchal à la croisée des chemins.

Pour les résistants et pour une partie toujours plus importante de la population, il s'est montré trop proche des Allemands, acceptant leurs exigences essentielles, engageant les Français à la contrition et à la résignation, encourageant ceux d'entre eux qui rejoignaient la Wehrmacht, privant de leurs droits, de leurs biens, de leur liberté ceux qui tentaient de rejoindre de Gaulle, admettant que soient livrés à l'ennemi plus de 75 000 juifs français et étrangers.

Mais, en novembre 1943, tout ce que Pétain, en paroles et en actes, a pu accorder à la politique de collaboration ne suffit plus à l'Allemagne qui, là où tant de Français dénoncent un manquement à la morale et à l'honneur, ne voit qu'hypocrisie, ruses et finasseries.

Les mots : « *résistance permanente* », mots qui ont valeur de coléreux hommage sous la plume de l'occupant, sont bien écrits, en effet, dans la lettre de Ribbentrop-Hitler, lettre qui ne sera pas portée à la connaissance du public[1], lettre dont certains privilégiés posséderont un double, mais qu'ils dissimuleront comme on le fait d'un document secret[2] et qui, au procès du Maréchal, ne sera lue *in extenso* par la défense qu'à la suite d'un incident de séance[3].

1. C'est le 23 décembre 1943 seulement que le journaliste Pierre Limagne fait allusion dans ses *Ephémérides* aux raisons profondes qui ont motivé la visite d'Abetz à Vichy, mais il le fait brièvement. « Abetz est venu apporter une mise en demeure pure et simple » et ignore manifestement le contenu de la lettre de Ribbentrop. Le 11 avril 1944, *Le Journal de Genève* publiera le texte de la lettre de Ribbentrop, ce qui provoquera une vive émotion à Vichy et dans les milieux allemands.

2. L'un de mes lecteurs — M. Charles Pautrat — m'a écrit, en 1982, ce qui suit : « J'ai acheté en 1977 une édition ancienne du *Dictionnaire de la Langue française* de Littré. Cet ouvrage en quatre tomes et un supplément était en bon état, sauf le tome 1 qui s'ouvrait mal, le dos ayant perdu toute souplesse. Je l'ai donc donné à restaurer et, l'opération faite, mon relieur me donna l'explication : ce volume avait servi de cachette pendant la guerre et il y avait trouvé, roulée, une pelure de la traduction française de la lettre adressée le 29 novembre par von Ribbentrop au maréchal Pétain. »

3. *Cf.* procès Pétain, p. 1098 et suiv.

La lettre de Ribbentrop - Hitler laisse non seulement au Maréchal toute liberté d'action, mais encore lui offre l'occasion de modifier de façon favorable son personnage historique. Quel usage va-t-il en faire ?

Ses conseillers lui ont recommandé de n'avoir aucune discussion devant Abetz et de demander un délai de réflexion. Qu'il cède « aux sollicitations des envoyés allemands », ont-ils précisé, et il a « définitivement tout perdu ». Tout, c'est-à-dire le peu qui lui reste de pouvoir et de liberté d'action, mais surtout le crédit moral qui demeure encore le sien auprès d'assez nombreux Français.

Ne pas discuter avec Abetz. Le conseil est plus facile à donner qu'à suivre. Si Pétain demande (et obtient d'Abetz) un délai de vingt-quatre heures pour remettre sa réponse, il ne peut s'empêcher d'entrer dans le jeu de l'ambassadeur du Reich qui lui explique d'ailleurs que les Allemands mènent en Russie une guerre difficile contre les bolcheviques, qu'ils se repentent de n'avoir pas aidé Mussolini à conquérir, contre le roi d'Italie, la totalité des pouvoirs et qu'ils ont la conviction que les Anglo-Américains, débarquant au printemps, tenteront de soulever les Français contre l'armée allemande, ce qui entraînera de violentes et sanglantes représailles.

Dès qu'Abetz a quitté la pièce, la décision du Maréchal est prise :

— Je ne répondrai pas à ce monsieur allemand qui n'était après tout qu'un marchand de faux champagne[1]. Un chef d'Etat n'a pas à répondre à un simple ministre des Affaires étrangères.

C'est donc à Hitler qu'il écrira. Mais que va-t-il lui dire ?

Sur la forme à donner à cette réponse, Brinon et Ménétrel débattront longuement. Le Maréchal doit-il faire « une courte réponse » à la française ou un véritable « mémorandum sur la situation » ? C'est à cette dernière solution que s'arrête Fernand de Brinon. « Un tel document, rédigé par le Maréchal et les conseillers qu'il lui plaira de choisir, pourrait m'être discrètement communiqué et à titre officieux », poursuit-il, en indiquant que, de son côté, Scapini, ambassadeur auprès des prisonniers de guerre français, s'est offert,

1. Ribbentrop avait épousé en 1920 Annelies Henkell, la fille d'un important fabricant de vin mousseux.

toujours à titre officieux, à soumettre la réponse du Maréchal à Otto Abetz.

Pour Brinon, il s'agit *avant tout* de ne rien écrire qui puisse soulever la colère d'Hitler.

Mais plusieurs jours s'écouleront avant que le Maréchal ne rédige et ne signe sa réponse à Hitler. Plusieurs jours de conciliabules et d'affrontements, Pétain affirmant aux siens : « Je suis dans la tranchée, on tiendra » ; Laval réunissant, dans un dîner de concertation, Otto Abetz, Struwe, Muller, Brinon, Cathala, Rochat et Bousquet ; Romier et Jardel mettant au point, de leur côté, une longue note à l'intention d'Abetz dont Brinon, qui en connaît au moins l'esprit, assure qu'elle est inacceptable pour les Allemands.

Romier et Jardel faisaient certes dire au Maréchal que, partisan de la réconciliation franco-allemande, « il n'avait cessé de pratiquer loyalement, dans la dignité, cette politique et qu'aucun acte ne [pouvait] lui être reproché à cet égard », mais, surtout, qu'il ne pouvait désormais « se reconnaître une responsabilité dans la gestion de l'administration du pays ».

Or, sans doute sous l'influence de Laval et de Brinon, les Allemands ont évolué. Ils laissaient nettement entendre, Ribbentrop l'avait écrit au nom d'Hitler, qu'un départ de Pétain leur serait indifférent. Ils découvrent maintenant non seulement les dangers politiques d'une démission, mais ceux d'une bouderie trop longtemps prolongée du Maréchal.

Ils exigent donc que Pétain reprenne immédiatement ses fonctions et Brinon en informe le chef de l'Etat qui, recevant Otto Abetz le 5 décembre à 12 h 30, lui donne alors connaissance d'une note préliminaire, hâtivement rédigée, et qui constitue une abdication à peine dissimulée.

> « *1er point* — Le Maréchal accepte de reprendre ses fonctions de chef de l'Etat dans les limites où il les exerçait avant le 13 novembre, à la condition qu'aucune publicité ni commentaire ne soient donnés à cette décision.
>
> *2e point* — Toutefois, le Maréchal, accordant cette satisfaction par considération pour M. Abetz, fait remarquer, du simple point de vue de l'honnêteté, qu'il risque d'assumer des responsabilités sans posséder de pouvoirs suffisants.
>
> *3e point* — Le Maréchal se réserve de fournir des explications

et de préciser sa position dans la réponse qu'il fera parvenir à M. Abetz pour M. Ribbentrop. »

Le texte ambigu va être modifié. Tout en se déclarant très flatté des attentions de Pétain, Abetz refuse que son nom soit mentionné dans ce deuxième point dont il demande s'il vise l'armée allemande et Pierre Laval.

« Non », répond Pétain qui pense « oui » puisque, quelques minutes plus tôt, il a déclaré à Otto Abetz : « Je dois vous dire que le pays tout entier est foncièrement hostile à M. Laval. »

De son côté, Laval n'est pas dupe. Après un déjeuner, auquel il a été convié au dernier instant par le Maréchal, l'un de ces déjeuners inutiles où il n'est question que de gastronomie, de pluie et de beau temps, Laval, qui a conféré avec Abetz, laisse éclater son exaspération : « Cela ne peut durer. Il faut savoir si le Maréchal se retire, s'il gouverne ou s'il donne à son chef de gouvernement la possibilité de gouverner », et il décide d'avoir avec le chef de l'Etat une explication qu'il voudrait décisive.

La scène entre les deux hommes serait de comédie si elle ne se déroulait dans des circonstances encore plus humiliantes que tragiques pour le pays. Tour à tour, en effet, Laval et Pétain vont donner leur démission... et c'est à l'Allemand Otto Abetz qu'ils confieront l'arbitrage de leur conflit !

Il est 16 h 30 lorsque Laval pénètre dans le bureau du Maréchal. Est-il visé, demande-t-il, par le deuxième point de la note remise à Abetz ?

Le Maréchal pourrait dissimuler. Il fait front. Oui, telle était bien « dans l'ensemble » sa pensée...

— J'ai la conviction raisonnée que vous êtes haï du pays tout entier et j'en ai assez d'assumer des responsabilités alors que je ne possède pas l'autorité nécessaire.

Quelques minutes plus tard, Laval se présente à l'hôtel Majestic, résidence provisoire d'Abetz. Dans quel but ? *Afin de remettre sa démission de chef du gouvernement français à l'ambassadeur d'Allemagne. Démission refusée par Abetz.*

L'ambassadeur d'Allemagne espérait regagner rapidement Paris. Le voici condamné à demeurer à Vichy, sinon jusqu'à l'apaisement total des querelles entre les Français... du moins jusqu'au triomphe des volontés allemandes.

C'est Brinon qu'il charge de demander à Jardel si le Maréchal n'accepterait pas de préciser que le deuxième paragraphe de sa note ne visait pas Pierre Laval qui s'est cru obligé de démissionner.

— Il démissionne ! Eh bien ! tant mieux, réplique Pétain. Qu'il s'en aille, j'en ai assez.

On pourrait en rester là, mais Pétain, apaisé par Romier, va accepter cet additif : « Le Maréchal précise que le deuxième paragraphe ne vise ni la Wehrmacht ni M. Pierre Laval. » La phrase et le rapprochement qu'elle impose sont insultants pour Laval qui, cependant, ne réagira pas, pas plus qu'il ne réagira au commentaire ulcéré que fait Pétain devant Brinon, Rochat, Jardel, Romier, Ménétrel, commentaire qui lui est évidemment rapporté, et dont nous connaissons les termes exacts, grâce à une note rédigée sur papier à en-tête du cabinet du Maréchal.

— Si M. Laval n'était pas venu me faire une scène violente et déplacée, l'incident n'aurait pas éclaté de nouveau. Il ne faut pas oublier que, lorsque je commandais les armées, j'en avais la responsabilité et, quand un chef sous mes ordres avait raté sa mission, il était limogé ; ma situation est loin d'être la même. On m'a imposé M. Laval et je n'ai aucune possibilité de lui faire exécuter les décisions. Il n'en fait qu'à sa tête et je ne peux rien obtenir de lui. *Dans ces conditions, je préfère de beaucoup m'en aller. M. Laval restera avec les Allemands si cela lui fait plaisir, mais, puisqu'il va donner sa démission à M. Abetz, moi aussi, je donnerai ma démission et, comme cela, M. Laval pourra rester*[1]... J'en ai assez, à mon âge et dans ma condition, d'être suspecté par de tels gens[2].

1. Je souligne intentionnellement.
2. Cette dernière phrase est dite en particulier à Jardel et Ménétrel après le départ de Brinon et de Rochat.

C'est la tempête... Mais tout s'apaisera rapidement, la colère de Pétain n'étant qu'une colère de vieillard que l'on calme comme l'on calme les colères d'enfant : en laissant s'exprimer de violentes mais brèves pulsions qui, en aucun cas, ne peuvent se traduire en actes.

Dans un premier temps, Abetz a obtenu un texte remanié qui lui convient et convient même à Pierre Laval, par la grâce d'un additif de dernière minute[1].

Il lui faut maintenant davantage. Une lettre adressée à Ribbentrop (ou à Hitler, puisque Pétain s'obstine à vouloir écrire à Hitler), une lettre conçue en termes tels que le Maréchal, tout en demeurant présent pour la parade et la façade, abdique moralement.

Autour de cette lettre, on s'affairera pendant plusieurs jours, car les projets succèdent aux projets.

On n'en recensera pas moins de six : celui de l'amiral Auphan, de Fernand de Brinon, de Jardel, de Scapini, d'un auteur non identifié, vraisemblablement Rochat, *enfin, et c'est le plus stupéfiant, d'Abetz lui-même.*

Ainsi, en décembre 1943, dans cette extraordinaire fin d'un monde d'illusions, l'ambassadeur d'Allemagne se juge assez maître de la situation pour rédiger, à l'intention de son ministre von Ribbentrop, une lettre que signerait le maréchal Pétain !

On en est là. Dans le dossier rassemblé par la Haute Cour de justice avant le procès du Maréchal, le projet Abetz figure à sa place. En haut

---

1. Le texte corrigé deviendra le suivant :

« *1er point.* Le Maréchal accepte de reprendre ses fonctions de chef de l'Etat dans les limites où il les exerçait avant le 13 novembre, à la condition qu'aucune publicité ni commentaire ne soient donnés à cette décision.

2e point. Toutefois, le Maréchal fait remarquer, du simple point de vue de l'honnêteté, qu'il risque d'assumer des responsabilités sans posséder de pouvoirs suffisants dans l'état de ses pouvoirs légaux.

3e point. Le Maréchal se réserve de fournir des explications et de préciser sa position dans la réponse qu'il fera parvenir au gouvernement du Reich. »

L'additif était ainsi rédigé : « Le Maréchal précise que le deuxième paragraphe ne vise ni la Wehrmacht ni M. Pierre Laval. »

de la pièce, quelqu'un (il se peut que ce soit Ménétrel) a porté au crayon vert cette indication « *Proj. Abetz ! !* » Les deux points d'exclamation sont, on veut l'espérer, deux points d'indignation. A travers le texte d'Abetz les volontés allemandes ont le « mérite » d'être clairement précisées. Les Allemands demandent, en effet, que les projets de lois importants leur soient soumis pour accord ; que le gouvernement français soit remanié dans un sens plus favorable à la collaboration et qu'une épuration de l'administration ait lieu sans tarder.

Voici dans quel style Abetz ferait écrire Pétain... si celui-ci retenait son projet.

> « C'est pourquoi j'accepte volontiers de faire informer Votre Excellence, dans un délai approprié, sur tous les projets de loi importants... Je partage entièrement l'avis exprimé par Votre Excellence, selon lequel il est dans l'intérêt du peuple français de créer aussitôt que possible une situation stable en France... Pour cette raison, j'ai donné ordre à M. Laval, chef du gouvernement, de remanier ce cabinet dans un sens satisfaisant pour le gouvernement du Reich et assurant la collaboration franco-allemande. Il va de soi que je prêterai à ce cabinet remanié mon appui sans réserves. »

Si le Maréchal, dans la lettre qu'il enverra à Hitler, le 11 décembre, un mois après le début visible de la crise, n'adopte pas le style d'Abetz, il est réduit cependant à en épouser presque toutes les idées.

La lettre du Maréchal commence par une manifestation d'étonnement. Comment le chancelier Hitler peut-il se méprendre sur ses intentions ? « J'ai constamment affirmé, et je l'ai dit à M. l'ambassadeur Abetz en répondant à ses commentaires, que je souhaitais la réconciliation entre l'Allemagne et la France. »

Sur Pierre Laval, alors que l'on connaît parfaitement les sentiments du Maréchal, voici ce qu'il écrit :

> « M. de Ribbentrop me demande en Votre nom « de charger M. Pierre Laval de remanier sans délai le cabinet français dans un sens acceptable pour le gouvernement allemand et garantissant la collaboration. »
>
> J'ai rappelé au pouvoir M. Laval en 1942 parce que je pensais

qu'il était en mesure de faire comprendre et admettre le bien-fondé d'une politique pour laquelle j'avais demandé l'armistice. Je lui ai donné, en 1942, des pouvoirs très étendus pour opérer le redressement indispensable. Je l'ai constamment engagé, depuis lors, à marquer et à accentuer son autorité sur les affaires et l'administration de l'Etat. C'est assez dire que le gouvernement qui pourra reprendre en main le pays aura mon appui total.

Je demande seulement, vous le comprendrez, monsieur le Chancelier, que les hommes qui composeront ce gouvernement et ceux qui le serviront soient de bons Français et qu'ils ne m'aient pas manifesté d'hostilité dans le passé. »

En émettant ce vœu, Pétain espérait sans doute prévenir l'arrivée au gouvernement d'un homme comme Marcel Déat qui, depuis la fin de 1940, attaquait constamment Vichy. Il n'y parviendra pas, on le verra.

Philippe Pétain plaide ensuite en faveur de l'indépendance d'un pouvoir toujours plus dépendant et que la manœuvre ratée du 13 novembre rendra, plus encore que par le passé, esclave des volontés allemandes.

« Pour que cette politique d'autorité soit possible, il faut que l'ordre règne en France et que son gouvernement soit souverain.

Or, monsieur le Chancelier, la prolongation de la guerre et ses conséquences ont placé la France dans une situation tragique.

Sur le plan de l'opinion, la dissidence africaine a augmenté le trouble des esprits. C'est pourquoi, en toutes occasions, j'ai proclamé la légitimité d'un pouvoir que je suis seul à tenir légalement du peuple français. Mes avertissements, les événements d'Afrique du Nord portent aujourd'hui leurs fruits; beaucoup de Français égarés se tournent à nouveau vers l'autorité légitime. »

Que dit encore Pétain ? Qu'il est « sensible » à la décision manifestée par Ribbentrop d'envoyer auprès de lui un de ses « collaborateurs de confiance », qui établirait une liaison intime entre le Maréchal, le Chancelier et son ministre des Affaires étrangères[1]. Peut-il faire

1. Ce sera Renthe-Fink, *cf.* p. 85 et suiv.

autrement, malgré ses craintes de voir un nouvel espion installé à Vichy, que de remercier d'une « proposition » qu'il ne peut repousser ?

Voici la conclusion de la lettre à Hitler :

> « Placé à la tête d'un pays malheureux, occupé par une armée soumise elle-même aux exigences de la guerre, dans un monde déchiré, je ne puis avoir, monsieur le Chancelier, d'autre politique que celle que je viens de définir.
>
> Par la lutte contre le terrorisme et le communisme, elle contribue à la défense de la civilisation occidentale ; elle est seule de nature à sauvegarder les chances de cette réconciliation de nos deux peuples qui est la condition de la paix en Europe et dans le monde. »

Cette lettre, qui sous l'occupation devait demeurer inconnue du public, allait provoquer, lors du procès du Maréchal, l'indignation du procureur général Mornet : « Langage d'écolier qui s'excuse », dira-t-il, et encore : « On ne pouvait pousser plus loin, non pas même la collaboration, mais la subordination. »

Pour défendre la mémoire du Maréchal, Tracou[1] demandera que l'on compare les lettres de Pétain à Hitler aux lettres qu'après Iéna le baron de Stein, « héros de la résistance prussienne », écrivait à Napoléon, les lettres qu'après les défaites de 1870 Thiers écrivait à Manteuffel.

Il se peut, mais les Français, à l'instant où ils vivent l'Histoire, se désintéressent des comparaisons historiques.

Et peut-on mettre sur un même plan le fait que, le dimanche 12 décembre, le Maréchal ne paraisse pas à la cérémonie des couleurs, qu'il se plaigne, le 14, devant les délégués à la Propagande[2], de ne plus être libre et le fait qu'il se résigne, le 18 décembre, à donner au chancelier Hitler une nouvelle preuve de soumission ? Et quelle preuve !

1. *Le Maréchal aux liens.*
2. Qu'il reçoit « en tant que Maréchal et non en tant que chef de l'Etat ».

> « Monsieur le Chancelier,
>
> Comme suite à ma lettre du 11 décembre et au désir que vous avez fait exprimer, je précise que les modifications des lois seront soumises, avant la publication, aux autorités d'occupation. »

Les Allemands exigeaient que les projets de lois leur soient soumis. Accepté. Ils désiraient une modification du gouvernement. Ce sera leur prochain objectif et ils mèneront rudement bataille pour hisser au pouvoir Henriot, Darnand, Déat garants, à leurs yeux, de la collaboration franco-allemande telle qu'ils la souhaitent.

Qu'importe que Pétain et Laval soient alors, contre eux, fondamentalement d'accord. Il y a eu, il y a, entre les deux hommes trop de désaccords anciens et récents pour qu'un accord de circonstance soit efficace, même si, à partir du 27 décembre, Ménétrel y travaille quotidiennement, disant à Laval qu'il doit « se ranger aux côtés du Maréchal pour faire front avec lui contre les exigences allemandes », ajoutant que la présence de Déat au gouvernement aura pour conséquence « d'augmenter le désordre des esprits et l'opposition au gouvernement ».

Laval, qui a eu un nouvel entretien, plus aigre que doux, avec Pétain[1], ne croit plus qu'il soit possible de pouvoir s'opposer efficacement aux Allemands et les événements donneront raison à ses réflexions violemment désabusées.

— Il est beau le résultat ! On a voulu me chasser et on va être contraint de prendre Déat ! Avant le 13 novembre, nous pouvions encore négocier, user de procédés dilatoires, faire traîner les exigences allemandes... Maintenant, nous sommes sous la botte. Et, bien entendu, il faut que ce soit moi qui aille réparer les conneries des autres !

Il n'est que trop vrai que la « grande opération » imaginée par Pétain et son entourage a totalement échoué.

Pétain, dont l'un des grands mérites, dans la guerre précédente,

1. *Cf.* Brissaud, p. 234.

avait été de savoir estimer à sa juste mesure la force de l'adversaire, paraît avoir perdu toute intelligence de l'ennemi.

On avait rêvé, à Vichy, d'une manœuvre à l'italienne. C'était oublier que le roi Victor-Emmanuel III et Badoglio n'avaient pu changer de camp que dans la mesure où les Alliés se trouvaient déjà militairement installés en Italie.

Le discours — non diffusé du 13 novembre — laissait prévoir un retour à la démocratie. La lettre du 18 décembre à Hitler place davantage encore la France sous l'emprise de la dictature nazie.

Sans doute Pétain et Laval — à son poste, avec son caractère — livreront-ils encore des combats de retardement, mais, en décembre 1943, Abetz, Ribbentrop et Hitler, dont le souci premier n'est nullement, comme nous l'imaginons avec une excessive vanité, la situation en France, ont obtenu ce qu'ils désiraient : un gouvernement français qui ne sera plus maître d'une seule décision, un chef de l'Etat privé de ses collaborateurs les plus fidèles, un chef du gouvernement lui-même isolé.

Lorsque Laval avait demandé à Abetz le nom des hommes qui, à ses yeux, « garantiraient la collaboration franco-allemande », l'ambassadeur avait répondu : Marcel Déat, Philippe Henriot, Joseph Darnand.

Chacun de ces trois hommes avait l'ambition, en accord étroit avec l'Allemagne nazie et, plus encore, avec l'Allemagne antibolchevique, de jouer un rôle de premier plan au sein d'un gouvernement français épuré de tous les tièdes, de tous les attentistes et de tous les germanophobes discrets.

Déat et Darnand avaient signé — le fait a été évoqué dans *L'Impitoyable guerre civile*[1] — « le plan du 17 septembre » [1943], plan dans lequel se trouvait une phrase éclairant parfaitement, et les ambitions des signataires, et les moyens qu'ils entendaient mettre en œuvre pour les réaliser : « *Le seul moyen de redresser la situation à cet*

1. *L'Impitoyable guerre civile*, p. 355 et suiv. « Le plan du 17 septembre » a également été signé par Jean Luchaire, Noël de Tisot et Georges Guilbaud.

égard[1]*, c'est que le gouvernement* [il s'agit du gouvernement français !] *soit animé du véritable esprit national-socialiste et démontre par ses actes et ses réformes, par ses lois et par ses décisions quotidiennes de détail, en accord visible avec les autorités occupantes, qu'il est un gouvernement de révolution nationale immédiate et réelle*[2]. »

Pour Darnand et Déat, comme pour leurs amis, le gouvernement nouveau devrait être composé d'un tiers de chefs de partis, d'un tiers de techniciens, d'un tiers de parlementaires « valables, car non compromis par une attitude anti-collaborationniste ».

En insistant sur la vocation gouvernementale des chefs de partis de la collaboration, Darnand et Déat font des offres de service et, ne craignant pas de les répéter à chaque occasion, les affirment encore au cours de la manifestation populaire qui se déroule le 19 décembre, dans le cadre du Vélodrome d'Hiver, manifestation au cours de laquelle Marcel Déat fera à la France le don de sa personne : « Il y a en nous trop d'énergies inemployées, trop de volonté en réserve, trop de combativité réelle pour laisser dire que la France est morte. »

De leur côté, les journalistes de *Je suis partout* organiseront, le 15 janvier 1944, un meeting placé sous ce double slogan : « *Nous ne sommes pas des dégonflés* », « *Il faut autant de courage pour être optimiste en 1944 qu'il en fallait pour être pessimiste en 1939.* »

Claude Jeantet, qui se vante de posséder « l'assez joli titre de gloire d'être le premier journaliste français qui se soit fait traiter d'hitlérien », Charles Lesca, Henri Lèbre, Alain Laubreaux, P.-A. Cousteau, Lucien Rebatet prendront, tour à tour, la parole.

C'est Cousteau qui sera le plus frénétiquement applaudi. Il a été chargé de régler le sort de Vichy. Ecoutons-le :

> « Aujourd'hui, déclare-t-il, nous avons conscience d'avoir tout autant de lucidité que par le passé lorsque nous affirmons très posément, en pesant bien nos mots, qu'on ne sauvera pas la France en laissant en place les hommes qui sont responsables du gâchis.

1. Les signataires du plan viennent de reconnaître que, « sur trente-cinq millions de Français, il n'y en a pas peut-être cinquante mille qui soient décidés à risquer leur vie et leurs biens pour la collaboration ».
2. Je souligne intentionnellement.

La politique de ces hommes a un nom, c'est la politique de Badoglio (*huées générales*).

C'est la politique qui consiste à écarter systématiquement du pouvoir tous les révolutionnaires nationaux et à ne confier les postes importants qu'aux hommes dont on est sûr d'avance qu'ils trahiront à la première occasion.

Aujourd'hui, en tout cas, nous le disons tout net : nous en avons assez. Nous avons assez du double jeu, des malices cousues de fil blanc, des maquignonnages à la petite semaine et des remaniements à la sauvette. Il faut que ça finisse. Il faut que ça change. Et que ça change vite. Et que les larves de l'ancien régime soient définitivement balayées. Et qu'une France révolutionnaire soit enfin gouvernée par des révolutionnaires, par des durs, par des purs, par des hommes qui ne flancheront pas, qui ne trahiront pas. »

Le 15 janvier, lorsque Cousteau parle, lorsque les orateurs de *Je suis partout* réclament l'élimination des « traîtres », la venue au pouvoir « d'hommes qui ne flanchent pas », un certain nombre de modifications importantes se sont déjà produites à Vichy où Oberg, qui, plus que le relativement influençable Abetz, dirige désormais les opérations du côté allemand, a exigé de Laval le départ de René Bousquet, secrétaire général au ministère de l'Intérieur.

Que reproche-t-il à Bousquet ? Avant tout, de réclamer un renforcement de la Garde et des G.M.R. afin d'obtenir le désarmement des forces parapolicières, c'est-à-dire de la Milice, et l'interdiction de toutes les manifestations des partis favorables à la collaboration[1].

Oberg a personnellement choisi le remplaçant de Bousquet. Ce sera Darnand dont, le 20 décembre, il célèbre, en ces termes, les qualités devant Pierre Laval.

— Il faut à la tête du ministère de l'Intérieur un homme énergique et favorable à la collaboration franco-allemande. M. Darnand est

1. *Au Pilori* dans son numéro du 20 avril 1944 écrira même, à propos des opérations contre le maquis de Glières, un article intitulé : « Le grand responsable du terrorisme en France : René Bousquet. »

l'homme qu'il faut. Nous le connaissons, il a du caractère, il est décidé. M. Darnand est à la tête de la Milice française, qui est un mouvement présentant des affinités profondes avec le mouvement S.S., qui est capable de donner une impulsion nouvelle aux forces de police française. Nous connaissons M. Darnand, il a été nommé Obersturmführer d'honneur de la Waffen S.S., j'ai confiance en lui[1].

Lorsqu'il fait connaître son choix à Pierre Laval, Oberg a déjà pris contact avec Joseph Darnand.

Après avoir fait part de l'irritation que suscite, en Allemagne, la désagrégation de la situation intérieure française, il lui a demandé :

— Accepteriez-vous d'être secrétaire général au Maintien de l'ordre ?

— C'est une affaire qui ne vous regarde pas, répliquera Darnand, c'est une affaire française, c'est une affaire d'ordre intérieur français. Si quelqu'un a à me faire cette proposition, c'est le chef du gouvernement français et non vous.

Darnand fait erreur. Sa nomination dépend bien des Allemands. Et des seuls Allemands. Mais, puisqu'il souhaite un camouflage, un « relais », Laval servira de relais. C'est lui, en effet, qui, après un nouvel entretien au cours duquel, le 27 décembre, l'Allemand a précisé les pouvoirs étendus que devait recevoir le nouveau ministre[2], c'est lui qui déclarera à Joseph Darnand :

— Ecoutez, je suis obligé d'accepter votre nomination à la tête d'un secrétariat général au Maintien de l'ordre. Tout bien pesé, il vaut mieux cela que d'avoir un Gauleiter. Acceptez-vous ce poste ?

Avant de donner sa réponse, Darnand retournera chez Oberg afin, dira-t-il, d'être certain « qu'on ne l'obligera pas à faire quelque chose qui soit en contradiction avec [sa] conscience, avec [son] devoir de Français ». Comme s'il appartenait au général S.S. de dicter à l'Obersturmführer Darnand son devoir de Français ! Comment Darnand ne voit-il pas l'odieux paradoxe ?

L'incroyable démarche aura lieu cependant et Oberg répondra à Darnand que, s'il était loyal [envers les Allemands, bien entendu, car

1. D'après André Brissaud, *La dernière année de Vichy*.
2. Contrôle absolu de la police, mainmise sur la Préfecture de police de Paris, responsabilité de la répression du « terrorisme », lutte énergique contre le maquis, extension de la Milice en zone nord, activité accrue contre le marché noir grâce à une meilleure organisation de la police économique.

de quelle autre forme de loyauté pourrait-il s'agir dans l'esprit d'Oberg ?], « tout irait bien » et que l'occupant « s'efforcerait de diminuer sa pression sur le territoire français des deux zones ».

Mais comment la pression allemande pourrait-elle diminuer sans que, dans des proportions au moins équivalentes, augmente la pression des forces sous direction française, c'est-à-dire de la police, de la gendarmerie et de la Milice ?

Que Darnand pense sincèrement que la France a gagné au change, il le dira à son ami Bassompierre, en février 1944[1].

> « Un changement politique s'étant produit au gouvernement, il [Darnand] avait accepté le poste de secrétaire général au Maintien de l'ordre, jugeant qu'il était de son devoir de le faire, parce que estimant que nous devions nous montrer capables de maintenir l'ordre à l'intérieur du pays, sans avoir recours au bras de l'étranger, en l'occurrence à l'Allemagne, et éviter ainsi les représailles ou les mesures brutales que l'occupant n'aurait pas manqué de prendre à l'occasion de chaque attentat[2]. »

Les « mesures brutales », c'est donc Darnand qui devra les prendre, qui devra en assumer la responsabilité devant ses juges et devant l'Histoire, même si elles sont moins cruelles que celles qu'eussent prises les occupants.

C'est le 30 décembre que Darnand succède à Bousquet dans des bureaux que son prédécesseur a laissés « dans un état de vide complet[3] ».

Devant le refus de Pétain, Laval avait signé seul la nomination de Darnand et celle d'Henriot, mais le Maréchal n'était pas foncièrement hostile aux deux hommes. Tracou, qui a vécu cette période dans

1. Bassompierre arrive du front de l'Est.
2. Interrogatoire de Bassompierre le 2 décembre 1946.
3. Darnand sera secondé par Lemoine, préfet régional de Marseille, homme de Pierre Laval, décrit par tous ceux qui le connaissent comme « prudent et malin », « très IIIe République ».

l'intimité du chef de l'Etat, et dont les observations psychologiques ne manquent pas de finesse, a noté que le Maréchal, estimant que l'on pouvait tirer parti de tout et de tous, « était d'esprit si positif qu'il inviterait son bourreau à déjeuner avec une parfaite bonne grâce ».

Trait qui dénote, alors, moins la magnanimité, que l'effondrement du caractère, chez un homme proche de sa 88e année.

A Otto Abetz, qu'il reçoit le 28 décembre, le Maréchal aura d'ailleurs, pour parler de Darnand, cette formule :

— M. Darnand peut être utilisé, car il est dynamique, mais il devrait l'être comme une bombe que l'on jette sur le terrorisme, il faudrait qu'il ait, à côté de lui, quelqu'un qui le dirige et qui l'assiste.

Le temps n'est pas encore venu où, dans une lettre à Darnand, lettre vigoureuse mais qui a toutes les apparences d'une trop tardive tentative de justification[1], le Maréchal dénoncera les exactions de la Milice.

En décembre 1943, les protestations du Maréchal contre l'entrée de Darnand au gouvernement demeurent faibles. Il voit toujours en lui le héros des deux guerres, alors que Maurice Schumann utilisera, avec le succès que l'on devine, la colère et la stupeur provoquées par l'entrée, en août 1943, de Darnand dans la Waffen S.S.[2] pour demander, dans son émission du 31 décembre 1943 : « Quand le Conseil des ministres se réunira à l'hôtel du Parc, Darnand revêtira-t-il l'uniforme allemand des Waffen S.S... pour s'asseoir à côté de Pétain en uniforme de maréchal de France ? »

Commentant, en janvier 1944, le remaniement ministériel grâce auquel Philippe Henriot vient d'être nommé secrétaire d'Etat à la Propagande, Maurice Martin du Gard écrit : « Henriot est écouté par tout le monde, adversaires ou convaincus. Des familles décalent leurs heures de repas pour ne pas le manquer. Il n'y a plus personne dans la rue à l'heure où il parle... Si Henriot avait eu le micro dès août

1. Lettre du 6 août 1944 !
2. Cf. *L'impitoyable guerre civile,* p. 352 et suiv.

1940, de Gaulle, dans son studio de Londres, n'eût pas si aisément joué sa partie. Bien des choses, sans doute, se seraient passées autrement. »

Suzanne Borel (qui deviendra Mme Bidault) n'écrira pas autre chose. Un samedi soir, rendant visite à des amis qui ont un fils dans les rangs de la France libre, elle entend la maîtresse de maison s'écrier : « Dépêchons-nous, ça commence. » Ce qui commençait c'était l'émission de Philippe Henriot.

Henriot, contrebalançant l'influence radiophonique de Charles de Gaulle, de Maurice Schumann, de Pierre Bourdan, d'Oberlé, la chose nous paraît, aujourd'hui, incroyable et, cependant, on ne peut nier l'importance d'un homme en qui de Gaulle reconnaîtra « les ressources du talent dévoyé », que la radio de Londres choisira comme cible privilégiée et dont la voix, finalement, sera assassinée.

Passe encore que le préfet du Loiret note, le 5 avril, que les discours d'Henriot sont « écoutés par un nombre croissant d'auditeurs qui antérieurement se spécialisaient dans l'audition des émissions de propagande anglo-saxonne. Grâce à l'action de M. Philippe Henriot, il est indéniable que le sentiment gaulliste et giraudiste est, sinon en régression, du moins stoppé [1] »...

Le préfet du Loiret est fonctionnaire de Vichy. On peut suspecter son témoignage. Mais, en avril 1944, après la fin de cette bataille de Glières, décrite dans le chapitre VIII de ce livre, *Cantinier* (Rosenthal), qui a la liaison avec Londres, passe plusieurs messages pour demander que la B.B.C. « réduise à néant les inventions d'Henriot [2] », ajoutant : « Il faut contrebattre la honteuse propagande d'Henriot [3] », et encore : « Henriot fait des ravages avec sa propagande même parmi nos amis. »

Les sondages d'opinion, dont les premiers avaient été publiés, en France, dans les mois précédant la guerre [4], n'étaient naturellement pas réalisables dans la France de l'occupation.

1. Document inédit.
2. Message du 2 avril.
3. Message du 4 avril.
4. Cf. *Le Peuple du désastre,* p. 123 et 124.

Cependant, à l'intention de la Résistance, un homme va créer, en 1944, de façon tout artisanale, un « Service de sondages et de statistiques ».

Il s'appelle Max Barioux. Après avoir, en compagnie d'Alain Armengeaud et de Philippe Rocque (qui a été abattu par les Allemands au début de 1943), mis en place, dans le Midi, un réseau de postes émetteurs, Barioux est obligé, son mouvement menacé, de gagner Paris.

C'est à cet instant qu'il conçoit l'idée d'un service fournissant systématiquement à la Résistance des informations sur les réactions de la population. Techniquement, le projet n'est pas, on s'en doute, de réalisation facile. Mais Barioux, qui effectuera une dizaine de « sondages » avant la Libération, a constitué une équipe d'une quarantaine d'enquêteurs à qui il adresse des questionnaires qui seront renvoyés à Lyon, 21, rue de l'Hôtel-de-Ville, au nom d'une inexistante Mme Duchemin[1].

Le résultat de ces enquêtes d'opinion ne saurait être considéré comme absolument digne de foi. Les enquêteurs de Barioux éliminent les personnes favorables à la collaboration, travaillent de façon sommaire, les questions, précise Barioux, « étant posées insidieusement au cours d'une conversation parfaitement banale », n'interrogent au maximum que 450 personnes réparties surtout dans la région parisienne, le Centre et le Sud-Ouest.

---

1. Voici la lettre — écrite pour détourner l'attention des censeurs dans le cas d'interception — qui accompagne le questionnaire auquel les enquêteurs doivent répondre :

« Mon cher X, nous pensons souvent à vous et nous nous rappelons avec nostalgie les moments agréables que nous avions passés, ma femme et moi, dans votre belle contrée. En ce moment, ici, c'est moins gai, le ravitaillement étant plus que misérable et on ne sait de quoi demain sera fait. Ma femme et moi sommes outrés de voir qu'il y a encore des Français assez inconscients pour attendre l'arrivée des " libérateurs " et de croire qu'un traître comme de Gaulle fera un jour notre bonheur. A ce propos, je vous joins un papier — une espèce de questionnaire — que des salauds continuent à jeter de temps en temps dans ma boîte aux lettres. Je vous l'envoie pour que vous puissiez vous faire une idée de l'ampleur que toutes ces inepties prennent dans les masses. Vivement que cela finisse, car cela devient intolérable !

P.S. — Ayez, S.V.P., la bonté d'envoyer, le 14 avril prochain, quelques fleurs de notre part à Mme Duchemin, pour son anniversaire. Merci. »

Scientifiquement plus que discutables, ces enquêtes n'en demeurent pas moins politiquement et psychologiquement intéressantes, notamment grâce aux commentaires de Barioux et de ses amis[1].

A propos de l'exécution de Pucheu, comme des peines à infliger au maréchal Pétain et à Pierre Laval, je citerai à nouveau les enquêtes de Barioux. On verra alors qu'imparfaites, elles fournissaient cependant, avant la Libération et sur des sujets bien déterminés (les sanctions contre Pétain et Laval), des résultats très proches de ceux qui seront recueillis par des sondages effectués, cette fois, de façon infiniment plus scientifique après la Libération.

En avril 1944, Barioux a donc demandé à ses correspondants de poser la question suivante :

> « Est-ce que les discours de Philippe Henriot portent sur vous ? Si oui, de quelle façon ? »

426 Français ayant été interrogés (parmi eux, on ne trouve pas de partisans de la collaboration, dans la mesure où ils sont systématiquement exclus), les réponses ont été les suivantes :

> 10 % des personnes interrogées disent avoir été impressionnées par les discours d'Henriot.
>
> 84 % affirment qu'elles n'y sont pas sensibles. Henriot défendant, avec un talent généralement reconnu, une cause jugée mauvaise.

Que l'on n'aime pas Henriot, que l'on résiste, parfois en s'arcboutant, à sa logique, c'est vrai, mais qu'on l'écoute fidèlement, c'est l'évidence puisque, sur les 426 Français questionnés par les enquêteurs de Barioux, *seuls* 6 % affirmeront ne pas capter, soit à 12 h 40, soit à

1. Ces enquêtes, dont Yves Morandat, ancien chef du Bureau politique de la Délégation du gouvernement provisoire d'Alger, a eu connaissance, ont-elles été utilisées par Londres ou par Alger ? Il ne le semble pas bien que, réunies en cahiers, elles aient été envoyées aussi bien à Londres qu'à Alger et diffusées auprès des chefs des différents mouvements de résistance.

13 h 40, soit à 19 h 40, soit à 21 h 40, l'une ou l'autre de ses émissions quotidiennes[1].

Qui est-il donc cet homme redouté, écouté, sinon suivi, par des millions de Français ?

La propagande gaulliste, qui ne se trompe pas d'ennemi, s'emploie à le défigurer et à le déshonorer. Parlant à 21 h 35, le 13 janvier 1944, Jean Oberlé déclare :

« Il fut embusqué dans la dernière guerre ; son fils mort aujourd'hui sous l'uniforme allemand, il parle à la radio dans le style déclamatoire de l'ancien Parlement ; il est vénal, il est sans scrupule et il adore les Allemands. Que voulez-vous de plus ? »

Oberlé termine ainsi :

> « L'un des traîtres de Radio-Paris disait l'autre jour " qu'il croyait à la vertu du plomb dans la tête ". Ils ont raison d'y croire lui et ses complices. Ils pourront bien en faire l'expérience. C'est d'ailleurs pour cela que Philippe Henriot n'est pas seulement un ministre partisan mais un ministre prévoyant ; il vient d'acheter pour un million et demi une propriété au Portugal. A sa place, j'irais encore plus loin, ça serait plus sûr. »

Quant aux journaux de la Résistance, Henriot deviendra très vite l'une de leurs cibles favorites.

« Le connaissez-vous ? L'avez-vous vu ? Il a le physique de l'emploi, une longue silhouette de cadavre trop tôt dépendu. La bouche ouverte est un trou noir sans dents. Les oreilles se déroulent comme deux anses. » La description se trouve dans le numéro du 1er mars 1944 de *Franc-Tireur*. *L'Humanité* du 24 décembre 1943 lui promet la mort par pendaison, châtiment qui, dans Karkhov libérée, vient, devant 50 000 personnes, d'être infligé à « trois criminels de guerre allemands

1. D'après le résultat de l'enquête, c'est chez les patrons que l'influence de Philippe Henriot serait la plus sensible (22 % de « oui »).

et à un traître russe[1] » ; dans son numéro du 15 février, le journal clandestin communiste annonce « qu'il doit toucher comme commission 100 francs par tête de Français livrée aux boches » ; dans celui du 19 mai, il est « l'histrion », et, dans tous, le « faussaire ».

Né le 7 janvier 1889, à Reims, Philippe Henriot est le fils d'un officier, condisciple de Pétain à Saint-Cyr. Après de bonnes études de lettres à la Sorbonne, il sera, entre 1909 et 1925, professeur de l'enseignement libre à Sainte-Foy-la-Grande, en Gironde.

Il écrit, dans un style classique et avec des sentiments qui ne le sont pas moins, des poèmes inspirés par la nature.

> « *Mais je t'ai vue aussi, Forêt, sous le soleil !*
> *Chacun de tes sentiers, couvert de faines mûres,*
> *A quelque ruisseau d'or liquide était pareil ;* »

Des poèmes dénonçant la

> « *ville meurtrière, école de misères,*
> *où les Théodoras défont les Bélisaires* »

la « *ville* » où un « *ramas d'étrangers… s'est abattu… pour assouvir sa faim* ».

Des poèmes d'amour, enfin, où passent les promesses d'un avenir tout à la fois mystique et paisible :

> « … *Les enfants*
> *Dorment déjà, serrant les poings sur leurs draps blancs.*
> *Le lent frisson du soir entre par la fenêtre ;*
> *La tendre intimité de l'heure nous pénètre ;*
> *Il fait doux : l'ombre est bleue ; on entend les grillons,*

1. Il faut remarquer que *L'Humanité* promet le même style de peine à Laval, Doriot, Déat, mais ne parle pas de Pétain.

Et nous ne disons pas un mot : nous nous aimons[1]. »

Il écrit également deux romans : *La prison du silence* et *La tunique de Nessus,* ainsi qu'un drame, *L'Aigle noir.* Mais ce romancier sans public se révèle très rapidement un journaliste de talent, puis, aux côtés, dans l'ombre encore, du célèbre abbé Bergey, curé de Saint-Emilion, ancien combattant de la Première Guerre, leader de la Fédération nationale catholique, un défenseur incisif, violent et acclamé des libertés de l'Eglise à nouveau menacées par une poussée d'anticléricalisme. Après un échec politique en 1928, il est élu en 1932, puis en 1936[2] député de la quatrième circonscription de Bordeaux. Inscrit à la Fédération républicaine de Louis Marin[3], son éloquence passionnée va très rapidement le signaler à l'attention de ses collègues de gauche, qui le haïssent d'instinct, comme à ceux de droite, à qui déplaisent des talents grandis trop vite.

Partisan de l'entente franco-allemande, antisémite, hostile à l'Espagne républicaine, adversaire d'André Marty, député communiste et responsable des Brigades internationales[4], Philippe Henriot se retrouve, naturellement, en juin 1940, favorable à l'armistice et, dans les semaines qui suivent, à la Révolution nationale.

Fanatique ? Il ne le semble pas, tout au moins en 1940.

Pierre Bloch, prisonnier évadé, ancien et futur adversaire, l'a rencontré et l'a décrit bon camarade, prétendant même limiter les rigueurs de l'antisémitisme à ceux qui « n'ont pas servi la France ».

C'est l'attaque de la Russie bolchevique par l'Allemagne nazie qui, en comblant ses vœux, attisera ses passions.

Aux côtés de Paul Creyssel, mais bientôt éliminant Paul Creyssel, tant est grande, entre les deux hommes, la différence de talent, Henriot, à Vichy, apprivoisera la radio — ce moyen de communication relativement neuf dont toutes les possibilités n'ont pas été découvertes — comme d'autres l'ont apprivoisée à Londres.

---

1. Ces poèmes, écrits entre 1906 et 1912, ont été réunis par des amis de Philippe Henriot et publiés le 19 décembre 1946 (Editions du Soleil noir).
2. Invalidé, il sera réélu.
3. Tout en fulminant contre les Allemands et tout en dénonçant les hommes de l'hôtel du Parc, Louis Marin résidera à Vichy sans jamais être inquiété. En avril 1944, cependant, il gagnera Londres.
4. Dont il s'est fait le principal accusateur au cours des séances des 10, 14 et 16 mars 1939.

Il a la voix grave, colorée, pleine ; il sait en jouer sans que transparaisse le jeu. Faisant alterner émotion, sarcasme, indignation ; mettant parfaitement en valeur tous les mots, psychologiquement et pratiquement utiles, d'un texte dont la « belle écriture » n'est jamais absente, même s'il a toujours été rédigé en quelques minutes sur un coin de table ; toujours capable d'un bon début et d'une éloquente fin, Philippe Henriot « accroche » ceux-là mêmes qui le détestent et, l'émission terminée, se repentent d'avoir, ne fût-ce qu'un instant, été dupes.

Avant lui, les répliques de Vichy à Londres étaient molles, cotonneuses, imprécises, alambiquées et geignardes. Le combat se traînait. Avec lui, il se transforme en duel mené à toute allure.

Ayant immédiatement compris que la clandestinité d'écoute faisait une partie de la fortune des émissions de la B.B.C. auprès d'auditeurs qui se donnaient un frisson patriotique en bravant, le plus souvent à bon compte, les interdits allemands, il brise les tabous. Il nomme et cite ses adversaires, les convoque à son tribunal, n'hésite pas à reproduire de larges extraits de leurs émissions dans l'espoir de les réduire en lambeaux. Sur la B.B.C., l'appelle-t-on « l'auxiliaire en chemise brune mobilisé par la Wehrmacht à l'hôtel du Parc », il reprend l'accusation sur les antennes de Bordeaux, Grenoble, Lille, Limoges, Lyon, Marseille, Montpellier, Nice, Paris et Vichy. De la citer, de la trouver « assez comique », la dépouille de tout parfum de clandestinité.

Dit-on également, depuis Londres, dans l'émission « Honneur et Patrie », que « ce qui lui reste de cerveau fonctionne à la prussienne », « qu'il ment, qu'il est au-delà du bien et du mal, qu'il roule sur la bande », il cite les phrases d'injures, si bien qu'il n'est plus besoin de fermer les fenêtres, de tendre l'oreille, de percer le brouillage allemand dès l'instant où Henriot répète ce que Londres dit d'Henriot !

Le voilà donc écouté par des auditeurs qui aiment cette escrime verbale s'ils détestent l'un des escrimeurs.

Henriot spécule. Il spécule sur la peur du bolchevisme qu'il montre, non seulement retenu difficilement dans sa marche vers l'ouest par des armées allemandes en retraite, mais encore régnant à Alger, imposant à un « de Gaulle aveuglé par l'arrivisme ou l'ambition », à un François de Menthon « empoisonné par les théories démocratiques », à un Giraud, ayant donné la preuve « de sa faiblesse cérébrale et de son ingénuité de collégien », ses décisions, ses lois non écrites et ses chefs, parmi lesquels André Marty, le Marty des Brigades internationales, vieil adversaire voluptueusement retrouvé et voluptueusement pourfendu.

Il spécule sur la terreur que provoquent les bombardements anglo-américains. Il exploite, avec une émotion certainement sincère, mais politiquement et littérairement amplifiée, les malheurs, les deuils et les larmes de populations atteintes dans leur chair et dans leurs biens.

Sur la B.B.C., le 6 mai 1944, Pierre Bourdan, qui n'ignore nullement les désastres de bombardements imprécis et les arguments que ces désastres fournissent à Henriot, aura ce mot : « Les bombardements font des victimes, hélas ! mais on sent percer chez Philippe Henriot le regret qu'ils n'en fassent pas plus encore. »

Cet homme, que Londres traite d'« embusqué », parce qu'il n'avait pas combattu en 1914, est désormais trop passionné pour avoir peur. Dans une solitude grandissante, qui fait bientôt de lui l'*unique* orateur véritable à la fois de Vichy (il est ministre), de la Milice (il est milicien) et de la collaboration, il est habité de la passion d'atteindre, par son talent de journaliste, des cœurs qui se refusent toujours aux thèses qu'il défend. « Ce n'est pas un suicide, écrira Fabre-Luce, c'est toute une vie vécue en quelques mois, dans l'ivresse de son art. »

Il se sait condamné. Loin de dissimuler les menaces qui arrivent, portées par les ondes depuis Londres, portées jusqu'à sa table par les journaux clandestins et les lettres anonymes, il en joue en virtuose, comme d'une cape avec laquelle il attirerait davantage encore l'attention et les coups de l'adversaire.

> « C'est vrai, déclare-t-il, le 2 mars, en s'adressant au speaker londonien Jacques Duchesne, c'est vrai, Jacques Duchesne, vous me rappelez avec violence que je figure sur ces listes [de gens à abattre] et vous aspirez au jour où vos amis me logeront dans la tête le plomb dont vous parlez. Je ne ris pas de cette menace. Je ne la prends pas non plus au tragique. Seulement, moi, Jacques Duchesne, je ne m'en vais pas. Je reste sur place. Vous, vous êtes garé. Votre besogne est sans risques. Et je ne souhaite même pas votre mort. Je vous souhaite seulement de pouvoir dormir d'un sommeil tranquille en songeant que des innocents, qui meurent sans savoir pourquoi on leur en voulait, ne sont morts que par vous. Je vous souhaite de n'avoir pas trop de cauchemars quand

vous avez crié d'un Français quelconque " Abattez-le ", et que vous apprenez qu'on vous a entendu, et qu'on l'a en effet abattu. »

Voici l'homme qui, jusqu'à son assassinat, le 27 juin 1944, aura la responsabilité du secrétariat d'Etat à l'Information. En principe, jusqu'au 18 mars, sous la direction de l'ancien communiste Paul Marion. En réalité seul avec sa petite équipe de fidèles fébriles.

Tout en refusant de signer le décret qui le nomme, Pétain ne l'a pas récusé et, au mois de mai, Serrigny l'entendra même en faire grand éloge[1].

Il en ira différemment avec Marcel Déat.

Dans les ouvrages qui précèdent ce septième tome, l'ambition de Déat, comme son hostilité envers Vichy et à l'égard de l'entourage du Maréchal, ont suffisamment été mises en valeur pour qu'il ne soit pas besoin d'insister sur les raisons qui poussent le chef de l'Etat à refuser la présence de Déat au gouvernement.

Encore Pétain ignore-t-il le contenu de ce journal[2] dans lequel Déat note scrupuleusement les libres entretiens qu'il a avec les Allemands, entretiens au cours desquels le Maréchal, lui-même, n'est nullement épargné.

Ainsi, le 7 mai 1943, Déat écrit-il : « Recevant récemment la délégation de Paris, le Maréchal a déclaré qu'il ne rejoindrait la capitale que lorsque l'opposition contre sa personne y aurait cessé. Il a ajouté : je viendrai quand l'étranger n'y sera plus. Ce n'est pas la première fois qu'il tient ce propos, mais il devient symptomatique... Je

1. Le général Serrigny rencontre le Maréchal le 21 mai 1944 à Voisins. « Pétain, écrit-il, est parfaitement intoxiqué. En voici la preuve. La conversation tombe, au cours du repas, sur Henriot ; il nous en fait le plus grand éloge ! Je ne peux m'empêcher de lui répondre que je considère cet orateur plein de talent comme un besogneux, un déséquilibré... un homme capable de toutes les palinodies. »

2. Raymond Tournoux a donné, le premier, de larges extraits de ce journal dans son livre *Le royaume d'Otto*.

parle longuement avec Achenbach[1]. Achenbach admet très nettement que *la trahison du Maréchal*[2] est désormais certaine. »

Le mot « trahison », employé également à Londres, à Alger... et à Berlin — rapprochement qui consolerait peut-être Pétain —, reparaît très rapidement sous la plume de Déat puisque, le 15 mai, Achenbach, après lui avoir indiqué que « le Maréchal pourrait très bien être rappelé à la vie privée », ajoute que « la perspective de la trahison est désormais admise ».

Dès le 25 septembre, Déat, qui a eu, toujours avec Achenbach, une « longue conversation sur les intrigues vichyssoises » et parfaitement compris que « l'entourage du Vieux essay[ait] un replâtrage parlementaire, avec ou sans Laval, pour accueillir les Américains », est disponible pour, dans un poste gouvernemental, aider les Allemands à maintenir leur influence sur Vichy.

Lorsque, le 6 décembre 1943, Abetz[3] le questionne et lui demande si, « *éventuellement* », il « consentirait à entrer dans le gouvernement et à quel poste », comment donc ne serait-il pas d'accord lui qui, depuis si longtemps, désire le ministère de l'Intérieur, d'où il pourrait accéder, Laval éliminé, à la direction d'un gouvernement installé à Paris et travaillant idéologiquement en accord total avec l'Allemagne.

On comprend donc les violentes réactions de Pétain lorsque l'ambassadeur Abetz, qui vient d'exiger le départ de plusieurs de ses collaborateurs, lui demande, le 28 décembre, de faire entrer au gouvernement non seulement Darnand et Henriot mais aussi Déat. Déat, croit bon d'ajouter Abetz, qui « l'a toujours défendu alors qu'il était trahi par l'armée ».

— Non, réplique Pétain. En réalité, M. Déat a jeté en pâture de quoi accabler l'armée au moment où elle venait d'être dissoute. Il ne s'est pas conduit comme un vrai Français. Il avait plutôt l'air de chanter victoire. Je dois reconquérir la confiance du pays, je ne peux pas prendre des gens qui sont honnis et méprisés partout. Personnellement, je ne peux rien reprocher à M. Déat, mais il a l'opinion entière

1. Aux côtés d'Otto Abetz, Ernst Achenbach est chargé des rapports avec la presse et des questions de politique générale mais son rôle ira s'étendant constamment.

2. Je souligne intentionnellement le mot.

3. D'après le journal de Déat, Abetz « n'a aucune confiance dans les roublardises du Maréchal [et] considère l'entourage comme pourri ».

contre lui. Il fera de l'agitation dans le gouvernement avec son parti... Il jettera, s'il participe au gouvernement, un discrédit formidable sur ce gouvernement ; la population est exaspérée et prête à tout, et c'est le terrorisme qui en profite.

Pétain s'obstinera, luttera, envoyant Bernard Ménétrel dire immédiatement à Laval que, si à contrecœur il accepte Darnand et Henriot, il ne veut pas de Marcel Déat.

Abetz s'obstinera, luttera. Il a des alliés. Marion, qui osera dire à Ménétrel « qu'à la veille d'un débarquement il est indispensable d'avoir une situation claire et que le gouvernement allemand veut absolument le gouvernement français qu'il désire ». Marion n'est qu'un personnage de second plan mais, le 29 décembre, Laval et Brinon, avec ou sans Abetz, vont poursuivre le siège du Maréchal et faire alterner des menaces savamment graduées.

Voici, d'après un document inédit[1], comment les choses se déroulent.

> « Le Dr Ménétrel descend chez M. Laval et lui explique de nouveau ce que pense le Maréchal.
>
> M. Laval estime que le Maréchal doit céder sur tous les points, qu'une division allemande est autour de Vichy, etc.
>
> M. de Brinon partage entièrement l'avis du Président. M. Laval propose alors la solution sur laquelle il s'est déjà mis d'accord la veille avec M. Abetz, à savoir que le Maréchal n'ait pas la responsabilité des désignations, qu'il signe une décision à M. Laval lui faisant savoir qu'il dégage sa responsabilité dans les nominations des ministres et les attributions qui leur seront confiées. Ainsi, M. Laval aura tout le poids des désignations et le Maréchal n'aura pas de refus à opposer ; il sera dégagé.
>
> C'est cette même proposition que M. Laval fait au Maréchal en présence de M. de Brinon. »

Ce que proposent Abetz, Laval, Brinon, *Rassemblement,* l'hebdomadaire du R.N.P. de Marcel Déat, l'avait déjà fort cyniquement proposé dans l'un de ses derniers numéros de décembre 1943. « Le

1. Provenant du fonds Stucki. Document rédigé suivant les indications fournies par Bernard Ménétrel.

Maréchal paraît s'être incliné devant la nécessité. Le bon sens veut que désormais il règne sans gouverner et que nous n'entendions plus jamais parler de l'entourage[1] ».

Régner sans gouverner. C'est bien ce que les Allemands souhaitent également : une image sans pouvoir.

Malgré tout, le chef de l'Etat — qui, peu à peu, a été dessaisi de presque tous ses pouvoirs et à qui Laval, Brinon, Abetz veulent enlever ceux qui lui restent encore — s'obstine à repousser la candidature de Déat au cours de l'entretien qu'il a, dans l'après-midi du 29 décembre, avec Abetz, Struwe, Brinon et Rochat.

C'est à ce moment — il doit être 16 heures — qu'Abetz explique, avec infiniment d'hypocrisie diplomatique, que le gouvernement allemand *ne peut admettre d'exclusive* contre Déat... mais qu'il n'existe « *aucune pression allemande* » pour forcer le gouvernement français à prendre Déat », Pierre Laval étant seul juge et seul maître de la décision.

« Inexistante », la pression allemande se maintiendra cependant deux mois et plus. A travers cette insistance, ce chantage — le *Völkicher Beobatcher,* journal du parti nazi, annonce, dès le 21 février, la nomination de Déat à un poste ministériel auquel il n'accédera que le 17 mars ! —, on comprend non seulement l'importance que Déat attachait à sa propre personne, mais surtout l'importance que les Allemands lui attachaient.

Darnand, le policier ; Henriot, le propagandiste ; Déat, le politique. Déat n'est pas seulement nécessaire pour compléter la trilogie. Les Allemands savent parfaitement qu'au contraire de Darnand et d'Henriot il demeurera insensible aux arguments du maréchal Pétain.

Le 11 mars, par l'intermédiaire de Renthe-Fink — dont je dirai bientôt le rôle de « surveillant » du Maréchal —, le gouvernement du Reich avertit une dernière fois Pétain : Déat doit entrer au gouvernement pour y occuper le ministère du Travail et recevoir la responsabilité du Secours national.

Le 17 mars 1944 les Allemands ont enfin partiellement satisfaction. Le *Journal officiel* publie, en effet, le décret n° 842 daté du 16 mars.

---

1. *Rassemblement* écrit également que « la politique de Vichy... est à l'origine de toutes les trahisons » et « qu'un clan travaille, sur les bords de l'Allier, en liaison constante avec les dissidents, les Anglais et les Américains ».

« Le chef du gouvernement, vu l'acte constitutionnel n° 12, décrète :

Article unique. — M. Marcel Déat est nommé ministre, secrétaire d'Etat au Travail et à la Solidarité nationale. »

poste dont le même numéro du *Journal officiel* annonce la création[1].

Déat n'est pas ministre de Pétain — qui a refusé, comme pour Darnand et pour Henriot, de ratifier sa nomination —, mais il est ministre.

A demi satisfait, car il arrive au pouvoir plus de deux mois et demi après Darnand et Henriot, à un poste moins important que celui qu'il souhaitait initialement, Pétain, qui ne l'aime pas, et Laval, qui se méfie de lui, ayant graduellement réduit les attributions d'un homme qui avait rêvé d'être président, puis vice-président du Conseil, avant de se retrouver secrétaire d'Etat au Travail et à la Solidarité nationale, « chargé du contrôle et de la coordination des œuvres sociales d'intérêt général ».

De cette lutte longue et fastidieuse, de ces « marchandages auvergnats », le journal de Déat porte trace. C'est sans pudeur que le futur ministre français mentionne l'aide que lui apporte Otto Abetz. « Abetz, écrit-il le 9 mars 1944, voudrait que ce soit terminé samedi et dit qu'il envoie un télégramme à Renthe-Fink pour actionner le Maréchal. »

La vulgarité, comme souvent chez Déat, reprenant le dessus, il poursuit : « Bref, on a tout de même avancé. Non seulement, le cochon est tué, mais le boudin est fait. Il ne reste plus qu'à le faire goûter au Maréchal[2]. »

Que le Maréchal ne trouve pas le « boudin » à son goût, c'est évident puisque, une fois encore, il menace de démissionner si le Secours national doit être placé sous la responsabilité de Marcel Déat.

---

1. Maurice Martin du Gard note dans *La Chronique de Vichy* que, pour la première fois depuis l'armistice, un conseil de cabinet a eu lieu à Paris le 12 mars. « On comprend, ajoute-t-il, l'astuce de Laval ; si, la semaine prochaine, il ne peut plus éviter l'entrée de Déat dans le ministère qu'il est censé diriger librement, comme il sait que celui-ci ne voudra pas siéger à Vichy, mais à Paris, il ne veut pas donner l'impression de subir la volonté de Déat. »

Laval, ajoute Martin du Gard, le 17 mars, c'est-à-dire après la nomination de Déat, pour conserver « une majorité chancelante et avoir un ami sûr, nomme le Dr Grasset ministre. Il n'était que secrétaire d'Etat ».

2. *Cf.* Raymond Tournoux, *op. cit.*

Le Secours national conservera son autonomie, la Croix-Rouge demeurera protégée par son statut international, les Prisonniers et Anciens combattants resteront de la compétence du chef du gouvernement, si bien que le « grand ministère » rêvé par Déat ressemblera à une coquille à demi vide.

En échange d'une médiocre satisfaction de vanité, Déat a renoncé à ce qui faisait sa force : l'éditorial quotidien de *L'Œuvre*. Il nourrissait l'ambition d'être à la fois journaliste et ministre. Il ne sera plus que ministre à un moment où être ministre ne compte plus, Laval régnant seul sur un Conseil que le commandant Tracou considère comme « une chambre d'enregistrement » où seules les questions techniques sont abordées. « La politique elle-même n'y est pas effleurée, poursuit Tracou. Il y a à cela une raison bien simple : le Reich est représenté à la table du Conseil. »

« Maintenant, c'est vraiment la prison », écrit encore Tracou pour évoquer les jours tristes du début de 1944.

Depuis la crise de novembre, les Allemands ont capturé, en effet, des prisonniers jusque dans l'entourage du Maréchal.

Après avoir exigé l'entrée au pouvoir de Darnand, Henriot et Déat, Otto Abetz, toujours le 28 décembre, a expliqué au Maréchal qu'il avait été obligé de transmettre au président Laval une longue liste de fonctionnaires indésirables.

Ne jugeant pas les fonctionnaires français sur leurs qualités professionnelles, mais sur leur plus ou moins grand empressement à répondre aux exigences allemandes, Abetz déclare :

— Monsieur le Maréchal, il y a trop de fonctionnaires qui ne font pas leur devoir ; il faut faire un nettoyage.

— Un nettoyage est sans doute facile, réplique le Maréchal, mais c'est le remplacement qui est difficile.

— Nous avons étudié le dossier de chaque fonctionnaire qui se trouve sur la liste avec beaucoup de soin et ne pouvons revenir sur ces cas.

— Je répugne à renvoyer des fonctionnaires qui se conduisent bien. Il faut que vous puissiez me donner des garanties, car je connais les rapports de police, ils sont parfois hostiles et faux.

— Oui, mais nous avons l'expérience de Badoglio à Rome (toujours Badoglio !) ; nous étions prévenus de trahisons possibles ; on n'avait pas épuré et les résultats ont été ceux que vous connaissez.

— Si vous m'aviez fait connaître les raisons que vous avez de douter de certains hauts fonctionnaires, il m'aurait été possible d'agir, mais je n'ai pas été prévenu et je ne sais toujours pas ce que vous pouvez leur reprocher. En toute justice, je ne peux renvoyer quelqu'un sans avoir des notions exactes de ce qui lui est reproché[1].

Laval, que l'affaire concerne plus directement, luttera non seulement pour retarder la destitution d'une vingtaine de préfets et de sous-préfets exigée par les Allemands, mais encore pour empêcher les promotions ou nominations réclamées par un occupant qui, pour la première fois, entend se substituer au ministère de l'Intérieur. Abetz désire, en effet, que M. Le Baube, préfet de Chartres, soit nommé directeur général de la police nationale ; que M. Angelo Chiappe devienne préfet régional à Marseille ; M. Monzat, préfet régional à Rennes ; M. Frantz, préfet de Haute-Savoie.

Pierre Laval et Georges Hilaire, secrétaire général pour l'administration au ministère de l'Intérieur, feront échouer ces prétentions[2], mais ils ne pourront que protester vigoureusement et, dans la plupart des cas, vainement lorsque, entre le 13 et le 17 mai 1944, quinze préfets, dont cinq préfets régionaux, seront arrêtés par les Allemands, qui rendent ainsi un hommage direct à la haute administration française et un hommage indirect à Pierre Laval.

Tout en n'ignorant pas les sentiments germanophobes puis, lentement et prudemment gaullistes[3] de la plupart des préfets, Pierre Laval

1. Fonds Stucki. Ménétrel assiste à cette conversation.

2. M. Le Baube sera nommé préfet de la Somme, M. Chiappe préfet du Loiret, M. Monzat préfet du Finistère. M. Frantz demeurera sous-préfet.

3. Il semble que ces arrestations aient été déclenchées par l'arrestation le 13 mai, à Paris, de Bernard de Chalvron, chef du « service préfets » du N.A.P. (Noyautage des administrations publiques) créé au début de 1943 et dirigé initialement par Maurice Nègre qui sera arrêté par la Gestapo le 6 mars 1944.

Chalvron avait deux adjoints dont l'un (Jacques de La Chaise) était un collaborateur de Tracou, directeur du cabinet du Maréchal, et l'autre (Lagrive) appartenait au cabinet de Pierre Laval.

avait, en effet, toujours maintenu à leur poste, et promu en bien des occasions, ceux qui, face à la multiplication des situations difficiles, savaient faire preuve de courage et de caractère[1].

Abetz n'entend pas que soient épargnés les collaborateurs directs du Maréchal (à l'exception de Bernard Ménétrel dont il est convaincu que Philippe Pétain ne se séparera jamais). Il demandera donc, également, le départ du général Campet, de Jean Jardel, de Lucien Romier, personnages qui, dans le même temps, sont l'objet de nouvelles offensives de la part des journaux de la Collaboration[2].

Que reproche Abetz au général Campet ? De s'entendre avec les « dissidents » d'Afrique du Nord.

A Jean Jardel ? D'avoir financé l'armée secrète, lorsqu'il était directeur du Budget, et d'avoir des rapports avec l'Afrique du Nord.

A Lucien Romier ? D'être en liaison, par l'Espagne, avec les Alliés. A cet instant et à ce propos, il semble nécessaire d'évoquer une

---

Le 13 mai, les Allemands arrêteront le préfet régional de Saint-Quentin-Laon. Le 14 et le 15, les préfets régionaux de Lyon, Marseille, Montpellier, les préfets de Saint-Lô, Nantes, Epinal, Saint-Brieuc, Rodez, Avignon, Nice, Melun et le préfet délégué de Rouen seront également internés.

Parmi les préfets qui périront en Allemagne, il faut citer MM. Bonnefoy, préfet régional de Lyon ; Bussière, préfet régional des Bouches-du-Rhône ; Dupiech, préfet de l'Aveyron ; Théry, préfet de la Haute-Saône. Treize préfets furent déportés dans les camps allemands et en revinrent, trois autres devaient être internés en France. Par ailleurs, MM. Bourrat, ancien préfet de la Moselle, conservé à la tête des administrations publiques des départements d'Alsace et de Lorraine ; Kuntz, ancien sous-préfet de Mulhouse, nommé préfet du Tarn, devaient être également arrêtés et déportés, cependant que M. Lespès, sous-préfet d'Albertville, était fusillé par l'occupant ainsi que M. Lagrive, dont il a été question plus haut, sous-préfet et chef de cabinet du directeur de cabinet du ministre de l'Intérieur... Pierre Laval.

Les nombreuses démarches du cabinet du Maréchal, du Maréchal lui-même et de Pierre Laval en faveur de ces prisonniers n'aboutiront que dans un petit nombre de cas.

1. Tracou écrira même qu'il considérait « d'un œil indifférent » les partisans des mouvements de résistance nombreux chez les fonctionnaires dépendant de Vichy, fonctionnaires que Tracou compare d'ailleurs au « célèbre perroquet de Foch. Cet oiseau de la sagesse, une patte solidement agrippée au barreau vichyssois, avance prudemment l'autre vers le barreau gaulliste ».

2. En décembre 1943, *Rassemblement,* organe du R.N.P. de Déat, écrit du général Campet que, « pour ne rien comprendre à rien, il est imbattable » et de Jardel qu'il « n'a cessé de soutenir tout ce qui s'oppose à la Révolution nationale et à l'Europe ».

curieuse déclaration du célèbre et sinistre Dr Petiot[1]. Interrogé en 1945 par le juge Goletty, Petiot mettra en cause, en ces termes, Lucien Romier :

— Nous — l'assassin fait allusion au groupe de résistance dont il se dit le fondateur et le chef — nous avions aussi, en fin 1941, su qu'il était possible de se procurer des papiers permettant de séjourner ou de voyager en Espagne, puis au Portugal, ce qui permettait de gagner l'Amérique du Nord. Ces papiers étaient procurés par quelqu'un *de l'entourage immédiat ou par M. Lucien Romier lui-même*[2], aidé en cela par un personnage désigné sous le vocable « Desaix » ou, probablement, « De C. », qui était, ou avait été, membre du consulat ou de l'ambassade de la République argentine et qui résidait à Vichy.

Qu'en est-il exactement ? Lucien Romier étant mort en janvier 1944, on ne connaîtra jamais, sur ce point précis, la vérité, mais il est pour le moins étrange de voir ainsi, confirmées par Petiot, les accusations qu'Otto Abetz portait contre Lucien Romier.

Bien qu'ayant déclaré qu'il « n'était pas possible pour lui de vivre dans cette atmosphère de suspicion », qu'il était « peut-être préférable qu'il s'en aille », Pétain, rassuré par Abetz : « M. le Maréchal, l'Allemagne n'a, en ce qui vous concerne, aucune méfiance, aucun doute sur votre loyauté totale[3] », se résignera à voir éloigner quelques-uns de ses derniers et plus fidèles collaborateurs.

Alors que les deux hommes se détestent ou, plus exactement, que chacun déteste la politique de l'autre, il laissera même à Pierre Laval le soin d'expliquer à Romier tout le mal que les Allemands pensent de lui, insistant seulement pour que Romier soit « mis à l'abri de toute mesure qui pourrait ressembler à une sanction ».

Il ne suffit pas aux Allemands de chasser, en décembre 1943, les quelques hommes fidèles et sûrs, toujours en fonction, auprès du

1. *Cf.* p. 407 et suiv.
2. Je souligne intentionnellement.
3. Ce qui est faux, on le sait. Au cours de l'entretien, Abetz évoquera à nouveau « la situation du maréchal Badoglio en Italie », pour dire que « le gouvernement allemand n'était pas disposé à subir la même chose en France ».

Maréchal ; depuis quelques mois — ou quelques semaines —, ils ont arrêté ceux qui, dans un passé récent, avaient été proches de sa pensée, avaient soutenu son action et dont, au fil d'épurations successives, ils avaient déjà obtenu qu'ils soient éloignés de Vichy.

Le 6 janvier 1944, vers 19 heures, le général Laure [1], qui a été arrêté le 24 décembre dans sa propriété du Midi, puis conduit, avenue Foch, au siège parisien de la Gestapo, est « invité » à prendre place dans un car où il retrouvera Ybarnegaray [2], député des Basses-Pyrénées ; les généraux Desmazes [3], Marteau [4] et le général de La Porte du Theil qui, l'avant-veille encore, était commissaire général aux Chantiers de la Jeunesse.

Transférés près de Plansee, dans le Tyrol [5], ils seront internés en compagnie d'une quarantaine d'officiers et de fonctionnaires arrêtés le 10 août 1943 [6], en attendant d'être rejoints par d'autres personnalités de Vichy (l'ancien ministre des Finances Bouthillier, par exemple), toutes suspectes « d'attitude anti-allemande », puisque tel est le chef d'accusation systématiquement mis en avant, lorsque le Maréchal réclame des explications.

Les Allemands font partir les amis du Maréchal.

Ils font entrer son surveillant et « geôlier » : Cecil von Renthe-Fink.

Reçu le 5 décembre 1943 par le maréchal Pétain, Otto Abetz lui

1. Ancien secrétaire général du chef de l'Etat (17 décembre 1940-21 avril 1942).
2. Ybarnegaray a déjà passé trois mois de cellule à Bayonne et deux mois à Fresnes.
3. Ancien commandant du 8e corps d'armée en mai-juin 1940 et de la 7e division militaire après l'armistice. Il a été arrêté en juin 1943.
4. Arrêté alors qu'il s'apprêtait à franchir les Pyrénées.
5. La Porte du Theil ne rejoindra le camp de Plansee que le 5 février 1944.
6. Notamment l'ingénieur général Norguet, les généraux Duchemin, Bourget, Conquet, Escudier, Pellé, Dauphin, Larbalêtrier, Gilson, de Chomereau ; Baumgartner, président-directeur général du Crédit national ; MM. Pierre Vernes ; Escallier, président de la Banque d'Algérie ; Estèbe et de Saivre, membres du cabinet civil du Maréchal.

A Plansee, où l'existence était certes infiniment moins rude que dans les autres camps de concentration, il y avait, écrit Laure, dans son journal (inédit) « les fidèles du Maréchal (minoritaires) et les admirateurs du général de Gaulle ».

avait notifié la prochaine arrivée à Vichy d'un « envoyé personnel » du Führer.

Selon une note de Ribbentrop, cet « envoyé personnel » permettrait au chef de l'Etat français de correspondre directement, c'est-à-dire sans passer par l'intermédiaire de Laval, Brinon ou Abetz, avec le chancelier Hitler et Joachim von Ribbentrop, son ministre des Affaires étrangères.

En vérité, le rôle de « l'envoyé personnel » n'est pas celui d'un messager discret, mais d'un surveillant de toutes les paroles et de tous les gestes.

C'est le 28 décembre, à 16 h 30, qu'Otto Abetz introduit auprès du Maréchal, Cecil von Renthe-Fink, que les Français, incapables de retenir ou de prononcer correctement son nom, appelleront longtemps « Rintintin ».

Ce diplomate arrive du Danemark où il assumait auprès du roi Christian une mission de surveillance et d'influence[1].

Hobereau prussien, rallié, comme bien d'autres, au régime nazi, grand et mince, toujours vêtu de noir — il a perdu un fils devant Leningrad —, timoré, courtois et cultivé, Renthe-Fink, qui porte le titre de « délégué spécial diplomatique du Führer auprès du chef de l'Etat français », n'en est pas moins redoutable. Craignant de se montrer inférieur à sa tâche, qui est de fournir à son ministre des rapports, beaucoup de rapports, nourris du maximum d'informations, Renthe-Fink, installé à l'étage supérieur de l'hôtel du Parc, a réussi à obtenir deux entretiens hebdomadaires avec le Maréchal.

Il souhaitait davantage puisqu'il aurait voulu occuper le bureau voisin de celui du Maréchal et avoir avec le chef de l'Etat trois entretiens hebdomadaires en tête à tête. Or Tracou, Tracou qui a connu Renthe-Fink au Danemark et appris à s'en méfier, assistera toujours aux entretiens.

Chance insigne pour le Maréchal qui, ne désespérant jamais de séduire, mais dont on sait qu'il n'a plus la totale maîtrise de sa volonté et qu'il donne trop souvent raison, par abandon et usure, aux interlocuteurs insinuants et obstinés, se flattait de faire bientôt de Renthe-Fink « tout ce qu'il voudrait » alors que le contraire risquait malheureusement de se produire.

1. Avant la guerre, Cecil von Renthe-Fink avait été en poste au Danemark.

Chance insigne pour les historiens qui, grâce au livre de Tracou[1], possèdent d'utiles indications sur tous les entretiens (une cinquantaine) entre Renthe-Fink et le Maréchal.

Chaque mardi et chaque vendredi, à 11 heures, Cecil von Renthe-Fink est donc introduit chez le Maréchal par le vicil huissier Brochier, qui se trouvait déjà auprès du président Lebrun.

Le Maréchal prend place à son bureau. En face de lui, Tracou. Installé sur le côté, le « délégué spécial diplomatique du Führer », Cecil von Renthe-Fink.

Il arrive que, dans la conversation, passent Racine et Montaigne, Racine surtout que Pétain admire et relit souvent pour exercer sa mémoire.

« Les sujets les plus divers, écrira Tracou, sont abordés dans un perpétuel coq-à-l'âne. Il semble que le Maréchal ne veuille pas laisser à son interlocuteur l'occasion de placer un mot. »

Que Pétain parle de tout ce qui peut lui éviter d'évoquer la guerre et ses développements en France : souvenirs de voyages, discours de Paul Valéry le recevant à l'Académie française, questions agricoles, problèmes moraux évoqués dans ses *Messages,* c'est l'évidence, Renthe-Fink le reconnaîtra en 1945[2], mais ces habiles divertissements ne peuvent réussir, on le verra, à retarder longtemps les échéances politiques.

A « l'école de la patience et de la dissimulation[3] », le professeur peut être battu par l'élève. Ainsi, Renthe-Fink s'opposera à la venue à Vichy de l'amiral Robert accusé, alors qu'il commandait aux Antilles, d'avoir « livré » aux Américains « une flotte et un trésor considérables ». Il tiendra en suspicion Louis-Dominique Girard, « tête froide, cœur chaud, vaste culture[4] », qui vient seconder Tracou au cœur de la petite cellule reconstituée autour du chef de l'Etat. Il insistera pour que la France « livre », avant la fin de l'année 1944, un million de travailleurs aux usines du Reich. Dans ce conflit, Pétain secondera de son mieux Laval qui n'a cessé de protester contre les exigences de

1. *Le Maréchal aux liens.*
2. « Quand j'allais voir Pétain, déclarera, en 1945, von Renthe-Fink à un journaliste belge, il me parlait de sa jeunesse et de tout un tas de sujets abstraits. Il évitait autant qu'il le pouvait de préciser sa position vis-à-vis des problèmes que je lui soumettais. »
3. Tracou. *op. cit.*
4. Tracou. *op. cit.*

Sauckel et qui aura avec lui à Paris, notamment le 8 février, des entretiens houleux qu'il poursuivra courageusement, des mois durant, jusqu'à l'instant où, ayant renoncé à l'essentiel de ses prétentions [1], Sauckel avouera à Hitler qu'il a « totalement perdu la foi en l'honnête bonne volonté du chef du gouvernement français, Laval ».

Près, mais non proche de Renthe-Fink, héritier des traditions de la vieille armée allemande, suspect à la Gestapo, peu convaincant parce que peu convaincu, le général von Neubronn a, lui, été chargé de représenter à Vichy le maréchal von Rundsted, commandant en chef du Front occidental, et de tenter de minimiser, à l'occasion de ses rencontres avec le maréchal Pétain, l'importance des défaites allemandes comme de mettre en valeur, grâce à d'éloquentes photos, la robustesse du mur de l'Atlantique.

Les conversations entre les deux professionnels de la guerre seront, sans doute, toujours lourdes d'arrière-pensées, mais Pétain et von Neubronn ne sortiront jamais de leur rôle respectif.

Des personnages nouveaux sont arrivés à Vichy.

Un homme qui avait toujours eu une influence heureuse sur le Maréchal a disparu.

Romier est mort.

D'un entretien avec Laval qui lui avait fait part des interdits allemands, il était sorti brisé. Plutôt que d'être chassé, il avait préféré démissionner le 31 décembre et s'enfermer dans sa chambre d'hôtel.

S'efforçant de protéger des autres le Maréchal et de le garder de lui-même, respecté de presque tous, craint de quelques-uns pour l'influence intellectuelle qu'il conservait auprès des milieux qui comptaient encore à Vichy et qui pourraient peut-être jeter un pont entre ce qui avait été et ce qui allait être, Romier ne maîtrisait la maladie qu'à

1. Laval obtiendra tout d'abord que ce chiffre d'un million soit ramené à 270 000 puis, ayant gagné six mois, passés en discussions avec des administrations allemandes aux intérêts contradictoires, il pourra — le 23 juin 1944 — faire savoir aux préfets que tout envoi de travailleurs en Allemagne est désormais proscrit. En 1944, 11 000 Français seulement — dont 5 000 volontaires — partiront pour les usines du Reich.

force d'activité et de courage. Il donnait si bien le change que le Maréchal, tout en le sachant atteint, avait songé à lui pour diriger un gouvernement nouveau, au moment de la crise de novembre.

Lorsque l'esprit n'est plus qu'un ressort détendu, le corps s'affaisse. Le 5 janvier, à 18 heures, Romier reçoit l'amiral Fernet. Ce sera son dernier confident car, deux heures plus tard, il va mourir dans les bras de Ménétrel.

Devant Fernet, Romier, qui n'a plus d'avenir, songe à l'avenir du chef de l'Etat. Son dernier message est murmuré.

— Il faut, dit-il, il faut passer quelques mois encore. Ne pas faire de gestes, ni d'actes. Tout ce qu'on peut demander, c'est de ne pas se déshonorer. C'est tout. Mais il faut l'entourer [le maréchal], il ne faut pas le laisser seul. Il devra tenir jusqu'au bout, jusqu'à la fin. Il faut bien finir...

Bien finir... Ce devait être, en effet, l'unique préoccupation de ceux qui occupent encore le radeau d'un pouvoir délabré.

Mais comment « bien finir » alors que tout s'y oppose ? L'âge d'un chef de l'Etat, chaque jour plus seul face à l'imprévu des drames et des deuils ; les Allemands et les collaborateurs sur qui souffle le vent de la défaite ; les résistants qui voient le port ; de Gaulle, enfin, qui, à Alger, s'assure désormais aisément ce pouvoir qui longtemps l'avait fui.

3

DE GAULLE GAGNE À ALGER

Un an après le débarquement sanglant des Anglo-Saxons en Algérie et au Maroc, cinq mois après ma hasardeuse arrivée à Alger, la volonté nationale, pour opprimée et assourdie qu'elle fût, avait fini par l'emporter.

Charles de GAULLE,
Mémoires de guerre, L'Unité.

De Gaulle est arrivé à Alger le 30 mai 1943.

De sa rencontre avec la foule qui enveloppe le Monument aux morts, *Ici Londres* a fait une description si enthousiaste que l'on pourrait croire tous les problèmes de prééminence et de pouvoir réglés par la seule vertu d'une manifestation populaire dont les organisateurs ont voulu faire un geste de définitive adhésion.

Il n'en est rien.

Dès le 2 juin, de Gaulle adresse d'ailleurs aux membres du Comité national, qui se trouvent toujours à Londres, un télégramme dans lequel, en l'exagérant volontairement sans doute, il laisse éclater son inquiétude :

« L'affaire d'Alger prend rapidement l'allure du guet-apens.

Muselier [1] vient d'être chargé par Giraud des pouvoirs de police à Alger.

1. Le vice-amiral Muselier, qui fut l'un des premiers à rallier l'Angleterre en juin 1940, avant même de rallier de Gaulle, devint commandant des Forces

Giraud a fait venir des goumiers du Maroc. Il a donné l'ordre d'arrêter tous les permissionnaires de la France combattante en Afrique du Nord. Il vient de m'écrire une lettre me sommant de faire une déclaration publique affirmant que je m'engage à ne pas établir un régime fasciste en France et accusant de fascisme mes collaborateurs, notamment Passy.

Nous sommes en pleine tragi-comédie. Mais cela pourrait tourner mal. »

Voilà le climat des rapports Giraud-de Gaulle et voici le jugement porté sur des Américains qui, effectivement, depuis le débarquement du 8 novembre, se faisaient strictement obéir des Français de Vichy qu'ils avaient conservés en poste.

C'est à Mme de Gaulle que le Général écrit, le 24 juin 1943.

« Ma chère petite femme chérie,

Ici, comme prévu, je me trouve en face de l'Amérique et d'elle seule. Tout le reste ne compte pas. L'Amérique prétend imposer le maintien de Giraud dont aucun Français ne veut plus, ni ici, ni ailleurs[1]. Elle prétend m'empêcher de gouverner... Il s'agit de savoir si les faits finiront par amener le gouvernement de Washington à changer sa politique. En attendant, comme tu dois le voir, tous les reptiles à la solde du State Department et de ce pauvre Churchill hurlent et bavent à qui mieux mieux dans la presse anglo-saxonne. Tout cela est méchant, idiot, mais quoi ! c'est toute la guerre. »

Bien entendu, de Gaulle ignore ce que, parlant de lui, Roosevelt écrit à Churchill : « Pourquoi ne va-t-il pas à la guerre[2] ? » « Pourquoi

---

navales françaises libres, puis commissaire national à la Marine et à la Marine marchande, mais, en désaccord profond, autant pour des raisons de principe que pour des raisons d'humeur et de caractère, avec le général de Gaulle, il cessa toute collaboration avec la France Combattante en mai 1942. Sur le conflit Muselier-de Gaulle, cf. *Le Peuple réveillé.*

1. Le 2 mai 1943, de Gaulle avait déjà télégraphié à Catroux : « N'oubliez pas que toute l'affaire se joue, non point entre Giraud, qui n'est rien, mais entre nous et le gouvernement des Etats-Unis. »
2. Roosevelt à Churchill, 1er janvier 1943.

ne part-il pas au nord, à l'est ou au nord-ouest de Brazzaville[1] ? « J'en ai plein le dos de De Gaulle[2]... » « Ni vous ni moi ne savons où s'arrêtera de Gaulle[2]. »

De Gaulle ignore les réponses embarrassées et lénitives de Churchill. « Je vous accorde qu'on ne peut placer aucune confiance en l'amitié de De Gaulle pour les alliés... [mais] je ne suis pas favorable actuellement à une rupture[3] »...

Il ne connaîtra dans leur intégralité, dans leur mot à mot, les télégrammes échangés par Roosevelt et Churchill que le 11 juin 1964, le jour même où, à l'Elysée, il reçoit une très amicale lettre du président Johnson mettant l'accent sur la nécessité de maintenir entre la France et les Etats-Unis et leurs deux chefs d'Etat des « communications cordiales et constantes ».

C'est après avoir lu la lettre de Johnson que le général de Gaulle prendra connaissance, et le public français avec lui, des plus désagréables extraits du volume *Documents diplomatiques 1943 — Europe* qu'au terme du délai de vingt ans de secret, imposé par la loi et l'usage, le département d'Etat vient, en effet, de publier.

Mais si, en 1943, de Gaulle ignorait les misérables détails de certaines accusations comme la vulgarité du style employé par le président Roosevelt, il ne pouvait avoir aucun doute sur l'hostilité des principaux dirigeants américains.

Quant aux Américains, comment auraient-ils pu ne pas être informés des sarcasmes dont, quotidiennement, de Gaulle les criblait ? Il se comportait envers eux plus violemment encore qu'envers les Anglais et il surprenait ses interlocuteurs d'Alger, comme, jadis, il avait surpris ces évadés de France qui, arrivant à Carlton Garden, après avoir bravé mille périls, l'entendaient évoquer bien davantage le combat mené contre l'Angleterre et ses prétentions à régenter les affaires de la France libre, que le combat contre l'Allemagne.

Aux Américains, de Gaulle reprochait leur longue liaison avec Vichy.

— Ce Roosevelt, ce Murphy, dira-t-il au colonel Chrétien, ils m'ont

1. Roosevelt à Churchill, 17 juin 1943.
2. Roosevelt à Churchill, 10 juin 1943.
3. Churchill à Roosevelt, 18 juin 1943.

insulté, ils se sont jetés au cou de Vichy, ils ont dit que cette ganache de Maréchal représentait la France. Je leur ferai voir, la France, c'est moi ; je suis la France.

Il leur reprochait également d'avoir, dans toute l'Afrique, maintenu en place des proconsuls installés par Vichy et qu'il lui importait de faire partir au plus vite pour montrer à la Résistance métropolitaine que l'épuration administrative était en marche ; aux Alliés l'inefficacité de leur protection ; aux siens que la cause, épousée aux plus tristes jours de 1940, était la bonne cause.

Il leur reprochait enfin ; après l'assassinat de Darlan, d'avoir immédiatement soutenu le général Giraud.

Giraud, obstacle dont de Gaulle aura à se débarrasser, ce qu'il entreprend dès le premier instant dans la mesure, il le sait, où, malgré l'apparente faiblesse de l'adversaire, le succès ne saurait être obtenu que par prudentes étapes.

> « Il était... inévitable, écrira plus tard de Gaulle [1], que Giraud se trouvât, peu à peu, isolé et refoulé, jusqu'au jour où, enfermé dans des limites qu'il n'acceptait pas et, d'autre part, privé des appuis extérieurs qui étaient causes de son vertige, il se jetterait dans la retraite. »

D'abord, déstabiliser Giraud.

Le priver non seulement de ceux qui gouvernent en son nom les territoires, ou commandent les troupes, mais également le compromettre avec Vichy, puisque ceux qui vont être chassés avaient reçu l'onction de Vichy avant de recevoir la sienne.

Montrer aussi avec éclat qu'héroïque sur le champ de bataille, Giraud manque de courage civique et laisse accuser et arrêter, sans réactions efficaces, les plus proches de ses collaborateurs.

De Gaulle, d'ailleurs, ne cache pas son jeu.

A peine a-t-il pris place dans la voiture, qui, le jour de son arrivée à Alger, le conduit du terrain d'aviation au Palais d'été, ses premiers

1. *Mémoires de guerre, L'Unité,* p. 112.

mots sont pour exiger l'élimination de Noguès, Mendigal, Peyrouton et Boisson.

Le premier est résident général de France au Maroc ; le second commande l'aviation en Afrique du Nord ; le troisième est gouverneur général de l'Algérie, après avoir été ministre de l'Intérieur de Vichy du 6 septembre 1940 au 16 février 1941 ; le quatrième gouverne l'Afrique occidentale française.

Le 31 mai, des noms nouveaux viendront d'ailleurs s'ajouter à ces noms : ceux des généraux Prioux et Bergeret notamment.

Giraud défend si mal des hommes qui ont tous été les hommes de Vichy, puis les hommes de Darlan, enfin les siens ; que certains préféreront s'effacer immédiatement dans l'espoir d'être relativement épargnés. C'est le cas de Peyrouton que sa rapidité à démissionner ne préservera pas du pire.

Le 1er juin, en effet, il a rédigé deux lettres de démission. L'une à l'intention de De Gaulle, l'autre à l'adresse de Giraud. A de Gaulle comme à Giraud, il demande de pouvoir servir en qualité de capitaine de réserve d'infanterie coloniale. Tandis que de Gaulle le prie de se considérer « comme mobilisé à la disposition de M. le général commandant en chef au Levant », Giraud l'affecte au Maroc. Il rejoindra donc Casablanca. Pour bien peu de temps. Alors qu'il vient d'être promu chef de bataillon, le voici rappelé à Alger, cité devant une commission d'épuration, placé en résidence surveillée à Laghouat, conduit à la prison militaire d'Alger le 22 décembre 1943, puis transféré en France au lendemain de la Libération.

Le 22 décembre 1948 — après cinq années de détention préventive —, il sera enfin acquitté par la Haute Cour de justice. Verdict qui ne réparera pas ce qu'avaient d'excessif des accusations inspirées moins par la réalité des faits que par la volonté politique de découronner, puis de déshonorer tous ceux qui, à des postes importants, ou même privés de postes, pouvaient entraver la marche de ceux qui travaillaient à conquérir tous les pouvoirs.

Comme Peyrouton, Boisson est un homme à abattre. Gouverneur général de l'Afrique occidentale française, il avait infligé à l'orgueil de De Gaulle un impardonnable échec.

Ses troupes et la flotte de Dakar avaient, en effet, en septembre 1940, repoussé une expédition britannique et gaulliste mal préparée, mal conduite et que ne justifiait aucune présence allemande, contrairement aux bruits alors répandus par la radio de Londres.

Grand blessé de la guerre 1914-1918, au cours de laquelle il s'était héroïquement conduit, honnête homme et fonctionnaire loyal, Boisson avait, en 1942, placé l'A.O.F. sous l'autorité d'Alger, dès l'instant où il avait obtenu de Darlan la preuve qu'à Vichy, et malgré les déclarations officielles, le Maréchal n'était pas hostile au ralliement aux Américains[1].

C'était rendre un immense service à la cause alliée. Aussi, apprenant les intentions hostiles de De Gaulle, Roosevelt avait-il, dès le 10 juin 1943, demandé au général Eisenhower de faire savoir au chef de la France Combattante « qu'étant donné les capacités du gouverneur général Boisson comme administrateur français » sa révocation irait « à l'encontre des buts » de l'Amérique.

Intervention inutile. Boisson démissionne de ses fonctions le 23 juin. Il est interné le 10 novembre. Irrité par ce qu'il tient pour une injure autant que pour une désobéissance, Roosevelt, le 23 décembre, charge Eisenhower d'une mission plus précise encore. Il doit porter à la connaissance du Comité de Libération nationale « qu'étant donné l'aide apportée aux armées alliées pendant la campagne d'Afrique par Boisson, Peyrouton et Flandin il [lui] est ORDONNÉ de ne prendre aucune mesure contre ces personnes pour le moment ».

Aurait-il mieux connu et compris ce Charles de Gaulle, en qui il dénonçait « le complexe de Jeanne d'Arc[2] » sans voir combien davantage il s'inspirait de Clemenceau, Roosevelt se serait épargné une intervention qui, rendue publique, ne pouvait qu'aggraver la situation des anciens hauts responsables de Vichy.

Devant l'Assemblée consultative d'Alger créée par l'ordonnance du 17 décembre 1943 et dont les travaux, commencés le 3 novembre, seront très souvent, on le verra dans les pages suivantes, consacrés à l'épuration, M. Mayoux, parlant de Boisson[3], dira d'ailleurs, en faisant allusion aux interventions américaines :

— Nous tenons par-dessus tout à ce que soient châtiés ceux qui ont été indignes. Nous ne céderons sur tous ces points ni à la pression amicale des Alliés, ni aux forces d'inertie, ni aux combinaisons d'intérêt.

---

1. Cf. *Les passions et les haines,* p. 442-452.
2. Message à Churchill en date du 21 décembre 1943.
3. Le 15 janvier 1944

Dans la même séance, le résistant Médéric se montrera infiniment plus sévère encore.

— Nous demandons les têtes de Pucheu, Peyrouton, Boisson, Derrien, Bergeret.

Quant à Bissaguet, il interrogera :

— Mais où est-il maintenant ? [Boisson] En prison ?

— Oui, je l'affirme, répond Le Troquer, commissaire à la Guerre et à l'Air.

— Il devrait être passé par les armes, réplique Bissaguet aux applaudissements de l'Assemblée[1].

Giraud, pour qui l'important n'est pas « d'épurer mais d'unir », n'a donc aucune chance d'être entendu.

Chaque démission, qu'elle soit volontaire ou provoquée, chaque arrestation, chaque condamnation d'hommes en faveur de qui il est vainement intervenu, affaiblit son personnage, diminue son autorité, ruine l'idée que l'on pouvait se faire de son caractère. On fuit une si dangereuse protection. Et, d'ailleurs, Giraud a bien assez à faire pour se garder de tous les coups qui le menacent à l'intérieur d'un Comité de la Libération nationale où, dès la première réunion, le rapport des forces s'est nettement établi en faveur de De Gaulle.

Avec de Gaulle et pour de Gaulle, André Philip, professeur à la faculté de droit de Lyon, député du Rhône, à Londres depuis le 25 juillet 1942 et, depuis le 28, commissaire à l'Intérieur et au Travail. Avec de Gaulle, René Massigli, ancien ambassadeur de France à Ankara, qui avait rejoint Londres le 30 janvier 1943 pour se trouver promu, le 5 février, commissaire national aux Affaires étrangères. Avec de Gaulle encore, le général Catroux que l'on a vu auprès de Giraud[2], alors seul maître en Afrique, jouer un rôle d'insinuant, intelligent et habile ambassadeur des thèses et des prétentions gaullistes.

Avec Giraud, certainement le général Georges que Churchill, qui

1. Mis en liberté provisoire pour raison de santé le 28 novembre 1945, le gouverneur général Boisson décédera le 22 juillet 1948.

2. *Cf.* le chapitre intitulé *Le combat pour Alger* in *L'impitoyable guerre civile.*

l'estime, a fait « enlever » de France grâce à l'aide d'un réseau de résistance, mais dont Charles de Gaulle, qui sait l'homme fatigué[1], accueille l'annonce de la proche arrivée par ces mots cruels : « Georges ? Pourquoi pas Bourbaki ? »

De façon bien moins certaine, Jean Monnet, trop conciliateur de tempérament et beaucoup trop intelligent pour s'attacher à une cause qu'il voit immédiatement compromise.

L'ordonnance portant institution du Comité français de la Libération nationale est du 3 juin 1943[2] ; la première réunion, du 5 juin. C'est alors qu'il est décidé d'élargir le Comité. Elargissement qui aggravera le déséquilibre. Du côté de Giraud, viennent se ranger le Dr Abadie, curieusement nommé tout à la fois à la Justice et à l'Education nationale ; Couve de Murville, qui sera commissaire aux Finances ; René Mayer, qui ira aux Communications et à la Marine marchande. Si le premier est de la race des inconditionnels qui se font tuer sur les plus branlantes des barricades, les deux autres possèdent trop de flair pour avoir de l'obstination. Très rapidement l'intelligence, l'intérêt et le cœur les conduiront à de Gaulle.

Pour de Gaulle, arrivent de Londres André Diethlem qui ira à la Production et au Commerce ; René Pleven aux Colonies ; Tixier au Travail ; Henri Bonnet à l'Information.

« Ces choix, écrira de Gaulle[3], m'assuraient de la suite. »

Sans doute existait-il une dyarchie de principe.

La symbolisait la présidence alternée des séances. La symbolisait également la double signature au bas de toutes les ordonnances et de

---

1. Le général Georges, commandant en chef du théâtre d'opérations du nord-est de la France entre septembre 1939 et juin 1940, avait été très grièvement blessé le 9 octobre 1934 à l'occasion de l'attentat qui, à Marseille, avait coûté la vie au roi Alexandre Ier de Yougoslavie.

2. Le Comité français de la Libération nationale « exerce la souveraineté française sur tous les territoires placés hors du pouvoir de l'ennemi... assume l'autorité sur les territoires et les forces terrestres, navales et aériennes relevant jusqu'à présent soit du Comité national français [de Gaulle], soit du commandement en chef civil et militaire [Giraud]. »

3. *Mémoires de guerre, L'unité,* p. 112.

tous les décrets. Giraud signait le premier. Puis venait le tour de De Gaulle avant que revienne celui de Giraud. Selon un mot de Peyrouton, la méthode n'était pas sans rappeler le mode de fermeture des capotes d'infanterie, du temps où l'on voulait ménager les boutonnières : quinze jours à droite, quinze jours à gauche !

Mais, sous les apparences de la dyarchie, c'est une monarchie qui se mettait en place.

Assuré du dévouement des siens, recrutant chez Giraud, de Gaulle pourra profiter de toutes les erreurs tactiques de son adversaire. Qu'un partisan de Giraud démissionne, de Gaulle s'empare immédiatement de cette démission, lui donne une éclatante publicité et ferme à l'imprudent la route des repentirs.

Que, le 8 juin, de Gaulle démissionne du Comité parce que Giraud a refusé, après une semaine seulement de cohabitation, d'accepter un plan qui lui interdirait d'appartenir au gouvernement, dès l'instant où il prendrait un commandement effectif, et il n'y a là qu'une comédie dont le metteur en scène attend qu'elle précipite l'évolution des événements.

Au temps des *Mémoires,* de Gaulle éprouvera d'ailleurs un malin plaisir à reconstituer le scénario d'une démission qui, dans son esprit, n'en était surtout pas une.

> « ... Je me cantonnai aux *Glycines,* tout enveloppé d'affliction, laissant entendre aux ministres, fonctionnaires, généraux, qui venaient m'y voir, que je m'apprêtais à partir pour Brazzaville. »

Cet éclat va lui permettre d'isoler Giraud, qui ne peut obtenir d'un Comité boudeur une seule décision et dont il est fou d'imaginer, comme l'avait fait le général Chambe[1], qu'il eût pu jeter de Gaulle dans un avion et, avec « les personnages de sa suite », l'envoyer définitivement (?) à Brazzaville. Il lui permettra également de placer les Américains au pied du mur. Ils exigent, en effet, que Giraud demeure en place avec toutes ses attributions et que, conservant la disposition entière des troupes, des communications, des ports et des aérodromes, il soit l'unique interlocuteur du commandement

1. *Au Carrefour du destin.*

anglo-américain pour les problèmes militaires en Afrique du Nord[1].

Comment, réplique en substance de Gaulle lorsqu'il rencontre Eisenhower, comment la France pourrait-elle être le seul pays au monde dont le gouvernement n'ait pas le droit d'organiser à son gré le commandement de ses armées et de nommer à leur tête les chefs de son goût ? Vous dites que vous nous fournissez en armes, munitions, équipements et, certes, c'est exact mais, au cours de la dernière guerre, la France n'a-t-elle pas armé les Belges, les Serbes, les Russes, les Roumains... et les Américains ? Avons-nous, en contrepartie, exigé de la Belgique, de la Serbie, de la Russie, de la Roumanie, avons-nous exigé des Etats-Unis la nomination de tel ou tel chef militaire ou l'instauration d'un système politique déterminé ?

Encore qu'il n'ait nul besoin d'être encouragé, l'intervention américaine incitera de Gaulle à hâter le mouvement afin que Giraud, chassé du gouvernement, cantonné dans des tâches militaires, ne puisse avoir prise sur l'événement.

Et Giraud contribuera considérablement à sa propre élimination. Le 2 juillet 1943, répondant à une invitation du président Roosevelt, il quitte Alger pour les Etats-Unis. Sans doute va-t-il demander des armes pour ces soldats d'Afrique dont il s'est fait l'ardent ambassadeur, mais, laissant la place libre à de Gaulle, il s'exclut ainsi de ces grandioses cérémonies du 14 Juillet où, sur le Forum d'Alger, de Gaulle marquera avec force qu'il est le patron non seulement pour aujourd'hui, mais pour demain.

Dans son discours, de Gaulle, après avoir exalté le rôle de la France Combattante et les combats des résistants métropolitains, tient, en effet, à mettre en garde les « bonnes gens » contre leurs trop nombreuses illusions. « Bonnes gens », le terme se veut méprisant beaucoup plus qu'ironique ! « Bonnes gens », les giraudistes, les pétainistes, les attentistes également, qui se satisferaient d'un minimum de changement dans une France seulement délivrée de l'Allemand.

De Gaulle détrompe donc les « bonnes gens » qui imaginent, ou qui souhaitent, soit un retour « au régime qui abdiqua en même temps que

1. Eisenhower, recevant de Gaulle le 19 juin, parle au nom des gouvernements américain et britannique qui menacent de suspendre leurs livraisons d'armes si leur ultimatum n'est pas accepté

capitulaient ses armées », soit même la poursuite du « système d'oppression et de délation qui fut bâti sur le désastre ». La France, leur annonce-t-il, en jetant ainsi un pont en direction de l'avenir, la France « a choisi un chemin nouveau ».

Pas un mot de son discours n'a été consacré au général Giraud et à son action.

De son côté, Giraud, en visite aux Etats-Unis, ne se contente pas de faire silence sur de Gaulle. Il s'abstient de le défendre lorsqu'il est attaqué par Roosevelt, qui redoute de « voir s'instaurer en France, à la faveur du gaullisme, un nouvel Etat totalitaire, beaucoup plus apparenté au fascisme qu'à la véritable démocratie ».

A Washington, à Ottawa ensuite, à Londres enfin, Giraud se défend avec trop d'insistance de nourrir quelque ambition politique pour que ses proclamations de désintéressement ne désignent pas de Gaulle aux yeux d'une opinion américaine sur le qui-vive et depuis longtemps mal disposée envers le chef de la France libre.

Mais lorsque, à Ottawa, le « brave général » affirme devant les journalistes que « son seul but [est] de refaire une armée française, car tout le reste ne compt[e] pas », lorsque, à Londres, il dit que « personne n'a le droit de parler au nom de la France », comment ses propos n'irriteraient-ils pas un Charles de Gaulle dont l'action, depuis 1940, a tendu à obtenir de toutes ces nations, qui, sans vergogne, avaient installé leurs ambassadeurs à Vichy, qu'elles reconnaissent comme véritable gouvernement de la France le faible organisme qu'il avait créé et malgré les vents contraires, lentement, difficilement développé !

Aussi, à son retour des Etats-Unis, Giraud va-t-il trouver une situation totalement modifiée.

En son absence, le gouvernement — brusquement devenu monocéphale — a pris de nouvelles habitudes. Ceux qui penchaient encore vers Giraud se sont rapidement inclinés devant de Gaulle. L'unité de commandement a donné des fruits d'autant plus rapides que, « faute de parlement, de partis, d'élections [1] », les membres du Comité demeurent encore peu sensibles aux jeux de la politique.

Revenu à Alger le 31 juillet, Giraud se trouve donc presque immédiatement marginalisé.

1. De Gaulle, *Mémoires de guerre.*

Direction du Comité et présidence des séances incombent désormais au seul de Gaulle. Sans doute Giraud conserve-t-il son titre de coprésident, ainsi que la faculté de signer les ordonnances et décrets, mais il s'agit là de satisfactions d'amour-propre qui ne sauraient abuser longtemps.

Tous les textes, en effet, ont été précédemment étudiés et mis au point par les services gaullistes. De Gaulle sera seul à rendre un arbitrage lorsque se présentera quelque conflit de formule ou d'interprétation. Quant à la signature automatique des décrets, l'irréflexion de Giraud est telle qu'on la trouvera au bas des textes le condamnant à ne plus être rien !

Nommé par décret commandant en chef des Forces françaises, Giraud doit accepter, en août, ce qu'il avait refusé en juin. Il est entendu qu'il cessera de faire partie du gouvernement s'il se trouvait un jour à la tête d'armées en opérations.

Et c'est la guerre qui entraînera la perte de celui qui ne voulait que « faire la guerre ».

Giraud va tomber pour avoir remporté seul la victoire en Corse... comme il serait tombé s'il avait connu l'échec.

La campagne pour la libération de la Corse est, en effet, d'un bout à l'autre, son œuvre et celle de ses services secrets — les efficaces services secrets de Vichy transportés en Algérie quelques heures avant ou après le débarquement anglo-américain et qui seront durement châtiés pour avoir refusé d'être subordonnés aux services gaullistes.

Sur l'opération en Corse, Giraud a conservé le silence vis-à-vis de De Gaulle et du Comité, moins parce qu'il craint des bavardages que parce qu'il veut, aux yeux de l'Armée, des Alliés et à ses propres yeux sans doute, prendre une éclatante revanche sur un rival heureux en politique mais qui, sur le champ de bataille, n'a pu être crédité, en 1940, que de deux contre-offensives glorieuses mais sans véritable efficacité.

Informé par le général Chambe de l'opération qui est en cours[1], de

1. *Cf.* p. 202-203.

Gaulle ne peut que laisser, quelques heures plus tard, éclater sa légitime indignation face à Giraud, un homme dont l'on moquait la proverbiale naïveté et qui, si efficacement, vient d'utiliser cette arme, que l'on imaginait réservée à un autre : la ruse.

— Au milieu des bonnes nouvelles qui nous arrivent, je suis, mon Général, froissé et mécontent de la manière dont vous avez procédé à mon égard et à l'égard du gouvernement en nous cachant votre action. Je n'approuve pas le monopole que vous avez donné aux chefs communistes[1]. Il me paraît inacceptable que vous ayez laissé croire que c'était fait en mon nom comme au vôtre... De tout cela, je tirerai les conséquences qui s'imposent, dès que nous aurons franchi la passe où nous voici engagés.

De Gaulle ne tardera pas, en effet, à mettre à profit les cachotteries de Giraud pour l'éliminer de la coprésidence. Voici ce qu'il écrit, le 25 septembre, aux membres du Comité de la Libération nationale :

> « Les conditions dans lesquelles ont été préparées et sont actuellement exécutées, presque totalement en dehors du Comité de la Libération nationale, les opérations de toute nature tendant à la libération de la Corse montrent, une fois de plus, que le Comité, tel qu'il est constitué et tel qu'il fonctionne, n'est pas à même de jouer réellement son rôle d'organe de gouvernement.
>
> Cette impuissance procède, à mon avis, de deux causes d'ailleurs conjuguées. La première est l'absence d'une direction reconnue par tous et organisée, d'où il résulte que le Comité ne parvient pas à fixer sa politique sur les affaires capitales, ou — s'il l'a fixée pour l'une d'elles — qu'aucun contrôle effectif n'en suit la réalisation. L'affaire de Corse est caractéristique à cet égard.
>
> La seconde raison est l'indépendance du commandement militaire par rapport à l'organe du gouvernement. Cet état de choses, formellement contraire à nos institutions séculaires et à nos lois en vigueur, a pour conséquence que deux politiques coexistent et s'opposent. »

Après avoir rappelé aux membres du Comité les pressions de l'étranger et la part qu'elles ont eue dans la constitution d'une

1. *Cf.* p. 202.

organisation bicéphale, de Gaulle, sûr d'être écouté, laisse entendre qu'il ne poursuivra pas sa tâche à moins d'une réorganisation totale. Il réclame l'élection d'un président du Comité « disposant de pouvoirs réels et définis » sur tous les domaines, y compris le domaine militaire. « Ceci, au lieu et place de la double présidence qui a pu un moment être tolérée comme procédé de circonstance mais qui gêne l'exercice du pouvoir, entretient la division des esprits, impose au Comité une figure phénoménale et n'est naturellement pratiquée par aucun gouvernement au monde. »

Autant de bonnes raisons qui conduiront à l'élimination du général Giraud. L'ordonnance du 3 octobre 1943, au sujet de l'organisation et du fonctionnement du Comité français de la Libération nationale, prévoit, en effet, l'élection pour un an d'un président qui dirigera les travaux du Comité, contrôlera l'exécution de ses décisions et assurera la coordination entre les commissaires.

Giraud signe cette ordonnance alors qu'il ne peut ignorer que la présidence ira à de Gaulle.

Comme il signe, un mois plus tard, le 6 novembre, un texte par lequel le Comité de la Libération nationale demande « à son président, le général de Gaulle — qui a accepté[1] —, de procéder à tous changements dans la composition du Comité qu'il jugera nécessaires »...

Comme il signe, ce même jour, un décret dont l'article 1er précise que « le Comité français de la Libération nationale donne mission au président chargé de la direction de l'action gouvernementale de procéder, par dérogation à l'article 2 du décret susvisé du 2 octobre 1943, à une modification de la composition du Comité français de la Libération nationale ».

Le général Chambe avait cependant alerté Giraud. Le 1er novembre, il lui a lu — c'est sa méthode — une lettre de 17 pages dans laquelle se trouve ce passage :

> « Invité par vous à venir partager avec votre personne les charges du pouvoir, son chef [de Gaulle], qui n'aurait jamais dû venir ici qu'en subordonné, y a été admis à égalité. La lutte

1. Merveilleuse incise, ce « qui a accepté », alors que de Gaulle a tout fait pour qu'il en aille ainsi !

d'usure prévue et annoncée (relisez ma lettre du 17 mai 1943) s'est aussitôt déclenchée. Elle arrive à son terme. Aussi douloureux que cela soit, force est de constater que, dans cette lutte, ce n'est pas vous qui avez eu le dessus, mon général. »

Giraud prendra des mains de Chambe les 17 feuillets de la lettre-mémorandum.

— Je vous remercie de la peine que vous avez prise. Donnez-moi tout ça, je le relirai à tête reposée.

Il n'est pas sûr que le presse-papiers sous lequel Giraud a placé l'avertissement de Chambe ait jamais été soulevé.

Quoi qu'il en soit, le 9 novembre 1943, usant, pour éliminer Giraud et ses deux derniers fidèles, le général Georges et Abadie, du procédé utilisé le 13 décembre 1940 par Pétain pour éliminer Laval[1], de Gaulle demande à tous les commissaires présents leur démission. Nul ne la refuse. Tirant de sa poche la liste des nouveaux ministres, de Gaulle en donne alors lecture.

Président : Général de Gaulle.

Membres : MM. Emmanuel d'Astier de la Vigerie, Henri Bonnet, René Capitant, le général Catroux, André Diethelm, Henri Frenay, Louis Jacquinot, André Le Troquer, René Massigli, René Mayer, Pierre Mendès France, François de Menthon, Jean Monnet, Henri Queuille, René Pleven, Adrien Tixier.

C'est en vain que Giraud, Georges et Abadie ont attendu que soit cité leur nom.

— C'est un traquenard, murmure Giraud. Je n'avais pas compris...

— Tais-toi, murmure Georges qui, lui, a parfaitement compris, tu vas te rendre ridicule.

Que Giraud n'ait pas compris, il le marque d'ailleurs, le

1. La comparaison se trouve sous la plume de Robert Aron.

14 novembre, dans une lettre à Le Troquer, qui vient d'être nommé commissaire à la Guerre et à l'Air.

> « Je n'ai pas, écrit-il, été amené à cesser mes fonctions de président et de membre » du Comité français de la Libération nationale par suite du développement des opérations militaires, comme le prétend un communiqué de presse inexact.
>
> Ce qui est exact, c'est que, dans l'interrègne entre le Comité, dont j'étais un des présidents, et le Comité dont vous faites maintenant partie, j'ai été purement et simplement congédié, malgré les prescriptions de l'article 4 du décret du 2 octobre dernier. Ceci, vous le comprenez aussi bien que moi-même, m'enlève toute confiance dans la loyauté du Comité à mon égard. Demain, un autre prétexte sera bon pour remplacer le commandant en chef auquel on prodigue aujourd'hui les fleurs et les couronnes.
>
> Pour moi-même, pour l'armée, pour la France, il vaut mieux que je parte aujourd'hui. Nul n'est indispensable. Vous me remplacerez par un homme plus jeune et... moins compromis [1]. »

Que Giraud ne soit plus rien, certes.

Qu'il s'en aille, pas encore. L'effet en serait déplorable auprès de l'armée, des Américains et de toute cette partie de la population qui n'est nullement informée de la réalité souvent sordide des querelles pour la conquête du pouvoir. Aussi, lorsque de Gaulle reçoit, le 15 novembre, la lettre de démission du commandant en chef, se montre-t-il irrité et déçu. Ne voulant pas se compromettre dans une démarche vraisemblablement vouée à l'échec, il demande donc à sept commissaires de se rendre en délégation au Palais d'été, résidence du commandant en chef, afin d'obtenir le retrait d'une démission inopportune.

Après plus d'une heure de discussion, Giraud acceptera de recevoir un seul envoyé : son ministre, André Le Troquer. Et il reviendra sur sa décision.

---

1. Dans sa lettre, Giraud écrit également : « Je sais bien que j'ai à mon passif l'amitié américaine. Je n'en suis pas honteux puisqu'elle a permis à ma patrie de rentrer dans la guerre. »

« Demain, avait-il écrit à Le Troquer, un autre prétexte sera bon pour remplacer le commandant en chef... »

Demain, ce sera... dans cinq mois, le 7 avril 1944.

Ce jour-là, de Gaulle informe, en effet, Giraud de l'intention du Comité de la Libération nationale (en vérité de son intention) de le nommer inspecteur général des Armées, puisque les fonctions de commandant en chef vont être supprimées... en attendant que de Gaulle les reprenne à son compte.

Giraud, qui ne peut supporter l'humiliation de se voir, après avoir presque tout perdu, embarqué sur une coque vide, met fin à l'entretien en claquant la porte[1].

De Gaulle convoque alors le général Chambe pour lui demander d'intervenir auprès de son chef et de faire qu'il accepte une décision provoquée, affirme-t-il, par de trop nombreuses manifestations d'insubordination. Que se passera-t-il, répond Chambe, si le général Giraud prend l'engagement *écrit* de se soumettre à toutes les décisions du gouvernement ? Alors, réplique de Gaulle, la mesure envisagée ne sera pas prise, il ne sera pas nommé inspecteur général, mais demeurera commandant en chef. Qu'il se hâte cependant.

A Chambe, qui demande si le commandant en chef doit venir immédiatement apporter sa réponse et prouver ainsi sa volonté d'obéissance, de Gaulle répond qu'un message oral ou écrit suffira. Il est entendu que Chambe communiquera ce message le lendemain, 9 avril, à 11 h 30.

Lorsqu'il se présente, à 11 h 30, à la Villa des Oliviers, porteur d'une lettre de Giraud qui promet de se conformer exactement désormais aux ordres du gouvernement et qui remercie de Gaulle de le maintenir dans son titre et ses fonctions de commandant en chef, Chambe trouve le président du Comité national dans des sentiments qui ne sont plus

1. De Gaulle a envoyé, le 8 avril, deux lettres au général Giraud. L'une officielle, l'autre personnelle, dans laquelle se trouvent ces mots : « Mon général, vous ne *pouvez* pas, dans la situation où se trouve notre pauvre et cher pays, prendre — pour une raison personnelle — une attitude de refus vis-à-vis de ceux qui ont la terrible charge de gouverner devant l'ennemi et au milieu des étrangers. »

ceux de la veille. A moins que ceux de la veille n'aient été qu'une feinte...

— Nous allons voir ! Nous allons voir ! répète de Gaulle, en accusant à nouveau Giraud de toujours discuter les décisions du Comité.

— C'est de la vieille histoire. Le général Giraud fait amende honorable. Il prend l'engagement de ne pas retomber à l'avenir dans ses errements.

— Oui, il le dit, mais ne le fera pas. La preuve, vous le voyez, le gouvernement le nomme inspecteur général des Armées et il ne veut pas ! Ce sera toujours ainsi ! Enfin, nous verrons !

Bien monté, le piège s'est déjà refermé sur Giraud.

Tandis que Chambe se trouve en conversation avec de Gaulle, l'agence de presse France-Afrique reçoit du cabinet du général de Gaulle l'ordre de publier un communiqué annonçant la nomination de Giraud au poste d'inspecteur général de l'Armée.

Il ne reste plus au commandant en chef qu'à refuser et, pour une fois, à se tenir à sa décision, même si elle le prive de prendre sa part légitime des victoires de l'armée française dans les batailles d'Italie et les combats pour la Libération.

Le 14 avril, le voici placé en réserve de commandement. Six jours plus tard il quitte Alger pour Mazagran, où une propriété a été réquisitionnée à son intention.

A-t-il l'ambition, comme certains l'affirment, de « s'évader » une fois encore[1] et de gagner la France, soit « pour faire le coup de feu comme tout le monde », soit pour prendre la tête de maquisards anticommunistes ?

Quoi qu'il en soit, l'ex-commandant en chef, qui reçoit d'assez nombreux visiteurs, est moins bien protégé que très étroitement surveillé.

Il règne autour de sa résidence une atmosphère étrange faite d'alertes inexplicables et de coups de feu inexpliqués. Et, le 8 août, c'est le drame. Une sentinelle algérienne tire sur Giraud. Si le coup, parti de très près, n'a pas été mortel, Giraud le doit au geste soudain qu'il a fait pour se pencher sur le landau de son petit-fils.

1. Sur ce point, *cf.* Paillat, *L'Echiquier d'Alger,* tome II, p. 389.

— Je suis blessé, dit-il[1]. Ils ne m'ont pas encore eu.

Qui sont ces « ils », on ne le saura jamais. L'enquête qui, comme toutes les enquêtes, devait faire « toute la lumière » a été résolument engagée sur des chemins sans issue.

Quart à l'assassin, ce Bouali Miloud Ould Ahmed, que l'on dira victime d'un accès de démence mystique, il sera fusillé, bien que Giraud ait demandé sa grâce.

Seuls les morts ne parlent pas.

En août 1944, quel rôle Giraud aurait-il pu jouer dans une France où l'heure n'est pas à la modération des sentiments ?

Et quel aurait été le prestige d'un général qui n'avait su ni se défendre, ni défendre ses collaborateurs, ni mettre un frein à cette épuration qui marquait, à Alger, la volonté des nouveaux maîtres d'en finir avec les hommes et avec les idées de Vichy ?

1. Giraud a été atteint au visage.

4

LE PROCÈS PUCHEU ET LES DÉBUTS DE L'ÉPURATION

La patrie quotidiennement humiliée, la violence de la répression allemande et de cette fraction de la police française dévouée à l'occupant, les exécutions d'otages, les rafles de juifs, les tortures, les déportations, le climat de guerre civile entretenu par la presse de Paris, tout ce qui se sait et tout ce qui se devine explique une volonté de justice et de représailles dont l'intensité est, aujourd'hui, difficilement compréhensible.

François de Menthon, qui arrive de métropole, aura raison de déclarer, devant l'Assemblée consultative d'Alger : « Seuls ceux qui ont vécu en France peuvent comprendre pleinement pourquoi nous éprouvons le besoin d'un assainissement. »

Aux plus modérés des résistants eux-mêmes — ceux de l'*Organisation civile et militaire,* par exemple —, il apparaît que « le premier acte du gouvernement de la Libération [doit être] la liquidation impitoyable de la trahison [1] ».

Une « liquidation » que l'on imagine, alors, balayant tout rapidement sur son passage. L'insurrection, peut-on lire au début d'une longue note émanant, le 15 octobre 1943, du Comité Central des Mouvements de Résistance, doit avoir pour but « de garantir l'élimination *en quelques heures* [2] de tous les fonctionnaires d'autorité et leur remplacement ». Elle doit également assurer, toujours en *quelques*

1. 25 janvier 1943. Projet de législation sur les responsabilités et les sanctions.
2. Souligné dans le texte.

heures[1], la « répression *révolutionnaire*[1] de la trahison, conforme aux légitimes aspirations de représailles des militants de la Résistance ».

Trahison, représailles, les mots essentiels sont écrits. Chaque parti les interprétera à sa façon et dans le cadre de ses intérêts à court ou à moyen terme.

Dans sa volonté de déstabiliser, sinon de détruire des milieux politiques qui lui étaient hostiles avant la guerre, le parti communiste concevra d'ailleurs — suivant le mot d'Henri Michel — « le crime de trahison dans un sens très large » et réclamera non seulement l'exécution de Pétain, de Laval, des ministres de Vichy, mais également des « traîtres du Comité des Forges, du Comité des Houillères, du trust Kuhlmann, des grandes banques », en attendant d'étendre ces exigences, à la Libération, à un certain nombre de notables dont le crime était moins d'avoir collaboré que d'occuper une situation sociale éminente et d'avoir fait confiance à Pétain.

Un grand vide étant ainsi créé par l'élimination de la majeure partie du personnel de la IIIe République, et par la quasi-totalité de celui de l'Etat français, bien des places, devenues libres, seront naturellement occupées par des hommes qui, ayant milité dans les rangs du parti communiste, bénéficieront, le moment venu, de son implantation, de la qualité de ses militants et de l'attraction qu'il exerce auprès de ceux qui admirent le courage avec lequel il a lutté contre l'occupant comme de ceux qui craignent son intolérance et sa pugnacité.

Le parti communiste ne sera certes pas le seul à bénéficier de l'effondrement d'une droite trop compromise avec Vichy et dont les responsables ont disparu — quand on ne les a pas fait disparaître —, mais il est remarquable qu'aux élections législatives d'octobre 1945 il puisse devenir, avec 5 004 121 voix[2], le premier parti de France.

Qu'elle ait des motivations politiques ou morales, l'épuration, réclamée par la *Résistance unanime,* prépare donc et engage le proche avenir.

Unis sur le principe de l'épuration, les résistants ne le sont évidemment pas sur les méthodes. A côté de ceux pour qui « il faut exclure du pouvoir et de toute parcelle du pouvoir tous les Français qui ont collaboré (avocats, médecins, philosophes, politiques, chrétiens)[3],

1. Souligné dans le texte.
2. Soit 26.2 % des suffrages contre 17 % en 1936, lors des élections qui consacrèrent la victoire du Front Populaire.
3. Radio Journal libre, mars 1944.

à côté de ceux pour qui, « dans les mois qui suivront la Libération, tous les miliciens, les chefs de groupe collaborateurs, les membres du gouvernement, les dénonciateurs, les policiers qui ont pris part à la répression doivent être passés par les armes[1] » et pour qui « justice [devra être] faite en pleine place de la République aux accents de *La Marseillaise*[2] », il en est qui veulent que l'on ne confonde pas « les simples dupes de Pétain avec les traîtres avérés à la solde de l'ennemi[3] ».

Dans son ensemble, d'ailleurs, la Résistance refuse tout ce qui sort de la légalité, même si la légalité, dans les mois précédant et suivant la Libération, sera bien souvent bafouée par des vengeurs sans mandat et des « justiciers » indifférents ou hostiles à toute procédure.

Mais s'il s'élève, en février 1944, contre « toute manifestation de tribunaux improvisés qui s'attribuent mission d'incarner la justice de la France Combattante », le Conseil national de la Résistance n'en exige pas moins, dans son programme d'action, « le châtiment des traîtres et l'éviction dans le domaine de l'administration et de la vie professionnelle de tous ceux qui auront pactisé avec l'ennemi ou qui se seront associés activement à la politique des gouvernements de collaboration ».

En France occupée, des problèmes particuliers seront naturellement étudiés. C'est ainsi que le Comité d'Etudes[4] se penchera avec passion, dans l'été de 1943, sur le problème de l'épuration de la presse. Plusieurs groupes travaillant soit autour d'Alexandre Parodi, de Francisque Gay et de Jean Guignebert, soit autour d'Albert Bayet, créeront une Commission de la Presse qui s'efforcera de définir les conditions de développement de la presse future ; une fois terrassée et interdite cette presse de la collaboration qui, quotidiennement, agresse les sentiments de l'immense majorité de la population.

---

1. Rapport de *Guizot,* 20 juillet 1944.
2 *Finistère Libéré,* 9 septembre 1944.
3. Bulletin d'information du Front national (février 1944) reproduisant un appel du C.N.R.
4. Sur le Comité d'Etudes, *cf.* p. 137 et suiv.

Les Français ont trop souffert de la complicité de la presse avec l'occupant (et tout particulièrement de la presse parisienne) pour ne pas vouloir aller de l'impur au pur. Les rédacteurs, les imprimeurs, les diffuseurs des feuilles clandestines ont trop souffert de la répression allemande pour ne pas vouloir sauver à la Libération, et faire s'épanouir dans les jours, les mois, les années qui suivront, des entreprises artisanales, secrètes et périlleuses qui, entre 1940 et 1944, se sont considérablement transformées, qu'il s'agisse des techniques d'impression ou du volume du tirage.

Plusieurs thèses s'affronteront d'ailleurs. Certains résistants, poussant à l'extrême le souci de l'unité, souhaiteront d'abord — c'est la thèse de Brossolette — un journal unique, puis une feuille officielle, tandis que Bayet et Francisque Gay obtiendront, contre l'avis de Dujardin — un professionnel irrité par l'ignorance des réalités techniques et humaines presque vaniteusement affichées par les journalistes clandestins —, que chaque tendance politique possède « son » quotidien.

Le Comité d'Etudes élaborera donc les instructions du 2 mai 1944 et, à travers le *Cahier bleu,* portera à la connaissance d'autorités encore clandestines : commissaires de la République et délégués à l'Information, les mesures élaborées en accord presque parfait avec Alger où les séances de l'Assemblée consultative provisoire des 29 et 30 mars ont été consacrées à l'organisation de la presse.

De ces études et de ces débats naîtront l'ordonnance du 6 mai 1944 et celle, infiniment plus importante, du 26 août 1944[1], faisant obligation à la personne possédant la majorité du capital d'une entreprise publiant un quotidien ou un hebdomadaire d'en être obligatoirement le directeur, interdisant l'usage de prête-noms et les subventions étrangères, rendant obligatoire la publication du compte d'exploitation et du bilan, fixant les tarifs de publicité et, à côté de dispositions heureuses, en comprenant quelques-unes qui se révéleront inapplicables parce que conçues pour un monde immobile où public, techniques, publicité, rien n'évoluerait jamais.

1. Qui devait être, en 1984 notamment, au centre de nombreux débats politiques.

Etudiée et, plus souvent encore, évoquée en France occupée, l'épuration avait été, pour cinq parlementaires alors à Londres : Pierre Bloch, Félix Gouin, Max Hymans, Pierre Mendès France, Paul Antier, l'occasion de réclamer dès novembre 1942, dans une lettre au président Roosevelt, « que les complices et les serviteurs de l'ennemi [ne] puissent continuer à exercer une autorité quelconque dans les territoires libérés ».

C'est-à-dire dans cette Algérie et ce Maroc où, si le « pétainisme » avait été ardent, la « collaboration » n'avait véritablement posé aucun des problèmes moraux connus par la France et où les seuls fusillés avaient été des espions au service de l'Allemagne, condamnés à mort par les tribunaux de Vichy.

En avril 1943, les cinq, devenus huit depuis que s'étaient joints à eux Fernand Grenier, Maroselli et André Philip, avaient adopté un ordre du jour visant « à écarter des postes gouvernementaux ou administratifs tous ceux qui [n'avaient] *pris aucun risque dans la résistance française*[1] ».

C'était vouloir éliminer beaucoup de monde.

Non seulement les adhérents des partis de collaboration, à qui les ordonnances du 6 juillet 1943 devaient interdire d'occuper d'autres emplois que subalternes[2], mais également bon nombre de ces fonctionnaires que les Allemands les plus lucides, et parfois les collaborateurs, poursuivaient de leur haine et à qui ils reprochaient un double jeu finalement favorable à la Résistance.

Il était donc fatal qu'à Alger, une fois réglé le problème de l'entourage pétainiste de Giraud — et de Gaulle, on l'a vu, l'avait réglé dès son arrivée —, débutât la chasse à tous ceux qui étaient inscrits au P.P.F. de Doriot, au Service d'ordre légionnaire, à la Milice, à la Légion tricolore, au R.N.P. de Déat, mais aussi à ceux qui s'étaient opposés, par la plume ou la parole, aux Alliés et aux gaullistes, à ceux

1. Je souligne intentionnellement.

2. Ce qui, selon Robert Aron, avait pour inconvénient majeur de rétablir, sur le territoire libéré, le « délit d'appartenance » dont avaient si cruellement souffert en France occupée et non occupée, juifs, maçons, communistes à qui l'on ne demandait pas, pour les condamner, *ce qu'ils avaient fait,* mais quels étaient leur race, leur philosophie, leur parti.

également qui étaient suspects de « penser mal » et que, dans un esprit moralisateur révolutionnaire, certains émettaient la prétention de « rééduquer ».

En janvier 1944, au résistant Viard, qui recommandera à ses collègues de l'Assemblée consultative provisoire « de nuancer leurs sanctions et de ne pas condamner systématiquement [1] », André Philip, commissaire à l'Intérieur, expliquera la méthode qu'avec ses amis, surgis comme lui de la clandestinité, il désire mettre en œuvre pour en finir avec les conflits qui les opposent à ces Européens vivant en Afrique du Nord, et qui, n'ayant pas connu l'occupation, baignent encore dans un pétainisme diffus.

> « — … Tout cela ne vient pas de ce que l'administration ou la population sont plus mauvaises en Afrique du Nord que dans une autre partie de la France, mais de ce que l'ennemi n'y a pas été présent… Quand on n'a pas souffert la présence de l'ennemi dans sa chair et dans son sang, il y a certaines choses qu'il est difficile de comprendre même lorsqu'on vous les explique. La grande difficulté est de les faire comprendre à ceux qui ne les ont pas vécues.
>
> Le premier problème en Afrique du Nord est donc posé par cette grande masse, hostile ou du moins réservée, dont certains éléments irréductibles *doivent être châtiés mais dont d'autres peuvent être rééduqués* [2]. »

Puisque la population d'Afrique du Nord n'a pas connu l'occupation — on ne va pas jusqu'à le lui reprocher —, on « fera comme si » et le climat alors artificiellement créé explique les réactions scandalisées de Saint-Exupéry devant « le bain de haine d'Alger », sa violence devant la phraséologie des nouveaux dirigeants : « Leur pompiérisme m'emmerde, leur ignominie m'emmerde. Leur polémique m'emmerde et je ne comprends rien à leur vertu. »

1. Ce qui lui vaudra des réactions d'hostilité de la part de la majorité de l'Assemblée.
2. Je souligne intentionnellement.

A Alger, les épurateurs parlent, agissent, réglementent, jugent pour l'Afrique du Nord, et les territoires coloniaux récemment libérés de Vichy, mais c'est vers la France qu'ils regardent, comme s'il s'agissait, pour eux, de procéder à la répétition générale de la pièce qui se jouera demain.

Lorsque de Gaulle, à Casablanca, parle, le 8 août 1943, des dirigeants de Vichy, ou plus exactement des « soi-disant gouvernants qui, en juin 1940, se sont rués à la capitulation », il a ces phrases :

> « — De ces hommes, il n'y a qu'un mot à dire : " trahison ", qu'une seule chose à faire, " justice ". Clemenceau disait : " Le pays connaîtra qu'il est défendu. " Nous disons : " Le Pays, un jour, connaîtra qu'il est vengé. " »

Il lui faut désormais vêtir les mots.

L'ordonnance du 18 août 1943, instituant une Commission d'Epuration, qui a pour mission de « *provoquer les sanctions adéquates contre tous les élus, fonctionnaires et agents publics, qui, depuis le 16 juin 1940*[1], *ont, par leurs actes, leurs écrits ou leur attitude personnelle, soit favorisé les entreprises de l'ennemi, soit nui à l'action des Nations Unies et des Français résistants, soit porté atteinte aux institutions constitutionnelles ou aux libertés publiques fondamentales* », donne au discours du 8 août sa structure juridique.

Sans doute l'ordonnance prévoit-elle que seront établies des différences dans la responsabilité entre ceux qui se sont bornés à exécuter des ordres qu'ils n'avaient pas la possibilité de discuter et les auteurs ou les inspirateurs de ces ordres, mais elle étend la notion de « fonctionnaire ou agent des services publics » à toutes les personnes ayant participé à *quelque titre que ce soit* « au fonctionnement de la radiodiffusion, des journaux et des périodiques ».

Le 3 septembre, le Comité français de la Libération nationale va beaucoup plus loin encore lorsqu'il prend la décision de faire traduire en justice le maréchal Pétain.

Ainsi, l'obéissance à l'Etat français ne constituera-t-elle plus une

1. 16 juin 1940, démission du gouvernement Reynaud. De Gaulle a toujours estimé qu'à dater du 16 juin 1940 il n'existait plus de gouvernement français légal.

excuse pour les fonctionnaires dès lors qu'ils sauront que la justice s'exercera « *à l'égard du maréchal Pétain, de ceux qui ont capitulé ou porté atteinte à la Constitution, de ceux qui ont collaboré avec l'ennemi et de ceux qui ont livré les travailleurs français à l'ennemi et fait combattre des forces françaises contre les alliés ou contre ceux des Français qui continuaient la lutte* ».

Dans son émission du 4 septembre, Maurice Schumann insiste d'ailleurs sur la portée d'une décision qui vise à « déchirer les derniers lambeaux de l'équivoque » et à faire comprendre aux dirigeants de Vichy que toutes les routes leur sont désormais barrées.

Qu'il leur sera impossible, en tout cas, comme les moins compromis l'espèrent et veulent le tenter — je l'ai montré dans le premier chapitre de ce livre —, de réussir une « opération à l'italienne », un changement de camp qui, avec la bénédiction américaine, leur permettrait, soit de se faire oublier, soit même de conserver quelque fonction.

Le général Giraud, remarquons-le, et de Gaulle ne manquera pas de le lui faire remarquer après le procès Pucheu, s'est associé à la décision du 3 septembre comme il a naturellement signé l'ordonnance du 2 octobre créant un « tribunal militaire d'armée de compétence particulière » constitué pour juger « toutes les infractions commises depuis le 3 septembre 1939 contre les personnes détenues dans les camps ou centres de séjour surveillés, ou contre les biens appartenant à ces mêmes personnes ».

Il s'agissait alors — et nul ne pouvait y trouver à redire — de juger et de punir ces brutes et ces sadiques qui, au camp d'Adjerat, dans le Sud algérien, exerçant la fonction de gardiens et de surveillants, s'étaient comportés comme se comportaient leurs homologues des camps de concentration nazis.

Dans l'ensemble concentrationnaire d'Adjerat, avaient été rassemblés aussi bien des anciens combattants des Brigades internationales que des Polonais, des Italiens, des juifs allemands ou des apatrides dont beaucoup avaient voulu s'engager en 1939 au service de la France et à qui leurs tortionnaires faisaient payer cher leur attachement à la République et leur fidélité à la gauche.

Sur ce qu'étaient la corvée de soupe, la corvée d'eau, la corvée de bois, nous possédons des documents[1] déshonorant à jamais les

1. Robert Aron les a longuement cités dans son *Histoire de l'épuration,* tome III, p. 194 et suiv.

tortionnaires qui faisaient transporter la soupe et l'eau des repas par des corvées condamnées sous la menace de la matraque, à se coucher, ramper, se relever, se coucher encore.

En un an, neuf internés d'Adjerat périront soit d'inanition, soit massacrés à coups de matraque. Sans doute est-on très loin des statistiques d'Auschwitz ou de Neuengamme, mais, à des milliers de kilomètres de distance, le même esprit du mal inspirait les responsables des camps[1].

Le 21 octobre, une nouvelle ordonnance — signée également par Giraud — vient élargir la portée de l'ordonnance du 2 octobre en précisant qu'elle s'étendrait désormais aux crimes et délits contre la sûreté intérieure ou extérieure de l'Etat commis « *dans l'exercice de leurs fonctions par les membres ou anciens membres de l'organisme de fait se disant gouvernement de l'Etat français*[2], à ceux commis par les officiers généraux, à ceux commis par les membres des groupements antinationaux... »

Prenant — la remarque est de Robert Aron — une « extension surprenante, un peu comme si un conseil de guerre était appelé à juger un chef d'Etat », le tribunal d'armée deviendra ainsi un tribunal d'exception et c'est devant lui que sera pour la première fois jugé, avec Pucheu, non seulement un ancien ministre de Vichy, mais l'armistice, la collaboration, les intentions et les actes du gouvernement de Vichy, dans des conditions de passion et d'impréparation qui laissent prévoir les conditions dans lesquelles se dérouleront les procès des années 1945-1947.

---

1. Le procès des tortionnaires d'Adjerat s'ouvrira le 17 février 1944. Quatre condamnations à mort seront prononcées contre le lieutenant Santucci, commandant en premier du camp, l'adjudant-chef retraité Finidori, commandant en second, Dauphin, un adjudant de l'armée d'active, Riepp, un détenu allemand qui tenait avec férocité son rôle de kapo.

Deux responsables seront condamnés aux travaux forcés à perpétuité, deux autres à vingt ans de travaux forcés, deux encore à dix années de travaux forcés.

2. Je souligne intentionnellement.

Passion dans la majeure partie de la presse.

Passion dans les prétoires.

N'a-t-on pas entendu le colonel Faure s'écrier, à l'intention des juges des tortionnaires d'Adjerat :

— Si vous veniez, par votre verdict, à décevoir les patriotes, alors c'est le peuple, et lui seul, qui rendrait la justice en sortant de la légalité.

C'était se placer dans un cadre révolutionnaire où le rôle de la justice aurait été de satisfaire prioritairement les passions. C'était également accepter — ce qui se produira en France, après la Libération — que des foules ignorant la réalité des faits, mais embrigadées et conduites à l'assaut des prisons, puissent « rectifier » les verdicts, en s'emparant de condamnés aux travaux forcés pour, dans l'instant, en faire des condamnés à mort.

Passion au sein de cette Assemblée consultative provisoire, de 84, puis 102 consultants, créée à Alger par l'ordonnance du 16 septembre 1943[1].

L'Assemblée a d'abord été imaginée pour impressionner les Alliés qui suspectent de Gaulle de volontés dictatoriales. Une assemblée, n'est-ce pas la démocratie ? Roosevelt ne se laissera jamais prendre au jeu et traitera la consultative de « petite administration quasi provinciale », Churchill n'en parlera pas et de Gaulle lui-même ne paraîtra

1. L'Assemblée consultative provisoire comprend initialement 40 représentants des organismes de la résistance métropolitaine, 12 représentants de la résistance extra-métropolitaine, 20 membres du Sénat et de la Chambre des députés (dont 3 communistes, 5 socialistes, 5 radicaux), 12 représentants des conseils généraux.

Le 3 novembre 1943, pour la première séance, seuls 47 « consultants » sont présents. Les délégués de la Résistance métropolitaine rejoindront peu à peu. Les « consultants » touchent une indemnité mensuelle de 13014 francs, ce qui, selon certains, est très insuffisant. Cerf-Ferrière, l'un des consultants qui a franchi les Pyrénées en septembre 1943, décrit ses collègues « pauvres, maigres, les vêtements souvent luisants », soumis par ailleurs aux avances de jolies femmes et de bourgeois aisés qui ne désespèrent pas de réussir quelques manœuvres de corruption lorsque la justice les menace dans leurs biens ou leur personne.

devant elle que lors de cérémonies rituelles ou pour y recueillir les applaudissements et les encouragements qui lui sont utiles dans sa lutte contre Giraud, les Anglais, les Américains.

Ni législative, ni souveraine, appelée seulement à donner des avis qui n'engagent nullement le comité, l'Assemblée d'Alger sera donc bavarde.

Et d'autant plus bavarde que les « consultants » ont longtemps dû se contraindre et qu'ils sont — ou se croient —, selon la flatteuse définition de De Gaulle, « tout imprégnés des ardeurs et des rêves » de la France.

Limitée en tout, mais s'intéressant à tout, la Consultative aura toutefois une influence plus grande que voulu, prévu et imaginé. Ecouter les discussions fleuves qui s'y prononcent, n'est-ce pas déjà écouter ce qui, bientôt, se dira au Palais-Bourbon ?

Sur l'épuration, par exemple, qui se prête à d'amples développements.

Parlant le 11 janvier 1944, le socialiste Gazier s'écric ainsi à l'adresse du commissaire à la Justice, François de Menthon :

— Vous détestez Vichy. Nous le savons. Nous savons aussi que cela ne suffit plus. Il est absolument nécessaire que vous creusiez, entre Vichy et vous, un fossé absolument infranchissable.

A élargir ce fossé, Gazier lui-même travaillera puisqu'il réclamera la création de « tribunaux populaires » devant lesquels la défense serait certes assurée, mais « sans toutefois que cela puisse porter atteinte à la célérité des débats », la juridiction d'appel prévue devant rendre la sentence dans le délai d'une semaine.

Le même jour, Charles Laurent réclamera que soient fusillés tous les « rédacteurs des journaux vichyssois qui ont fait œuvre antinationale ».

Le communiste Pourtalet s'écriera : « L'identité constatée, les traîtres doivent être immédiatement passés par les armes. » Et son collègue Costa réclamera, pour les colonies françaises, une commission d'épuration itinérante dont il trace le circuit : Dakar, Bamako, Conakry, Cotonou, Gao, sans oublier Brazzaville.

Quant à Emmanuel d'Astier de la Vigerie, commissaire de l'Intérieur, s'adressant, par-delà les délégués qui l'écoutent, aux Anglais et aux Américains qui craignent les ruptures sociales et politiques que risque d'entraîner l'épuration, il se prononcera en faveur d'une « purge » rapide.

> « — Je sais que, lorsqu'il s'agit d'armer le peuple de France, il y a quelques hommes politiques — ils ne sont pas tous à l'étranger, il y en a même en France — qui sont inquiets. Ils pensent au mot de " révolution ". Je voudrais leur dire ceci : il ne s'agit pas en France de faire une révolution. Il s'agit de faire une simple purge, et ni le Ciel, ni la Grande-Bretagne, ni l'Amérique n'empêcheront cette purge. Avec les armes prises aux Allemands, avec les armes prises aux Italiens, avec les poings, avant même la Libération, cette purge se fera[1]. »

Le R.P. Carrière n'est pas dans un état d'âme très différent.

— Un personnage haut placé, vient-il expliquer à la tribune, me disait dernièrement : « Mon Père, l'heure de la charité a sonné et l'heure du pardon également. » Je lui ai répondu : « L'heure de la charité est apparue lorsque le Christ est descendu sur la terre. Mais, aujourd'hui, a sonné l'heure de la justice. »

Aussi verra-t-on François de Menthon, commissaire à la Justice, littéralement acculé par les questions de ceux qui réclament l'intensification de l'épuration, s'effondrer en séance, victime d'un malaise. Quel sort a-t-on réservé à Baust et Desoubry, directeurs de la Banque d'Etat du Maroc ? Et à l'inspecteur des finances Gonon ? Est-il vrai que Tixier-Vignancour passe ses journées à jouer au billard dans un café de Médéa[2] ? Pour quelles raisons n'a-t-on pas arrêté le général Claveau, commandant de la Place d'Alger ; le général Sage, sous-directeur de l'artillerie à Dakar ; le préfet Battistini ?...

Après s'être élevé contre les juridictions d'exception, « parodies comme celles que Vichy a connues », François de Menthon, qui a toutefois accepté de prendre des sanctions contre des fonctionnaires *sans examen de leur dossier*[3], fournira, au cours de la séance du

---

1. Séance du 10 janvier.
2. Tixier-Vignancour avait, dans les débuts de Vichy, joué un rôle actif, notamment dans le domaine de la propagande.
3. Ce qui entraînera la démission du président de la Commission d'épuration, l'universitaire William Marçais, mais les quatre autres membres de la Commission, MM. Bossman, Ribière, d'Alsace, Esquer, se solidariseront avec François de Menthon.

12 janvier 1944, des chiffres dont il espère qu'ils lui vaudront l'indulgence de l'Assemblée. 150 sanctions ont été prises dans l'administration algérienne et 215 dossiers sont en cours d'examen ; 91 en Tunisie, 124 au Maroc ; en Corse, tous les fonctionnaires de l'administration préfectorale — à l'exception d'un sous-préfet — ont été mutés et rétrogradés.

Ces chiffres, est-il besoin de le préciser, ne soulèvent nullement l'enthousiasme d'une assemblée infiniment plus exigeante et dans laquelle on entendra M. Debiesse déclarer que les sanctions doivent être prises dans tous les services publics dans les mêmes conditions que dans l'enseignement où la proportion du personnel touché a été forte afin qu'il ne soit « plus possible de faire de distinctions au point de vue de la virilité (!) des commissaires[1] ».

Aussi, le 13 mars, Menthon reviendra-t-il devant l'Assemblée pour dire que 998 dossiers ont été retenus sur les 1 473 qui ont été soumis à ses services, que 11 gouverneurs des colonies, 24 administrateurs et 93 magistrats ont été sanctionnés, pour annoncer les procès qui s'ouvriront prochainement et surtout pour exposer les mesures d'épuration qui entreront en vigueur dès la libération du territoire.

On verra d'ailleurs se succéder à la tribune des commissaires, qui, se félicitant de la bonne marche de l'épuration dans leurs services, s'emploieront à tour de rôle à démontrer qu'ils sont allés plus loin, ont frappé plus fort les uns que les autres[2].

Jacquinot, commissaire à la Marine, qui n'a rien d'un excessif, déclarera cependant que « tous les amiraux qui commandaient le 8 novembre [lors du débarquement anglo-américain] ont été mis hors d'état de le faire désormais. La moitié des officiers généraux de la Marine ont quitté le commandement et le service. Je leur ai même interdit — ce qui est cruel pour des marins — l'accès à nos ports ».

---

1. Séance du 13 mars 1944.
2. Il faut signaler également la dissolution ou la suspension de nombreux conseils municipaux, ceux notamment de Maison-Carrée, Fort-de-l'Eau, Béni-Méred, Blida, Courbet, Cavaignac, Arzew, Malherbe, Trois-Marabouts, etc. Ces dissolutions interviennent après l'arrivée du général de Gaulle, mais elles sont approuvées par le général Giraud.

De l'épuration en Afrique du Nord, l'Histoire retiendra essentiellement le procès, la condamnation et l'exécution de Pierre Pucheu.

Ministre de l'Intérieur de Vichy, en poste lors des premières mesures de représailles collectives allemandes, celles d'octobre 1941, et, à ce titre, impliqué notamment dans le choix des otages communistes fusillés par l'ennemi à Châteaubriant[1], Pierre Pucheu, avant de se voir écarté du pouvoir par Laval le 18 avril 1942[2], s'était trouvé au nombre de ceux, bien rares à Vichy, qui avaient immédiatement compris toute l'importance que représentait, pour l'évolution du conflit, l'entrée en guerre des Etats-Unis.

Farouchement anticommuniste, doctrinalement antiparlementaire, mais nullement hostile à une résistance non politisée et qui, dans ses critiques, épargnerait le Maréchal, Pucheu, alors ministre de l'Intérieur, avait eu deux entretiens avec Henri Frenay, l'un des principaux chefs de la Résistance.

Sans doute rien de positif ne pouvait-il surgir de ces entrevues entre un homme traqué et celui qui, chargé de le traquer, lui permettait cependant, grâce à des sauf-conduits, de circuler en zone libre sans encombre ; du moins éclairent-elles l'évolution de la psychologie de Pucheu. Comme l'éclaire le projet de négociations secrètes avec les Américains qu'en octobre 1942, dans la perspective d'un débarquement en Afrique du Nord, il était allé soumettre au maréchal Pétain[3]. Comme l'éclaire, enfin, sa rencontre avec Giraud, à Lyon, dans un appartement de la place Bellecour.

Sans s'inquiéter de l'activité ministérielle passée de Pucheu, sans prendre connaissance de la presse clandestine, communiste ou non, qui manifestait à toute occasion son hostilité à l'égard d'un homme tenu pour responsable de l'exécution de plusieurs dizaines de militants

1. Cf. *Le peuple réveillé*, p. 368-373.
2. Laval, se souvenant du 13 décembre 1940, s'est attribué le ministère de l'Intérieur et c'est vainement qu'il a proposé à Pucheu le ministère de l'Economie nationale.
3. En février 1942, Pucheu, en voyage officiel en Afrique du Nord, avait envisagé l'attaque de l'Afrique du Nord par les Allemands et avait déclaré au général Béthouart : « Je pense qu'il se trouverait à ce moment-là, en A.F.N., un général qui donnerait l'ordre de la résistance. »

Dans le plan soumis au Maréchal, Pucheu prévoyait même les modalités du départ de la flotte de Toulon.

« Le Maréchal fut littéralement affolé par mon exposé », devait écrire Pucheu.

et de résistants, Giraud, séduit par l'enthousiasme et l'intelligence de Pucheu et l'ayant mis sommairement au courant de ses projets d'action en liaison avec les Américains, lui avait promis de « l'appeler bientôt ».

S'étant mis en route à l'annonce du débarquement anglo-américain en Afrique du Nord, ayant franchi les Pyrénées entre le 11 et le 13 novembre, s'étant installé à Barcelone, puis à Madrid, Pucheu avait dû, cependant, attendre longtemps une réponse aux nombreuses lettres qu'il avait adressées à Giraud.

Le message espéré ne lui parviendrait qu'au mois de mars 1943.

Giraud donnait à l'ancien ministre du « cher ami » et l'invitait à venir en Afrique du Nord, mais, enfin mis en garde par un entourage qui ne voyait pas sans inquiétude l'arrivée de Pucheu, il lui recommandait toutefois de se dissimuler sous un nom d'emprunt, de refuser toute activité politique et de s'engager au plus tôt dans une unité combattante[1].

> « Vous avez, lui écrivait Giraud, appartenu au gouvernement de Vichy et, à tort ou à raison, accumulé contre vous beaucoup d'inimitiés de la part des éléments qui, en France, entendaient résister à l'Allemand. Je tiens à souligner que cet état d'esprit n'est pas seulement le fait des gens qui entourent le général de Gaulle, mais également de la masse de l'opinion française. C'est un fait que je regrette, mais vous ne pouvez l'ignorer. Par ailleurs, j'estime que, pour mener actuellement la lutte contre l'ennemi, toutes les bonnes volontés doivent être utilisées. »

C'est sur le *Gouverneur général Lépine* que Pucheu va quitter l'Espagne pour le Maroc. Arrivé à Casablanca le 9 mai, il sera immédiatement affecté aux antichars du 1er régiment de chasseurs d'Afrique.

Le 11 mai, alors qu'il se préoccupe, auprès du tailleur et du bottier régimentaires, de son équipement, le voici brutalement, et d'ordre de

1. Ce qui répondait d'ailleurs au vœu de Pucheu.

Giraud, envoyé en résidence surveillée dans le Sud marocain. Son séjour à Ksar es Souk durera jusqu'au 13 août. Séjour rendu seulement pénible par l'inaction, le climat, l'inquiétude.

Est-ce Pucheu qui met un terme à une situation sans désagréments graves en écrivant, le 7 août, à de Gaulle pour lui faire part de son impatience et lui dire qu'il serait « tout à fait d'accord » pour que son procès soit instruit, à condition qu'il se déroule devant une juridiction « impartiale et capable de réaliser une information complète » ? Non. « L'affaire Pucheu », largement évoquée par la presse d'Alger et la presse de la Résistance, a déjà été examinée par le Comité de la Libération nationale. C'est en vain que Giraud a exposé que les accusations de la presse gaulliste et communiste d'Afrique du Nord ne reposaient sur aucune preuve et qu'il était nécessaire d'attendre le retour à Paris pour ouvrir un dossier nourri d'autres documents que de coupures de journaux.

Il n'a pas été entendu. D'ailleurs, en signant l'ordonnance du 2 octobre qui a créé le tribunal militaire, celle du 21 octobre qui a étendu la compétence du tribunal aux « membres ou anciens membres de l'organisme de fait se disant gouvernement de l'Etat français » et, enfin, l'ordre d'incarcération de Pucheu dans les locaux de la prison militaire d'Alger, Giraud, suivant, comme toujours en politique, la pente de la moindre résistance, s'est associé aux mesures qu'il dénoncera ensuite.

Après avoir été transféré, le 14 août 1943, à la prison de Meknès, Pucheu, inculpé « de trahison et arrestations illégales », sera conduit le 25 octobre à la prison militaire d'Alger.

L'instruction de son affaire commencera le 9 décembre dans un climat passionné et passionnel qui ne prendra pas fin avec la mort de l'accusé puisque son exécution servira en quelque sorte de « référence » à ceux qui réclament d'autres morts, comme à ceux pour qui le procès d'Alger n'est que le premier exemple des procès bâclés de l'immédiate post-Libération.

Le 11 janvier, à la tribune de l'Assemblée consultative provisoire, le communiste Pourtalet viendra démentir que ce sont les communistes qui « demandent [la] tête de Pucheu ».

C'est inexact. Et il suffit de consulter la collection de *L'Humanité* clandestine pour s'en convaincre. Les communistes qui n'oublient pas, et ne peuvent pas oublier, leurs camarades fusillés insistent, presque dans chaque numéro, sur l'urgence du jugement[1], sur l'urgence du châtiment suprême[2] et, le 3 mars, à la veille de l'ouverture du procès, *L'Humanité* écrit :

> « La tête de Pucheu doit tomber, toute condamnation qui ne serait pas la condamnation à mort serait considérée comme une intolérable mesure de faveur à l'égard de l'homme des trusts. »

Le 11 janvier 1944, à Alger, Pourtalet avait également affirmé que le Conseil national de la Résistance s'était prononcé à l'unanimité de ses 17 membres pour une condamnation à mort de Pucheu et ce « verdict » sera souvent évoqué au cours du procès par des témoins communistes, l'un d'entre eux, Mercier, affirmant même qu'il était présent lors de la condamnation de Pucheu[3].

Or, si Mercier (dont le pseudonyme est *Guilloux*) a bien appartenu au C.N.R. où il représente le parti communiste, un autre témoin, également communiste, Charles Laurent, déclarera, à l'audience du 6 mars, que la condamnation émanait d'un Comité de coordination des groupes de Résistance[4], ce qui laisse planer quelque ambiguïté. Quant à Georges Bidault il affirmera[5] que jamais le Conseil national de la Résistance n'avait eu à se prononcer sur le sort de Pucheu[6].

Laurent reconnaîtra d'ailleurs que la condamnation a été votée « après un très court débat et même sans débat ».

— A quel parti, lui demandera alors le bâtonnier Buttin, apparte-

---

1. 27 août et 16 septembre 1943.
2. 24 septembre, 1er, 8, 15 octobre 1943, 14 et 21 janvier, 11 et 18 février notamment.
3. A la demande du président : « Le Conseil de la Résistance a-t-il eu des documents particuliers pour appuyer sa sentence condamnant Pucheu ? », Mercier répondra « Non ».
4. En juillet 1943, après l'arrestation et la mort de Jean Moulin, les représentants des cinq mouvements de zone Nord : Villon, pour le Front national ; Lecompte-Boinet et Vogüe, pour C.D.L.R. ; Coquoin, pour C.D.L.L. ; Charles Laurent et Brunschwig pour « Libération-Nord » ; le colonel Touny et Blocq-Mascart, pour l'O.C.M., décideront de former un « Comité central de la Résistance » dans leur esprit destiné à se substituer en fait au C.N.R.

   Cf. Noguères, *Histoire de la Résistance en France,* tome III, p. 496.
5. Le 27 juin 1964.
6. *L'Humanité* du 1er décembre 1943 a publié « le réquisitoire établi par des juristes du Front national contre Pucheu ».

nait la personne qui a prononcé la condamnation à mort? Ceci figure au dossier, mais j'aimerais l'entendre préciser en audience publique.

— Il vaut mieux que je ne réponde pas, répliquera Charles Laurent, et c'est le président Vérin qui, lisant un passage de l'instruction, apportera alors cette précision : « M. Laurent a indiqué que la peine de mort avait été demandée par le parti communiste. »

L'offensive est donc communiste. En France occupée, mais également en Algérie, où de nombreux communiqués réclamant la mort, signés de « Comités de défense de la population » et de sections communistes, vont être adressés à la presse et au tribunal. Mais l'offensive contre Pucheu n'est pas uniquement communiste.

Ainsi, le 23 septembre, Maurice Schumann va-t-il prononcer un violent réquisitoire contre Pucheu coupable d'avoir pris l'initiative de cette loi du 7 septembre 1941 instituant un tribunal d'Etat qui, pour son premier verdict, avait condamné à mort trois communistes innocents de tout crime : Catelas, Guyot et Jacques Woog[1].

Et le même Maurice Schumann s'écriera le 11 mars 1944, jour où Pucheu est condamné à mort :

> « Les vrais juges d'Alger, ce sont les morts du front de France. Et c'est bien pourquoi leur seule arme est la seule loi de la France. »

Or, au cours du procès, qui débute le 4 mars, « l'affaire de Châteaubriant » a été écartée des débats ainsi que le grief « d'atteinte à la sûreté de l'Etat ».

Au terme du réquisitoire prononcé par le général Weiss, qui, s'étant compromis auprès de Vichy, avait quelque raison de se montrer impitoyable[2], le tribunal retiendra uniquement des crimes de droit commun : recrutement de combattants pour la Légion

1. Cependant *Ici Londres* rendra compte de façon impartiale, dans ses émissions des 6, 7, 8, 9 et 10 mars, du déroulement du procès de Pucheu.

2. Le général d'aviation Weiss avait fait acte de candidature, le 14 octobre 1940, auprès de Pierre Laval, pour obtenir un poste administratif correspondant à son grade d'officier général. Sa demande devait être agréée par le général Bergeret, ministre de l'Air de Vichy. Ce fait lui sera rappelé au procès, comme il sera rappelé au président Vérin qu'il avait prêté serment au Maréchal.

française contre le bolchevisme ; intelligence avec une puissance ennemie, grâce à la promulgation de textes « aux répercussions sanglantes » et à la mise à sa disposition de la police.

Un certain nombre de chefs d'accusation ont donc été officiellement écartés[1], mais l'accusation, les témoins, les magistrats militaires, la défense, Pucheu lui-même ne peuvent les chasser de leurs pensées et de leurs propos. Comment, en effet, oublier les otages de Châteaubriant, même s'il a été décidé que leur mort, sur laquelle, s'agissant de la culpabilité de Pucheu, les éléments d'information font encore défaut, ne sera pas évoquée ?

Tout en ne pouvant faire part au tribunal que de leurs « convictions », les témoins communistes, Fernand Grenier, Albert Bosman, Mercier, Charles Laurent, dont les propos font constamment référence aux martyrs de la Résistance, impressionnent davantage que ces témoins — le général Béthouart, le capitaine Beigbeder ou le journaliste Marcel Sauvage — qui, hardiment, parfois devant une salle hostile, c'est le cas pour Marcel Sauvage, donnent, de Pucheu, un portrait aux couleurs mêlées.

Quant à la déposition du général Giraud, responsable de la venue de Pucheu en Afrique du Nord, médiocre dans la forme, peu courageuse quant au fond, erronée sur certains points de détail non négligeables[2], s'égarant volontairement dans des considérations patriotiques générales et généreuses, elle ne pouvait influencer des juges militaires qui condamneront Pucheu à mort, le 11 mars, tout en suggérant que la sentence ne soit pas exécutée.

Giraud interviendra, il est vrai, auprès du général de Gaulle,

---

1. Est écartée notamment l'accusation communiste selon laquelle Pucheu aurait assisté au supplice infligé à l'écrivain Georges Politzer, fusillé en mai 1943 au Mont Valérien.

Le tribunal a eu à répondre à quatorze questions. Il devait répondre négativement aux cinq premières qui posaient des problèmes politiques (la participation de Pucheu au gouvernement de Vichy), et positivement aux neuf autres portant sur des actes précis d'intelligence avec l'ennemi et justifiables de l'article 75.

2. Giraud dira ainsi qu'à l'arrivée de Pucheu il s'était produit en Algérie une agitation « extrêmement sérieuse ». « C'était, si je me rappelle bien, au début de mai. Le mois de mai était le moment où la bataille de Tunisie battait son plein et, je dois le dire, était assez indécise. Je n'avais à tolérer aucune agitation, aucun désordre en Afrique du Nord. » Pucheu est arrivé à Casablanca le 9 mai. Or, le 7, Tunis et Bizerte étaient tombées et la campagne de Tunisie s'achevait victorieusement.

notamment le 17 mars, par une lettre très digne dans laquelle, revendiquant toutes ses responsabilités[1], il sollicitera la grâce de Pucheu.

De Gaulle ne répondra pas à cette lettre.

Il ne répondra pas davantage aux arguments que Giraud lui présente personnellement, le 21 mars, au cours d'une entrevue d'une heure.

Le lendemain, 22 mars, Pucheu, qui a tenu à commander le feu du peloton, sera exécuté à l'aube. Avant de mourir, il a dit au colonel Monnery, qui commande les troupes :

— Je m'adresse à vous en tant que représentant de l'armée française. Vous voudrez bien, par la voie hiérarchique, faire savoir au général Giraud que j'ai cru en sa parole et c'est pourquoi je tombe aujourd'hui sous les balles françaises. Vous lui ferez savoir que, si j'ai consenti à l'épargner au procès, c'est parce que j'ai pensé à l'armée française. Mais, lui, en tant que militaire et en tant qu'homme, il s'est déshonoré.

Giraud n'a été informé ni du rejet du recours en grâce, ni de l'exécution de Pucheu. Il apprendra l'événement avec retard. Et, longtemps, il ignorera les dernières paroles de celui qui s'est considéré comme sa victime. Mais les gaullistes d'Alger les ont recueillies. Elles leur permettent d'intensifier leur campagne contre le commandant en chef. « C'est affreux, répètent-ils avec l'assurance que leurs paroles seront répétées, c'est affreux, Pucheu a été exécuté mais, avant sa mort, il a pu dire que Giraud était un homme sans honneur[2]. »

La chute de Giraud ne sera nullement accélérée par la mort de Pucheu, mais son attitude au cours du procès ne sera sans doute pas étrangère à l'absence de réactions de l'armée à l'instant où le commandant en chef sera écarté par de Gaulle.

Le 23 mars — Pucheu fusillé —, de Gaulle daignera répondre à

1. « Je ne suis plus chef du gouvernement, écrit Giraud. Cependant, j'ai le devoir, le droit d'élever la voix et de rappeler que, si le condamné est venu en Afrique du Nord, c'est en raison de la confiance qu'il avait mise dans l'engagement que je lui avais consenti, et que j'aurais tenu si j'étais le chef.

M. Pucheu n'eût été traduit alors devant la justice qu'après la guerre et il eût été jugé sur la somme totale de ses fautes et de ses mérites. »

2. *Cf.* Paillat, *L'Echiquier d'Alger*.

Giraud. Pour lui rappeler — c'est justice — qu'il a prêté la main à tout : mise en résidence forcée de Pucheu[1], incarcération à Meknès, puis à Alger, ordonnance constituant le tribunal militaire et ordonnance étendant sa compétence. Il achève ainsi :

> « Pour ce qui concerne la commutation de peine (ou ce qui revient pratiquement au même, le sursis d'exécution) dont vous avez " estimé qu'elle s'imposait ", la décision a été prise d'après la raison d'Etat dont le gouvernement, responsable de l'Etat, est le seul juge qualifié. »

La raison d'Etat... A l'un de ses avocats, Me Trappe, Pucheu, après s'être vêtu pour marcher au supplice, confiera :

— ... Vous direz à vos amis politiques, à nos amis que c'est bien un assassinat politique. Et surtout que le général de Gaulle n'invoque pas la raison d'Etat... La raison d'Etat ? Mais c'est la plus pure tradition du national-socialisme...

Qu'il se soit bien agi d'un procès politique, pas un instant le général de Gaulle ne songera à le nier.

— C'est un procès politique, j'en conviens, dira-t-il à Mes Gouttebaron et Trappe avant de refuser la grâce. Comme vous, je ne reviendrai pas sur la procédure, peu importe... Je dois m'élever au-dessus des passions, seule la raison d'Etat doit dicter ma décision[2].

Et, dans ses *Mémoires de guerre,* évoquant le procès Pucheu, il écrira : « Surtout, la raison d'Etat exige un rapide exemple. C'est le moment où la Résistance va devenir, pour la prochaine bataille, un élément essentiel de la défense nationale... Il faut que nos combattants, il faut que leurs adversaires aient sans délai la preuve que les coupables aient à répondre de leurs actes. »

« *Exemple.* » « *Preuve.* » En mars 1944 la mort de Pucheu sous les balles françaises est comme un gage donné à ceux qui, dans la Résistance, sous la menace, jettent les bases d'un avenir qu'ils ne sont nullement assurés de vivre.

---

1. Alors que de Gaulle se trouvait toujours à Londres et n'intervenait pas encore dans les affaires d'Afrique du Nord.
2. D'après Mes Gouttebaron et Trappe, le général de Gaulle aurait promis de faire plus tard tout ce qu'il pourrait « pour assurer l'éducation physique et morale » des enfants de Pucheu.

Proposition que, d'après mes informations, la famille repoussera.

5

L'AVENIR EN MARCHE

De Gaulle a eu beau faire, il n'en a jamais fini de se rassurer sur sa propre légitimité... Il a trop longtemps souffert, lui obligé de se donner à partir de rien les façons d'un chef de l'Etat, chantant la République comme on chante l'Arlésienne sans qu'elle se montre jamais.

Anne et Pierre ROUANET
L'inquiétude outre-mort du général de Gaulle

Le 9 août 1944, le général de Gaulle datera d'Alger l'ordonnance rétablissant la légalité républicaine et frappant de nullité tout « ce qui est postérieur à la chute, dans la journée du 16 juin 1940, du dernier gouvernement légitime de la République ».

C'est-à-dire, non seulement les lois et les actes constitutionnels, mais les actes qui ont créé des juridictions d'exception, établi des discriminations raciales, frappé des membres des sociétés secrètes, institué des polices d'exception, modifié les règles de l'enseignement, attribué le nom du maréchal Pétain à des établissements scolaires.

En revanche, l'ordonnance du 9 août rend immédiatement exécutoires 18 ordonnances signées entre le 6 avril et le 18 mai 1943 par le seul général Giraud ; 96 ordonnances, 77 décrets, 10 arrêtés émanant du Comité français de la Libération nationale ; 35 ordonnances, 17 décrets, 3 arrêtés du Gouvernement provisoire. Ces textes concernaient aussi bien l'organisation des pouvoirs publics après la

Libération que la justice, le ravitaillement, l'enseignement, l'information, la prévoyance sociale et le travail.

Aujourd'hui encore les Français sont, au moins partiellement, gouvernés par des textes conçus à la fois dans la clandestinité et à Alger, quand il s'agissait, pour des hommes qui savaient l'Allemagne perdue, de préparer les grands chantiers de l'avenir. Un avenir que les résistants voulaient très différent du récent passé rendu responsable de tous les désastres. Un avenir débarrassé de l'influence des partis politiques, tenus pour coupables de l'effondrement moral et de l'impréparation militaire de la nation.

Il faut être Léon Blum pour plaider alors avec désintéressement la cause d'une IIIe République « dans l'ensemble honnête » et pour oser écrire à de Gaulle — en novembre 1942 — qu'il n'existe pas d'Etat démocratique sans partis, car « un Etat sans partis est forcément un Etat à parti unique, c'est-à-dire un Etat totalitaire, une autocratie ».

Lorsque de Gaulle déclare que la France « veut une démocratie réelle, sans jeu de professionnels et mariages d'intrigants[1] », lorsqu'il ajoute « il faudra des cadres nouveaux, tout ce que la France subit, elle ne l'aura pas subi pour reblanchir des sépulcres », lorsqu'il dénonce « la vieille façade des chamarrures et des panaches, le système des croûlantes hiérarchies et des sordides combinaisons », il est en harmonie totale de pensée avec tous ceux qui se sont lancés dans la Résistance par haine de l'occupant, mais également par mépris pour un passé condamnable.

« Pureté », « hommes neufs », voici les mots qui reviennent le plus souvent lorsqu'il s'agit d'évoquer la « nouvelle République ». Une République renaissant de ses cendres. Jusqu'en 1942, le mot, honni à Vichy, était également banni par les cercles gaullistes de Londres.

Ce n'est qu'au terme d'une longue évolution personnelle que de Gaulle, influencé par des hommes de gauche — Cassin, Boris, Philip, Brossolette, Pineau —, qui ont gagné sa confiance et lui ont donné de la politique une idée moins tristement manichéenne, opposera enfin

1. 20 avril 1943.

« la légitimité de Vichy, un semblant, à celle, réelle, de la République[1] ».

Ayant fait son apparition le 6 juin 1943, lors du premier congrès de la France Combattante à Alger, le mot « IVe République » sera repris avec éclat par de Gaulle, lui-même, le 14 juillet 1943. « La IVe République, déclare-t-il, voudra qu'on la serve. »

Epousant le discours gaulliste, les meilleurs, les plus idéalistes... et les plus naïfs des résistants souhaitent donc que cette République « purifiée et renouvelée » bénéficie de tout autre chose que d'un simple changement de numéro.

Refusant d'envisager que les alliances nouées dans la Résistance puissent être précaires et que, ressuscités, les partis reconstituent très vite les clivages anciens, ils appellent de leurs vœux une République forte, organisée, autoritaire, débarrassée de la « ploutocratie industrielle et financière », libérée des coalitions d'intérêt, privilégiant la hiérarchie du mérite au détriment de celle de la fortune, tirant enfin du peuple, selon le mot de De Gaulle, « un personnel neuf », ce qui suppose, après le « maëlstrom » de l'épuration, de considérables changements dans les administrations, les mairies, les conseils généraux, la presse, le Parlement.

Ce « personnel neuf », le terrain sur lequel il évoluera et les responsabilités qui lui seront attribuées, Brossolette et Passy s'en inquiètent dès le 30 mars 1943 — quinze mois avant le débarquement libérateur — au cours de la réunion d'un Comité de coordination des

1. Conférence de presse (Londres, 9 février 1943) au cours de laquelle de Gaulle dira : « Je ne préjuge pas de la sorte de République qui sera rétablie. C'est l'affaire du peuple français lui-même. » Parlant de la IIIe République, de Gaulle dira cependant, le 13 juillet 1945, il est vrai : « Non ! Ce régime ne méritait pas d'être sommairement et entièrement condamné. »

mouvements de Résistance, convoqué en l'absence de Jean Moulin[1].

Pendant cette réunion, si l'on en croit Passy, il aurait été surtout question du choix des futurs préfets, sous-préfets et chefs de service ainsi que des délégations spéciales à installer dans des municipalités d'où auraient été chassés les hommes mis en place par Vichy.

Il n'y a rien de surprenant, en vérité, à ce que les principaux responsables de la Résistance placent désormais au premier plan de leurs préoccupations l'édification des futures structures politiques et économiques du pays. Puisque le combat continue, bon nombre d'entre eux ne verront pas l'avenir, mais il leur faut en jeter les bases, s'ils ne veulent pas que tout soit décidé par les seuls législateurs d'Alger.

C'est donc parallèlement que des études, qui conduiront notamment à l'ordonnance du 21 avril 1944 sur l'organisation des pouvoirs publics, vont être menées en métropole et à Alger. Souvent dans un climat de compétition aggravé par les difficultés de transmission, la lenteur des liaisons et les ambitions divergentes.

Communistes, socialistes, sans parti, « parlementaires » d'Alger, fonctionnaires gaullistes nouvellement arrivés de Londres ou fonctionnaires giraudistes, c'est-à-dire vichystes, demeurés ici ou là en poste, ne peuvent, en effet, sur les mêmes problèmes, porter le même regard.

Mais tout ce que le temps a simplifié, jusqu'à le réduire aujourd'hui à la banalité d'un simple document administratif, fut, en territoire occupé, d'élaboration lente, complexe et périlleuse.

Et pour des paragraphes qui nous paraissent anodins, des hommes ont risqué leur vie au cours de rencontres de travail qui les mettaient à la merci de la Gestapo. Il faut s'en souvenir à l'instant d'aborder ce chapitre de la vie de la Résistance française.

Le *Comité des Experts,* devenu le *Comité général des Etudes,* dont on a déjà vu, dans le chapitre précédent, le rôle tenu pour l'élaboration d'un nouveau statut de la presse, avait, en France, mission

1. *Cf. L'impitoyable guerre civile,* p. 508 et suiv.

d'élaborer les mesures qui accompagneraient le changement de régime[1].

Plus la libération serait rapide, plus elle serait tumultueuse, plus la mise en place des pouvoirs nouveaux devait, en effet, être préparée avec soin.

Six, puis huit hommes, en liaison avec les représentants d'Alger, joueront donc, à Lyon et à Paris, un rôle de « bâtisseurs du futur ». Rôle méconnu mais que l'on ne doit pas passer sous silence, sous peine d'imaginer que tout fut improvisé dans le bouillonnement des premiers jours de la Libération, alors que tout, ou presque tout, a été mis au point pendant deux années de clandestinité.

C'est le professeur de droit François de Menthon[2] qui, rencontrant Jean Moulin en juin 1942, suggérera au représentant du général de Gaulle la création d'un Comité d'Etudes et le mettra en rapport avec Paul Bastid[3]. Conquis par l'idée, Moulin proposera donc à Londres la création d'une commission chargée de réaliser une vaste enquête sur l'orientation à donner au régime nouveau, sur les hommes à éliminer comme sur les hommes à promouvoir.

Le 1er juin 1942, Moulin peut faire connaître à Londres la composition du Comité : rapporteur général, François de Menthon ; membres : Lacoste, représentant syndical[4] ; Parodi, maître des requêtes au Conseil d'Etat[5] ; Paul Bastid, ancien ministre, professeur de droit.

Comme des pseudonymes sont indispensables, Bastid sera *Primus ;* Lacoste, *Secundus ;* Menthon, *Tertius ;* Parodi, *Quartus*. Il ne s'est

---

1. Sur le *Comité général des Etudes, cf.* également *L'impitoyable guerre civile,* p. 509-510.

2. Professeur agrégé d'économie politique à la faculté de Nancy, militant démocrate-chrétien, François de Menthon, blessé en juin 1940 mais évadé de l'hôpital de Saint-Dié, a reçu une affectation à la faculté de Lyon et c'est à Lyon qu'il prendra contact avec la Résistance.

3. Ancien président de la Commission des Affaires étrangères de la Chambre, ancien ministre du Commerce, député radical socialiste du Cantal, agrégé de droit, Paul Bastid, entré immédiatement en résistance, a rejoint Lyon après avoir tenté de gagner, en juin 1940, l'Afrique du Nord sur le *Massilia.*

4. Fils d'un agent administratif de la S.N.C.F. fusillé par les Allemands, Robert Lacoste, de conviction socialiste, est membre du Comité exécutif de *Libération-Sud.*

5. Alexandre Parodi, homme de principes et de scrupules, qui milite également à *Libération-Sud,* deviendra, en mars 1944, délégué général pour la France occupée.

nullement agi d'établir, entre des hommes d'égal mérite, une quelconque hiérarchie mais, à travers ces pseudonymes, de respecter simplement l'ordre alphabétique.

Quelques mois plus tard, Pierre-Henri Teitgen[1] — il sera *Quintus* —, puis René Courtin[2] viendront rejoindre une équipe dont les idées et les articles publiés par les *Cahiers politiques*[3] irritent parfois cette Résistance qui se bat à la mitraillette, au plastic et qui accepte difficilement la concurrence d'hommes qui, par la plume et les projets, acquièrent une considération particulière et sont assurés d'un rôle de premier plan.

Henry Frenay accusera ainsi le Comité général d'Etudes de vouloir jouer un rôle politique et de ne traiter qu'avec le seul Jean Moulin. En mai 1943, Simon[4], au nom de l'*Organisation civile et militaire,* écrira à André Philip, qui se trouve alors à Londres, pour dénoncer ce qu'il appelle « un embryon de gouvernement... »

« On ne conçoit pas, ajoute-t-il, le Conseil d'Etat délibérant. On ne conçoit pas un comité d'experts dirigeant la politique sans tomber dans la technocratie que vous réprouvez. »

« Reproches » qui seront plus encore valables lorsque, gagnant Paris, le Comité général d'Etudes aura la bonne fortune de recruter Michel Debré et le bâtonnier Jacques Charpentier, cependant que François de Menthon, appelé à Alger, s'y verra nommé par de Gaulle commissaire à la Justice.

Les « huit », dont les propositions et les projets auront une telle influence sur le destin français, sont presque tous issus du monde juridique[5], tous, à l'exception du socialiste Lacoste, appartiennent à la bourgeoisie libérale et républicaine, la plupart sont habités d'une foi

1. Professeur à la faculté de droit de Nancy et militant démocrate-chrétien, prisonnier en 1940, a été, après son évasion, affecté à la faculté de Montpellier. Révoqué de sa chaire pour son activité militante, il rejoindra Lyon.

2. Professeur d'économie politique à Montpellier, il devra très vite se réfugier à Lyon.

3. Parmi les auteurs des *Cahiers politiques,* Marc Bloch, Terrenoire, Dannemuller, Emmanuel Mounier, Joseph Houre, Léo Hamon, Saillant, Rist, Monnick.

4. Avocat, fils d'un ministre de Clemenceau, Simon a été, en juillet 1943, l'un des fondateurs de l'O.C.M., mouvement d'origine « bourgeoise », de recrutement souvent Croix de Feu et Action Française mais appelé à devenir l'un des mouvements les plus importants de zone occupée.

5. Quatre professeurs de droit, deux membres du Conseil d'Etat, un fonctionnaire des Finances, un avocat.

chrétienne profonde, tous enfin, dans les jours qui ont suivi la défaite, ont pris parti contre l'occupant.

Ayant, grâce à Louis Terrenoire, la libre disposition des locaux de l'imprimerie Bloud et Gay, se déplaçant presque quotidiennement au gré des amitiés, des disponibilités et des périls, les membres titulaires du C.G.E. verront venir à eux des hommes comme Léo Hamon, Pierre Kahn[1], Guignebert, Rebeyrol, René Brouillet, qui représente Georges Bidault, alors président du Conseil national de la Résistance.

Influencés par les travaux du Britannique Beveridge[2] sur la protection sociale, mais également par ces victoires des armées russes que l'on imagine en partie dues au système soviétique de planification, les théoriciens du C.G.E. rebâtissent alors la France dans un grand bouillonnement d'idées généreuses et dogmatiques et c'est, sans jamais être entendu, que René Courtin rappellera, par exemple, qu'il ne peut y avoir d'accroissement des salaires sans accroissement de la production.

On retrouvera naturellement bon nombre des idées exprimées par le C.G.E. dans le « programme d'action » du C.N.R., œuvre collective à laquelle ont travaillé aussi bien le représentant du Front national, Villon, en contact étroit avec Jacques Duclos et Benoît Frachon, que ceux des Mouvements unis de la Résistance, aussi bien Daniel Mayer pour le parti socialiste[3] que Pascal Copeau et Claude Bourdet.

De consultation en consultation[4], le projet passera de quatre à sept pages et sera adopté le 15 mars 1944.

Il prévoit, sur le plan économique, « l'éviction des grandes féodalités » ; l'intensification de la production « selon les lignes d'un plan arrêté par l'Etat » ; la nationalisation « des sources d'énergie, des richesses du sous-sol, des compagnies d'assurances et des grandes

1. Qui sera arrêté et ne reviendra pas de déportation.
2. Le plan Beveridge sur les assurances sociales a été publié en Grande-Bretagne à la fin de l'année 1942.
3. En janvier 1943, les socialistes avaient proposé un plan pour l'après-guerre. Plan publié par *Le Populaire* clandestin et dans lequel il était notamment fait allusion à « l'abolition progressive de la concurrence et du profit ».
4. Un projet émanant du Commissariat à l'Intérieur de la France libre sera rejeté à la fois par les communistes et par les représentants des modérés.

banques » ; la « participation des travailleurs à la direction de l'économie ».

Sur le plan social, il se prononce en faveur du rétablissement des régimes contractuels, de l'augmentation des salaires et des prix agricoles, du maintien du pouvoir d'achat, de la reconstitution d'un syndicalisme « doté de larges pouvoirs dans l'organisation de la vie économique et sociale », de l'élaboration d'un plan complet de sécurité sociale, de la réglementation des conditions d'embauche et de licenciement afin d'assurer la sécurité de l'emploi, de l'amélioration du taux des retraites.

Ce qu'écrivent les juristes du Comité général d'Etudes, comme les politiques du Conseil national de la Résistance, n'est parfois que l'écho ou le développement des discours les plus importants de Charles de Gaulle.

Celui du 3 novembre 1943, par exemple, prononcé à l'occasion de la séance inaugurale de l'Assemblée consultative provisoire, et dans lequel, parlant des nationalisations mais également des réformes sociales, de Gaulle dit notamment :

> « La France aura subi trop d'épreuves et elle aura trop appris sur son propre compte et sur le compte des autres pour n'être pas résolue à de profondes transformations... Elle veut que cesse un régime économique dans lequel les grandes sources de la richesse nationale échappaient à la nation, où les activités principales de la production et de la répartition se dérobaient à son contrôle, où la conduite des entreprises excluait la participation des organisations de travailleurs et de techniciens dont, cependant, elle dépendait. Elle veut que les biens de la France profitent à tous les Français, que, sur ses terres, pourvues de tout ce qu'il faut pour procurer à chacun de ses fils un niveau de vie digne et sûr, complétées par un Empire fidèle et doté de vastes ressources, il ne puisse plus se trouver un homme ni une femme de bonne volonté qui ne soient assurés de vivre et de travailler dans des conditions honorables de salaire, d'alimentation, d'habitation, de loisirs, d'hygiène, de pouvoir multiplier, faire construire, voir rire joyeusement leurs enfants. »

Ainsi d'accord sur les grandes lignes de projets dont les modalités d'application les conduiront, plus tard, à entrer souvent en conflit, les résistants, où qu'ils se trouvent et quels qu'ils soient, portent-ils en eux la volonté de rebâtir une France politiquement, socialement, moralement très différente de la France de 1939 et à qui la défaite, la honte, la révolte, les combats, les victoires et les deuils auront facilité des évolutions qui devraient lui permettre de progresser à grands pas dans le siècle [1].

Pour appliquer des textes nouveaux et des idées nouvelles, encore faut-il d'autres équipes que les équipes laissées ou mises en place par Vichy.

C'est à Michel Debré, qui circule grâce à de faux papiers établis par les services de Philippe Viannay, qui consulte des hommes aussi différents que Tanguy-Prigent, Mons, Baumel, Nègre, Defferre, le communiste Servin, Chaban-Delmas, à qui le liera une amitié que la vie ne prendra jamais en défaut, c'est à Michel Debré qu'il appartiendra essentiellement de régler le problème posé par le renouvellement des cadres administratifs de haut rang.

Deux thèses s'affrontaient. L'une se satisfaisait du retour pur et simple des fonctionnaires évincés par Vichy. L'autre exigeait que, partout, des « hommes neufs » prissent les commandes. Il fallait choisir.

Présidée par Michel Debré, une commission des désignations, composée de Ribière (*Libé Nord*), Claude Bourdet (*Combat*), Salmon (*Défense de la France*), Jeanjean (*O.C.M.*), établira difficilement et lentement une liste d'où ont été écartés et les épaves de la IIIe République, et des résistants courageux mais administrativement peu compétents.

---

1. Les problèmes constitutionnels, que l'ordonnance du 21 avril 1944 laisse à la discrétion du peuple français et de l'Assemblée nationale constituante, ne sont cependant pas indifférents aux juristes du Comité général d'Etudes.

Michel Debré et Edouard Monick les étudieront tout particulièrement. Si leurs idées ne se retrouveront que très parcimonieusement dans la Constitution de la IVe République, en revanche, elles inspireront fortement celles de la Ve.

En octobre 1943, Laffon[1] apportera donc à Alger une liste d'une centaine de noms. Il reviendra — la quasi-totalité des propositions ayant été agréée par André Philip, commissaire à l'Intérieur, et par le général de Gaulle — porteur de trois décrets nommant 17 commissaires de la République[2] et plus de 80 préfets[3].

Les hasards de la guerre pouvant priver ces fonctionnaires de relations avec le Gouvernement provisoire, ils bénéficieront de pouvoirs très étendus puisque c'est à eux qu'il « sera possible de recourir pour des questions d'essence gouvernementale ou même législative, dont il faudra trouver la solution immédiate ».

Ils sont invités à se tenir prêts à prendre possession de leur poste le 15 mai au plus tard, Michel Debré leur ayant d'ailleurs précisé dans ses instructions du 9 mai que, « pour prendre ses fonctions, le préfet [n'a] besoin d'aucun ordre », le développement de la situation devant seul inspirer et guider son action.

Ce mouvement administratif d'une ampleur sans précédent sera toutefois contrarié par la Gestapo qui, ignorant sans doute le rôle dévolu aux hommes qu'elle arrête, ne peut ignorer leur appartenance à la Résistance. C'est ainsi qu'un commissaire de la République désigné — Fourcade — sera pris et fusillé, que deux autres — Bouhey et Cassou[4]— seront grièvement blessés, tandis que les Allemands arrêteront une quinzaine de « préfets de la Résistance » avant la Libération.

Au sommet, certes, commissaires de la République et préfets mais, pour de Gaulle comme pour les résistants, il importe que les Alliés, qui ont la prétention d'imposer à la France leur administration, cet AMGOT dont il sera reparlé, trouvent, après avoir débarqué, des organismes locaux représentant la Résistance, coordonnant les actions

1. Il vient d'Alger et c'est à lui qu'il appartiendra de faire, physiquement et intellectuellement, la liaison entre Paris occupé et Alger.

2. Ceux de Lille, Nancy, Strasbourg, Châlons, Dijon, Clermont-Ferrand, Lyon, Marseille, Montpellier, Limoges, Toulouse, Bordeaux, Poitiers, Rennes, Angers, Rouen, Orléans, ainsi que le préfet de la Seine.

3. Des 64 préfets de la Libération qui ne venaient pas de la Carrière, 12 seulement seront toujours en poste en 1964.

4. Bouhey devait exercer ses fonctions à Dijon, Jean Cassou à Toulouse.

des différents mouvements, donnant leur avis sur les mesures à prendre : ce seront les Comités régionaux, départementaux et locaux de la Libération.

Leur composition et leur rôle sont définis par l'ordonnance du 21 avril 1944. Ils comportent « un représentant de chaque organisation de résistance, organisation syndicale et parti politique affiliés directement au Conseil national de la Résistance et existant dans le département ».

Ils « assistent » le préfet et sont obligatoirement consultés sur tous les remplacements des membres des municipalités et du Conseil général.

Enfin, ils cesseront leurs fonctions après la mise en place des Conseils généraux.

En apparence, rien là que de très simple. La réalité est plus complexe. Avant le débarquement, il est impossible, en effet, que les Comités départementaux de la Libération tiennent des séances plénières qui verraient se réunir dans chaque chef-lieu et chaque ville importante (et comment les Allemands et leurs stipendiés l'ignoreraient-ils ?) une vingtaine d'hommes.

Aussi, en attendant les jours heureux de la Libération, chaque C.D.L. ne se composera-t-il que de six membres formant « les noyaux actifs ».

Presque toujours présents, audacieux, excellant à créer des organisations satellites, les communistes s'assureront souvent une influence décisive dans ces « noyaux actifs » où, sur six membres, l'un appartiendra généralement au parti communiste, l'autre au Front national, le troisième à la C.G.T.

Le rôle des C.D.L. sera d'ailleurs moins négligeable que ne le laisse penser aujourd'hui l'article 19 de l'ordonnance du 21 avril 1944 : « *Le Comité départemental de Libération assiste le préfet en représentant auprès de lui l'opinion de tous les éléments de la " résistance ".* »

« Assister le préfet », ce sera parfois entrer en compétition avec le préfet[1]. Sans doute, toutes les commissions des C.D.L. ne fonctionnent-elles pas ou fonctionnent-elles imparfaitement. Il suffit, cependant, d'en dresser la liste : commission de l'action immédiate, des

1. A Alger, d'Astier de la Vigerie avait même songé à établir une véritable subordination des préfets aux C.D.L.

milices patriotiques, de l'épuration et de la police, d'aide aux victimes de l'ennemi, de la propagande et de la presse, des municipalités, du ravitaillement et des transports, pour constater qu'elles recouvrent les secteurs essentiels de la vie publique.

Coordonnant l'action immédiate, préparant l'insurrection, installant les nouveaux pouvoirs publics, les C.D.L., particulièrement dans les départements vides de troupes alliées, joueront un rôle d'autant plus important qu'à l'instigation du parti communiste ont été créés des comités de libération locaux, des comités d'usines, d'entreprises, voire de quartiers.

Bien que condamnés à disparaître lorsque auront été mis en place conseils généraux et conseils municipaux, les C.D.L. tenteront de se survivre et, les 8 et 9 octobre 1944, les délégués de 40 C.D.L. du Midi, rassemblés en Avignon, émettront la prétention de « continuer à siéger et à fonctionner » afin de conserver « toute l'autorité qu'ils ont auprès des masses ».

En décembre 1944, réunis à Paris à l'initiative du Conseil national de la Résistance, les 250 représentants des C.D.L. entendront le modéré André Mutter réclamer des pouvoirs administratifs, et c'est à l'unanimité, moins trois voix, qu'ils décideront d'établir des listes uniques de la Résistance pour ces élections municipales qui seront, le 29 avril et le 13 mai 1945, la première grande bataille politique de la France libérée [1].

Dans l'attente du jour où il sera possible de procéder à des élections régulières, l'ordonnance du 21 avril 1944 a décidé le maintien en place, ou le *rétablissement*, des conseils municipaux élus avant le 1er septembre 1939.

Cette décision entraînera donc la dissolution des « assemblées

1. Ces élections se traduiront par un triomphe des partis de gauche. C'est ainsi que le nombre des conseils municipaux à majorité communiste passera de 317 en 1935 à 1462, celui des conseils à majorité socialiste de 1376 à 4133. On dénombrera 4736 conseils « indéterminés » (selon les termes du ministère de l'Intérieur), en raison du nombre de conseillers élus au titre d'organisations de résistance et politiquement non classés.

communales nommées par l'usurpateur » et la mise en place de délégations spéciales dans les communes où les assemblées « ont directement favorisé ou servi les desseins de l'ennemi ou de l'usurpateur ».

La répartition politique des délégués à l'intérieur de ces délégations spéciales devra tenir compte, d'une part, « de la majorité exprimée aux dernières élections municipales et, d'autre part, des tendances manifestées dans la commune lors de la Libération [1] ».

La formule de l'ordonnance du 21 avril est assez vague pour sembler garantir un certain équilibre. En réalité, les juristes d'Alger ont été devancés par les politiques de métropole. Le 11 avril, la Commission des Comités de Libération a diffusé une instruction, approuvée par le Conseil national de la Résistance. Sur proposition des Comités locaux de Libération, les C.D.L. sont chargés de former des municipalités provisoires qui assureront « aux mouvements de Résistance, aux organisations ouvrières, aux tendances politiques, aux partis, une représentation qui corresponde à l'action menée pour la Libération et aux sentiments de la population ».

Ces « sentiments de la population » étant, dans les semaines et les mois qui suivent la Libération, fréquemment étouffés par la peur ou dénaturés par l'enthousiasme et, plus souvent encore, dictés par l'opportunisme, la composition de bien des municipalités provisoires dépendra surtout de la volonté des Comités locaux de la Libération dont elles seront le reflet.

C'est à l'ordonnance du 21 avril 1944 que les femmes françaises doivent d'être électrices. La décision a été bien acceptée à Alger, même s'il s'est trouvé quelques membres de l'Assemblée consultative pour s'inquiéter du vote de femmes « qui sont entre les mains de leurs confesseurs », même s'il s'est trouvé un journal résistant pour rappeler que les femmes « sont quelquefois instables et sous l'influence de leur sexe [2] ».

1. Article 7.
2. Journal *Patrie*.

En revanche, deux innovations auxquelles le parti communiste attachait un grand prix ne seront pas adoptées : la majorité électorale ne sera pas abaissée à 18 ans et le vote n'aura pas lieu à main levée.

Dans sa presse, comme à la tribune, faisant référence aussi bien à Jeanne d'Arc qu'au jeune Bara et à Guynemer [1], le parti communiste affirmera constamment que l'on peut et que l'on doit confier un bulletin de vote à qui l'on a confié une mitraillette, mais il ne fera pas de cette revendication l'un de ses sujets favoris de bataille.

Il en ira tout autrement du vote à main levée.

Devant l'Assemblée consultative, les communistes Billoux et Grenier mettront en avant des précédents que nul ne songe un instant à retenir (le vote à main levée en U.R.S.S. ou le vote d'une grève) avant de citer en exemple la façon dont la Corse vient « d'élire » ses municipalités.

Dans les jours qui ont suivi la libération de l'île, le Front national, qui a pris l'entière responsabilité des « forces supplétives de police » et s'est substitué à l'administration, pour les questions touchant aussi bien le ravitaillement que les salaires ou la confiscation des biens des internés, s'est retrouvé, en effet, à la tête de 200 des 362 municipalités.

Chiffre considérable lorsque l'on sait combien était modeste, en Corse, l'influence d'un parti communiste qui, aux élections législatives de 1936, avait seulement obtenu 687 voix sur 49 237 suffrages exprimés.

Bon nombre des conseils municipaux ont donc été provisoirement « élus » dans des conditions semblables à celles qu'évoque, le 16 mai 1944, le journal *La IVe République,* dans un récit qui a prudemment huit mois de retard sur des événements qui se sont déroulés en septembre 1943 !

> « J'ai assisté, après le 9 septembre, à la désignation du nouveau conseil municipal. 23 électeurs sur 900 habitants étaient présents. L'orateur a présenté quelques noms à l'approbation des « masses » et dit « *que ceux qui ne sont PAS d'accord lèvent la main* [2]. » Tous étaient d'accord. Ce qu'il y a de moins drôle, c'est

1. Qui avait vingt ans au début de la guerre de 1914-1918, vingt-trois ans lors de sa mort en combat aérien.
2. Je souligne intentionnellement.

que cette forme de consultation, pour le moins singulière, ait reçu une consécration officielle. Vive le suffrage universel ! »

Le vote à main levée, et par acclamations sur la place publique, ayant donné, en Corse, d'« excellents résultats », les communistes souhaiteraient qu'il soit adopté pour la métropole libérée.

C'est ce que proposera Grenier, le 22 janvier 1944, devant l'Assemblée consultative.

— Que tous les Français de plus de 18 ans, dira-t-il, se réunissent soit pour confirmer le conseil municipal actuel, s'il n'a pas démérité, soit pour le remplacer par une délégation patriotique *élue à main levée sur une place publique ou dans un local approprié*[1].

Le discours de Grenier suscitera de vigoureuses et saines réactions. Vincent Auriol dira que pareilles élections se dérouleraient sous « la pression des violents » ; Hauriou, qu'il s'agit d'un procédé fasciste et hitlérien ; Giaccobi demandera ironiquement comment il serait possible de décompter les votes de 80 000 personnes rassemblées place du Capitole, à Toulouse.

Les communistes auront beau battre en retraite et dire qu'ils ne proposent nullement l'élection à main levée comme « un système définitif et éternel », tous leurs collègues repousseront un projet dont ils voient bien que s'il était accepté au nom de la démocratie, il supprimerait toute démocratie, en plaçant le scrutin sous la tutelle de révolutionnaires qui en dicteraient le résultat à des « masses » apeurées ou conquises d'avance.

Les communistes ne réussiront naturellement pas davantage à convaincre de Gaulle du bien-fondé de cette revendication le jour où, deux d'entre eux, François Billoux et Fernand Grenier, nommés respectivement commissaire d'Etat et commissaire à l'Air, entreront au gouvernement.

Ce qui, on s'en doute, alimentera la propagande de Vichy

1. Je souligne intentionnellement.

contre « Alger la Rouge » et permettra à Philippe Henriot de faire d'André Marty qui, de Moscou, vient de gagner l'Algérie, le chef de la future et sanglante révolution qui, selon lui, menace la France.

Billoux et Grenier entrent au gouvernement le 3 avril 1944 mais, depuis longtemps, de Gaulle et, depuis plus longtemps encore, les communistes, souhaitaient cette participation aux affaires.

Des contacts avaient été pris en juillet 1943 et le Comité central du parti communiste, siégeant clandestinement en France occupée, avait fait savoir, le 25 août, qu'il estimait indispensable la représentation du Parti au sein du Comité français de la Libération nationale.

Les choses avaient beaucoup traîné pour une question de principe sur laquelle ni les communistes ni de Gaulle ne voulaient transiger.

Tandis que les premiers désiraient faire entrer au Comité les « commissaires » (les ministres) qu'ils auraient désignés, de Gaulle entendait bien demeurer maître du choix des hommes.

Ainsi, en novembre 1943, tandis que de Gaulle proposait à Adrien Mercier la Santé publique, à Fernand Grenier soit la Production, soit le Ravitaillement, les communistes avançaient les noms d'Etienne Fajon et de Lucien Midol.

A propos de ce long conflit, qui n'a rien de mineur, puisqu'il concerne l'autorité du chef du gouvernement face aux partis, Duclos et de Gaulle feront connaître leur position.

L'Humanité publiera, en décembre 1943, un texte[2] de Jacques Duclos dans lequel se trouve réaffirmée, en effet, l'opposition à toute

---

1. *Alger la Rouge,* ce sera le titre d'un fascicule publié à l'intention des Français occupés. Selon cette brochure, André Marty aurait déclaré en substance, le 1er décembre : « Nous avons eu la peau de Giraud, aujourd'hui de Gaulle doit céder ou il subira le même sort. » *Alger la Rouge* annonce également que Grenier aurait réclamé « l'instauration en France du système soviétique lors du débarquement allié ». Henriot consacrera de nombreux éditoriaux radiophoniques à Marty : *Du vainqueur de Verdun au boucher d'Albacete, Salade russe à Alger, L'homme rouge,* etc. Chaque semaine, par ailleurs, *Je suis Partout* publie des caricatures de Ralph Soupault. Après avoir abondamment illustré la querelle entre de Gaulle et Giraud, le dessinateur s'efforce de montrer comment, Marty en tête, les communistes mettent de Gaulle au service de toutes leurs volontés et toutes leurs ambitions.

2. Il s'agira d'une édition spéciale de *L'Humanité.*

« discrimination[1] » et la priorité donnée aux volontés du Parti sur celles du chef du gouvernement.

> « Certains peuvent prétendre que le contrôle des partis ou groupements de Résistance sur leurs adhérents est contraire à la démocratie et que le chef du gouvernement désigné doit pouvoir choisir qui lui plaît sans se soucier des organisations qui sont l'expression de la représentation nationale. A la vérité, c'est là un procédé contraire à la démocratie... C'est donc le problème du contrôle démocratique qui est posé à l'occasion de la discussion qui se poursuit à Alger entre le C.F.L.N. et notre Parti. »

Quant à de Gaulle, dans un télégramme adressé le 22 février 1944 à Roger Garreau, qui représente le Comité français à Moscou, il se montrera intraitable. L'ingérence des partis dans la direction des affaires de l'Etat lui paraît, en 1944, comme elle lui paraîtra toujours, inadmissible et il estime ne pas avoir de leçons de démocratie à recevoir de Jacques Duclos. Alors...

> « Je n'entends pas donner au parti communiste, pas plus qu'à aucun autre parti ni à aucune autre organisation un privilège à l'intérieur du gouvernement. En particulier, il n'appartient pas au parti communiste de désigner lui-même les ministres de son obédience politique. Un gouvernement démocratique est une équipe d'hommes solidaires les uns des autres et collectivement responsables non point devant tel ou tel parti, mais devant la souveraineté nationale. »

Dans la nuit du 1er avril, après bien des échanges de lettres et quelques rencontres, de Gaulle pourra enfin réunir « secrètement[2] »

1. Le mot fait allusion à l'intention prêtée à de Gaulle de faire entrer au gouvernement uniquement des députés communistes récemment arrivés de France, donc ayant participé à la Résistance, au détriment de ceux qui, arrêtés par Daladier en 1939, ont été internés en Algérie. Les communistes, de leur côté, et Grenier le confirmera le 3 décembre au micro de Radio-Alger, souhaitaient que les commissaires fussent uniquement choisis parmi les députés libérés des prisons algériennes.
2. C'est du moins Le Troquer qui l'affirme.

les membres du Comité pour leur annoncer la prochaine nomination de deux « commissaires » communistes.

— C'est moi qui choisirai, bien sûr. Ils[1] indiquent que Billoux et Pourtalet ont beaucoup de qualités. Ils « affleurent » (*sic*) l'Information, l'Intérieur, la Défense nationale. J'ai répondu : l'Information, l'Intérieur, les Affaires étrangères sont des postes politiques. Mais ils n'insistent sur rien, ne formulent pas de programme. Ils acceptent la solidarité ministérielle[2].

Le 3 avril, recevant Billoux et Grenier[3], il annonce au premier : « Vous serez commissaire d'Etat sans portefeuille. » Au second, il dit : « Je ne vous donnerai aucun département où vous pourriez faire de la politique et de la propagande pour vos doctrines. Je vous confie un poste à la Défense nationale, à l'Air. »

C'était la première fois dans l'histoire politique de la France que des communistes participaient à un gouvernement. *L'Humanité* s'en réjouira, le 7 avril, sans revenir sur les raisons d'un long retard.

Et le 15 avril, le Comité central du parti communiste publiera une longue déclaration au terme de laquelle, après avoir insisté sur la nécessaire intensification des combats sous toutes leurs formes : grève, refus des réquisitions, lutte contre la déportation des travailleurs, constitution de milices patriotiques et de groupes F.T.P.F., il appellera au Rassemblement national, « *à l'union et à l'action sous l'autorité du C.F.L.N. que préside le général de Gaulle* ».

Cependant, la satisfaction des communistes n'est pas complète. Maurice Thorez, en effet, se trouve toujours à Moscou où il s'est réfugié après sa désertion de 1939. Et, malgré les incessantes pressions communistes, Charles de Gaulle n'a nullement l'intention de lui permettre de gagner Alger. Il n'ignore pas le trouble que ferait naître, dans toute l'opinion, le retour d'un déserteur et les arguments qu'en tirerait Vichy. Vichy qui s'efforce déjà de faire passer le gaullisme pour le cheval de Troie du communisme.

Télégramme à Garreau son représentant à Moscou, le 22 février.

> « La présence de Maurice Thorez en Afrique du Nord serait inopportune en raison des remous qu'elle soulèverait dans de

---

1. Les membres de la délégation communiste reçus par de Gaulle.
2. In *La parole est à André Le Troquer.*
3. Grenier arrive d'Angleterre, après s'être évadé du camp de Châteaubriant.

larges couches de l'opinion. En outre, Thorez a déserté les drapeaux au début de cette guerre. Ces faits obligeraient l'autorité militaire à le traduire devant la justice. »

L'Humanité a beau écrire que le « peuple de France doit exiger le droit d'entrée de Maurice Thorez en Algérie[1] », établir un parallèle (!) entre la désertion de Thorez, « acte courageux d'un militant » et la « désertion », le 16 juin 1940, du général de Gaulle, « acte courageux d'un soldat[2] », annoncer que, chaque jeudi, Thorez parlera aux Français sur Radio-Moscou, se faire l'écho d'une motion de protestation du bureau de la C.G.T.[3], Maurice Thorez ne reviendra de Russie qu'au jour et aux conditions fixés par de Gaulle[4]. Ce sera le 27 novembre 1944, et pour imposer au parti communiste la rapide dissolution des milices patriotiques ainsi que la disparition de Comités de libération locaux souvent encore en compétition avec les administrations municipales et départementales légales.

L'entrée de deux communistes dans le gouvernement d'Alger s'explique, psychologiquement et politiquement, à l'heure où il importe, pour de Gaulle, d'avoir à ses côtés toutes les forces résistantes rassemblées.

Il s'agit d'éviter, en métropole, les dramatiques ruptures qui se sont produites en Yougoslavie et en Grèce, où des résistants combattent furieusement d'autres résistants.

Il s'agit également de convaincre des Alliés, trop puissants pour ne pas céder à la tentation d'un paternalisme désinvolte, que les Français unis, et surmontant, grâce à l'union, le traumatisme de la défaite, sont en marche pour reconquérir leur puissance et leur rang

1. Le 12 mai 1944.
2. Le 15 mai.
3. Le 9 juin 1944.
4. Le 6 novembre, Thorez a bénéficié d'une grâce amnistiante. C'est un an plus tard — en novembre 1945 — qu'il sera nommé par de Gaulle ministre d'Etat.

et que cette résurrection mérite enfin d'être reconnue par ces nations qui, pour ne pas s'être trouvées en 1940 à l'avant-garde des batailles, occupent aujourd'hui des positions dominantes.

Effectivement, le 26 août 1943, Etats-Unis, Grande-Bretagne, Russie soviétique reconnaîtront le Comité de la Libération à la grande satisfaction de De Gaulle impatient, moins de voir rendre justice à ses efforts, que de faire retrouver à la France qu'il incarne la place qu'elle n'aurait jamais dû abandonner si les hasards de la bataille n'en avaient décidé autrement.

Mais chaque diplomatie a son style qui reflète embarras, prudences, réticences.

Washington s'en est tenu à la formule la plus étroite, la plus plate, celle qui pouvait le moins blesser Vichy, capitale fantôme noyée dans les brouillards de l'occupation, mais avec laquelle Roosevelt ne désespérait nullement de renouer un jour des liens tardivement distendus : « *Le Comité est reconnu comme administrant les territoires d'outre-mer qui reconnaissent son autorité.* »

Londres, tout en employant les mêmes termes, ajoutait cette phrase qui marquait discrètement que l'Angleterre n'avait pas oublié les jours tristes de 1940 et le combat mené alors en commun : « *Aux yeux de la Grande-Bretagne, le Comité est l'organisme qualifié pour exercer la conduite de l'effort français dans la guerre.* »

Cependant que Washington et Londres s'avançaient du bout des lèvres et que, deux mois à peine après la reconnaissance officielle du Comité de Libération le général Smuts, premier ministre d'Afrique du Sud mais, en l'absence de Churchill, président du Conseil de guerre britannique, ce qui allait donner un immense retentissement à ses blessantes paroles, affirmait que la France avait « disparu » et qu'elle continuerait d'être « absente durant notre vie et peut-être pour plus longtemps encore », Moscou ne ménageait pas son adhésion aux thèses gaullistes.

Pour la Russie soviétique qui, selon de Gaulle lui-même, devait se montrer « très large » le Comité représentait en effet « *les intérêts d'Etat de la République française* ». Il était « *le seul organisme dirigeant et le seul représentant qualifié de tous les patriotes français en lutte contre l'hitlérisme* ».

C'était poser une couronne sur la tête de De Gaulle et, sans que nul soit tout à fait dupe, l'aider dans un jeu qui le fera s'appuyer, tantôt sur l'un, tantôt sur l'autre des grands Alliés pour glisser, puis installer la

France dans la plupart de ces conférences où l'on traitait de la reconstruction et du remodelage du monde.

C'est ainsi qu'après avoir été écarté par l'Angleterre et par les Etats-Unis de l'armistice avec l'Italie, de Gaulle éprouvera la satisfaction de recevoir, de M. Bogomolov, ambassadeur de l'U.R.S.S. à Alger, après l'avoir été à Vichy, l'assurance qu'à la future Commission de la Méditerranée la France serait présente puisque la Russie l'exigerait[1].

Si de Gaulle apprécie le concours que l'U.R.S.S. lui apporte dans son combat pour le rang ; si, en accordant deux ministères aux communistes, il marque sa volonté de rassembler toutes les composantes de la Résistance, il entend également prévenir de possibles déchirures internes qui se traduiraient, à la Libération, par de dramatiques et sanglantes compétitions pour le pouvoir.

Il n'a jamais nourri d'illusions sur le parti communiste. Et la réciproque est vraie.

Chacun entre momentanément dans le jeu de l'autre, mais chacun tend avec ardeur vers le même but : occuper le plus grand nombre possible de postes de décision et de direction dans la France libérée puisque, suivant le mot de Pierre Cot[2], « le contrôle des villes ouvrières, notamment de Paris, comptera plus... que le statut juridique du Comité de Libération ».

Dotés d'une indiscutable culture historique révolutionnaire, les communistes savent parfaitement que le programme sera ce que

1. Au moment de la crise franco-anglaise, qui éclatera, dans l'automne de 1943, à propos de la Syrie et du Liban, ni les Soviétiques, ni les communistes français ne gêneront l'action du général de Gaulle. On se souvient qu'en 1941 la France libre, aidée par la Grande-Bretagne, a occupé, à la suite de violents combats, la Syrie et le Liban, alors sous la tutelle de Vichy. Pour rallier les populations de Gaulle a promis une indépendance à terme qui découlerait de traités à négocier à la fin des hostilités. Conseillés et encouragés par des agents britanniques les nationalistes syriens et libanais exigeaient tout et tout de suite, d'où la violence d'une crise dénouée au détriment des intérêts français.

2. Ministre de l'Air de juin 1936 à janvier 1938, Pierre Cot devait, après la défaite, quitter la France pour les Etats-Unis. Membre de l'Assemblée consultative à Alger, puis à Paris, Pierre Cot deviendra, après la Libération, un compagnon de route des communistes (député de la Savoie entre 1945 et 1951).

voudra le pouvoir en place et que la mainmise sur les centres vitaux de la nation a infiniment plus d'importance que les mieux élaborés des textes.

Ainsi, même si cela surprend ceux qui songent à l'attitude abrupte qui sera la leur après la Libération, ainsi verra-t-on les communistes ne porter qu'une attention distraite aux débats doctrinaires, qu'un médiocre intérêt aux réformes constitutionnelles qui passionnent tant de juristes de la Résistance.

Sans doute sont-ils — qui ne l'est pas alors[1] ? — adversaires des hommes des « trusts », des hobereaux, des châtelains, mais « *seulement* » de ceux « qui sont de connivence avec l'ennemi[2] »; des banquiers et des commerçants, mais *uniquement* de ceux qui ont « pactisé avec l'ennemi, commercé avec lui ou assuré des fabrications pour son compte[3] ». La propagande communiste, en direction de cette classe paysanne, nombreuse encore en France, et qui, souvent dans l'histoire, a, contre les révolutionnaires, basculé du côté des réactionnaires, ne flatte pas seulement ouvriers agricoles et fermiers, elle épargne les propriétaires terriens.

Dans de nombreux domaines, Henri Michel en fera l'observation[4], le programme communiste est donc volontairement en retrait sur les positions adoptées par d'autres fractions de la Résistance. Ainsi en va-t-il, s'agissant des nationalisations futures. Plus modérés, au moins sur l'instant, que les socialistes, les communistes ne veulent pas effaroucher les classes moyennes.

Auguste Gillot, représentant du Comité central du P.C. au C.N.R., après le départ de Mercier pour Alger, le dira très nettement à Daniel Mayer[5], secrétaire général du parti socialiste, au cours d'une rencontre qui aura lieu le 24 septembre 1943.

A Daniel Mayer qui propose, contre la « politique procapitaliste de

1. Lorsque le journal clandestin *Valmy* réclame « la destruction progressive des principes capitalistes », c'est-à-dire non seulement « de la propriété privée des moyens de production, mais encore de l'économie de marché et de libre concurrence », ses rédacteurs ne sont pas nécessairement marxistes, mais ils baignent dans « l'air du temps ».

2. *La Terre,* n° 1.

3. Août 1943. Tract communiste pour la propagande d'action de la C.G.T.

4. *Les courants de pensée de la Résistance.*

5. Sur Daniel Mayer, Georges Bidault écrira : « Je n'ai pas connu de cœur plus loyal, de résistant plus ferme, ni d'esprit plus libéral. »

l'Amérique », contre « l'entourage suspect de Giraud », une action « spécifiquement ouvrière », Gillot va répondre. Il le fait suivant une logique uniquement déconcertante pour ceux qui ignorent que le Parti œuvre pour le long terme.

— Nous rejetons tout ce qui pourrait donner une allure de classe à notre lutte actuelle, pour ne pas donner un motif de division entre Français. Entendez-moi bien, il s'agit de ne pas nuire à notre but commun qui est la lutte contre l'envahisseur. *Tout ce qui semblerait être une notion spécifiquement ouvrière serait un prétexte à une propagande anticommuniste qui nuirait à l'action commune*[1].

Au même Daniel Mayer qui s'étonne que, sur le sort à réserver aux trusts, le parti communiste ait pu se déclarer d'accord avec la très modérée Union républicaine démocratique, le même Gillot répondra, suivant l'imparable logique du Parti qui veut que les problèmes soient réglés les uns après les autres et pour qui il est des silences autrement bénéfiques que d'outrancières déclarations :

— Ces problèmes sont pour après la Libération. Pour l'instant, en vue du but que nous poursuivons justement en commun, il ne faut pas diviser.

C'est encore pour ne pas diviser que les communistes rejetteront, dans une lettre du 28 novembre 1943, la proposition socialiste d'un Comité d'entente, dont le rôle serait d'étudier les problèmes de l'unité ouvrière et d'en ouvrir les voies.

> « En ce qui concerne l'unité de la classe ouvrière, écrivent les communistes aux socialistes, nous sommes surpris de la façon étroite dont vous semblez poser le problème ! Depuis quatre ans, il s'est produit dans la population française une profonde évolution dont on ne peut pas ne pas tenir compte et il est impossible de juger les hommes, aujourd'hui, d'après leurs opinions politiques d'hier...
>
> Par conséquent, nous ne saurions trop vous dire combien il serait dangereux et contraire aux intérêts de la France de revenir, sous couvert d'unité ouvrière, à la vieille division, désormais dépassée par les événements, entre gauche et droite. »

1. Je souligne intentionnellement. Sur ce point, *cf.* Henri Noguères, *Histoire de la Résistance en France,* tome IV, p. 363 et suiv.

Ne pas diviser, ne pas effaroucher en adoptant des mesures et un style révolutionnaires, mais rassembler dans des structures d'accueil, dont la véritable identité politique sera dissimulée, le plus grand nombre possible de Français, les mobiliser pour cette « levée en masse », souhaitée et préconisée depuis 1943, voici l'objectif politique prioritaire du parti communiste.

« *L'armée de la victoire, c'est l'armée du peuple.* » « *Nous devons nous orienter vers une armée de masses.* » Ces formules, l'une de Garaudy[1], l'autre de Billoux[2], peuvent paraître militairement anachroniques, la guerre qui se poursuit à travers le monde étant essentiellement une guerre de matériel, elles sont légitimées cependant par la forme de guerre menée par les partisans aussi bien en Grèce qu'en Yougoslavie et en Russie.

Elles sont légitimées par l'ambition du parti communiste de devancer, sur le sol français, l'intervention de troupes anglo-américaines.

Si la proposition, qu'il avait réussi à faire provisoirement inclure dans le programme du Conseil national de la Résistance, était passée du vœu à la réalité et si « l'insurrection [avait] précédé le débarquement allié[3] », d'effroyables massacres se seraient ensuivis, vraisemblablement sans résultats militaires positifs, mais avec d'évidents résultats politiques.

De Gaulle a d'ailleurs fort bien vu cela. « Les forces clandestines, écrit-il dans ses *Mémoires,* si elles ne sont pas rattachées à " l'autorité centrale " peuvent soit " glisser vers l'anarchie des grandes compagnies ", soit passer sous la coupe des communistes et devenir alors une masse de manœuvre " dont disposerait, non le pouvoir mais l'entreprise qui vise à le saisir ". »

Sa crainte est d'autant plus vive que, prêchant l'union, mais dissimulant souvent leur véritable identité idéologique, les communistes ont investi les organes centraux de la Résistance.

1. *France nouvelle,* janvier 1944.
2. Alger, le 18 janvier 1944.
3. A la demande des socialistes, le texte sera modifié et adouci.

Après l'arrestation de Jean Moulin, l'accablement a été grand au sein du Conseil national de la Résistance. Georges Bidault, qui s'efforce de ressaisir les fils, n'y parviendra que difficilement, Londres ne répondant JAMAIS aux questions qu'il pose, n'accusant pas réception des informations qu'il transmet et qui ont été recueillies au péril de la vie de ses informateurs[1].

Puisque Londres et Alger, c'est-à-dire de Gaulle, ne se soucient apparemment pas de nommer rapidement un successeur à Jean Moulin, pour des raisons qui tiennent aux querelles de personnes, comme à la volonté de désigner un « haut fonctionnaire », capable de préparer partout, et selon les désirs du Comité français de la Libération, la relève des autorités, le Conseil national de la Résistance se donnera le chef qu'il ne reçoit pas.

Comme il est impensable de réunir, pour un vote, les 18 membres du C.N.R., deux agents de liaison — Meunier et Chambeyron —, dont les sympathies pour le parti communiste se révéleront après la Libération, iront recueillir les opinions des uns et des autres et rapporteront le résultat d'un scrutin dont, à part eux, nul ne connaîtra les modalités exactes. C'est Georges Bidault qui l'emporte par douze voix contre une et trois abstentions[2].

Jugeant, et jugeant de haut toute l'affaire, de Gaulle, en 1956, devait écrire ces phrases plus riches en épines qu'en louanges :

> « Le Conseil, de son propre chef, décida de se donner à lui-même un président et élut Georges Bidault. Celui-ci, résistant éminent, ayant au plus haut point le goût et le don de la chose politique, connu avant la guerre pour son talent de journaliste et son influence chez les démocrates-chrétiens, ambitieux de voir ce petit groupement devenir un grand parti dont il serait le chef, accepta volontiers la fonction qu'on lui offrait et en assuma les risques. *L'un de ceux-ci, non le moindre*[3], était de se trouver débordé au sein de l'aréopage par un groupe discipliné, rompu à

1. Notamment Pierre Corval, Rémy Roure, André Sauger et l'abbé Boursier, qui sera tué par la Gestapo.

2. « Je suis assez heureux de dire que la seule voix hostile a été celle d'Emmanuel d'Astier de la Vigerie, écrira plus tard Georges Bidault. On ne sait jamais ce qu'il pense exactement, mais on peut être sûr que c'est compliqué et oblique. » In *D'une résistance à l'autre.*

3. Je souligne intentionnellement.

l'action révolutionnaire et qui excellait à utiliser la surenchère aussi bien que la camaraderie. J'eus, bientôt, l'indication des empiétements de ce groupe, des aspérités que sa pression comportait pour Georges Bidault, des difficultés que, de son fait, je trouverais bientôt devant moi. Le Conseil fit savoir, en effet, que, ses réunions plénières étant par force exceptionnelles, il déléguait ses attributions à un bureau de quatre membres, dont deux étaient des communistes, et instituait pour s'occuper des questions militaires un comité dit " d'action " que dominaient les hommes du " parti ". »

Il y a certes injustice de la part du général de Gaulle à minimiser les dangers courus par Georges Bidault. Arrêté, il aurait vraisemblablement connu le destin de Jean Moulin. Mais, pour de Gaulle, dans cette guerre, de quelle importance pouvaient être les risques physiques comparés aux risques politiques ?

Ainsi faut-il expliquer une phrase qui met au premier plan des périls menaçant le président du Conseil national de la Résistance, NON LA GESTAPO ET SES TORTIONNAIRES, MAIS LE PARTI COMMUNISTE ET SES THÉOLOGIENS.

Qu'en est-il exactement ?

Président du C.N.R., Georges Bidault est essentiellement en rapport avec les membres du bureau, « quatre, écrit de Gaulle, dont deux étaient communistes ».

Ginsburger-Villon, « fils de rabbin, à la foi un peu messianique [1] », représente le parti communiste avec une passion inquisitoriale et des arguments qu'il habille littérairement, et indifféremment, à la Saint-Just ou à la Déroulède. Saillant a été délégué par la C.G.T. ; Pascal Copeau par les Mouvements unis de la Résistance ; Blocq-Mascart, par les trois mouvements de résistance apolitiques de zone Nord : *Ceux de la Libération, Ceux de la Résistance, l'Organisation civile et militaire.*

Lorsqu'il évoquera ses compagnons de lutte, Georges Bidault écrira : « Villon savait très bien ce qu'il voulait. Saillant, pas encore. Les autres étaient pour la plupart disponibles, c'est-à-dire manœuvrables, ou scrupuleux, c'est-à-dire, hésitants. »

1. Jacques Debu-Bridel.

En réalité, Saillant était déjà communiste et Pascal Copeau avait noué, avec le Parti, beaucoup plus que des affinités intellectuelles. Quant à Blocq-Mascart, il n'était un obstacle à rien car sa réputation d'homme de droite paralysait ses réactions en un temps où, même et surtout au sein de la Résistance, la simple opposition au communisme était facilement prise, selon la formule de *L'Humanité,* pour « l'arme de l'anti-France, l'arme des Boches ».

Donc, non pas deux communistes au bureau du C.N.R., comme l'écrit de Gaulle, mais trois, ou deux et demi, si l'on veut bien admettre que Pascal Copeau ne cédait pas systématiquement au martèlement idéologique de ses camarades.

De ce martèlement, qui constitue l'une des armes les plus efficaces du Parti, Georges Bidault donnera un éloquent exemple en évoquant l'une de ses rencontres avec le communiste Auguste Gillot.

> « Il me posait une question : j'y répondais. Il faisait des objections, j'y répondais. Après quoi, on revenait à la question, toujours la même. Cela durait longtemps. Mais jamais mission ne fut remplie avec plus de scrupules, ni plus d'imperméabilité à la persuasion que celle dont Auguste Gillot avait été chargé et dont il s'acquittait avec un don remarquable pour les redites. »

Si le Conseil national de la Résistance n'est pas, en 1944, l'émanation du parti communiste, il accepte, adopte, popularise un grand nombre des thèses communistes.

Il favorise également, et c'est le plus important, l'infiltration dans des structures clandestines, appelées à devenir bientôt officielles, de responsables qui, protégeant efficacement leur identité, leurs secrets et leur autonomie, prêchant l'union la plus large, ce qui leur permettra de faire figure de chefs incontestés de la Résistance et non de chefs de parti, ont l'ambition de hisser le bureau du Conseil national de la Résistance à la hauteur du Comité français de la Libération nationale, alors que de Gaulle n'avait voulu, pour le C.N.R., qu'un caractère de représentation et non de direction.

Ecouterait-on les communistes, le bureau du C.N.R. deviendrait donc « l'organe directeur unique de la Résistance » et il aurait, « sur tout le territoire, les droits et responsabilités de gérant et d'organe provisoire de la souveraineté nationale ».

« L'opposition des deux légitimités », pour reprendre un mot de Stéphane Courtois[1], ira donc s'amplifiant. Elle se manifestera chaque fois qu'il sera question du statut des futures structures administratives ou politiques.

Ainsi, le parti communiste travaillera-t-il — on l'a vu — à élargir les prérogatives des comités départementaux de la Libération dont devraient dépendre destitutions et nominations.

Ainsi se trouvera-t-il à l'origine de comités locaux de la Libération ayant « la direction de l'action insurrectionnelle[2] » et pouvant alors, grâce aux F.T.P. et aux milices patriotiques, dont il est le maître, assurer un véritable quadrillage militaire et politique du territoire.

Il est juste de rappeler cependant que les communistes ne sont ni les seuls à se préoccuper des modifications qui doivent intervenir dans l'administration, ni les seuls à prendre des options en faveur de candidats qui leur sont philosophiquement proches.

D'autres qu'eux avaient été partisans de la transformation du C.N.R. en gouvernement provisoire et un projet de décret, rédigé par Pierre-Henri Teitgen, donnait à des administrateurs provisoires, placés à la tête des départements ministériels, pouvoir de prendre, « sous l'autorité du Conseil national de la Résistance, toutes les mesures de première urgence qu'imposent les circonstances ».

Projet sans suite mais qui s'expliquera par la solitude dans laquelle sont laissés les résistants français, solitude qui est à la fois sujet de plaintes et occasion d'émancipation.

Dans la perspective du vide qui existera vraisemblablement entre la retraite allemande, l'effondrement de l'administration de Vichy et l'arrivée à Paris des ministres installés à Alger, le Comité général d'Etudes, sans en référer au C.N.R. dont le choix aurait été différent,

1. *Le P.C.F. dans la guerre.*
2. Le 23 mars 1944, adhérant à cette idée, le C.N.R. demandera aux Comités départementaux de la Libération de créer, coordonner et diriger des Comités locaux de la Libération.

établira ainsi une première liste de « commissaires provisoires » désignés pour prendre en main des administrations privées de chefs[1].

Bastid aurait en charge l'administration provisoire du Quai d'Orsay, Lacoste celle du ministère de la Production, Parodi celle du Travail, Teitgen prenant l'Information, le bâtonnier Charpentier la Justice, Courtin les Finances.

Dans une note à François de Menthon, qui se trouve à Alger, Teitgen a précisé qu'il avait fallu rechercher, pour les postes de commissaire provisoire, des « personnalités indiscutées mais sans ambition personnelle, qui ne feraient aucune difficulté pour céder la place à leur successeur désigné ».

Dans ses Mémoires inédits[2], René Courtin, qui assurait le secrétariat général à l'Economie nationale, raconte cette séance du 28 août 1944 au cours de laquelle les commissaires provisoires allaient être présentés au général de Gaulle alors qu'à Alger les commissaires titulaires achevaient leurs bagages et se préparaient à venir prendre possession de leurs ministères parisiens.

A l'avocat communiste Marcel Willard qui se présentera : Willard, secrétaire général à la Justice[3], de Gaulle demandera :

— Qui êtes-vous, monsieur Willard ?

— Je suis avocat, mon Général.

— Alors, monsieur Willard, vous avez bien compris, n'est-ce pas, vos fonctions sont essentiellement provisoires[4].

En marquant ainsi, immédiatement et publiquement, sa volonté de ne pas voir le provisoire se transformer en durable, de Gaulle porte un coup d'arrêt à l'entreprise communiste d'appropriation du pouvoir, entreprise qui se manifestait à tous les niveaux et tout particulièrement

1. La liste sera soumise à Alger.

2. Mais dont Diane de Bellescize a cité d'intéressants passages dans son livre capital sur le *Comité général d'Etudes*.

3. C'est au bâtonnier Charpentier que, primitivement, devait aller le poste. Willard sera le seul communiste parmi les commissaires provisoires. Encore sa nomination a-t-elle été imposée par le C.N.R.

D'après Villon, Georges Bidault aurait fait écarter la candidature d'un communiste pour le poste de commissaire provisoire à la Guerre et il écrira : « On ne nous a pas donné une part proportionnelle à la part que nous avons prise aux combats. »

4. Dans ses *Mémoires,* de Gaulle accordera deux lignes à cette entrevue. « Entrent, ensuite, les secrétaires généraux dont il est clair qu'ils n'attendent d'instructions que de moi. »

au sein du Comité militaire d'action, responsable du Commandement suprême des Forces françaises de l'Intérieur.

A la suite du départ de Frenay pour Alger, mais également d'arrestations, dont celle fort dommageable de Claude Bourdet, qui avait succédé à Frenay et maintenu à peu près l'équilibre des forces, Degliame et Kriegel-Valrimont, qui ont dissimulé leur appartenance au Parti, détiennent, en compagnie de Pascal Copeau, la majorité au bureau des Mouvements unis de la Résistance.

De cette position conquise, ils partiront à la conquête d'autres positions, faisant entrer Kriegel-Valrimont au Comité militaire d'action où il retrouvera Villon, qui est communiste, et Jean de Vogüe, qui ne l'est pas, mais ne possède ni les moyens ni les ambitions qui lui permettraient de mettre en échec ses deux camarades.

Après l'arrestation de *Pontcarral*-de Jussieu, le Comité d'action militaire désignera donc tout naturellement, comme chef d'état-major national, Joinville que l'on présente et qui se présente comme politiquement neutre mais qui, en réalité, appartient au parti communiste, comme appartient au parti communiste Tanguy, dit *Rol,* immédiatement désigné au poste de chef des Forces françaises de l'Intérieur pour Paris, après l'arrestation de Lefaucheux.

Ainsi, pour reprendre un jugement de Robert Aron « tout se passe comme si l'accélération de l'Histoire, diagnostiquée par Daniel Halévy, jouait, en ces instants préparatoires du débarquement, en faveur des communistes et au détriment de ceux qui pouvaient les contrecarrer dans les postes de direction[1] ».

Lorsque, aidé par le communiste Degliame et aidant Degliame, Copeau aura réussi à mettre la main sur l'ensemble des mouvements de zone Sud, il dira en mai 1944 :

> « La création de l'Exécutif de zone Sud, ce n'est pas parce qu'il s'agissait de Degliame et de moi, mais c'est une date très importante, non pas un commencement, mais comme un aboutis-

1. *Histoire de la Libération.*

sement, car, si c'est devenu possible, cela signifiait en somme la fin d'un conflit qui était latent depuis l'époque de Moulin sur le problème suivant : Est-ce que la Résistance va être une organisation aux ordres de Londres, quadrillée et organisée par des agents venus de Londres, ou *est-ce que la Résistance est une affaire totalement indépendante, revendiquant éventuellement d'être antérieure à l'appel du 18 juin* — ce qui d'ailleurs est vrai partiellement — et est-ce que, comme le prétendait Frenay, par exemple, *tout ne procède pas de la Résistance, le général de Gaulle lui-même n'étant qu'un représentant de la Résistance à l'extérieur*[1] *?* »

A la lecture de ce texte, qui explique et légitime le développement rapide d'une hiérarchie dominée, le hasard de la guerre et les complicités de la Résistance aidant, par des communistes et des hommes qui cachent à peine leur intention de placer de Gaulle en tutelle morale, on comprend mieux les réactions gaullistes et la volonté sans cesse affirmée de De Gaulle de toujours contrôler, grâce à une hiérarchie parallèle, les développements de la Résistance intérieure.

De Gaulle ne se trompait pas sur les intentions communistes. Après les avoir rappelées dans ses *Mémoires* et avoir dénoncé des plans qui visaient à transformer le Conseil National de la Résistance en « une sorte de gouvernement de l'intérieur » indépendant d'Alger, il poursuit, en expliquant le contre-feu imaginé :

> Nous avons donc créé, en France, un système qui, sans contrarier l'initiative et le cloisonnement des maquis, les rattache au commandement français et leur en fait sentir l'action.
>
> Dans chacune des régions administratives et dans certains départements, le gouvernement place un « délégué militaire » nommé par moi.

1. Je souligne intentionnellement.

Le projet n'avait pris corps qu'en septembre 1943 et, sur le terrain, le rôle des délégués militaires allait être différent de celui, très vaste, imaginé à Londres. Mais, si leur action ne devait jamais être à la mesure des ambitions de De Gaulle, on ne peut la tenir pour négligeable puisque les délégués militaires ont à leur disposition ces moyens dont, selon Henri Noguères, « " les gens de Londres " se sont toujours servis pour limiter les velléités d'indépendance de la Résistance intérieure. » Moyens essentiellement constitués par des facilités de liaisons qui leur permettent de solliciter — sinon de toujours obtenir — armes, fonds et renseignements.

Les délégués militaires régionaux arriveront en France à partir de septembre 1943. Raymond Fassin, qui fut l'un des premiers compagnons de Jean Moulin, pour le Nord[1] ; Claude Bonnier, pour Bordeaux et sa région[2] ; André Schock pour le Nord-Est ; le sous-préfet Valentin Abeille, ancien responsable des M.U.R. à Lyon[3], pour l'Ouest ; André Boulloche, pour Paris et le Centre[4] ; Maurice Bourgès-Maunoury, pour Lyon ; Paul Leistenschneider pour Montpellier et Toulouse[5].

Bourgès-Maunoury, l'un des plus efficaces des D.M.R., l'un de ceux qui avaient le plus rapidement et le mieux compris les problèmes de la Résistance et, quitte à se heurter aux hiérarques de Londres, n'avait retenu que la finalité de consignes souvent élaborées trop loin de l'action, aura un jour à répondre à la question que lui pose Degliame-Fouché, qui enquête pour l'*Histoire de la Résistance en France,* de Noguères.

> « — En fait, lui demande Degliame, la Résistance française a accusé le B.C.R.A.[6] d'avoir voulu la noyauter à travers les délégués militaires ?
>
> — Il est exact, répondra Bourgès, que cette suspicion a existé. »

---

1. Arrêté, Fassin mourra en déportation.
2. Claude Bonnier arrivera en novembre. Livré à la Gestapo, il se suicidera dans sa cellule. Cf. *L'impitoyable guerre civile,* p. 421.
3. Abeille sera tué lors de son arrestation le 31 mai 1944.
4. Arrêté avec son adjoint Ernest Gimpel le 13 janvier 1944, Boulloche sera déporté.
5. D'autres D.M.R. arriveront par la suite et toutes les régions seront finalement pourvues.
6. Bureau central de renseignement et d'action.

Et il évoquera des instructions certes reçues de Londres mais totalement étrangères à la situation intérieure française ; le caractère parfois trop autoritaire de certains D.M.R. que leur formation militaire et leur sens d'une stricte hiérarchie ne prédisposaient ni à s'entendre avec des résistants issus de milieux populaires, ni à se passionner pour des problèmes de stratégie politicienne à l'échelle du département ou du canton.

Au mois de mai 1944, le rapport de la mission *Union* qui a pris d'importants contacts dans la Drôme, l'Isère et la Savoie, contient des mots sévères pour ces groupes de résistants intéressés « seulement par l'occupation des mairies pour saisir le pouvoir le Jour J et non par le combat contre les Huns ».

En mai, toujours, *Alvar,* envoyé de Londres dans la région de Béziers, note qu'il a trouvé « pléthore de chefs à inspiration politique, désirant se faire une place au soleil après la guerre, sous-préfets, maires déjà nommés d'avance. »

On pourrait citer encore de nombreux exemples d'incompréhension et de querelles.

En réalité, entre envoyés de Londres et résistants locaux, presque tout sera fonction de la qualité des hommes. Presque tout dépendra des situations créées sur le terrain par plusieurs années de résistance.

Ainsi, dans les régions de Montpellier, Toulouse et Limoges, le rôle des délégués militaires régionaux sera-t-il de faible importance face à des chefs militaires F.T.P. et à des responsables politiques communistes solidement implantés et considérant d'un assez mauvais œil ces envoyés de Londres et d'Alger, chargés, désormais, de leur transmettre les ordres du général Koenig[1].

Par un télégramme du 4 avril, Koenig a informé, en effet, les délégués militaires régionaux :

> « Investi par Comité militaire français Libération nationale commandement sur théâtre d'opérations nord-ouest des Forces françaises tant de l'Intérieur que de l'Extérieur placé sous commandement suprême général Eisenhower vous enverrai dorénavant vos ordres — Vous ne devez accepter que les ordres signés

1. En vertu de l'ordonnance du 14 mars 1944.

de moi pour tout ce qui concerne directement plan d'emploi des Forces françaises de l'Intérieur — mesures d'exécution et ordres d'attaque. »

Il n'est pas vrai — on le verra à l'instant du débarquement — que seuls les ordres de Koenig soient écoutés et acceptés. Mais que la volonté de tutelle de Londres ait été pesante pour les communistes, bien des preuves en seront apportées. Dès les premiers jours de mai, en tout cas, le communiste Kriegel-Valrimont, qui participe à une réunion de coordination, note, à propos de l'attitude de Chaban-Delmas, tout nouveau délégué militaire national : « L'évident souci qu'il a de nous séduire s'accommode mal des efforts qu'il déploie pour imposer la volonté de l'état-major de Londres. »

Séduction et ténacité ; passion pour la conciliation, dès l'instant où elle permet de mieux et plus vite atteindre l'objectif ; constant désir de se trouver naturellement de plain-pied avec chacun et, par-delà des barrières sociales et politiques, de privilégier les complicités d'âge et de cœur ; goût pour le sport jusqu'à considérer la guerre secrète comme un sport parfois mortel, mais que l'on doit, comme tout sport, pratiquer avec souplesse, élégance, courage et sans vaine ostentation, telles sont déjà les qualités qui vaudront à Jacques Chaban-Delmas d'accéder, très jeune, à l'un des plus hauts postes et d'y vivre, en un temps extraordinaire, une peu ordinaire aventure.

Officieusement, mais non officiellement, Bourgès-Maunoury a succédé à Mangin, premier délégué militaire national. Sans doute le poste lui reviendrait-il si, lassé de ses démêlés avec Londres, il n'avait offert sa démission tout en assurant l'intérim dans l'attente de l'arrivée en France d'un « authentique » colonel capable de soutenir le dialogue à égalité de grade avec les représentants de l'Organisation de Résistance de l'Armée comme avec ces chefs de la Résistance aux ailes de qui poussent les galons.

Billotte devait être ce colonel, mais il s'était trouvé mêlé de trop près aux préparatifs du débarquement pour qu'il lui soit confié un rôle aussi dangereux. En attendant que Londres ait trouvé un remplaçant à Billotte, et Bourgès devant gagner l'Angleterre[1], il était urgent de nommer un délégué militaire national par intérim.

1. Ce qu'il fera au mois de mai.

Au nombre des mauvaises raisons avancées à Londres contre Bourgès, il était parfois fait état de sa trop grande jeunesse. Il n'a pas trente ans, c'est vrai, puisqu'il est né en août 1914. Mais est-ce malice ou inattention, Bourgès proposera que l'intérim soit accordé à encore plus jeune, puisque Jacques Delmas (*Chaban*), son ami de l'Inspection des finances, mais surtout du réseau « Action », a sept mois de moins que lui[1].

Pour Londres, quand Bourgès est *Polygone,* Jacques Delmas est *Arc.* Nom de code qui ne l'empêche nullement d'en avoir beaucoup d'autres utilisés, ceux-là, dans le courant de l'action quotidienne et dont il se dépouille à l'instant où il devine qu'ils le découvrent plus qu'ils ne le protègent. Il sera ainsi *Lakanal,* du nom de son lycée ; *Coriolan,* par admiration pour un héros révolté mais capable d'épargner Rome à la demande de deux femmes, avant d'être *Chaban,* dès ce jour de 1943 où, errant sur une route de Dordogne, il apercevra, à l'entrée d'un chemin qui s'enfonce dans l'ombre, l'écriteau : « Château de Chaban ».

Mais, pour Londres, il est, et restera, presque jusqu'à la fin, *Arc,* l'un des responsables financiers de la Résistance, celui qui, avec Debray, Benouville et François Bloch-Lainé, a décidé l'émission de « bons de la Résistance » destinés à rembourser après la Libération ceux dont la contribution volontaire a permis de fournir en billets de banque français des réseaux et des mouvements souvent démunis[2].

En réalité, Jacques Delmas (*Arc* ou *Chaban*) a bien d'autres activités que celles de financier de la Résistance. Depuis l'arrestation et le suicide du colonel Marchal, envoyé en zone nord ; après le départ pour Londres de Louis Mangin, c'est lui qui fait fonctionner la Délégation militaire ayant autorité sur l'ex-zone occupée.

D'après le récit qu'il en donnera plus tard[3], c'est en mai 1944 qu'il devait apprendre la décision de Londres qui orienterait tout son destin. Le lieu et l'instant pourront paraître étranges à ceux qui ignorent, ou qui oublient, que l'étrange faisait alors partie du quotidien. En compagnie de Lorrain Cruse, son ami, devenu son adjoint, et de

---

1. Jacques Chaban-Delmas est né en mars 1915.
2. Ces « bons de la Résistance », imprimés dans le style des bons du Trésor, signés du pseudonyme *Bossuet,* pseudonyme qui était celui de Debray, frère de l'évêque de Meaux, furent honorés après la Libération.
3. Dans son livre, *L'Ardeur.*

Jocelyne Haseler, qui a fait partie de l'équipe de Bourgès, Jacques Delmas dîne chez Lasserre, restaurant dont les Allemands apprécient en assez grand nombre les charmes et la cuisine, pour que cette cohabitation puisse constituer une assurance de relative tranquillité. Au moment du dessert, Jocelyne commande une bouteille de champagne et récite le message radio qu'elle vient de décoder :

> « Alger, 1er mai 1944. Par décision du Gouvernement provisoire de la République [1], *Arc* est nommé général de brigade [2], chevalier de la Légion d'honneur. Il est chargé de l'intérim du délégué militaire national. »

Encore cet intérim ne doit-il être que de courte durée puisque le colonel Ely — qui, beaucoup plus tard, sera chef d'état-major général de la Défense nationale — arrive presque immédiatement de Londres pour relever Chaban. Mais, ayant pris contact, Ely proposera à Londres de devenir l'adjoint de celui qu'il devait remplacer. Modestie bien rare en un temps d'ardente compétition.

Les télégrammes des 4 et 10 mai envoyés par Ely comportent ces mots :

> « Je vous propose... de laisser *Chaban* assurer l'intérim D.M.N. jusqu'à l'arrivée du titulaire... *Chaban* jeune, mais de classe, sait se placer au point d'observation correspondant aux fonctions de délégué du pouvoir central. A réussi auprès de tous ici, non parce qu'il s'incline devant personne, mais parce qu'il domine les problèmes. Ma présence ici ayant fait tomber obstacle jeunesse, *Chaban* seul adjoint possible ultérieurement pour D.M.N. »

1. La proposition de transformer le Comité national français de la Libération nationale en Gouvernement provisoire a été présentée le 5 mai par Gazier, au nom de la C.G.T., et adoptée à l'unanimité par l'Assemblée consultative d'Alger. Elle entrera dans les faits le 26 mai et fera l'objet, le 3 juin, d'une ordonnance que de Gaulle signera, ce sera la dernière fois, en tant que président du Comité français de la Libération nationale, si bien, la décision de nommer Chaban datant du mois d'avril, qu'il est surprenant que le télégramme « récité » par Jocelyne Haseler (cf. *L'Ardeur*) ait pu faire mention du gouvernement provisoire.
2. Jacques Delmas était sous-lieutenant.

Le colonel Ely appartient à cette mission « Clé », envoyée d'Alger en France, quelques jours avant le débarquement, et qui a reçu de De Gaulle des ordres de la plus haute importance.

Primitivement prévue pour être dirigée soit par Passy, soit par Emmanuel d'Astier, un violent conflit entre les deux hommes avait conduit de Gaulle à mettre à sa tête un troisième homme : Lazare Rachline (*Lucien, Rachet*) qui, dès 1942, avait appartenu à une chaîne d'évasion[1], sans avoir jamais occupé de poste de premier plan dans la Résistance.

Brusquement, sous le pseudonyme de *Socrate,* il se voyait confier la responsabilité majeure d'exposer, d'expliquer et d'imposer le contenu d'un texte en huit paragraphes, texte relu de fort près par de Gaulle.

Patron civil de la mission « Clé », Rachline était chargé de faire appliquer les directives du Comité d'action concernant la représentation du Comité français de la Libération nationale en France libérée, la répartition des tâches du délégué général, la supervision des transmissions, le contrôle de l'action des secrétaires généraux provisoires, la normalisation des rapports entre l'organisation civile et l'organisation militaire et, enfin, l'unification de la Résistance.

Initialement, le sixième paragraphe de l'ordre de mission de Rachline avait été ainsi rédigé :

> « Il s'assurera, d'accord avec le représentant militaire, que toutes les décisions de structure civiles et militaires sont prises *en accord* avec les organismes directeurs de la Résistance... »

Or, de Gaulle barrera de sa main les mots « *en accord* » pour les remplacer par « *en consultation* », mots qui subordonnent totalement la Résistance intérieure à la Résistance extérieure.

1. Il contribuera ainsi, en 1942, à faire évader du camp de Mauzac un certain nombre d'internés, dont Pierre-Bloch.

La suspicion du général de Gaulle à l'égard de la Résistance intérieure et de ses projets, à l'égard des communistes et de leurs ambitions, ne date certes pas du printemps de 1944.

Mais comment aurait-il pu apprendre sans irritation l'intention du C.N.R. de se constituer « au jour J en exécutif provisoire qui rétablira la République et appellera le président du C.F.L.N. à former un gouvernement provisoire sur le territoire libéré[1] » ?

Pour de Gaulle, il y a là, incontestablement, usurpation.

Il n'entend pas être couronné celui qui s'est déjà couronné.

Quant à la conclusion de ce long conflit de compétence, on la trouvera dans l'accueil réfrigérant que de Gaulle réservera, dans les heures et les jours qui suivront la Libération, aux plus éminents responsables de la Résistance. Accueil qu'au temps des *Mémoires* il évoquera avec précision, hauteur de ton et soupçon de mépris pour des hommes qui s'étaient abusés sur leurs forces et avaient sous-estimé l'intraitable volonté de Charles de Gaulle, une volonté forgée, quatre ans durant, au long des plus âpres compétitions et des plus violentes tempêtes.

> « ... Je reçois le bureau du Conseil national de la Résistance... Si la démonstration populaire du 26 août a achevé de mettre en lumière la primauté du général de Gaulle, il en est qui s'en tiennent encore au projet de constituer, à côté et en dehors de lui, une autorité autonome, d'ériger le Conseil en organisme permanent contrôlant le gouvernement, de confier au " Comac " les formations militaires de la Résistance, d'extraire de celles-ci des milices dites " patriotiques " qui agiront pour le compte du " peuple " entendu dans un certain sens. En outre, le Conseil a adopté un " programme du C.N.R. ", énumération des mesures à appliquer dans tous les domaines, qu'on se propose de brandir constamment devant l'exécutif.
>
> Tout en reconnaissant hautement la part que mes interlocuteurs ont prise à la lutte, je ne leur laisse aucun doute sur mes intentions à leur égard. Dès lors que Paris est arraché à l'ennemi, le Conseil national de la Résistance entre dans l'histoire glorieuse

---

1. Avril 1944.

de la Libération, mais n'a plus de raison d'être en tant qu'organe d'action... Quant aux forces de l'intérieur, elles font partie de l'armée française... Le " Comac " doit disparaître... Les milices n'ont plus d'objet. Celles qui existent seront dissoutes...

Après avoir recueilli les observations résignées ou véhémentes des membres du bureau, je mets un terme à l'audience. La conclusion que j'en tire, c'est que certains tâcheront d'entretenir au-dehors des équivoques ou des malentendus pour garder sous leur obédience le plus possible d'éléments armés, qu'il y aura des formalités à remplir, des frictions à subir, des ordres à maintenir, mais que, pour finir, s'imposera l'autorité du gouvernement. Je tiens que, de ce côté, la route sera bientôt libre. »

Sans doute est-ce anticiper que d'évoquer déjà août 1944, mais il était important d'indiquer que les rêves et les ambitions entretenus dans la Résistance se heurteraient, avant même la libération totale du territoire, à l'intransigeante volonté d'un général de Gaulle bien décidé à ne rien abandonner d'un pouvoir difficilement conquis.

DEUXIÈME PARTIE

SUR LES DRAPEAUX, LA GLOIRE

« Ce que nous faisons aujourd'hui, malgré le malheur d'une défaite essuyée à l'avant-garde, malgré la trahison de ceux qui usurpèrent le pouvoir dans la stupeur du désastre, malgré l'effroyable oppression que l'ennemi et ses complices font subir à notre peuple, malgré la captivité de plusieurs millions des nôtres, ce que nous faisons aujourd'hui s'appelle la Résistance française. »

Charles de GAULLE
11 novembre 1943.

6

L'ARMÉE RESSUSCITÉE

Ils ont franchi la frontière ouvrant sur la liberté.

Du moins, l'imaginent-ils.

Ils ont échappé aux patrouilles allemandes, aux périls de la montagne et, délivrés de l'angoisse qui les tenaillait, rêvent d'un sommeil réparateur en marchant à la recherche d'une cabane de berger. Ils n'iront pas très loin.

Le Tarbais Pierre Pomès et vingt-cinq de ses camarades qui, dans la nuit du 17 juin 1943, ont franchi la frontière par le port de Bielsa, à 2500 mètres d'altitude, sont arrêtés par la garde civile alors qu'ils s'apprêtaient à s'affaler dans le foin d'une grange accueillante[1].

Une histoire. Des milliers d'histoires.

Tous les garçons qui franchissent les Pyrénées rêvaient de liberté. Tous, ou presque tous, vont se retrouver en prison.

Un grand nombre dans la prison d'Etat de Pampelune, bâtiment neuf mais surpeuplé où ils seront incarcérés à raison de 5 ou de 10 par cellule destinée à 2 prisonniers[2].

A l'intérieur de la cellule, dans laquelle il est jeté après la fouille et la tonte des cheveux, le prisonnier découvre un cadre de bois pouvant servir de lit, mais généralement inutilisé car, trop nombreux, les

1. Dans le tome VI de *La grande Histoire des Français sous l'occupation,* « *L'Impitoyable guerre civile* », j'ai dit (p. 379-396) ce que furent les passages des Pyrénées.
2. Paul Bartaire sera l'un des plus jeunes internés de Pampelune. Il a 15 ans et demi. Bartaire finira la guerre comme pilote de char à la 2e D.B.

captifs couchent par terre. Il découvre également un tabouret et un trou pour les besoins naturels. Pas de chauffage et, le plus souvent, pas de couvertures, même en hiver. A trois mètres du sol, une petite fenêtre munie de barreaux solides et régulièrement « sondés ». Pour nourriture, une louche d'eau chaude le matin, eau recouverte d'une huile épaisse que certains prisonniers récupéreront afin de s'éclairer; à midi, une assiette de pommes de terre et de fèves; à 17 heures, pommes de terre encore et 250 grammes de pain. Parfois un hareng qu'il faut partager équitablement.

Très peu d'eau. Généralement, les six prisonniers d'une cellule disposent quotidiennement de deux seaux d'eau qui doivent suffire à tous leurs besoins.

Le sureffectif des cellules est de règle. A la « prison modèle » de Barcelone, Gérard X..., arrêté près de Solsona, sera enfermé en compagnie de 11 prisonniers dont 4 juifs, 2 officiers belges, 2 tchèques et 2 prisonniers politiques espagnols, dont l'un a été condamné à trente années de prison. A Saragosse, les 20 occupants d'une cellule devront obligatoirement se tenir debout de 7 heures à 20 heures, dans l'atmosphère empuantie par le grand baquet logé dans un angle de la pièce et, pour dormir, il leur faudra adopter d'inconfortables et acrobatiques positions.

Cet entassement dans les prisons espagnoles est dû beaucoup moins à l'arrivée de Français en marche vers l'Afrique du Nord qu'aux conséquences d'une effroyable guerre civile achevée, en mars 1939, par la victoire franquiste.

Le pays a perdu un nombre de morts que l'on ne pourra jamais évaluer exactement : un million pour les uns, 600 000[1] pour les autres. Il n'est pas davantage possible de se mettre d'accord sur le chiffre des internés : plus de 200 000 selon l'Italien Ciano, plus de deux millions si l'on en croit Rodriguez Vega, secrétaire de l'Union générale des travailleurs, qui comptabilise évidemment ceux qui n'ont fait qu'un court passage dans les camps de concentration et les prisons.

Quoi qu'il en soit, aux 241 000 prisonniers politiques dont la

1. C'est le chiffre retenu par Hugh Thomas dans sa très sérieuse *Histoire de la guerre d'Espagne*. Hugh Thomas précise que 100 000 Espagnols ont été victimes d'exécutions sommaires tandis que 320 000 ont péri au combat et 200 000 de dénutrition ou de maladies directement consécutives à la guerre.

présence est mentionnée, pour l'année 1942, par l'historien Hugh Thomas, il faut ajouter des milliers de droit commun.

Les prisons n'étaient pas faites pour pareil encombrement. Les Français en souffriront, comme ils souffriront de la misère générale engendrée par la guerre civile et des détestables conditions de ravitaillement. Comme ils souffriront de l'hostilité de la plupart des gardiens pour qui tous les évadés de France sont des « rouges », qu'il leur paraît donc normal de traiter avec la même rigueur que ces prisonniers républicains avec lesquels bien peu de Français noueront d'ailleurs des rapports de sympathie.

Enfermés depuis trois, quatre ou cinq ans déjà, certains « politiques » espagnols font, en effet, du zèle dans l'espoir de se concilier les gardiens. Beaucoup reprochent à la France et aux Français de n'avoir pas aidé la République. Presque tous font du marché noir et, lorsqu'ils le peuvent, chapardent les maigres biens que les Français ont sauvés.

La proximité de la guerre civile permet également de comprendre que les évadés de France, au même titre que les Républicains espagnols, soient traités en dévoyés qu'il faut rééduquer. Dans la cour de la prison, ils doivent donc, comme les autres, avec les autres, crier au commandement « *Arriba España! Viva Franco!* » et faire le salut fasciste.

Gestes et cris sont souvent de fantaisie, mais il ne faut pas abuser de la patience de gardiens qui accompagnent parfois leurs « *Anda! Pronto!* » de solides coups de nerf de bœuf[1].

Le dimanche, l'assistance à la messe est obligatoire.

A Barbastre, la cérémonie se déroule ainsi : dans la chapelle de la prison, les détenus, formés en trois colonnes, sont debout dans la nef. Au centre, les évadés de France ; à droite, les Espagnols condamnés à des peines de prison ; à gauche, solidement enchaînés, les politiques espagnols condamnés à mort et dont les rangs, de semaine en semaine, s'éclaircissent ; un violoniste, prisonnier politique, joue des airs, souvent plus profanes que sacrés — il lui arrivera même de jouer la

1. M. Pierre Jean, interné à Figueras et à Miranda, et dont je rapporte le témoignage, m'écrit : « Je profite de cette allusion aux coups pour préciser que je n'ai jamais été l'objet de brutalités gratuites du fait des gardes civils, ni des gardiens de prison ni ensuite, à Miranda, des soldats. Nos manifestations de mauvaise volonté amenaient certes quelques réactions mais plutôt rares et toujours modérées. »

Romance de Paris — sans que le prêtre paraisse choqué par l'hétérodoxie du répertoire.

Au signal de l'officiant, les prisonniers s'agenouillent, se relèvent, s'agenouillent encore et se relèvent à nouveau. Au moment de l'élévation, le clairon retentit, toutes les têtes se courbent, puis le prêtre donne la communion en commençant par le directeur de la prison et ses subordonnés, en continuant par les condamnés à mort.

Les nombreuses prisons espagnoles — on en comptera une trentaine — sont, le plus souvent, l'antichambre du camp de Miranda. Et c'est de Miranda que se souviendront la plupart des évadés.

De l'extérieur, le camp ne fait pas trop mauvaise impression à des hommes qui débarquent après vingt ou trente heures d'un voyage pénible, effectué menottes aux mains, et sans autre ravitaillement qu'un petit pain. Les bâtiments, bien alignés, sont blanchis à la chaux. L'allée centrale est plantée d'arbres. Le terrain de sport est visible. La piscine également. Mais les prisonniers n'auront pas accès au terrain de sport et la piscine — sans eau — fait uniquement partie d'un décor qui ne tient pas ses promesses.

Prévues pour 120 occupants, les baraques, de trente mètres sur six, en contiennent 200 répartis par 4, 5 ou 6, en petites chambrées, éclairées par une lucarne et simplement séparées les unes des autres par de vieilles couvertures.

Ni électricité ni chauffage et, comme dans toutes les prisons, abondance de poux, de punaises et de puces.

Pour seul poste d'eau une fontaine à quatre robinets, devant laquelle il est nécessaire de faire la queue des heures durant.

L'unique installation sanitaire — s'il est possible d'employer ce mot à propos d'une baraque de vingt mètres de long, divisée en boxes sans portes, dont tous les internés gardent un souvenir effroyable — est nettoyée chaque matin par une corvée de prisonniers. Survolée en permanence par un nuage de mouches et de moustiques, elle reprend en quelques heures son aspect repoussant. Pour tenter d'échapper au lac de diarrhées sanglantes qui envahit l'allée centrale, les prisonniers disposent des briques qui leur facilitent le passage. La nuit, il est permis — mais il faut s'y rendre alors sans pantalon — d'utiliser ces cabinets collectifs. Mais, la lumière faisant défaut, nul ne se risque à tenter la nauséabonde aventure. On défèque alors le long des baraques en veillant à ne pas être surpris par les patrouilles de soldats marocains et d'internés, involontaires auxiliaires de la police du camp, puisque désignés chaque soir par le chef de baraque.

A l'origine de la « mirandite », dysenterie qui provoque dix à vingt selles sanguinolentes quotidiennes, l'eau parfois polluée du camp, la mauvaise qualité de la nourriture, l'état de saleté des cuisines... et des cuisiniers.

Dans un rapport du 3 octobre 1943, le Dr Galtier d'Auriac — médecin-chef du camp — et le Dr Dépinay, qui se dévoueront avec quelques autres médecins[1] pour tenter d'améliorer, avec les 100 pesetas qui leur sont quotidiennement accordées, l'état de santé d'internés dont la jeunesse est la meilleure défense, écrivent qu'il conviendrait soit « de vérifier l'état intestinal des cuisiniers et de dépister les porteurs de germes, ce qui est difficilement réalisable, soit de leur instituer un traitement préventif systématique ».

Longtemps aux mains des apatrides, l'infirmerie finira cependant, en 1943, par passer sous le contrôle du Service médical français qui assurera plusieurs évacuations sanitaires en direction des « *balnearios* ». Il s'agit de résidences militairement surveillées dans des stations thermales de plus ou moins grand standing, aux hôtels souvent sans confort, où l'entassement des internés est presque aussi grand que dans les camps, la nourriture à peine moins insuffisante, mais où la surveillance est plus lâche, les conditions d'existence, surtout lorsqu'il s'agit de stations comme Alhama de Aragon, Cestona, Deva, Jaraba, Leiza, Zarauz, Zumaya, moins pénibles[2].

---

1. Après un séjour en cellule à Pampelune, le Dr Galtier d'Auriac, évadé de France, a été médecin-chef français à Miranda durant l'été 1943. Plusieurs médecins évadés vont se succéder à Miranda, notamment les Drs Jean Denicker (tué en 1944 dans les rangs de la 2e D.B.), Yves Ciampi, Maurice Tubiana, Pierre Serra, Jean-Louis Moussaron. L'infirmerie espagnole dispose de 35 lits et tous les malades dont l'état réclame qu'ils soient hospitalisés ont pu l'être.

2. Il y eut, longtemps après la guerre, débat parmi les évadés de France sur ces « *balnearios* » dont il semble bien que la « qualité » ait varié avec les lieux et le temps. Mgr Boyer-Mas, qui appartenait à l'ambassade de France en Espagne et qui, à la tête de la Croix-Rouge française, se mit au service d'internés comprenant parfois très mal son rôle, devait déclarer le 7 novembre 1965, dans un discours prononcé devant le Congrès des Anciens combattants-Evadés-Internés d'Espagne : « Certains de ces établissements (les « *balnearios* ») étaient si peuplés

Quoi qu'il en soit, internés à Miranda, emprisonnés ou en liberté surveillée dans les « *balnearios* », les Français sont de plus en plus sales (ils ne disposent que des habits qu'ils portaient lorsqu'ils ont franchi les Pyrénées), de plus en plus maigres, de plus en plus désespérés par ce « *Mañana* », seule réponse des autorités espagnoles à leur impatience.

Impatience telle que certains internés rêveront de s'évader pour aller, en France, reprendre le combat. Impatience que ne calment ni les rares épreuves sportives — la Belgique bat la France, le 13 juin 1943, par 2 buts à 1 —, ni les bagarres qui opposent quelques Français vertueux aux caïds du marché noir — *l'extraperlo* — et des tables de bonnetau, ni les innombrables bobards.

Pour tromper l'ennui d'un interminable séjour, chacun a sa méthode. Dominique Jacquelin imaginera de traduire un roman policier anglais. Il y arrivera mais, faute de papier, il a dû acheter à la cantine un rouleau de « papier Q ».

Les départs massifs en direction du Maroc débuteront enfin au milieu de 1943. Les internés sont envoyés à Malaga d'où ils embarquent sur deux cargos mixtes, le *Sidi-Brahim* et le *Gouverneur Général Lépine.*

> « Tous, m'écrit Jean Lamouche, nous regardions le drapeau qui flottait au mât du bateau avec la croix de Lorraine. Enfin " la France Libre ", on n'y croyait plus. »

---

que la discipline imposée par nos délégués, et celle, plus stricte, exercée par les autorités espagnoles leur donnèrent, pour certaines périodes, un caractère qui évoquait le camp d'internement. »

A Madrid, calle San Bernardo, était installée une mission dirigée par le lieutenant-colonel Malaise qui, fidèle à Giraud, donc mal vu par les gaullistes, fut envoyé en mission à Perpignan, et arrêté par les Allemands. Evadé, il put rejoindre Madrid, puis Alger, cependant que M. Truelle, ancien ministre de France à Bucarest, prenait la tête de la « base San Bernardo ».

Mgr Boyer-Mas, dont l'œuvre demeure trop mal connue, en dehors des milieux des évadés de France, faisait partie dès l'origine de l'équipe Malaise, équipe dont les Espagnols, en mars 1943, avaient fini, grâce à l'insistance des Etats-Unis, par accepter le principe.

Deux jours et trois nuits d'un voyage pénible sur une mer houleuse pour Pierre Mouton — qui est arrivé en Espagne pesant 72 kilos et n'en pèse plus que 58 — et ses camarades du *Gouverneur Général Lépine.* Dans l'attente du jour, leur navire est resté une nuit encore au large de Casablanca. Salut des troupes, *Marseillaise,* actualités cinématographiques. Dames de la Croix-Rouge qui distribuent sandwiches, chocolat, cigarettes. Etonnement devant ce monde — l'Afrique — que la plupart découvrent et qui les surprend par sa pouillerie, son animation, sa misère sous le soleil de décembre.

Conduits en camion au camp de Mediouna, près de Casablanca, les évadés de France peuvent enfin se laver, s'épouiller tandis que leurs vêtements sont déparasités. Vient ensuite un interrogatoire portant non seulement sur l'identité, la scolarité, la formation, mais également sur les filières d'évasion, les sommes versées aux passeurs, les itinéraires, les forces allemandes en France dans la mesure où, après plus d'un semestre d'internement, il est possible de fournir des renseignements encore valables.

Arrive enfin le grand moment : celui où l'officier enquêteur demande à l'évadé dans quelle unité il désire s'engager.

Depuis plus d'un an, l'Afrique du Nord échappe à la tutelle de Vichy, depuis plus d'un an elle est rentrée dans la guerre contre l'Axe. Tout devrait donc être simple. Tout est affreusement compliqué par les querelles entre partisans de Giraud et partisans de De Gaulle. Les évadés — ils l'ignorent mais ne tarderont pas à s'en rendre compte — constituent un enjeu. Ils sont l'objet de la convoitise de recruteurs qui usent de tous les arguments pour les attirer non seulement dans leur camp politique, mais également dans leur unité dont ils vantent les mérites, l'armement, les longues traditions militaires.

La déception de l'évadé André Péchereau commencera à l'instant où, en rade de Malaga, il posera le pied sur le *Gouverneur Général*

Lépine. Trois Français libres l'accueillent. « Je suis prêt à leur bondir dans les bras et à leur crier ma joie. Je les trouve froids, distants, voire méprisants... Ils s'imaginent sans doute que les gens en provenance de France sont tous d'anciens pétainistes volant au secours de la victoire qu'eux seuls ont contribué à remporter. »

A Casablanca, le général qui reçoit les évadés achève son discours sur ces mots :

— Pour vous récompenser d'avoir quitté la France afin de combattre à nos côtés, il a été décidé que vous pourriez choisir l'arme dans laquelle vous désirez servir.

Péchereau découvrira alors — et d'autres avec lui — que chaque arme a non point *un,* mais *deux* représentants : un pour le camp giraudiste, l'autre pour le camp gaulliste.

Un officier de marine accoste un groupe d'évadés qui, après la soupe, regagne ses baraquements.

— Y a-t-il parmi vous des gens intéressés par la marine ?

— Moi, commandant.

— Avez-vous des diplômes ?

— J'ai mon bac.

— Parfait ! Vous allez être envoyé dans une école de la marine et en sortirez enseigne de vaisseau. Un conseil : ne vous engagez pas dans les Forces navales françaises libres de De Gaulle, ils sont vendus aux Anglais.

Le même volontaire est happé quelques secondes plus tard par un officier de marine portant sur la poitrine une petite croix de Lorraine.

— J'espère que vous n'allez pas signer chez ces cons-là ? Ce sont tous d'anciens pétainistes ! Venez avec nous...

« Venez avec nous », dit le capitaine d'aviation qui promet un stage de plusieurs mois aux Etats-Unis.

« Venez avec nous, chez Leclerc », dit l'officier du 501e régiment de chars dont cinq ou six blindés sont rangés en arc de cercle, aux limites du camp de Mediouna.

« Venez avec nous », dit un officier des commandos d'Afrique, habillé à l'anglaise, qui célèbre l'entraînement... et l'intendance de l'armée anglaise.

« Venez avec nous », dit un officier de la « *vraie* » armée française, celle de 39-40, qui proclame : « La preuve, regardez, nous sommes habillés à la française. Nous avons même conservé les bandes molletières[1]. »

De véritables « enlèvements » sont organisés par les gaullistes qui veulent renforcer leur petite armée et savent, ce faisant, répondre aux vœux de la plupart des évadés, comme d'un certain nombre d'hommes de l'armée d'Afrique.

Gaston Picois, soldat dans l'armée de l'armistice, a quitté Blida en avril 1943 en compagnie d'une quinzaine de ses camarades.

Voici son récit — inédit :

> « Un camion militaire de type anglais nous conduisit dans une ferme près d'Alger où nous eûmes de vagues uniformes F.F.L. (Forces françaises libres) et des titres de permission. Nous repartîmes tout de suite, roulâmes toute la nuit en contournant Constantine par le sud et nous sommes arrivés à la frontière algéro-tunisienne... Notre camion nous amena à Kairouan. Là, nous avons signé notre engagement dans les Forces françaises libres. Si nous étions une quinzaine au départ de Blida, nous nous retrouvions un peu plus au départ d'Alger. Regroupés, nous étions cinquante ou soixante au départ de Kairouan, puis encore plus à Ben Gardane, en arrivant au groupe Bretagne qui nous prit en subsistance.
>
> « Notre geste était surtout un geste politique. Par notre action, nous cautionnions la politique du général de Gaulle qui s'opposait alors à celle du général Giraud. Dans toute l'Afrique du Nord, nous fûmes assez nombreux à accomplir ce geste et je pense que nous avons ainsi aidé à assurer la reconnaissance de la suprématie de la position du général de Gaulle dans la conduite des affaires de la France. »

Les camions qui attendent, les faux papiers, les « vagues uniformes F.F.L. » ne surgissent pas du néant. C'est toute une organisation gaulliste — à la tête de laquelle se trouve André Fradin, lieutenant de réserve, membre du Comité de résistance de « *Combat* », acteur du

1. Contrairement aux promesses faites et aussi à leurs vœux, les « évadés de France » ne pourront pas choisir leur arme. C'est ainsi que Péchereau, qui rêvait de faire campagne dans les blindés, se retrouvera d'abord, à sa grande désillusion, au Centre d'organisation du Génie.

putsch d'Alger, dans la nuit du 8 novembre — qui fait venir de Kairouan — où est installé le P.C. du général Leclerc — des camions vides qui repartent pleins, après une halte au « Ravin de la Femme sauvage », où les hommes racolés changeront d'uniforme[1]

Dans ses *Mémoires,* le général Giraud dénoncera des débauchages dont il écrira qu'ils furent l'œuvre de « sectaires », de « partisans », d' « aventuriers » et que de Gaulle — ce qui est exact, on le verra — encourageait en sous-main.

La colère de Giraud était attisée par les informations que lui communiquait son état-major. Les gaullistes ne promettaient-ils pas des primes d'engagement, des soldes élevées — celles de l'armée anglaise —, un avancement rapide, alors que lui, Giraud, se réfugiant dans une impossible austérité, avait tout d'abord naïvement décidé : « Pas un galon, pas une décoration tant que les Allemands seront à Metz et à Strasbourg » ?

Contre Larminat, qui avait réclamé, le 17 juillet 1943, non seulement la mise en disponibilité, mais encore la traduction devant un tribunal militaire de tous les officiers généraux présents en Afrique du Nord le 7 novembre et ayant résisté aux Alliés — l'attaque visait Juin —, Giraud était furieux.

Comme il était furieux contre le général Leclerc qui avait baptisé du nom « d'armée » une colonne de 3 000 hommes et qui lui avait dit, lors de leur première rencontre, que tous ceux qui n'avaient pas rejoint de Gaulle en 1940 devaient être punis « comme des traîtres ».

Le 2 mars 1943, les services de Giraud[2] ont d'ailleurs fait savoir à la presse que, si « Londres dans un esprit de propagande parle constamment d'une certaine armée Leclerc... Leclerc ne dispose que d'un effectif de deux ou trois bataillons. Il est [donc] ridicule de dire

1. Le 17 juin 1943, au « Ravin de la Femme sauvage », 600 hommes qui s'apprêtent à passer chez de Gaulle seront cernés par la troupe et renvoyés dans leurs unités.

2. La note est signée de Giraud. Elle a été élaborée par le général Devinck et le commandant Chambe. On trouvera dans le livre de Pierre et René Gosset, *Expédients provisoires,* maints exemples de sectarisme de la censure giraudiste.

" armée Leclerc " ». A Alger, désormais, il faudra, obligatoirement, écrire et dire « colonne Leclerc ».

Ces ralliements qui ont lieu non seulement en Afrique du Nord, mais encore dans tous les ports du monde libre où accostent des navires français, s'ils désespèrent Giraud réjouissent naturellement et réconfortent de Gaulle.

Dans ses *Mémoires,* évoquant les marins du *Richelieu* qui, à New York[1], avaient quitté le cuirassé « afin de servir sur des navires de la marine française libre », imités en cela par leurs camarades du contre-torpilleur *Fantasque,* du ravitailleur *Wyoming,* du cargo *Lot* et de plusieurs autres bateaux de transport, de Gaulle écrira :

> « Cette affaire de marins exaspéra Washington. D'autant plus que beaucoup d'indices donnaient à prévoir qu'une fois réduite, en Tunisie, l'armée allemande et italienne qui séparait encore les troupes de Giraud de celles de Leclerc et de Larminat, un courant irrésistible entraînerait vers les Forces françaises libres maints éléments militaires d'Afrique du Nord. »

Après avoir rappelé les violentes réactions des Américains — qui n'hésitèrent pas à faire arrêter certains marins déserteurs — et celles, plus molles, des Anglais, de Gaulle poursuit : « En fait, j'avais, bel et bien, donné l'ordre d'incorporer les volontaires, considérant que leur choix était souhaitable tant que l'organisation d'Alger fonctionnait en dehors de nous, estimant qu'il était conforme à l'intérêt du service de les employer là où ils rêvaient d'être, plutôt que de les refouler dans un cadre où ils se trouveraient en état de sourde révolte, jugeant, enfin, que la démonstration éclairerait l'opinion mondiale. »

1. Où il a été envoyé pour subir une importante modernisation de sa D.C.A. qui sera portée à 67 pièces de 40 mm et 50 de 20 mm.

Les garçons qui avaient fui la France de Vichy étaient d'ailleurs stupéfaits de retrouver, en Algérie, la France de Vichy.

A Casablanca, dans un centre de recrutement pour l'aviation, l'évadé Jean Lamouche devra subir les remontrances d'un adjudant : « Il prend parti contre moi en me demandant ce que je venais faire ici et que j'aurais dû faire confiance au maréchal Pétain. C'est à ce moment-là que je vis la photo de Pétain sur le bureau. Je sortis du bureau en claquant la porte et le soir, à 5 heures, je désertais l'aviation pour aller m'engager chez Leclerc[1]. »

Cette photo de Pétain, André Carrère la découvrira sur le *Georges Leygues*[2] qui, en novembre 1943, un an donc après le débarquement allié, arrive de Philadelphie où il a été modernisé. Elle sera sur le *Sidi-Brahim* qui est chargé de transporter les évadés d'Espagne en Afrique du Nord[3] et l'affaire fera grand bruit en janvier 1944, à l'Assemblée consultative provisoire d'Alger, lorsque le résistant Aurange demandera à René Mayer, commissaire à la Marine marchande, si, « dans son budget, sont compris les frais d'acquisition de portraits du maréchal Pétain ».

Si les uns acceptent de plus ou moins bon gré la présence d'un portrait dont l'affichage ne sera prohibé dans les lieux publics que par l'ordonnance du 12 octobre 1943[4], les autres la refusent bruyamment.

Jean-Claude Servan-Schreiber, qui a franchi la frontière espagnole le 25 novembre 1942, a été interné à Figueras, Miranda, Jaraba et, ce qui est beaucoup pour un seul homme, a contracté dans ses différentes prisons 23 furoncles, 3 anthrax, 3 hydrosadénites et 2 phlegmons, se voit affecté au 5e régiment de chasseurs d'Afrique.

Avant de rejoindre Casablanca, en mai 1943, les officiers de son unité sont invités à dîner par un colon.

Pénétrant dans la salle à manger, Servan-Schreiber découvre un « immense » portrait du Maréchal.

Alors que tous les officiers se sont assis, il s'obstine à demeurer debout derrière sa chaise.

1. Témoignage inédit.
2. Dans la cabine de l'officier de tir.
3. Au carré des officiers.
4. C'est en mai 1944 qu'à Casablanca le boulevard Maréchal-Pétain sera débaptisé pour devenir boulevard de la Résistance.

— Vous avez l'intention de grandir? Asseyez-vous, ordonne le capitaine Arnaud de Maisonrouge.

— Mon capitaine, réplique Servan-Schreiber, je m'assiérai quand on aura enlevé le portrait qui est derrière notre hôte. Ce sera ou lui ou moi, mais nous n'assisterons pas ensemble à ce repas.

Et d'expliquer qu'il n'a pas appartenu à la Résistance pendant un an, fait six mois de prison en Espagne, pour se retrouver assis à une table dont le maréchal Pétain assurerait la présidence morale. Le colon finira par retirer le portrait... mais Jean-Claude Servan-Schreiber se retrouvera muté au 2e escadron.

Cet incident est révélateur d'un état d'esprit qui blessera bien des évadés qui peuvent s'entendre dire, comme ce sera le cas pour Pierre Pomés : « Qu'êtes-vous venus faire ici? Vous n'aviez qu'à rester en France plutôt que de venir manger notre pain, ici, en Afrique du Nord », ou à qui un gaullisme, trop ouvertement affiché, vaudra des brimades systématiques.

C'est ainsi que Pierre Mouton, qui avec deux autres « évadés de France », Henri Collet et Georges Hemmerich, « prend un pot » à la cantine du terrain d'aviation de Zeralda, se trouvera bientôt au cœur d'une discussion d'autant plus violente que le vin n'est pas rationné.

> « La nuit était fort avancée quand l'orage éclata. C'était inévitable, car, aussi bien reçus que nous l'étions, Maréchal par ici, Vichy par là, et le grand chef Giraud en prime, il y en avait trop dans notre musette! Que d'arguments dérisoires, pathétiques souvent, mais inutiles, qui révélaient le fossé entre deux conceptions différentes du même honneur militaire[1]. »

On est venu pour faire la guerre en espérant découvrir, enfin réalisée, l'union sacrée. On retrouve un climat de guerre civile.

Et des garçons comme Pascal Arrighi, Jacques Boutrolle, Yves de Kermoal, Noël Leclerc de la Verpillière, tous « évadés de France », et camarades de réseau d'Alain Griotteray, devront mettre une sourdine à leur enthousiasme, battre le pavé d'une ville hostile à leur gaullisme, se heurter parfois à des autorités qui n'hésitent pas à placer en résidence surveillée les garçons trop intransigeants, avant de pouvoir

1. Témoignage inédit.

s'engager dans le premier groupe de *« Commandos de France »*, créé par Henri d'Astier de la Vigerie, après que de Gaulle eut éliminé Giraud.

Accueil hostile des uns, insultant des autres.

A son arrivée à Casablanca, Claude Weill a naturellement abandonné son nom de clandestinité (*Vidal*) pour reprendre son identité véritable.

Il s'entend dire, alors :

— En somme, puisque vous êtes juif, vous n'avez eu aucun mérite à fuir les Allemands.

L'officier qui le reçoit ajoutera :

— Vous êtes parti avant l'entrée des Allemands en zone libre alors que vous étiez mobilisable. Vous avez déserté en quelque sorte[1] !

Cultivé par Vichy, approuvé par les Français d'Afrique du Nord, mais également par la masse musulmane, l'antisémitisme régnera, en effet, jusqu'à l'intérieur de certaines unités.

Vingt soldats, qui s'appellent Cohen, Lévy, Amsam... seront ainsi inscrits, d'ordre de leur colonel, sur une liste de mutation, « afin que la proportion des Israélites dans le 3e R.A.C. soit ramenée à de justes limites ».

Leur supérieur direct refusera de transmettre cette demande. « On ne saurait, écrira-t-il, rendre responsables ces militaires israélites de l'abstention jusqu'à présent presque générale des éléments non juifs nord-africains[2]. »

Les gaullistes sont traumatisés.

Les pétainistes le sont également.

Comment les événements de novembre 1942 et les retournements brutaux de situation qu'ils ont provoqués ne scandaliseraient-ils pas des hommes qui, condamnés à obéir à des ordres contradictoires, doivent maintenant se détourner de ce et de ceux qu'ils ont aimés, se battre *aux côtés* de ceux *contre qui* ils se battaient la veille ?

1. Témoignage et document inédits.
2. Document inédit.

C'est vrai pour la Marine qui lors du débarquement anglo-américain, a perdu un croiseur, 6 torpilleurs, 3 contre-torpilleurs, 18 sous-marins, 2 avisos, et surtout 705 marins tués à leur poste de combat[1]. Aussi n'est-il pas inexplicable que, sur la plage arrière du contre-torpilleur le *Malin,* l'ogive de l'obus de 406 du *Massachusetts,* qui, le 8 novembre, devant Casablanca, a tué huit mécaniciens, soit exposée avec cette inscription « La Fayette, nous voici ».

Ce qui est vrai pour la marine l'est, à un degré moindre, pour l'aviation d'Afrique du Nord. Sur 700 appareils, elle en a perdu 472[2]. Le groupe *La Fayette* a vu tomber davantage de pilotes dans les trois jours de combat contre les Anglo-Américains que dans toute la bataille de France de mai-juin 1940. 2 pilotes tués et 6 blessés en 1940 contre 6 tués et 10 blessés les 8, 9 et 10 novembre 1942. Et, parmi les morts du 8 novembre, le commandant Tricaud, héros de la bataille de France, qui, malade le 8 novembre, se fera hisser dans son *Curtis* pour affronter les *Hellcat* des porte-avions américains, en abattre trois, avant d'être descendu à son tour.

Le groupe *La Fayette* sera cependant le premier équipé par les Américains en *P. 40,* appareil moderne, assez rapide et assez bien armé pour affronter, presque à égalité, les Messerschmitt 109 et les Focke Wulf 190 qui opèrent depuis la Tunisie.

Mais un certain nombre de pilotes français n'accepteront pas ce brutal renversement de situation. C'est ainsi que, dans la soirée du 10 janvier 1944, alors que l'escadrille s'apprête à quitter Alger pour le front tunisien, deux pilotes, Quéguinier et Lavie, se confient à leur ami, l'adjudant Gisclon. Ils ne suivront pas le mouvement. En vol, ils abandonneront le groupe.

— Alors, où irez-vous ?

— En France.

— En France ?...

— Oui, en France.

— Ma parole, vous êtes devenus dingues tous les deux. Et comment ferez-vous le voyage ?

---

1. Ces chiffres tiennent compte des 4 sous-marins (désarmés), des 7 patrouilleurs et des 13 navires de commerce ainsi que du contre-torpilleur *Typhon,* tous navires qui ont été sabordés à Oran, dans la soirée du 9, sur ordre de l'amiral Rioult.

2. Y compris les appareils détruits au sol.

— Eh bien, avec nos P. 40.

— Ce n'est pas de la désertion, explique Quéguinier, dont le visage porte toujours la trace des blessures reçues en 1940. Je crois avoir fait largement mon devoir. J'ai abattu quatre avions, j'ai été descendu deux fois. Je me suis battu contre les Allemands, contre les Anglais, après contre les Américains et on remet ça contre les premiers... Toujours des ordres contradictoires. Depuis deux mois, tu peux dire qui commande ici ? Vichy envoie Darlan. On le supprime. Londres envoie ses émissaires. Souviens-toi de tout ce que l'on a entendu pendant ces trois jours. Il y a des anti-Anglais et des anti-Américains, et tous parlent davantage de politique que de participation à la guerre. Alors je refuse, car où se trouve la vérité ? Ici ou en France ?... Je ne marche plus. J'ai eu la chance de m'en tirer. Je veux bien, à la rigueur, comme tu le disais tout à l'heure, servir encore de « guignol », mais je voudrais savoir pour qui ? Comme personne ne sera capable de me le dire, alors je mets les pouces et je file chez moi.

Il le fera. Dix minutes après que les douze appareils du groupe *La Fayette* ont pris le cap du sud-est, en direction des montagnes de Kabylie, Quéguinier et Lavie annoncent à Rozanoff, chef du dispositif, qu'ils sont obligés de faire demi-tour par suite d'ennuis mécaniques. Trois heures plus tard, les deux appareils se poseront sur une plage proche de Sète.

Les journaux relevant toujours de la censure de Vichy et ceux dépendant de la censure allemande feront allusion à cet incident symptomatique[1]. Mais avec une relative mesure.

L'apaisement viendra cependant. Entre Américains et Français rapidement. Entre Français et Français beaucoup plus lentement puisque, le 23 octobre 1943, se plaignant auprès du général Billotte que la 1re et la 5e D.B. qui représentent, selon lui, « les plus fidèles troupes du Maréchal », soient mieux et plus vite armées que sa

1. Il y en eut d'autres. Lors des premières rencontres aériennes, en Tunisie, un chef de patrouille, apercevant des appareils allemands, ordonna à ses équipiers d'éviter l'affrontement et répondit à leurs protestations par ces mots : « Qu'est-ce qu'ils vous ont donc fait ces gens-là ? »

2e D.B., le général Leclerc aura ce mot cruel « où s'arrêtent les vichystes, où commencent les Français ? ».

Le défilé de la victoire, à Tunis, aura lui-même été une cause d'exaspération des passions, les Forces françaises libres refusant de défiler avec les Français de Giraud, tandis qu'un colonel de la Légion étrangère entourera son unité de sentinelles afin de préserver ses hommes de tout contact avec les gaullistes.

Evoquant les petitesses quotidiennes, les allusions blessantes, les interminables discussions à propos des vertus opposées de Pétain et de De Gaulle, le général Dailler, chef de bataillon à l'armée d'Afrique, rapporte qu'en Italie son unité — le 3e bataillon du 4e régiment de tirailleurs marocains — fut relevée par le bataillon du Pacifique aux ordres du chef de bataillon Magny, qui appartient aux Forces françaises libres.

> « Nous restâmes ensemble avec son commandant à mon P.C. en plein air deux nuits et une journée pour passer les consignes. Nous en avons profité pour bavarder en parfaite entente. Puis, le 11 mai, nous attaquions ensemble, de part et d'autre du Girofano, qui, après un premier échec, était finalement enlevé... Dès ce moment, il n'était plus question que de lutter côte à côte, de vaincre et de libérer ensuite la France. Les retrouvailles étaient faites. »

Ainsi, il avait fallu attendre l'Italie, quinze ou seize mois après le débarquement anglo-américain en Afrique du Nord et la rentrée dans la guerre de l'armée d'Afrique, longtemps restée l'armée de Weygand, pour que les retrouvailles soient faites et bien faites !

Sans doute, en ce domaine comme en d'autres domaines, ne faut-il pas généraliser. Ce qui est vrai pour les chefs de corps peut ne pas l'être pour la majorité des simples soldats. Il fallait cependant évoquer les difficultés et les lenteurs d'une fusion ralentie par les trop bruyantes et trop publiques querelles des chefs militaires et des responsables politiques.

Lorsque le lieutenant-colonel Paul de Langlade est désigné par Giraud pour être, en juin 1943, le *premier* chef de corps de l'armée d'Afrique à se placer, avec ses hommes, aux ordres de Leclerc qui met alors sur pied la 2e D.B., Leclerc et lui décident, d'un commun accord, que ni les soldats ni les véhicules du 12e régiment de chasseurs d'Afrique ne porteront la croix de Lorraine. « C'était un sujet brûlant, presque un *casus belli* », écrira plus tard Langlade.

Les sujets « brûlants » ne feront pas défaut entre officiers qui avaient imaginé guérir les blessures anciennes, simplement en multipliant déjeuners en commun et fréquentes visites d'unité à unité.

> « Malheureusement, le problème n'était pas si facile à résoudre que l'on pouvait l'imaginer. Rien n'est plus difficile que de rester simple et modeste dans le succès. Rien n'est plus lent que la cicatrisation de certaines plaies d'amour-propre. Les conceptions politiques et les moyens employés étaient trop opposés pour composer les onguents de cette cicatrisation. Il eût fallu aux uns une douceur angélique et une charité chrétienne très élevée, aux autres un amour du prochain et la vocation de l'humilité et de l'humiliation pour obtenir le résultat recherché[1]. »

Cette armée d'Afrique « humiliée », le destin en avait fait, à partir de juin 1940, une armée immobile mais non inactive.

L'armistice avait accordé à la France 96000 hommes répartis entre le Maroc, l'Algérie et la Tunisie. Sous l'impulsion du général Weygand, ce chiffre allait officiellement passer à 127000 et, officieusement, à bien davantage encore grâce à une loi dite de « civilisation de l'armée », qui transférait à plusieurs départements ministériels, intendance, génie, transmissions et matériel.

Le camouflage des armes s'avérera, lui, plus difficile que celui des hommes. Après les ponctions pratiquées pour alimenter la dramatique bataille de France, les armes modernes étaient rares en Afrique. Cependant, 55000 fusils, 2500 fusils mitrailleurs, 1500 mitrailleuses, 45 canons de 25, 43 de 47, 80 de 75 ont été dissimulés aux commissions d'armistice. Ajoutées à celles que possèdent officiellement les unités — et qui datent de 1936 ou 1937 —, ces armes

1. Paul de Langlade, *En suivant Leclerc,* livre dans lequel on trouvera un remarquable portrait du général Leclerc.

permettront à nos troupes d'affronter difficilement, en Tunisie, des Allemands infiniment mieux équipés.

Il est donc indispensable, lorsque la bataille reprend, de *tout* moderniser et dans tous les domaines. Pour y parvenir, on ne saurait se passer de l'aide américaine.

Mais les exigences du général Giraud heurtent la doctrine américaine et ne réussissent pas souvent à l'infléchir.

Certainement par ambition nationale et volonté de venger l'humiliation de 1940 ; sans doute par incompréhension du rôle du matériel dans l'évolution du conflit mondial ; évidemment par ignorance des réflexes des bureaux américains, où l'on pense par grands ensembles et où l'on travaille à l'échelle de la planète, le général Giraud exigera beaucoup, rapidement et dans le désordre.

Son optimisme et ses vœux se trouveront donc bien souvent déçus. On ne peut cependant lui retirer le mérite d'avoir plaidé avec acharnement la cause de cette armée qui se bat en Tunisie sans moyens décents.

Dès le 20 décembre 1942, il a envoyé aux Etats-Unis la mission Béthouart — Lemaigre-Dubreuil, qui n'aura pas la tâche facile. Elle se heurtera d'abord à l'opposition de certains « gaullistes » et « résistants », sur la résistance desquels il y a peu à écrire puisqu'elle n'avait pas débordé le cercle des salons de Washington et des salles de rédaction de New York. Elle se heurtera ensuite à l'incompréhension des bureaux américains habitués à négocier l'équipement *complet* de grandes unités et non à vendre, « en pièces détachées », 100 canons ou 500 mitrailleuses.

Quoi qu'il en soit, et quels que soient les inévitables décalages entre rêves et réalités, Giraud se fera toujours l'éloquent défenseur d'une armée d'Afrique dont il sait de quels exploits, réarmée et même moins bien réarmée que la très perfectionniste armée américaine, elle serait capable.

Lors de la conférence d'Anfa, il le dit au président Roosevelt, mais également au général Marshall, chef d'état-major de l'armée américaine, mais qui se souvient avoir combattu sous ses ordres, en 1917.

A Marshall, comme aux autres chefs militaires américains, il réclamera les armes modernes qui permettraient d'équiper les 12 divisions, dont 3 blindées, d'un corps expéditionnaire de 300 000 hommes[1].

Il convaincra le général Summerwell, directeur des services de l'arrière et, à ce titre, responsable des priorités à établir entre les innombrables demandeurs : Anglais, Russes, Chinois, Brésiliens, de lui accorder, au fil des mois, les 325 cargos indispensables pour le transport de la totalité des besoins français.

Au prix de nombreuses tractations, au terme de nombreuses difficultés dues tantôt à la mauvaise volonté ou à l'incompréhension des bureaux américains, tantôt aux excessives exigences des Français, le premier convoi d'armes arrivera enfin à Alger le 13 avril 1943.

C'est l'U.G. 6 *bis*. Onze cargos chargés de canons, de chars, de véhicules divers qu'il faudra mettre à quai en un temps record. Les Américains ont précisé, en effet, que tout navire non déchargé dans les délais imposés — sept jours — repartirait en direction des Etats-Unis.

Grâce à l'action du colonel Clément Blanc, responsable, à la tête de 3 700 hommes répartis en équipes spécialisées, de toutes les opérations de déchargement, montage, évacuation et répartition, tous les navires américains pourront repartir le 20 avril, cales vides.

Réceptionné par une commission franco-américaine, le matériel sera alors pris en charge et acheminé vers les centres de rassemblement de divisions françaises prêtes à l'utiliser rapidement et, pour cela, alimentées en jeunes cadres, en équipages de blindés, radio-télégraphistes et mécaniciens formés par l'école de Cherchell pour les premiers, par celle d'Hussein-Dey pour les autres.

C'est de l'école de Cherchell que sortira d'ailleurs, le 1er mai 1943, la première promotion d'aspirants destinée à la nouvelle armée d'Afrique. Elle recevra le nom de Weygand.

Les uns verront là un hommage mérité au chef qui, en Afrique du Nord, avait eu le mérite de redonner confiance à ces troupes abattues qui formeraient un jour l'armée de la reconquête.

Les autres verront là, avant tout, un défi lancé à de Gaulle — qui n'arrivera à Alger que le 30 mai —, puisque Weygand, quels que

---

1. Le corps expéditionnaire français comprendra finalement 8 divisions dont 3 blindées. Au cours de son voyage aux Etats-Unis et au Canada en juillet 1943, voyage qui, politiquement, lui a coûté si cher Giraud luttera continuellement pour que soit accéléré le réarmement de l'armée française.

soient ses sentiments intimes, était toujours demeuré fidèle au maréchal Pétain.

Ce sera le dernier exemple, cité ici, de ces querelles qui se poursuivront de très longs mois encore, et bien après une victoire qu'il n'a pas été facile de remporter, en Tunisie, sur des Allemands aux réactions d'une stupéfiante rapidité.

Dans les heures qui ont suivi le débarquement anglo-américain du 8 novembre 1942, l'état-major allemand, dont la souplesse d'adaptation est remarquable, mais dont les possibilités sont limitées par le manque de moyens aériens et maritimes, s'est empressé, en effet, de mettre à profit l'indécision des autorités françaises de Tunisie qui ne savent pas choisir entre les ordres venus de Vichy et ceux envoyés par Darlan, installé à Alger.

Très vite, la Luftwaffe a donc fait atterrir ses avions sur des terrains qu'il aurait été facile d'interdire. Très rapidement les navires de l'Axe ont débarqué hommes et matériel dans des ports malheureusement non défendus.

Avec l'esprit de décision, l'expérience et le talent sont également du côté allemand.

Le 17 novembre 1942, il ne se trouve que 3000 parachutistes en Tunisie sous le commandement de Walther Nehring, rappelé d'un congé de convalescence. Mais Nehring est l'un des meilleurs chefs militaires du moment et il a avec lui des hommes (les 300 paras du capitaine Knoche, par exemple) rodés à toutes les astuces et à toutes les rigueurs de la guerre de mouvement.

En face d'eux, des troupes, essentiellement françaises, mal liées entre elles, mal coordonnées, mal éclairées. Le poids de la bataille reposera, dans les premiers jours, sur le 19e corps français qui n'a pas d'aviation et, pour un front de 200 kilomètres, dispose des seules 17 automitrailleuses de l'escadron Manceau-Deniau, d'une quarantaine de canons antichars et d'une D.C.A. périmée.

Entre le 24 et le 28 novembre 1942, les Anglais, renforcés de chars américains, s'approcheront bien jusqu'à une vingtaine de kilomètres de Tunis, mais ils seront repoussés par une contre-offensive allemande, puis subiront un grave échec dans la région de Mateur lorsque, pour la première fois, et sur ordre personnel d'Hitler, interviendront quelques-uns de ces chars *Tigre I* de 55 tonnes, qui sont alors les plus puissants du monde[1].

Contre ces monstres, les rares antichars français de 25 se révéleront naturellement impuissants et, dans la nuit du 17 au 18 janvier 1943, c'est en vain qu'à moins de cent mètres un 75, servi par le capitaine Prévot et par le maréchal des logis Pessonneau, tirera huit obus sur l'un d'eux. Tous les projectiles ricocheront ou se briseront contre les blindages. Le neuvième coup est chargé lorsqu'un obus de 88 du *Tigre* tue Pessonneau, blesse grièvement Prévot et détruit le canon français.

Inégale, la lutte sera d'ailleurs assombrie par quelques désertions dans les rangs français. Désertion, le 21 décembre 1942, d'un capitaine du 7e régiment de tirailleurs marocains qui n'avait cessé de manifester des sentiments favorables à l'Axe, mais également d'assez nombreux tirailleurs[2] ainsi, dans l'Est saharien, que de méharistes tunisiens qui permettront aux Allemands d'occuper le poste de Fort-Saint, près de Ghadamès.

Dans son ouvrage *Rommel et l'Afrikakorps,* H.-G. von Esebeck, correspondant de guerre allemand, signale d'ailleurs qu'à plusieurs reprises des soldats allemands évadés des camps de prisonniers alliés allaient être « amicalement reçus par des Arabes qui les cachèrent » et leur fournirent des vêtements indigènes grâce auxquels ils purent regagner leurs lignes.

Mais, s'il ne faut pas négliger le trouble de certaines unités

---

1. Le *Tigre I* pèse 55 tonnes, possède un blindage frontal et latéral de 80 mm, est armé d'un canon de 88 mm, de 2 mitrailleuses et a une vitesse maximale de 35 km.

Le premier engagement de *Tigre I* eut lieu sur le front de Leningrad en septembre 1942, mais c'est en Tunisie que ces chars, au nombre d'une cinquantaine (10e PZ du général Fischer), se heurtèrent pour la première fois, et avec succès, aux blindés anglais et américains, très inférieurs en armement comme en puissance. Au total, 1 355 *Tigre I* seront construits. En Normandie, le 13 juin 1944, l'un d'entre eux, sous le commandement de l'Obersturmführer Wittmann, qui sera tué quelques jours plus tard, détruira en dix minutes 20 chars anglais *Cromwell,* 5 *Sherman* et 14 half-tracks.

2. Les auteurs du livre *Nous étions alors capitaines à l'armée d'Afrique* évoqueront « le pessimisme de certains cadres, récemment arrivés au bataillon, le mauvais temps, la qualité médiocre de l'armement, l'insuffisance de l'habillement, du ravitaillement » et ils ajouteront : « Il faudra toute l'énergie des cadres sains du bataillon pour réagir, remonter la pente et refaire du 1/7 R.T.M. une unité forte et confiante. » Au cours de l'offensive française du 27 décembre 1942, sur les 118 disparus, 50 étaient des déserteurs tunisiens.

françaises qui, face à des Allemands agressifs, croient parfois revivre la guerre perdue de juin 40, s'il ne faut pas sous-estimer le malaise de contingents indigènes sensibles à la propagande raciste ; il serait particulièrement injuste de ne pas souligner l'héroïsme de la plupart des officiers et des hommes qui ont participé aux durs combats de l'hiver 1942-1943.

Héroïsme des unités — Garde, 2e régiment de tirailleurs algérien, escadron d'automitrailleuses du capitaine André — engagées, du 19 au 24 décembre, autour de Pichon. Héroïsme des 128 légionnaires[1] qui, le 5 février 1943, sous le commandement du capitaine Favreau, résisteront sur le *Djebel Mansour* et rejoindront à 26 seulement, dont 16 blessés, leur bataillon après avoir subi l'assaut de plusieurs centaines de soldats allemands appuyés par douze stukas. Héroïsme du capitaine Bessaguet qui, saisissant un fusil mitrailleur, s'emparera, avec quelques tirailleurs survivants de l'assaut, d'un point stratégique important dans la région de Sousse.

Dans l'imposant volume consacré par l'historien britannique Lidell Hart à la Seconde Guerre mondiale, moins d'une douzaine de lignes, cependant, sont accordées à la participation des Français aux combats de novembre et de décembre 1942. Huit ou neuf pour signaler les moments et les lieux où ils furent surpris par les parachutistes allemands. Deux ou trois pour dire que, le 10 décembre, les Allemands avançant « *avec une trentaine de chars moyens et deux chars Tigre... furent arrêtés à trois kilomètres de Medjez el Bab par une batterie française habilement postée*[2] ».

La part prise par les soldats français aux deux difficiles batailles de janvier et février 1943 est passée sous silence comme est passé sous silence leur rôle dans l'offensive enfin victorieuse qui conduira, le 13 mai, à la reddition des dernières troupes allemandes réfugiées au cap Bon.

---

1. 2e compagnie de la Légion étrangère.
2. Dans son livre *Une campagne que nous avons gagnée : Tunisie 1942-1943,* le général Louis Koeltz fait allusion à une puissante attaque allemande en direction de Medjez el Bab, attaque qui sera stoppée « *in extremis* par des tirs de concentration de l'artillerie française et par une attaque de flanc du C.C.B. », Combat Command américain qui, lors du décrochage nocturne sur des pistes boueuses, devait abandonner cependant 18 chars, 132 half-tracks et 41 canons.

On comprend que des batailles au cours desquelles tous les Américains, et bon nombre d'Anglais, découvraient la Wehrmacht aient été privilégiées dans les récits des historiens anglo-saxons.

On comprend moins bien que, dans la mémoire collective des Français, il reste à peine trace de la lutte menée par l'armée d'Afrique en Tunisie.

Le bilan, s'il avait été mis en valeur, aurait montré que les Français avaient engagé entre 65 000 et 80 000 hommes quand les Américains en avaient 90 000 et les Anglais 120 000.

Les pertes françaises s'étaient élevées à 12 426 hommes dont 2 156 tués [1], celles des Américains à 11 693 dont 2 715 tués, celles des Anglais à 17 014 dont 4 439 morts.

L'effort de l'Afrique du Nord était supporté — il faut le rappeler — par une population européenne de 1 076 000 habitants parmi lesquels 27 classes furent appelées et par une population indigène quatorze fois plus nombreuse [2], mais infiniment moins sollicitée puisque seuls 2 % des indigènes devaient se trouver concernés par des mesures de mobilisation qui avaient touché plus de 16 % des Européens [3].

Tandis que les Alliés avancent vers Tunis, quelques centaines de Français compromis s'efforcent de quitter non seulement la ville, mais encore la Tunisie bientôt totalement libérée.

Parmi eux, les soldats de cette Phalange africaine créée en novembre 1942 par Vichy et dont Pierre Laval avait espéré qu'elle pourrait comprendre un jour « deux brigades d'environ 7 000 hommes chacune et une demi-brigade de 3 000 à 4 000 indigènes nord-africains [4] ».

---

1. Ces chiffres, qui sont ceux du général Koeltz, diffèrent des chiffres officiels : 16 164 (1 105 tués, 8 077 blessés et malades, 6 982 disparus). C'est entre le 8 novembre 1942 et le 31 janvier 1943 que le nombre des disparus fut le plus élevé dans les rangs français : 3 509.
2. 14 729 000 habitants pour l'Algérie, le Maroc et la Tunisie.
3. Entre le 8 et le 13 mai 1943, les Français du 19e corps captureront 19 334 Italiens et 11 428 Allemands.
4. Lettre au maréchal Pétain, le 12 janvier 1943.

Les Allemands, qui manquent de moyens de transport, refusant toute publicité pour le recrutement, les Français ne montrant aucun enthousiasme pour aller se battre contre des Anglo-Américains dont ils attendent leur libération, les 18000 hommes prévus par Laval ne seront que 250 dont 160 seulement se trouveront engagés.

Commandée d'abord par le capitaine André Dupuis, chef adjoint du Service d'ordre légionnaire de Tunisie, par les capitaines Peltier, Curnier et Campana, avant de l'être par le commandant Cristofini, nommé lieutenant-colonel pour la circonstance, la Phalange africaine relèvera une compagnie allemande près de Madjez el Bab, dans la soirée du 9 avril.

Après un accrochage victorieux contre une patrouille néo-zélandaise, accrochage au cours duquel elle tuera 7 adversaires et en capturera 3, ce qui donnera lieu à d'excessives manifestations de propagande et à de généreuses distributions de décorations[1], la Phalange sera soumise, le 23 avril, à une violente préparation d'artillerie suivie d'une attaque de chars et d'infanterie.

Son effectif tombé à 70 hommes, la Phalange sera relevée le 27 avril. N'étant plus engagés, démobilisés d'ailleurs le 17 mai, les rescapés de l'aventure auront désormais pour unique souci de trouver un abri dans le bled ; de se faire ouvrir, il ne l'acceptera qu'avec réticence, les portes de son palais par Mgr Gounod ; ou d'obtenir une place sur l'un des rares avions allemands qui décollent encore de l'aérodrome du cap Bon.

Yvan Sarton du Jonchay, le capitaine de frégate Boyer-Resess, les capitaines Euzière et Dupuis, le chef des Chantiers de jeunesse Tartarin, le lieutenant Charbonneau, qui donnera plus tard d'un voyage effectué dans un appareil fait pour 24 passagers, mais qui en emporte 36, un « récit vécu » d'une grande qualité d'écriture[2], étaient au nombre de ceux qui, provisoirement du moins, avaient pu se tirer d'affaire en regagnant la France au dernier instant[3].

Racontant, dans *Je suis Partout*[4], sa longue attente sur le dernier terrain tunisien encore aux mains des troupes de l'Axe, Henry

1. Du côté de la Phalange, le sergent-chef Lhorens sera tué.
2. Dans *Les Mémoires de Porthos*.
3. Ils seront présentés au maréchal Pétain le 15 mai ; décorés à Vichy le 31 mai en l'absence, d'ailleurs, de tout représentant du Maréchal.
4. Numéro du 28 mai 1943.

Charbonneau écrira : « Les chasseurs anglais sillonnent le ciel. Nous n'osons espérer l'arrivée de NOS avions. » Sous sa plume, « NOS AVIONS » désigne les très rares Junkers qui, de nuit, arrivent à se poser...

Charbonneau et ses camarades de la Phalange africaine n'auront pas été les seuls à guetter avec espoir le bruit d'un appareil allemand. Au mois de mars, déjà, plusieurs évacuations ont lieu. C'est ainsi que Mme Lécurou, dont le mari, mécanicien d'aviation, avait été replié sur Alger, va réussir à gagner la France et à retrouver sa famille. Dans une ville de Tunis désorganisée, bombardée, où les marchands indigènes réservent fruits et légumes aux troupes d'occupation, elle désespère de pouvoir nourrir et sauver son jeune enfant malade. Après plusieurs tentatives de départ depuis des terrains d'aviation quotidiennement bombardés, Mme Lécurou obtiendra, le 23 mars 1943, une place sur un appareil allemand. Mais, comme les quelques Français et Françaises qui appartiennent à ce convoi, elle sera fort mal reçue en métropole : « Nous étions des parias ou des imbéciles qui revenaient en France occupée au lieu de rester de l'autre côté avec de Gaulle pour les uns ou avec les Américains pour les autres[1]. »

Quitte à passer pour des « parias » ou des « imbéciles », beaucoup de ceux qui ont pris parti pour l'Allemagne et ont dû rester en Tunisie auraient souhaité embarquer dans l'avion de Mme Lécurou.

En effet, après une période de relative tranquillité, puisque les deuxième classe de la Phalange, capturés en Tunisie, ont fait l'objet d'une ordonnance de non-lieu ou de non-informé, tandis que seuls les gradés étaient internés à Mecheria, près d'Oran, ou à Corneille, dans le Constantinois, la constitution d'un tribunal d'armée à Alger, le

1. « Cette impression fut tellement forte, ajoute Mme Lécurou, dans la lettre qu'elle a bien voulu m'adresser, que, pendant des années, je me suis tue sur les moyens de mon rapatriement. »

2 octobre 1943, va mettre en branle l'appareil judiciaire. Des hommes qui se croyaient oubliés seront recherchés. Des hommes qui espéraient un jugement en métropole, dans un climat apaisé, seront jugés en Algérie, dans un climat exaspéré.

Les premières décisions du tribunal d'armée d'Alger provoqueront à Vichy et dans la presse parisienne de violentes réactions. Après la condamnation à mort et l'exécution, le 20 mars 1944, d'Antoine Amoretto, Philippe Henriot avait lancé « un avertissement précis aux assassins d'Alger » et menacé de « mesures coercitives » ceux qui poursuivraient dans une voie, selon lui, illégale.

Illégalité. C'est également ce qu'affirme le maréchal Pétain après la condamnation aux travaux forcés du capitaine Peltier. Officiers et soldats de la Phalange sont accusés à tort, assure le Maréchal, « car ils n'ont fait qu'obéir aux ordres de leurs chefs[1] ».

L'annonce de la condamnation à mort d'Henri-Louis Vincent, instituteur à Sousse, du sergent Joseph Barreau, du bibliothécaire Henri Ducatel, du sergent Ronet et de l'aviateur Lamorère soulève les inquiétudes de la presse de la collaboration, mais c'est l'exécution du lieutenant-colonel Cristofini qui provoquera d'atroces représailles.

A la tête de la Phalange africaine, le lieutenant-colonel Cristofini n'avait eu qu'une brève carrière. En voulant placer une grenade antichar sur un Sherman pris aux Américains, il avait provoqué une explosion prématurée. Blessé, renvoyé en France, démobilisé, il avait alors rejoint sa Corse natale et c'est en Corse libérée qu'il sera arrêté pour être transféré à Alger.

Condamné à mort, mais ne voulant pas, disait-il, « que des soldats français tirent sur un de leurs officiers », Cristofini, le 3 mai 1944, s'était précipité de huit mètres de haut alors qu'on l'entraînait de la prison vers le lieu du supplice. Grièvement blessé, c'est couché sur une civière qu'il allait être fusillé au champ de tir d'Hussein-Dey.

Les conditions de l'exécution, l'exécution elle-même allaient donner à tous ceux qui réclamaient des représailles des raisons supplémentaires d'intransigeance. Et le gouvernement de Vichy, cédant à leurs passions, fera fusiller, en Haute-Savoie, cinq maquisards pris à Glières[2]. Il donnera également des instructions pour l'internement des

1. Presse du 31 mars.
2. *Cf.* p. 299.

familles du général Catroux, de François de Menthon, de Louis Jacquinot, de Florimond Bonte, de Jacques Duclos, de Marc Rucart et d'André Le Troquer, toutes personnalités qui, à Alger, occupaient des postes de premier plan.

De leur côté, les Allemands voudront venger la mort d'hommes qui avaient combattu dans leurs rangs.

En représailles de l'exécution de Cristofini, « vingt-huit terroristes français condamnés à mort par différents tribunaux militaires allemands » seront donc passés par les armes et, le 30 mai, Higler, adjoint S.S. de Ribbentrop, adressera à von Bargen, conseiller d'ambassade à Paris, le télégramme suivant :

> « En ce qui concerne l'exécution des " combattants de Tunisie ", le Führer a accepté qu'en représailles de l'exécution d'un nouveau " combattant de Tunisie ", les anciens ministres français Léon Blum, Georges Mandel et Paul Reynaud devront être fusillés par ordre du gouvernement français.
>
> Le Führer a dit, toutefois, que l'on devrait prendre des précautions pour que le gouvernement français ne les mette pas en liberté après leur transfert. »

Fort heureusement pour Paul Reynaud et pour Léon Blum, les instructions de Berlin ne seront pas suivies d'effet, mais Georges Mandel périra assassiné, le 7 juillet, par le milicien Mansuy. Le récit qu'on en trouvera dans *Joies et douleurs du peuple réveillé,* tome VIII de cette histoire des Français sous l'occupation, donnera à cette mort la place qu'elle mérite.

Le problème de la libération de la Corse avait été étudié, à Alger, dès les premières semaines de 1943. Le 2 avril, Giraud avait pris l'initiative d'envoyer dans l'île le capitaine de gendarmerie Colonna d'Istria avec mission de coordonner l'action de résistants à qui l'Intelligence Service venait de fournir 10 000 mitraillettes.

Ce même 2 avril, Giraud crée à Alger un bataillon de choc qu'il place sous les ordres du commandant Gambiez. Les projets pour un débarquement autour d'Ajaccio, de Calvi et d'Aléria vont donc s'accélérer et des liaisons étroites seront nouées avec l'état-major d'Eisenhower dont dépendent des transports, alors orientés essentiellement vers la Sicile où de durs combats se poursuivent.

Giraud est également en contact avec les représentants — en grande majorité communistes — des maquis corses. Giovoni, chef du *Front national* dans l'île, transporté par le sous-marin *Casabianca,* viendra ainsi conférer, le 4 septembre, avec le général Giraud. Le 6, il repartira d'Alger sans avoir vu de Gaulle que Giraud et les siens laissent dans l'ignorance la plus totale des préparatifs d'une opération destinée à libérer un département français... le premier des départements métropolitains à être libéré !

L'étanchéité des cloisons entre chefs qui se détestent, et dont les subordonnés se détestent davantage encore, fonctionne alors à la perfection ! Voici comment le général Chambe, ancien secrétaire à l'Information de Giraud, expliquera plus tard ce silence[1].

> « De peur que l'ennemi ne l'apprît par suite d'une quelconque imprudence, ou que le Comité français de Libération nationale, informé, ne s'opposât à une opération comportant d'aussi grands dangers, Giraud cacha son jeu jusqu'au dernier moment... »

Il entre beaucoup d'ironie dans la phrase. C'est, en effet, le 12 septembre, *alors que les troupes pour la Corse sont déjà embarquées,* que Chambe a reçu l'ordre d'aller informer de Gaulle.

A peine a-t-il commencé sa difficile explication, le voici interrompu par de Gaulle.

— Ça va, j'ai été mis au courant par mes services. C'est une belle aventure dans laquelle vient de se mettre le général Giraud et, ce qui est plus grave, sans m'avoir demandé mon avis, ni reçu le consentement du Comité de Libération !...

Si de Gaulle est informé, c'est depuis peu de temps, mais il ignore tout des détails, des délais, des plans, et l'on comprend son exaspération. Que les Anglais et les Américains aient, par le passé, joué à cache-cache avec lui, ne le prévenant ni du débarquement en Afrique du Nord, ni de la prochaine signature d'un armistice avec l'Italie, lui a été insupportable, mais il n'a pu réagir à la mesure de l'injure.

1. Dans son livre *Le Maréchal Juin.*

En revanche, que Giraud entretienne semblables mystères et pareilles cachotteries, il le paiera — on le sait — de son poste de coprésident du Comité de la Libération nationale.

Giraud ne voulait faire que « la guerre ». Il le répétait à tous ceux qu'il rencontrait comme par volonté de délimiter — et de limiter — sa compétence et ses ambitions. Espérant, un jour de septembre 1943, clore à son avantage un débat difficile, il lancera donc à de Gaulle :

— Vous me parlez politique !

— Oui, répliquera de Gaulle, car nous faisons la guerre. Or, la guerre, c'est une politique.

C'était définir en peu de mots l'inspiration qui, depuis le 16 juin 1940, avait toujours guidé l'action du chef de la France Libre.

Dans ses *Mémoires de guerre,* de Gaulle adressera donc à Giraud, qui ne voulait faire *que* la guerre, des reproches politiques. Aveuglé par les urgences du combat, Giraud n'a-t-il pas abandonné l'autorité de fait aux communistes corses ?

Et il est vrai que Giraud avait immédiatement reconnu qu'avec le *Front national* les communistes possédaient, en 1943, « la seule organisation de résistance capable d'entrer en action » et que, de leur côté, les communistes, mettant à profit la candeur du brave général[1], n'étaient pas mécontents de pratiquer un jeu de bascule entre les deux coprésidents du Comité français de Libération nationale. Ainsi espéraient-ils avoir les mains libres pour placer l'administration d'Alger devant les faits accomplis.

Soumis, à partir du 25 juin 1940, au même régime que les habitants des autres régions de la France non occupée, les Corses avaient réagi de même manière : écoute de la radio anglaise ou suisse, graffiti

1. En décembre 1943, toujours à l'insu de De Gaulle, Giraud enverra en France un communiste algérien, Camille Larribère, qu'il a chargé d'établir des liaisons avec les groupes armés de zone Sud.

hostiles à l'Italie et à l'Allemagne, méfiance des militaires envers les commissions de contrôle italiennes. Quant aux décisions de Vichy, si quelques hauts fonctionnaires — par exemple, Rix, le sous-préfet de Bastia — les boudaient ostensiblement, elles étaient plus ou moins favorablement reçues, selon que l'on appartenait — dans une île tenue par les clans — au clan Pietri ou au clan Landry[1].

C'est Fred Scamaroni qui donnera son véritable visage à la première résistance corse, qui en sera, jusqu'à sa mort, un peu ce que fut Jean Moulin pour la Résistance continentale.

En juin 1940, Scamaroni, jeune officier d'aviation, avait réussi à gagner Londres et à s'engager dans les Forces françaises libres. Il sera, en septembre 1940, de l'expédition anglo-gaulliste contre Dakar et c'est lui qui pilotera le petit appareil dans lequel ont pris place Soufflet et Gayet, ambassadeurs gaullistes immédiatement arrêtés par les autorités vichystes de l'Afrique occidentale française.

Transféré avec ses amis à Clermont-Ferrand puis libéré, Scamaroni rejoindra la Corse. C'est pour y faire le recensement de tous les patriotismes. Prenant ou reprenant contact avec Raimondi et Poli à Ajaccio, avec François Giaccobi à Corte, avec le colonel Ferruci et l'architecte départemental Antoine Serafini, Fred Scamaroni va donner toute son importance au réseau « R 2 Corse ». Mais, traqué sur le continent, traqué dans l'île, il lui faut rejoindre Londres. Lorsqu'il en reviendra, le 7 janvier 1943, annoncé par le message « *Gaston a mangé le saucisson et viendra manger la coppa* », il est accompagné du lieutenant anglais Meynard et du radio Jean Hellier[2]. Sur lui, il porte un ordre de mission du général de Gaulle l'accréditant comme « organisateur » de la Résistance mais, depuis ses précédents voyages, bien des choses ont changé.

Après le 11 novembre 1942 et le franchissement de la ligne de démarcation, les Italiens ont débarqué dans l'île 30 000 soldats, chiffre qui sera porté à 80 000, 2 000 carabiniers également et cette police politique, l'O.V.R.A., qui sera responsable, non seulement de l'arrestation, mais également de l'assassinat de plusieurs résistants.

---

1. Des cinq élus corses, un seul, le sénateur Giaccobi, votera, le 10 juillet 1940, contre les pleins pouvoirs au maréchal Pétain. Landry s'abstiendra. François Pietri et Rocca-Serra voteront pour. Campinchi se trouve à bord du *Massilia.*

2. C'est un sous-marin anglais qui a été chargé de déposer les résistants près d'une crique de la côte corse.

Des « mouvements » de résistance continentaux ont essaimé : *Combat* avec, à Corte, le commandant Canavelli et Bartoli ; à Ajaccio, Giudicelli ; à Bastia, Vermonet, Negroni, Simon Paoli ; *Franc-Tireur* avec Pierre-Louis Benedetti et Jules Alexandre Rocca-Serra. De son côté, le réseau « R 2 », en liaison avec Peretti, commissaire de police à Nice, s'est considérablement renforcé et les communistes, grâce au dynamisme de Maurice Choury, venu à deux reprises du continent, ont, autour de leurs 300 militants de base, recruté de nombreux sympathisants pour le *Front national.*

Cependant, les mouvements manquent d'armes. Ils manquent de liaison. Ils manquent de cohésion. Et, plus encore peut-être que sur le continent, ils sont victimes de toutes les maladies de jeunesse de la Résistance.

Envoyé par Giraud sur le *Casabianca,* l'un des rares sous-marins à avoir échappé, on le sait, au désastre du sabordage de la flotte française à Toulon, le commandant Roger de Saulle, qui est arrivé en compagnie de l'héroïque radio Pierre Griffi [1], de Toussaint Griffi et de l'instituteur Laurent Preziosi, ne tardera pas à découvrir que les violentes querelles pour les armes [2] laissent prévoir les prochaines et violentes querelles pour le pouvoir.

De retour à Alger, Roger de Saulle insistera donc sur le désordre qui règne entre « des organismes partisans, avec des chefs qui se disputent le pouvoir, des lieutenants dévoués à leur chef et à son organisation, des troupes appartenant à plusieurs organisations ». Lorsque de Saulle écrit ces mots, Fred Scamaroni, arrêté le 18 mars 1943, désigné, hélas ! aux policiers italiens par son radio Hellier, torturé sauvagement, se sera suicidé dans sa cellule pour ne pas compromettre les 18 résistants capturés avec lui.

> « Ils lui ont arraché les ongles, peut-on lire dans un rapport du contre-espionnage italien, ils lui ont mis des morceaux de fer rouge. Il s'est tué avec un fil de fer. Il a fait passer celui-ci à travers la gorge. Trois heures après, il était mort... Sur le corps du

1. Arrêté par les Italiens, Pierre Griffi, qui en huit mois a pu émettre 286 fois, sera torturé et fusillé le 18 août 1943 à Bastia.

2. Lors de son premier voyage, le *Casabianca* livrera 60 mitraillettes aux résistants corses. Il en apportera 450 le 6 février 1943 et transportera plusieurs équipes d'officiers et de radios.

supplicié, un petit morceau de papier sur lequel il avait écrit avec son sang : “ Vive la France ! Vive de Gaulle[1] ! ” »

Tout en rendant hommage à Scamaroni, Arthur Giovoni, le leader communiste, se plaindra de discriminations historiques choquantes.

> « A force d'étiqueter, de fractionner, on a fini, écrira-t-il[2], par trier non seulement les bons et les mauvais résistants, mais les bons et les mauvais morts... Pourquoi parallèlement [à Scamaroni] ne pas rendre hommage aux autres martyrs dont la vie et la mort ne furent ni moins glorieuses ni moins exemplaires ? »

Et de citer André Giusti, Jules Mondolori, Dominique Vicentti[3], dirigeants du *Front national,* morts au combat. De citer également la dernière lettre de Jean Nicoli, fusillé en compagnie de l'adjudant-chef Bozzi et du radio Luigi. « Nous mourons en Corses français et le procureur du roi l'entendra de ses oreilles. Je comprends à cette heure suprême le sacrifice de nos martyrs. »

Avant de mourir, Scamaroni n'avait pas eu la satisfaction — comme il en avait reçu mission — d'unifier la Résistance corse.

Après sa mort, le capitaine de gendarmerie Paul Colonna d'Istria, arrivé d'Alger le 1er avril 1943, découvrira très vite que, « *R 2 Corse* » dispersé, les autres réseaux privés de moyens, c'est au *Front national* qu'il doit remettre les 11 tonnes d'armes qu'il a amenées grâce au *Casabianca*[4]. C'est avec le *Front national* regroupant, sous direction communiste, des hommes venus de tous les horizons (Maillot, le cousin du général de Gaulle étant du nombre[5]) qu'il lui faut préparer

---

1. Fred Scamaroni sera, à titre posthume, promu Compagnon de la Libération.
2. Manuscrit.
3. Dominique Vincentti recevra la médaille militaire et la croix de guerre à titre posthume.
4. Le même *Casabianca* apportera 15 tonnes d'armes à la fin du mois de juillet et 5 tonnes de matériel antichar en septembre.
5. Ce que de Gaulle relèvera avec quelque aigreur dans ses *Mémoires*.

les conditions d'un soulèvement que précipitera la capitulation de l'Italie. Apprenant l'accord conclu entre les Italiens et les Anglo-Américains le 8 septembre à 19 h 30, les dirigeants locaux du *Front national* d'Ajaccio lancent, en effet, l'ordre d'insurrection.

De quels moyens disposent-ils ? Numériquement, les résistants sont 2 000 à 3 000 qui, par contagion patriotique, peuvent devenir 8 000. Ils disposent de 8 000 mitraillettes et de 800 fusils mitrailleurs, sans compter ces armes de chasse qui, entre les mains d'hommes habitués au maquis, peuvent devenir de redoutables armes d'embuscade.

Mais, sur le papier, la disproportion des forces est considérable. Le 7e corps d'armée italien compte environ 45 000 hommes. Infiniment plus redoutables, les Allemands — 7 à 10 000 — seront renforcés, le 12 septembre, par des éléments de la 90e panzer arrivant de Sardaigne.

On comprend que le général Giraud, qui comptait mettre en œuvre des moyens infiniment plus importants que ceux qui seront finalement utilisés[1], ait adressé au capitaine Colonna d'Istria un télégramme de temporisation : « Dites compatriotes corses que je compte sur leur obéissance pour ne pas déclencher opération prématurée. »

Télégramme sur lequel, bien injustement, Giovoni s'appuiera pour écrire que les décisions communistes auraient « bousculé » Giraud, lui auraient « forcé la main » et que, pas plus que de Gaulle, il ne souhaitait que les « combattants corses [prissent] l'initiative de l'insurrection ».

La chance voudra qu'au message de Colonna d'Istria, lui demandant de faire savoir s'il était *avec* ou *contre* la Résistance, le général Magli, commandant les troupes italiennes, ait répondu « Avec vous », sauvant ainsi l'insurrection d'un grand péril, car Italiens et Allemands associés eussent pu en venir à bout avant l'arrivée des premières troupes régulières.

Avec la réponse du général Magli, se trouvera en tout cas respectée cette tradition historique selon laquelle « *Mgr le duc de Savoie est*

---

1. Le général Juin avait prévu (lettre du 15 juin adressée au général Giraud) deux hypothèses. Dans la première, celle d'une sérieuse résistance adverse, il pensait utiliser une division de montagne, deux d'infanterie, la division blindée, le corps franc d'Afrique, le groupement de tabors et le régiment de parachutistes.

Dans la seconde, celle où les Italiens n'offriraient que peu de résistance, il estimait qu'il suffirait de mettre en œuvre une division de montagne, une division d'infanterie, deux groupements de tabors, le corps franc d'Afrique, les parachutistes et quatre groupes de chars.

rarement pendant la paix du même côté que pendant la guerre ou, si cela lui arrive, c'est qu'il a changé deux fois de parti ! ».

Mais si, en dix mois d'occupation, les Italiens avaient perdu, du fait de la Résistance, cinq hommes dont un officier, dans la lutte contre les Allemands, ils auront 245 morts et 557 blessés [1].

Après le début de l'insurrection, les débarquements des troupes françaises avaient été dangereusement espacés.

Ce sont trois sections de la 3e compagnie du bataillon de choc qui devaient arriver les premières dans le port d'Ajaccio, au terme d'un dangereux voyage. Sur le sous-marin *Casabianca* avaient pris place, en effet, 109 soldats du bataillon de choc emportant avec eux leurs armes et quatre jours de vivres. Le commandant L'Herminier, patron du *Casabianca,* avait fait installer partout les hommes de Gambiez : aussi bien dans la chambre des machines que dans la salle des accus en leur demandant de rester parfaitement immobiles, afin de ne pas gêner la manœuvre et les déplacements de ses 61 marins.

Commencée le 11 septembre à 18 heures, la traversée s'achèvera le 13, à 1 heure du matin, dans le vacarme d'une fusillade joyeuse qui ne doit rien aux Allemands, qui doit tout aux maquisards d'Ajaccio et du voisinage.

La 3e compagnie débarque dans une ville évacuée par les Allemands. Elle le fait sous les acclamations d'une foule qui sera vingt fois plus nombreuse lorsque, dans la soirée du 13, du *Fantasque* et du *Terrible,* deux croiseurs légers, surgira le gros du bataillon de choc [2].

Dans la fête colorée et bruyante d'Ajaccio, le commandant Gambiez va passer par des alternatives de joie, de crainte et de colère.

Joie de cet accueil délirant qui paie les hommes — dont bon nombre, à son exemple, ont été internés en Espagne — de toutes les humiliations et de toutes les peines. Crainte de voir des soldats « pratiquement désarmés par la foule », incapables de faire face

1. Les Italiens seront cependant traités en auxiliaires et non en alliés par des Français qui ne peuvent oublier l'agression de 1940.

2. Mais c'est à la 3e compagnie seule qu'ira la prime promise par Mlle Eliane Nahon, riche orpheline de Casablanca, à la première unité touchant le sol français.

immédiatement à une possible réaction allemande. Colère devant les missions statiques que le commandement supérieur affecte d'abord à une troupe faite pour « grenouiller », pour agir partout en style indirect, c'est-à-dire par coups de main, patrouilles offensives, embuscades jetant la confusion chez l'ennemi.

A partir du 17 septembre, rendu à sa véritable mission, le bataillon de choc, toujours aidé et guidé par des résistants locaux, attaquera enfin des convois allemands dans le col d'Aresia, à l'ouest de Sainte-Lucie, puis de la Trinité. Il attaquera également la gare de Puzzichello et créera, dans tous les secteurs où il se trouvera engagé, un sentiment d'insécurité qui précipitera une retraite allemande, d'ailleurs constamment bien conduite.

Pour les Allemands il ne s'agit nullement, en effet, de tenir la Corse — ils ne sont plus que 4 000 le 27 septembre —, mais d'évacuer en bon ordre hommes et matériel.

C'est devant Bastia qu'ils offriront la plus forte résistance aux troupes du général Louchet[1] et du général italien Magli, attaquant respectivement par les cols de San Léonardo, de Teghmine et de San Stefano.

Pour se dégager d'une trop forte pression, ils contre-attaqueront même violemment dans la journée du 30 septembre en direction du col de San Stefano et les tirailleurs marocains auront la mauvaise surprise de se voir menacés par une demi-douzaine de chars contre lesquels ils ne disposent pas d'antichars, d'être mitraillés par des Messerschmitt contre lesquels, vainement, ils appellent la chasse française. Avec la fatigue, le mauvais temps — il pleut nuit et jour —, la médiocrité des liaisons, c'est l'intervention de l'aviation allemande qui ralentira le plus efficacement le mouvement en direction de Bastia.

A 10 heures, le 4 octobre, le général Louchet peut enfin installer son P.C. au cœur d'une ville qui vient d'ailleurs d'être bombardée par erreur par les avions du Strategic Air Command, mal renseignés sur la marche des opérations...

Ainsi prenait fin l'opération *Vésuve.*

Décidée et menée par les seuls Français, elle avait coûté 75 tués, 239 blessés et 12 disparus aux 6 465 hommes débarqués sur l'île,

---

1. 1er régiment de tirailleurs marocains, 2e groupement de tabors, deux escadrons de chars du 4e régiment de spahis marocains, et des éléments du bataillon de choc.

cependant que les résistants corses, dont l'action avait grandement facilité le succès, perdaient de leur côté 30 hommes en combat, ainsi que 47 des leurs, fusillés, ou déportés sans retour, par les Italiens ou les Allemands, avant le déclenchement de l'insurrection[1].

Après la libération de la Corse — où les responsables politiques et militaires français se succédaient désormais pour prononcer des discours, inspecter les troupes, tenter de mettre quelque ordre dans le désordre ambiant et prendre des options sur l'avenir —, le général Giraud avait songé à attaquer l'île d'Elbe, alors peu et mal défendue.

Devant l'hostilité de principe du général Eisenhower, le débarquement n'allait être étudié qu'à partir de février 1944 pour être entrepris dans la nuit du 16 au 17 juin[2] par les chocs du commandant Gambiez et par les commandos d'Afrique du commandant Bouvet, suivis, dans la journée, de la 9e division d'infanterie coloniale[3].

L'opération achevée le 19 juin pouvait être considérée comme une excellente répétition pour résoudre les problèmes qui se posaient à une troupe abordant une côte bien défendue. Elle n'avait, et ne pouvait avoir, aucune influence sur le sort des combats qui se poursuivaient en Italie. Elle se trouvait totalement éclipsée par la gigantesque bataille qui se déroulait en Normandie.

En juin 1944 enfin, la preuve de la valeur des troupes françaises

1. Les pertes allemandes sont estimées à 1000 tués (ce qui semble excessif, seules 200 tombes ayant été identifiées au 13/10/44), entre 400 et 600 blessés, 226 prisonniers capturés par les Français, 125 par les troupes italiennes.

2. Le débarquement sur Elbe (nom de code *Brassard*) avait dû être reporté d'un mois, le lieutenant-colonel Deleuze ayant perdu, dans un restaurant d'Ajaccio, le porte-documents contenant le plan d'opération. Bien que la serviette ait été retrouvée rapidement, les services secrets américains, alertés, avaient réclamé l'ajournement du débarquement initialement prévu pour le mois de mai.

3. L'infériorité numérique des 3000 défenseurs devait être compensée dans l'esprit du Haut Commandement allemand par la puissance de nombreuses batteries d'artillerie dont la plupart, cependant, allaient être neutralisées par les hommes de Gambiez, avant d'avoir pu remplir leur rôle.

Le caporal Maréchal, des commandos d'Afrique, séjournant clandestinement un mois durant sur l'île, avait d'ailleurs réussi à repérer les principales installations des Allemands et à relever leurs plans de tir.

n'était plus à faire aux yeux d'Anglais et d'Américains, il est vrai, longtemps incrédules.

La campagne d'Italie ne venait-elle pas de démontrer qu'elles étaient non seulement courageuses et stoïques, mais également remarquablement commandées et qu'elles avaient le droit d'en appeler du foudroyant désastre de mai et juin 1940 ?

Si la campagne d'Italie et la part importante qu'y prendront les troupes françaises ne peuvent naturellement entrer dans le cadre de ce livre, il y aurait injustice à ne pas en évoquer quelques épisodes.

C'est au terme d'une séance de comédie que le général Alphonse Juin avait été imposé par de Gaulle comme commandant en chef du corps expéditionnaire français.

Libéré en juin 1941 de son camp de prisonniers à la demande du maréchal Pétain qui l'avait nommé général de corps d'armée et commandant en chef des troupes terrestres en Afrique du Nord, Juin, successeur de Weygand, était suspect aux résistants. Ils lui reprochaient sa fidélité à Vichy mais aussi les entretiens qu'il avait eus à Berlin avec Goering[1], en décembre 1941, à l'instant où, les troupes de Rommel refluant une première fois en direction de la Tunisie, les Allemands désiraient un accord de coopération militaire avec la France.

Il n'était pas davantage aimé de l'entourage de De Gaulle. Après sa victoire en Tunisie, il sera en butte à l'hostilité des Français libres, qu'il décrit imprégnés d'une « mentalité d'émigrés ». Dégoûté par le « climat » d'Alger, incapable de s'entendre avec le général gaulliste de Larminat, dont on a fait son égal au poste de chef d'état-major général, ce qui rend tout travail efficace impossible, puisque l'opposition des caractères et l'intrigue des bureaux ajoutent encore aux complexités d'un commandement bicéphale, Juin enverra sa démission à de Gaulle[2] et à Giraud.

1. D'ordre de Vichy, naturellement.

2. A de Gaulle, en termes particulièrement sévères. Dans sa lettre du 22 juillet 1943, Juin écrira que tout est fait pour humilier, à travers lui, l'armée d'Afrique. « ... L'offense, écrira-t-il, s'adresse à nombre de braves gens qui n'ont

Enfin, il était détesté des sectaires dont les milieux politiques d'Alger étaient peuplés[1]. En novembre 1943, devant l'Assemblée consultative, ne lui a-t-on pas reproché d'avoir signé une citation en faveur d'un officier qui, le 8 novembre 1942, avait retardé, par le feu, l'avance des troupes de débarquement américaines ?

On comprend donc les sentiments qui animent le résistant Cerf-Ferrière et le sénateur Astier lorsqu'ils demandent audience à de Gaulle. Après avoir mené une enquête auprès du Commissariat à la Guerre et « consulté » plusieurs officiers généraux, ils se sont mis en route pour présenter à de Gaulle une liste de cinq généraux aptes, selon eux, à commander le corps expéditionnaire engagé en Italie.

— Vous les connaissez, vous, ces généraux ? leur demande de Gaulle.

— Nous avons fait une enquête.

— Vous et vos collègues, vous pouvez juger des talents et de la compétence en stratégie de ces officiers ?

— Oh ! non, mon Général, mais d'accord avec nos collègues nous vous proposons cette liste après avoir pris comme critères d'élimination le fait d'avoir servi Vichy ou fait tirer sur les Forces françaises libres ou alliées.

— Ce n'est pas suffisant... Un seul connaît bien son métier, c'est Juin.

— Juin ! Mais, mon Général, il a fait tirer sur les Américains au Maroc...

— Les Américains ont besoin d'un bon stratège. Je connais bien le général Juin[2]. Il commandera nos divisions. Sans vouloir jouer au prophète, je parierais volontiers avec vous, messieurs, qu'il deviendra, bien sûr d'une manière occulte, leur chef d'état-major.

---

de leçons de patriotisme à recevoir de personne et qui sont pour la plupart des soldats éprouvés et disciplinés comme il serait souhaitable que la France en eût beaucoup à cette heure. »

1. Peut-être étaient-ils également irrités par la très belle citation signée le *12 décembre 1942* (donc un mois après la « dissidence » du général Juin) par le maréchal Pétain en faveur de l'ancien chef de la 15e division motorisée et de sa résistance à Gembloux les 14 et 15 mai 1940.

2. Il existe depuis Saint-Cyr de véritables liens d'estime et d'amitié entre de Gaulle et Juin. Les deux hommes se tutoient et continueront à se tutoyer après les modifications de situation que l'on sait.

Avec le temps, la prophétie de De Gaulle se révélera exacte. Mais les sacrifices et les victoires, beaucoup plus encore que le temps, seront nécessaires pour convaincre des Américains qui faisaient peu de cas d'une armée française jugée par eux *out of map,* (hors de cause), selon la désobligeante expression du général Clark.

Aussi, le 16 décembre 1943, le capitaine Sigmann, officier de renseignement, voyant les hommes du 5ᵉ régiment de tirailleurs marocains — première troupe française envoyée en Italie — hésiter après la perte de leurs chefs, puis refluer face à la puissante défense du massif du Pentano, contre laquelle la 34ᵉ division d'infanterie américaine vient de perdre plus de 33 % de son effectif, en prendra le commandement et leur lancera :

— Les Américains nous regardent !

L'imprenable Pentano sera pris au terme d'un combat qui coûtera 297 tués et blessés au 5ᵉ tirailleurs. Après le Pentano, c'est la Mainarde (un sommet de 1 500 mètres) qui est définitivement conquise par deux bataillons du 8ᵉ tirailleurs marocains qui rejettent une farouche contre-attaque de la 5ᵉ division autrichienne de chasseurs de montagne.

D'un observatoire avancé, le général Mark Clark et le général Juin suivent à la jumelle le flux et le reflux, les drames d'un combat qui, sous une tempête de neige, se déroule, parfois à l'arme blanche.

C'est alors que Clark, laissant retomber ses jumelles, converti par le spectacle qu'il découvre, se tourne vers Juin pour lui dire :

— Admirable, magnifique, nous, nous n'avions pas pu ! Les soldats français sont toujours les soldats de Verdun. Je vous dis merci.

Ces remerciements seront plus justifiés dans quelques mois encore, lorsque le Corps expéditionnaire français, renforcé en janvier 1944 par la 3ᵉ division algérienne, puis par la 1ʳᵉ division française libre et la 2ᵉ division marocaine de montagne [1], montera à l'assaut, dans la nuit du 11 au 12 mai, de tous les sommets dominant la rive droite du Garigliano.

Pour Juin, il s'agit de déborder les défenses du mont Cassin qui

1. Avec les tabors du général Guillaume, l'artillerie, le génie, les 7ᵉ et 8ᵉ chasseurs d'Afrique, le général Juin a sous ses ordres plus de 120 000 hommes.

interdisent la route de Rome. Quatre fois déjà, les Alliés s'étaient jetés contre les retranchements allemands. Quatre fois, ils avaient été repoussés.

Entre le 18 et le 22 janvier, la 36e division d'infanterie américaine avait perdu 2000 hommes sans atteindre ses objectifs.

Du 25 janvier au 18 février, Américains et Français avaient pris puis reperdu du terrain. Les Anglais et les Hindous n'avaient pas été plus heureux, le bombardement du monastère de Saint-Benoît[1] par 250 forteresses volantes ayant seulement permis aux tenaces parachutistes allemands et aux grenadiers de la 90e Panzer de transformer les ruines du village en autant de fortins inexpugnables.

Du 15 au 23 mars, Néo-Zélandais et Hindous — précédés cette fois par 800 bombardiers et par un barrage roulant d'artillerie que l'on aurait pu croire décisif — n'allaient pas davantage réussir à s'emparer du mont Cassin enveloppé de la fumée des explosions et des nuages de poussière s'élevant de ruines à chaque instant broyées et rebroyées par les obus et par les bombes.

Le 13 mai, le vaillant corps polonais du général Anders échouait, lui aussi, contre les parachutistes du général Heidrich. Les Britanniques avaient bien franchi le Rapido, mais leurs assauts demeuraient bloqués.

C'est l'attaque française qui allait décider de tout.

Mais, pour la lancer dans des conditions surprenantes et sur un terrain inattendu, Juin avait dû convaincre d'abord le général en chef Alexander et le général Clark que des échecs répétés rendaient, il est vrai, plus attentifs à des thèses hétérodoxes.

Toute attaque frontale contre le mont Cassin se révélant aussi inutile que coûteuse, il faut, plaide Juin, rompre l'équilibre maintenu depuis des mois par une défense allemande aussi intelligente que courageuse[2] en attaquant très loin de l'objectif, en pleine montagne et sans préparation d'artillerie. Ainsi pourra-t-on espérer faire craquer le front allemand, ouvrir une brèche, y pousser des troupes qui condamneront les défenseurs du mont Cassin à l'abandon d'une position désormais prise à revers.

---

1. Le 15 février 1944. Le monastère était alors vide de troupes allemandes, mais il servait de refuge à de nombreux Italiens.
2. Mais privée du secours de l'aviation. A partir du 11 mai, la Luftwaffe ne dispose plus que de 325 appareils en face des 4000 avions anglais et américains.

Le 11 mai, à 23 heures, les tirailleurs marocains, algériens et tunisiens s'élancent donc contre les positions tenues par les Allemands sur les monts Ornito, Faito et dans le village de Castelforte. Lutte longtemps indécise que d'autres que Juin arrêteraient, tant les pertes sont terribles. S'étant rendu sur le champ de bataille, Juin relance au contraire l'assaut.

— Ça va très mal, donc ça va très bien, dit-il à son retour d'inspection. On a fait des prisonniers à l'Ornito. Tous ont déclaré qu'ils avaient reçu l'ordre de tenir jusqu'à la mort... Les renseignements de l'aviation sont formels, la ligne Hitler n'est pas occupée. Les réserves stratégiques n'auront pas le temps d'intervenir. Il faut que ça casse aujourd'hui !

Ça cassera. Mais il y aura beaucoup de casse. La victoire totale des Français sur cette 14e armée allemande, dont le général von Mackensen doit ordonner la retraite, abandonnant le mont Majo aux voltigeurs du 5e marocains, Castelforte aux hommes de Monsabert, San Appolinare et San Giorgio aux chars du 3e spahis et, par voie de conséquence, Cassino au 13e corps canadien, le mont Cassin, désormais inutile, aux Polonais, nous a, en effet, coûté très cher.

Comme nous a coûté très cher cette campagne d'Italie, mal connue de Français sans mémoire pour ce qui dépasse l'Hexagone.

Mais 389 officiers, 974 sous-officiers, 5 888 hommes tués ; 29 913 blessés et 4 201 disparus ; 41 365 victimes donc sur un effectif de 120 000 combattants, tel avait été le prix payé pour la réhabilitation et pour la victoire.

Ces soldats d'Italie étaient venus de partout. On comptait dans leurs rangs de nombreux Algériens, Marocains, Tunisiens, les Djebaili, Tahar Ben Smati, Loucef Lamni, Ben Aïsa, Ben Akka, dont on retrouve les élogieuses citations dans les colonnes, peu consultées aujourd'hui, du *Journal officiel.* Soldats de grande bravoure, rustiques, infatigables en montagne, fidèles à leurs chefs et dont les sentiments n'évolueront que lentement, en grande partie à cause de l'incompréhension des bureaux qui réduisent la solde, retardent les permissions, interdisent justement le pillage mais rationnent la nourriture.

Que, lors de la bataille pour le Belvédère, le lieutenant tunisien El Hadi ben Goùm ben Battal, après être arrivé avec ses derniers hommes au sommet de la cote 470, meure en criant « Vive la France ! » n'étonne personne en ce printemps italien de 1944 où la fraternité d'armes et le patriotisme ne sont pas de vains mots.

Comme n'étonne personne le geste du capitaine Tixier qui, grièvement atteint[1], se traînera au milieu des autres blessés et, pour n'être pas évacué avant ses tirailleurs, enlèvera les trois barrettes de métal, insigne de son grade.

L'Italie que ces hommes découvrent n'est pas l'Italie des touristes, mais l'Italie de la misère et de la mendicité, des parents trafiquants, des filles vendues et des gamines (et des gamins) violées par des soldats musulmans qui ne comprendront pas, une fois en France, que ce qui était parfois admis en Italie, soit désormais interdit.

L'Italie de la boue et du froid, non point celle des affiches de propagande et des voyages de noces. « Voir Naples et mourir » n'est plus un aimable slogan mais une tragique réalité.

1300 évacuations pour pieds gelés à la 2e division d'infanterie marocaine qui attaque la Mainarde en décembre 1943. Sous le feu adverse, à 1200 mètres d'altitude, les brancardiers subissent, dans certains cas, des pertes plus lourdes que celles des combattants. Le 13 mai 1944, par exemple, le médecin capitaine Morna, du 6e régiment de tirailleurs marocains, signale que 9 de ses 12 brancardiers ont été tués ou évacués.

A flanc de montagne, installés au milieu des troupes de première ligne, les postes de secours de bataillon ne disposent que d'une toile pour protéger les blessés contre la pluie... et les éclats. Sur les pistes d'évacuation, les mulets trop chargés butent et, à tout instant, risquent de rouler dans les ravins[2].

---

1. Le capitaine Tixier (4e régiment de tirailleurs tunisiens), dont un éclat d'obus a enlevé tout le haut du visage et qui a les deux yeux emportés, succombera après trois semaines d'agonie.

2. Journal de marche du 2e R.T.M.

Cf. *Le service de santé régimentaire,* par le Pr Armand Molinier, in *Le Service de santé dans les combats de la Libération* (Association Rhin et Danube).

Le Dr François Bolot, médecin militaire pendant la campagne d'Italie, a bien voulu me rappeler que la première installation d'un service de « réanimation » aux armées date de 1943-1944.

Il y aurait quelque ingratitude à ne pas signaler l'activité des deux ambulances

Sur les pentes du mont Marino, parmi les blessés du dimanche 30 janvier 1944, le maréchal des logis Jacques Robichon, mobilisé dans les rangs de ce 7e régiment de chasseurs d'Afrique, issu des Chantiers de jeunesse d'Afrique et qui porte toujours fièrement le béret vert des Chantiers.

A la nuit tombante, sur un champ de bataille enveloppé des brumes du Rapido, le 7e chasseurs d'Afrique se heurte à l'un de ces champs de mines presque hermétiques dont les Allemands protègent leurs positions.

Il est impossible d'avancer, mais des blessés, partout, appellent au secours. Désigné pour tenter d'aller les relever, Robichon est atteint à son tour d'une balle de mitrailleuse qui lui traverse une cuisse. Malgré sa blessure, il reprendra volontairement ses recherches et, en rampant sous les balles, aura le bonheur et la chance de sauver plusieurs de ses camarades.

Or, à Paris, ses parents, qui ne savent rien de lui depuis qu'il est parti pour l'Afrique du Nord, sont alertés quelques jours plus tard par une voisine : « On a parlé de votre fils à la radio de Londres. » Chaque jour, en effet, des reportages de correspondants de guerre sont transmis à Radio France à Alger, puis répercutés sur les antennes de la B.B.C.

Fernand Pistor, correspondant de guerre, qui sera tué en août 1944 lors de la prise de Notre-Dame-de-la-Garde, a lu au micro la citation qui vient de récompenser le courage de Robichon. Ainsi, entre ceux qui se battent au loin et les familles demeurées en France occupée, le hasard d'une émission entendue rétablit-il de façon précaire les liens sentimentaux qu'a coupés la guerre.

---

chirurgicales installées au bord du Garigliano, et en avant des batteries françaises, par la comtesse du Luart et la générale Catroux. Deux infirmières, Mlle Marie Loretti et Mme Mattéa Nalbert, seront tuées en allant relever des blessés.

Il y a plus extraordinaire.

Jacques d'Etienne a quitté ses parents le 14 janvier 1941 en laissant à l'un de ses frères le soin de leur remettre cette lettre.

« Très chers parents,

Demain matin, après le départ de Paul pour le collège, je quitterai la maison pour rejoindre Londres. Michel est chargé de vous remettre cette lettre vers 11 heures.

Depuis le 18 juin, à Saint-Vaast, alors que j'étais avec toi, maman, chez M. Mme Couderc et que j'ai entendu le général de Gaulle, je sais qu'un Français continue le combat contre le boche. Je veux le rejoindre. Pardon, maman, de te faire de la peine. Merci, un grand merci pour les chansons que tu me chantais au temps où j'étais petit garçon (*Le p'tit zouzou* ou *Là-haut dans les étoiles*) et les récitations comme *A ces gens-là je ne tends pas la main.*

Bon courage à toi, papa, bientôt je reviendrai pour chasser cette vermine. Veillez bien sur mon petit frère Paul.

Je vous embrasse très affectueusement comme je vous aime.

Bonne fête, maman Vive la France

Votre fils,

Jacques. »

Après une tentative infructueuse, Jacques d'Etienne réussira à franchir les Pyrénées. Barcelone, Madrid, Gibraltar, le voici à Londres le 20 août 1941, le voici engagé dans les Forces françaises libres le 22 août. Après un entraînement intensif, son escadron de chars est envoyé en Egypte, puis en Tripolitaine, en Tunisie et au Maroc, où il est équipé en matériel américain et rattaché à la 2e D.B. en formation.

Or, Jacques d'Etienne conservera toujours un lien avec sa famille qu'il a pu prévenir de son arrivée en Angleterre par un message de la Croix-Rouge.

En août 1941, depuis Marseille, sa sœur poste à son intention une lettre *via* le Venezuela. Le correspondant auquel elle l'a adressée n'habitant plus Caracas mais Palembang, dans les Indes néerlandaises, recevra la lettre le 29 janvier 1942. Il l'expédiera à Londres où elle arrivera le 10 avril 1942 pour être remise à d'Etienne le 13 avril. Près de huit mois de voyage pour un message, mais d'autres lettres vont arriver. Toutes de façon mystérieuse. Postées en Seine-et-Marne[1], munies des timbres à l'effigie du maréchal Pétain, elles parviennent à Jacques d'Etienne sans oblitération et même sans adresse.

M. d'Etienne m'a communiqué la photocopie de plusieurs de ces enveloppes, timbrées mais non oblitérées, ne portant que son nom :

Monsieur Jacques d'Etienne,

sans aucune autre mention, sans adresse et qui, finalement, arriveront en Angleterre par des voies qu'il n'a jamais pu découvrir.

Mais c'est par une carte de la Croix-Rouge[2] qu'il recevra le dernier message de sa mère. Chaque correspondant a droit à 25 mots seulement. Et les 25 mots qui disent le désespoir de la séparation finale, l'amour, la foi chrétienne y sont bien.

> « Te reverrai plus, ma dernière pensée sera pour toi. Je t'aimais tant, mon Jacques. Continue être bon, aimez-vous tous. Courage, te bénis. Baisers. Maman[3]. »

Sans doute les garçons qui se battent dans les maquis français sont-ils moins isolés de leur famille dont il leur est parfois possible de recevoir aide et secours, mais ils n'ont pas, en face d'eux, des soldats se comportant en soldats lorsque la bataille est achevée.

Ce sont des policiers, des tortionnaires, des bourreaux auxquels ils se heurtent. Ainsi en ira-t-il en mars 1944 sur le plateau de Glières.

---

1. La famille de Jacques d'Etienne habite alors à Arbonne, par Barbizon.
2. Accompagnés de six timbres à un franc pour frais de transmission et de réponse, des « messages familiaux pour la Grande-Bretagne et les dominions » peuvent être adressés chaque mois au Service social d'aide aux émigrants, 391, rue de Vaugirard, Paris (15e). Le message à transmettre ne doit pas comporter plus de 25 mots.
3. Mme Rachel d'Etienne décédera le 26 septembre 1943.

7

ÉTAT DE SIÈGE EN HAUTE-SAVOIE

Il fait beau le dimanche 2 avril 1944. Au col de Bluffy, une fillette se promène en compagnie de ses parents. Elle s'élance vers le bois proche pour cueillir quelques fleurs, mais revient très vite, apeurée.

— Il y a des hommes couchés là. Ils ont l'air de dormir. Mais ils ont du sang partout…

Ils sont morts les sept garçons étendus, le visage mutilé, le corps criblé de balles.

Le même jour, quatorze cadavres sont relevés près du pont de Morette, sept à Naves, cinq à Dingy-Saint-Clair. L'information est donnée par les quotidiens parisiens du 4 avril, en quelques lignes, et sans aucun commentaire susceptible d'indiquer l'origine de la mort.

Mais, à Annecy, le journaliste René Dépollier, sur le grand cahier où il note tous les événements du jour[1], ceux qu'il peut envoyer à l'Office français d'information, dont il est correspondant, et ceux qu'il n'envoie pas, écrit :

> « Il y a lieu de penser que ces cadavres sont ceux de jeunes " maquisards " fusillés par les Allemands après l'attaque du plateau de Glières. On dit que certains de ces jeunes gens, arrêtés, puis interrogés à Annecy, auraient été fusillés… Les quatorze cadavres de Morette ont été découverts dans une fosse

1. Grâce à l'obligeance de M. Gérard Dépollier, j'ai pu consulter toutes les notes quotidiennes de son père. Elles sont précieuses et m'ont été de la plus grande utilité pour la rédaction de ce chapitre.

creusée à la hâte par les habitants auxquels on avait donné deux heures pour exécuter la macabre besogne ; des cercueils avaient été préparés ; mais les Allemands refusèrent. »

Ainsi s'est achevée, pour plusieurs dizaines de garçons, l'aventure de Glières. Ils sont entrés dans la mort. Ils sont entrés dans l'Histoire. Près du cimetière de Morette, où reposent 102 corps, l'inscription gravée dans la pierre porte, en effet, que « le 26 mars, après avoir livré le premier grand combat pour la libération, le bataillon des Glières succombe ».

Le premier grand combat pour la Libération... L'un des deux seuls, l'autre étant le Vercors, qui, avant les combats qui suivront le débarquement, demeure toujours présent dans les mémoires.

Mais Glières (on dit ainsi en Haute-Savoie où l'on parle toujours de Glières et non des Glières[1]) ne doit rien au hasard.

Le drame de 1944 va tout naturellement s'insérer dans la logique de l'histoire d'un département que sa géographie tourmentée, le caractère tout à la fois hospitalier, âpre et secret des habitants, leur patriotisme national mais aussi leur patriotisme de vallée et de clocher rendaient, plus qu'un autre, favorable à tous ceux qui, pour des raisons différentes et dans des conditions d'existence toujours difficiles et souvent désordonnées, voulaient échapper au Service du travail obligatoire.

Jusqu'à ce 26 décembre 1942 où l'on signale les premiers départs pour la montagne[2] et des explosions devant le bureau de placement allemand de Chambéry, le département — il suffit de lire les notes de Dépollier pour s'en convaincre — était resté parfaitement calme.

Tout changera lorsque ces monts et forêts deviendront un refuge pour bon nombre de ceux qui, après l'invasion de la zone non occupée, s'opposent à l'ordre vichyssois, à l'ordre allemand ou à l'ordre tout court puisque l'époque permet de recouvrir du drapeau d'une cause pure les causes personnelles les plus impures et que la haine déclarée de l'Allemagne peut offrir — et offre — un prétexte à des vengeances qui couvaient depuis des générations.

---

1. Dans le patois local, Glières est au singulier.
2. Ironie des temps. Le premier qui part au maquis est un garçon dont le père appartient au Service d'ordre légionnaire et qui, lui-même, est avant-gardiste. Mais il ne veut pas aller en Allemagne.

La Haute-Savoie n'est pas différente, sur ce plan, des autres départements paysans où les querelles de bornages, d'héritages et de partages peuvent avoir des conséquences aussi dramatiques, ou plus dramatiques encore que les querelles idéologiques.

Dans sa préface à *Glières, première bataille de la Résistance,* livre essentiel et qui a le mérite d'avoir été écrit uniquement par des acteurs et des témoins, Pierre Golliet s'attache, dès les premières lignes, à marquer fortement « *la différence entre soldats de la liberté et bandes armées qui ne travaillaient jamais pour le pays* ».

Ce n'est pas par hasard si les officiers de l'Armée secrète qui commandent à Glières auront la volonté de mener toujours — même si l'adversaire le leur refuse — un combat « régulier » ; si les rescapés affirmeront que le lieutenant Bastian a pu assurer leur ravitaillement sans jamais se livrer à une seule exaction et s'il sera fait référence à cette affiche apposée le 11 novembre 1943 à Saint-Jeoire et à Cluses pour avertir des populations exaspérées que les pillards n'appartiennent pas au maquis et que, capturés, ils seront exécutés[1].

Et il est vrai qu'entre novembre 1943 et le début de février 1944, les actions des « maquis » se multiplient sans qu'il soit possible, surtout à quarante ans de distance, de préciser si elles sont le fait d'organisations militaires structurées ou de bandes agissant pour leur propre compte.

« Récupération » de vivres, blé, sucre, beurre, viande qui s'expliquent comme s'expliquent les innombrables attaques de bureaux de tabac. Dans la clandestinité, il faut bien se nourrir (ce qui ne signifie pas se nourrir bien). Il faut fumer et le tabac, strictement rationné, constitue, par ailleurs, au même titre que les cartes d'alimentation dérobées dans les mairies, un excellent moyen d'échange.

Il faut pouvoir circuler, ce qui légitime le vol, le 28 janvier 1944, de

1. Cf. *Glières, première bataille de la Résistance.*
Dans la soirée du 1er janvier 1944, Pierre Dethin, garde mobile en permission à Saint-Jean-de-Tholome, est blessé puis, deux heures plus tard, achevé par cinq garçons que les gendarmes de Saint-Jeoire captureront rapidement. Le 6 janvier, à 5 h 30, alors que les gendarmes interrogent toujours deux des meurtriers, la gendarmerie est prise d'assaut par une quarantaine de jeunes gens armés qui exigent, au nom de la police du maquis, que les assassins leur soient livrés. Devant le nombre, les gendarmes ne peuvent que céder. L'un de leurs prisonniers sera abattu au sortir de la gendarmerie.

810 litres d'essence au garage V..., d'Annecy, où les clients présents, abasourdis, et tenus en respect, recevront, pour se remettre de leurs émotions, deux cartes de pain chacun et deux cartes de viande.

Il faut pouvoir se défendre et attaquer, d'où quelques assauts contre des gendarmeries : à Samoëns et Taninges notamment où des armes sont « récupérées ».

Mais des « dérapages » se produisent. Le 20 janvier 1944, les deux inconnus qui pénètrent chez M. Rulland, fruitier à Doussard, s'emparent de bijoux évalués à 500000 francs et d'une somme de 60000 francs. Le 24 janvier, « trois individus armés » — pour reprendre le vocabulaire de l'époque — dérobent à Mme Laplace, qui habite Bossey, 10000 francs, 1000 francs suisses et des bijoux.

Dans ses éditoriaux radiophoniques, Philippe Henriot, mêlant et confondant le pur et l'impur, pourra donc dénoncer des vols qui ont lieu, affirme-t-il, au détriment de la population : caisses de lait condensé prises à Rumilly alors qu'elles étaient destinées « exclusivement à des pharmaciens et des sages-femmes résidant en France », « collections de vaisselle et caisses de cravates » à propos desquelles il mène grand tapage le 13 février 1944.

En Haute-Savoie, la pression sur la population se manifestera d'ailleurs par bien d'autres actions que des vols de sucre, de tabac... ou de cravates. Miliciens, collaborateurs ou soi-disant collaborateurs, pétainistes, membres des forces de l'ordre sont littéralement traqués.

Le vendredi 12 novembre 1943, André M..., syndic agricole, est tué près de Reignier alors qu'il venait de porter son lait à la fruitière. Dans la nuit, à Bons-Saint-Didier, le cultivateur Joseph L... est assassiné d'une balle dans la tête ; à Orcier, Nazaire P..., qui avait déjà été victime d'un attentat, est abattu le 13 novembre. Le même jour, un homme de nationalité italienne, Morice M..., qui vit à Saint-André-sur-Boëge, est agressé dans sa cuisine par un inconnu d'une cinquantaine d'années qui le blesse d'une balle à la tempe gauche, puis revient en disant : « Il faut l'achever » et tire sur lui trois nouveaux coups de feu, mortels cette fois.

Au meurtre de Maurice Jacquemin, chef départemental de la

Milice, et de Roger Franck, chef de la Propagande[1], tués le 21 novembre à Thônes, alors qu'ils déjeunaient en compagnie de Paul Courtois, puis à l'assassinat du milicien Camille B..., de Douvaine, et de deux cultivateurs de Cruseilles, Georges et Marcel Lacôte, également miliciens, a répondu la mise en état de siège de la ville de Thônes puis, en représailles, l'exécution d'Elie Dreyfus[2] et du commandant Busson, habitant Annecy, cependant qu'Edouard Dreyfus, Georges Vollard, Paget et Albert Bel sont plus ou moins sérieusement blessés.

A Chamonix, le 22 novembre, P..., soupçonné de sentiments collaborationnistes, est tué, tandis qu'à Reyvroz le maire Gaspard B... est blessé aux deux jambes.

Le 26 novembre, dans un bois, près de Saint-Martin, on découvre les corps de deux jeunes femmes, Estelle X... et Marguerite Y..., enlevées dix jours plus tôt et que l'on soupçonnait de délation[3].

A Thonon, le 1er décembre, un gérant de cinéma « admirateur de l'Allemagne » est blessé ; le 21, à Bonneville, le directeur de la coopérative est atteint de plusieurs coups de feu.

A Bonnevaux, dans la nuit du 3 au 4 décembre, c'est le milicien Favre-Droz qui est tué. Le 7, sur le cadavre de Françoise X, tuée près de Saint-Jeoire d'une balle à la tempe gauche, un papier annonçant que, « consciemment, [elle] a servi les intérêts allemands ».

Dans un département où, avant 1940, un meurtre représentait un événement longuement et abondamment commenté, il ne se passe pas deux jours sans assassinat.

Découverte, le 8 décembre, à Annecy-le-Vieux, du cadavre de Michel W..., le 9 de celui d'Alfred S... Le samedi 11 décembre, Marcel G..., chef de la Légion d'Abondance, est tué par des garçons qui blessent grièvement sa belle-sœur et, quelques minutes plus tard, assassinent M. Elie Blanc. S'agit-il de la même bande qui, dans la nuit

---

1. Cf. *L'impitoyable guerre civile,* p. 360 et suiv.
2. Elie Dreyfus (Cf. *L'impitoyable guerre civile*) est tué par Lécussan. Sa famille, ne trouvant pas de médecin français, fera appel à un médecin allemand qui se mit à sa disposition mais, ayant besoin de l'autorisation de la Kommandantur, arriva lorsque Dreyfus avait cessé de vivre. A l'enterrement d'Elie Dreyfus, seules quatre personnes étaient présentes, les israélites n'ayant pas osé se manifester. Aux funérailles, civiles, du commandant Busson, 200 personnes environ étaient présentes. A toutes, la police demanda leurs papiers d'identité.
3. Mais, le 27 novembre, près du village de Bernex, on trouve le cadavre de M. Roger Georgeant, maître nageur à Evian. Georgeant était tenu pour gaulliste et l'on disait qu'il facilitait le passage d'Israélites en Suisse.

du 11 au 12, tue un habitant du Biot et coupe les cheveux de deux jeunes femmes ?

On tue pour de misérables raisons. Gaudizio Minezzaroli refusait de donner la viande d'un porc. Il est abattu le 11 décembre 1943.

On tue sauvagement. Trente-six balles de mitraillette et deux balles de revolver, le 12 décembre, pour le milicien Jean T..., de Vinzier, alors qu'il se trouvait dans son lit.

Monotonie des meurtres troublée cependant par des incidents exceptionnels qui susciteront, françaises puis allemandes, des réactions de plus en plus violentes.

C'est ainsi que, le 18 décembre, un interprète de l'Office de placement d'Annecy, suivi par trois jeunes gens, se hâte de rentrer à son domicile de la rue Filaterie afin d'alerter les policiers allemands. Ceux-ci, intervenant rapidement, se heurtent, dans l'escalier, à trois garçons qu'ils capturent mais fouillent imparfaitement puisque l'un d'eux, ayant réussi à dissimuler un revolver, tuera un gendarme allemand, ce qui permettra au trio de prendre la fuite.

Après une première rafle, une vaste opération de contrôle aura lieu dans une ville à ce point troublée qu'exceptionnellement, et pour décourager les auteurs d'attentats nocturnes, le camouflage de l'éclairage public a été supprimé.

Le dimanche 19 décembre, le couvre-feu est fixé à 19 heures dans les trois communes d'Annecy, Annecy-le-Vieux et Cran-Gevrier ; toutes les représentations cinématographiques sont annulées ; il est interdit de circuler à partir de 17 heures et les habitants sont informés que les patrouilles allemandes tireront sans sommation sur les contrevenants.

Le 4 janvier 1944, le général Marion, qui vient d'être nommé préfet de Haute-Savoie, et s'est vanté d'en finir promptement avec le maquis, réunit les maires de la Haute-Savoie, ceux du moins qui n'ont pas cédé à cette épidémie de démissions qui a suivi lettres de menaces ou envoi de cercueils miniatures.

Que leur dit-il ? Qu'existe, à côté du courage militaire, le courage civique « qui consiste à savoir en toutes circonstances exprimer le fond de sa pensée et agir en conformité de cette pensée », que les forces de l'ordre « l'emporteront d'autant plus facilement qu'elles sentiront les populations de cœur avec elles et [auront] créé pour elles le climat favorable ».

Quelle illusion ! Depuis plusieurs jours, circule, dans Annecy, un tract qui explique sans doute les sentiments de prudence de maires, de chefs de la Légion[1], de notables apeurés par l'évolution de la situation et par des menaces quotidiennes.

« Camé (Léon), tailleur, 22 *bis,* rue de la Légion, Annecy.

Monsieur, depuis dix années, ma maison est spécialisée dans le retournement et a acquis une grande renommée. Etant donné l'extrême pénurie des tissus et aussi la tournure que prennent les événements politiques et la guerre, il semble bien que le moment soit opportun pour que vous me confiiez votre veste, afin que je fasse l'opération discrètement et aux meilleures conditions. Le travail est garanti. Vos amis et vous-même ne s'apercevront pas de la substitution, votre élégance restera entière. Etant donné l'afflux de commandes, il y aura urgence à m'expédier votre vêtement à transformer. A vos ordres, veuillez, etc.

Camé Léon.

Tarif : veste, 15 francs ; pardessus, 35 francs. Je rachète aussi aux meilleurs prix les insignes de collaboration qui sont en votre possession : fer à repasser légionnaire, 0,75 ; S.O.L., milice, 0,15 ; béret avec insigne (désinfecté). »

Le 11 janvier 1944, se produit un drame qui aura de graves répercussions, d'importants prolongements et se trouvera incontestablement à l'origine des violentes réactions des forces de l'ordre et du trouble que ces réactions apporteront dans la précaire existence des maquis.

Huit inspecteurs de police, récemment envoyés par Vichy à Bonneville, sous-préfecture et chef-lieu de canton de 2300 habitants, sont enlevés par le groupe Lamouille alors qu'ils se trouvent à l'hôtel du Sapeur.

1. Par affichette apposée sur son magasin, le chef de la Légion d'Aiguebelle, en Savoie, informe la population qu'il a donné sa démission.

Quatre jours plus tard, le 15 février, au restaurant Mino, de La Roche-sur-Foron, ce sont deux commissaires et huit inspecteurs qui sont capturés par une vingtaine de garçons en armes.

Malgré d'actives recherches, on ne connaîtra le sort de tous ces hommes que le 3 mars. Un Parisien de 19 ans, Jacques Lelièvre, arrêté à Saint-Pierre-de-Rumilly, en compagnie d'une trentaine de maquisards, révèle, en effet, l'existence d'une fosse commune sur les premières pentes de la montagne du Cou, qui dominent l'entrée de la gorge des Evaux, au débouché de la vallée du Petit Bornand.

Le 4 mars au matin, à la tête d'une caravane de policiers et de journalistes, l'intendant de police Lelong, directeur des opérations de police en Haute-Savoie, monte jusqu'au tumulus que désigne Lelièvre. Il faut déblayer la neige, enlever un lit de grosses pierres mais, après plusieurs heures de travail, les exhumations commencent. De la fosse commune, seront extraits les corps des commissaires Saillé et Pradat, tués d'une rafale de mitraillette ; ceux des inspecteurs Duriez, Poncin, Nicollet, Duffaut, Pezron, tués d'une rafale dans le dos ou d'une balle dans la nuque — ce qui permettra à Philippe Henriot de parler, le 7 mars, « d'exécuteurs à la mode russe ». Avec eux, dans la même fosse, le corps d'un instituteur retraité, Levet, dit « le professeur ».

Tandis que les corps des victimes sont descendus en traîneau jusqu'à Saint-Sixt, des maquisards font leur apparition sur les hauteurs, mais le tir de deux fusils-mitrailleurs les dispersera.

Contre la Résistance, la presse et la radio exploiteront naturellement ces meurtres, que la Résistance ne revendique d'ailleurs pas. Deux autres fosses communes ayant été découvertes quelques jours plus tard, Philippe Henriot parlera d'un « Katyn à la française [1] ».

Les commentateurs officiels insisteront sur le fait que les policiers venaient d'arriver en Haute-Savoie, qu'ils n'avaient entrepris aucune

1. C'est dans la forêt de Katyn, à l'ouest de Smolensk, qu'un charnier contenant environ 10 000 cadavres d'officiers polonais assassinés par les Soviétiques en 1940 allait être découvert par les Allemands en avril 1943. Exploité par la propagande allemande, le massacre devait être à l'origine d'une violente polémique qui se poursuit aujourd'hui encore, les Soviétiques niant farouchement le crime.

action contre le maquis et qu'avant d'être exécutés, après un internement de quelques jours dans une cabane-prison, on les avait dépouillés de leurs papiers d'identité, de leurs chaussures et de leurs vêtements, ces fameuses « canadiennes » si caractéristiques que, pour la plupart des paysans savoyards, un policier restera longtemps une « canadienne ».

Malgré l'exploitation qui en sera faite, l'arrestation des dix-huit policiers, l'exécution de dix-sept d'entre eux relèvent davantage de la psychologie du chef de bande — Marcel Lamouille —, d'une traditionnelle opposition entre les différentes classes sociales et de ces ardentes querelles que suscitent, à la campagne, les réquisitions en tout genre, que de l'acte politique.

Arrêté à Annemasse, où il tenait l'hôtel des Bains, pour avoir fait passer en Suisse plusieurs juifs, Lamouille s'était évadé, en compagnie de quelques communistes, d'un camp d'internement du Sud-Ouest et avait rejoint Petit-Bornand, berceau de sa famille.

Violent et audacieux, ayant facilement regroupé quelques hommes décidés, se sentant une âme de justicier populaire et se voulant peut-être ce qu'était Guingouin en Limousin, Lamouille était intervenu en décembre lorsqu'une commission avait été chargée d'établir le nombre de bêtes à livrer au Ravitaillement officiel par des paysans qui livraient déjà au maquis... et au marché noir.

Non content d'interdire aux cinq membres de la commission d'agir sur le territoire de Petit-Bornand, il avait procédé à leur arrestation et réclamé, pour les libérer, une rançon de 500 000 francs.

L'incident allait être heureusement réglé par Granotier, chef de l'Armée secrète de Bonneville, et par le responsable F.T.P. Georges Cartier, mais les membres de la commission : vétérinaire, conseiller municipal, maquignon, étant des « personnalités locales », leur brève détention avait fait grand bruit et Vichy s'était décidé à réagir contre un homme dont la rumeur, depuis plusieurs semaines, amplifiait la légende [1].

1. Lamouille accusera Merlin, maire de Petit-Bornand, de l'avoir dénoncé à la sous-préfecture de Bonneville. Or, pour la majorité des témoins, Merlin, membre de l'Armée secrète, n'avait nullement informé les autorités préfectorales. Il n'en sera pas moins abattu le 16 août 1944.

L'arrivée des policiers menace Lamouille. Leur capture par ses hommes le menace davantage encore, si bien qu'à son retour de déportation, expliquant la raison de leur exécution, il dira à l'abbé Truffy « qu'il ne savait plus que faire de ces policiers et qu'il était trop dangereux de les relâcher[1] ».

Sur les conséquences que pouvait avoir pareil drame, l'Armée secrète se trompera si peu qu'ordre sera donné à deux résistants, C..., de Groisy, et P..., de Saint-Jeoire, d'abattre Lamouille[2].

La mission ne sera pas exécutée, Lamouille ayant bénéficié au dernier instant de la protection des F.T.P., et l'on retrouvera, pendant quelques jours, Lamouille sur le plateau de Glières. Le péril rassemblera ainsi, sans les réconcilier, des hommes qui, sur le combat à mener et l'ennemi à abattre, n'avaient pas les mêmes conceptions.

Quant à Jacques Lelièvre, le garçon qui a révélé l'emplacement des fosses communes, il sera fusillé le 19 mars à Annecy, après avoir été condamné à mort par une cour martiale siégeant pour la troisième fois au chef-lieu de la Haute-Savoie.

C'est une loi du 20 janvier 1944 qui a institué des cours martiales chargées de juger « *les individus agissant isolément ou en groupe, arrêtés en flagrant délit d'assassinat ou de meurtre, de tentative d'assassinat ou de meurtre commis au moyen d'armes ou d'explosifs, pour favoriser une activité secrète*[3] ».

Si la culpabilité est nettement établie, « les coupables sont immédiatement passés par les armes. Dans le cas contraire, les inculpés sont mis à la disposition du procureur de la République[4] ».

---

1. *Cf.* J. Truffy, *Mémoires du curé du maquis de Glières.* L'abbé Truffy a, lui-même, été déporté.
2. La maison de Lamouille sera incendiée plus tard par un groupe d'Allemands et de miliciens.
3. Article 2. La loi du 20 janvier 1944 donne également à Joseph Darnand pleins pouvoirs en matière de police et de maintien de l'ordre.
4. Article 3.

Réclamés depuis plusieurs mois par les journaux de la collaboration comme par certains collaborateurs particulièrement menacés qui s'indignent de la « mansuétude » de magistrats appartenant cependant aux sections spéciales[1], les cours martiales « fonctionneront » impitoyablement dès la promulgation de la loi.

Le communiste Lucien Vivaldi, arrêté le 21 janvier à Marseille, en sera la première victime. Déféré le 25 devant la cour martiale, il sera fusillé le 26[2].

Les délais entre la sentence et l'exécution sont, la plupart du temps, plus brefs encore.

C'est ainsi qu'à la suite de la révolte de la prison d'Eysses, en Lot-et-Garonne, révolte qui s'est terminée par un échec bien que, dans un premier temps, les résistants internés aient pris en otage le directeur de la prison et la plupart des gardiens, la cour martiale se réunira à 4 heures du matin, le 23 février, pour étudier les dossiers de ceux à qui, cependant, la vie sauve a été promise s'ils libéraient leurs otages et rendaient leurs armes[3]. A 10 heures, l'audience a lieu. A 11 heures, le verdict est rendu. *Quelques minutes plus tard* les 12 condamnés à mort, parmi lesquels Fernand Bernard, chef militaire de la révolte qui a été grièvement blessé, et que l'on porte sur un brancard, sont fusillés par un peloton de gardes mobiles et de G.M.R.

---

1. *Le Petit Parisien* s'indigne de la modération de la section spéciale de Bourges qui n'a condamné des auteurs d'attentats commis dans la Nièvre qu'à des peines allant de un à quatre ans de prison, de cinq à sept ans de réclusion (31 janvier 1944). On trouvera dans la presse de l'époque de nombreux exemples de ces protestations.

2. L'hebdomadaire *La Gerbe,* parlant de l'exécution de Vivaldi, écrira le 3 février 1944 : « Prompte et bonne justice était ainsi faite... Il y a, évidemment, nombre de Français qui se montrent horrifiés devant une aussi expéditive justice. Tant pis. La véritable justice en marche ne connaîtra pas d'inutiles sensibleries. »

3. Que cette promesse ait été faite et non tenue les journaux de l'occupation le reconnaîtront (cf. *Le Matin,* 28 février 1944). Pour justifier le mensonge des autorités (Darnand en la circonstance) ils écriront que toutes les armes n'ont pas été remises.

Un arrêté du 14 février 1944, signé de Joseph Darnand, Secrétaire général au Maintien de l'Ordre, précisait que la comparution des inculpés et des témoins n'était pas obligatoire, que la sentence serait établie en un seul exemplaire et que l'exécution aurait lieu « immédiatement après la sentence, en tout cas dans un délai ne dépassant pas 24 heures après le prononcé de la sentence ».

A Annecy, la première séance de la cour martiale s'est tenue le lundi 21 février.

Trois miliciens, dont les noms demeureront pour quelques jours inconnus, siègent. Un milicien venu de Vichy, et qui repartira par le premier train du mardi, a accepté le rôle de commissaire du gouvernement. A 3 heures du matin, le tribunal rend son verdict : sur les onze accusés, huit sont condamnés à mort.

C'est à partir de 7 heures du matin que Pierre Canali, fils d'un entrepreneur italien installé à Annecy ; Paul Dumoulin, originaire des Vosges ; Noël Bastien, de Vittel ; Emile Paille, de Saint-Jean-de-Sauves, dans la Vienne ; Van Opstal, postier à Paris ; Arthur Boiteux, né à Rougemont, dans le Doubs ; le Parisien Roger Bouvret et le Girondin Roger Bigaud, inspecteur de la sûreté municipale à Annecy, seront fusillés deux par deux.

Pour les membres de la cour martiale, il s'est agi moins de punir des crimes véritables — seul un vol de beurre était reproché à Van Opstal et Canali a toujours proclamé son innocence — que de faire des exemples.

Recevant dans l'après-midi le journaliste Dépollier, qui lui dit l'émotion de l'opinion publique à la suite des huit exécutions, l'intendant de police Lelong réplique :

— Hélas ! il y en aura d'autres.

Il y en a d'autres, et très vite, dans le département. Six condamnés à mort le 27 février à Thonon-les-Bains : Taillen, Bouvet, Crepillat, Trolliet, Angeli, Genoud. Ils ne seront fusillés qu'après une assez longue discussion opposant les juges aux autorités locales. Le maire, en effet, refuse que la cour de la mairie soit transformée en champ de tir. Le curé s'oppose au choix d'une place voisine de l'église. Finalement, c'est dans la cour du Savoy-Hôtel que les six tomberont sous les balles d'un peloton d'exécution composé de G.M.R. et de gardes mobiles.

Le 7 mars, cinq garçons : un charretier d'Annecy-le-Vieux, Marcel Mouchet ; le garçon de café André Bos ; Ferrero Tavanti, de Thônes ; le manœuvre François Rastaldo ; un boulanger de 20 ans, Jean Guillozet sont condamnés à mort par la cour martiale d'Annecy, siégeant pour la seconde fois.

L'exécution a lieu à 6 h 30, près des fours à chaux de Sevrier. L'attitude des condamnés, qui, sans faiblir, ont suivi tous les préparatifs de l'exécution puis, lorsqu'ils ont été attachés à des poteaux plantés à la hâte, ont chanté *La Marseillaise,* est immédiatement connue d'une population qui, certes, a été irritée par les exactions de quelques bandes, par le vide idéologique de nombreux règlements de compte, mais qui est aujourd'hui indignée par les mesures appliquées par les forces de l'ordre, par les crimes des miliciens répondant aux crimes de certains résistants, par les condamnations à mort et par les exécutions, par les représailles et par les opérations militaires dont l'armée allemande a désormais, pour l'essentiel, la responsabilité.

Le 29 décembre 1943, à l'occasion de l'assemblée générale des syndics agricoles, Angeli, préfet régional, avait demandé à ses auditeurs d'user « de toute leur influence pour que les jeunes gens reviennent dans le droit chemin. Dans quelques jours, avait-il ajouté, il sera trop tard. Il faut craindre une plus sanglante répression si elle était faite par d'autres ».

Annoncés par Angeli, les « autres » ne tarderont guère.

Dans les premières semaines de janvier, on assistera, en effet, au regroupement en Haute-Savoie de policiers, de miliciens et de soldats allemands. Regroupement qui aura naturellement pour conséquence de mettre en grand péril l'existence de nombreux maquis locaux et d'accélérer ainsi le rassemblement sur le plateau de Glières.

Le 30 janvier, 300 miliciens armés défilent dans Annecy avant d'être logés au cinéma du Casino. Le lendemain, le bruit court de la prochaine arrivée de 5 000 gardes mobiles et G.M.R., bruit accrédité par des réquisitions d'hôtels ainsi que par de nouvelles interdictions visant aussi bien la circulation que les communications téléphoniques et télégraphiques.

Le 2 février, l'intendant de police Lelong publie d'ailleurs un communiqué annonçant que « les forces de l'ordre regroupées en Haute-Savoie ont commencé leurs opérations ».

Information prise au sérieux par les résistants qui, sur le terrain, sont à même de constater la recrudescence de l'activité policière.

Le 2 février, Jean Rosenthal (*Cantinier*), dont le rôle sera d'une indiscutable importance dans la suite des événements, annonce à Londres « une très grosse opération de police... préparée par Darnand ». Selon lui, dans les heures qui viennent, douze escadrons de la Garde et cinq G.M.R. seraient engagés contre le maquis. De son côté, le lieutenant-colonel Charles Gaillard (*Triangle*), adjoint du délégué régional Bourgès-Maunoury, demande également à Londres « de faire préciser d'urgence dans toutes les émissions que tous les sédentaires armés doivent se rendre au maquis, que tous les ouvriers doivent cesser de travailler pendant les opérations et se livrer partout au sabotage des voies ferrées, des routes et des usines ».

Ces S.O.S. inciteront Maurice Schumann à lancer, le 6 février, sur les antennes de la B.B.C.[1], un véritable ordre de mobilisation. Il reprend d'ailleurs, point par point, les informations reçues de Rosenthal et se fait l'écho des demandes de Charles Gaillard.

Voici son éloquente conclusion.

> « C'est donc — oui ! — c'est donc le moment ou jamais pour chaque Savoyard de se mobiliser sur place et de peser de tout son poids dans la balance pour la faire pencher du côté de la France. Certes, tout geste irraisonné ferait le jeu de l'agresseur et doit être scrupuleusement évité.
>
> Mais ce n'est pas un geste irraisonné, c'est un geste de solidarité raisonnée que demandent, que commandent les maquis savoyards. Un fusil de plus ou un milicien de moins, une voie d'agression bouchée par un sabotage bien préparé ou par une grève disciplinée : peut-être n'en faut-il pas davantage pour que, sur un point vital, le terrorisme de la trahison se retourne contre la poignée de traîtres. »

Devant cet appel à l'insurrection, les Anglais, qui le découvrent sans avoir été prévenus, vont réagir brutalement. Ils ne peuvent, en aucun cas, assurer rapidement le ravitaillement en armes et munitions d'une région tout entière révoltée. Ils ne peuvent — ce qui est le rêve de tous les maquis — parachuter des renforts de troupes. Ils ne peuvent pas davantage, surtout s'agissant d'un département aussi éloigné de leurs bases, interdire ou gêner par l'intervention de l'aviation l'activité de l'armée allemande.

Effrayés par la perspective d'un soulèvement prématuré en France, soulèvement dont ils n'auraient ni l'initiative ni le contrôle, mais dont

1. Texte diffusé à 6 h 30, à midi, à 21 h 25 et repris le lendemain 7 février par Radio-Alger.

Le texte du 6 février ne sera pas reproduit dans le livre *La voix du couvre-feu* où se trouvent rassemblés les principaux appels de Maurice Schumann.

l'échec leur serait reproché[1], ils demandent donc à Schumann de lancer immédiatement un appel qui contredira celui de la veille. Qu'il freine l'enthousiasme après l'avoir porté au vif.

Les Anglais ne réagissent ainsi qu'après avoir, entre 2 heures et 3 heures du matin, réveillé, pour les consulter, deux officiers français arrivés récemment de France et qui se trouvent toujours sous le contrôle de leurs services secrets, à Patriotic School, « sas » obligatoire pour tous ceux qui rejoignent l'Angleterre et dont il importe de connaître état civil, activité et intentions véritables.

Des agents des services britanniques questionnent donc le colonel Ely et Vallette d'Osia, ce dernier particulièrement bien informé des possibilités militaires d'un département où il avait commandé une résistance qui lui devait presque tout. A la lecture de l'appel de Maurice Schumann, Ely et Vallette d'Osia réagissent de façon identique : « Vous allez mettre le département à feu et à sang alors que le débarquement n'est pas en vue. »

La réplique de Vallette d'Osia conforte les Anglais dans leur volonté de calmer le jeu[2]. A la B.B.C., ils ordonnent de ne jamais laisser croire, lorsque seront évoqués les événements de Haute-Savoie, « que le débarquement est imminent ».

Aux Français, ils rappellent cette consigne d'avril 1943 qui interdit l'emploi des mots « insurrection nationale » ou « soulèvement national ».

Et le 7, dans l'émission de 21 h 25, Maurice Schumann répercute vers le maquis des « consignes » anglaises qui doivent décevoir ceux qui, en Haute-Savoie, sont impatiemment à l'écoute.

> « Allô, allô, maquis de la Haute-Savoie, maquis de la Haute-Savoie. Ecoutez bien les consignes fraternelles que nous vous adressons en plein accord avec les autorités alliées.

---

1. Dans la séance du 10 mai 1944, à Alger, Emmanuel d'Astier, commissaire à l'Intérieur, évoquant le drame de Glières, dénoncera la « carence » de l'aide alliée, carence à laquelle il a été impossible de porter remède, « les pressantes démarches faites auprès des gouvernements alliés » n'ayant même pas « abouti à un accord de principe ».

2. Romans-Petit dira qu'en compagnie de Xavier Helsop, chef de la mission *Musc* récemment envoyée par Londres, dans l'Ain, il avait immédiatement protesté contre l'appel lancé par Schumann, qui n'avait d'ailleurs parlé qu'avec l'accord du B.C.R.A.

> 1° La mobilité dans les maquis est un élément essentiel de la lutte et une augmentation des effectifs armés est, certes, plus que jamais souhaitable, mais elle ne doit en aucun cas diminuer votre mobilité...
>
> 2° Le but des Allemands est, en effet, de déclencher une insurrection et un combat général prématurés. Le but des Allemands est de vous accrocher pour vous détruire. La riposte consiste à savoir vous décrocher, à savoir, suivant les cas, éviter ou rompre le combat, à savoir vous disperser pour vous reformer ensuite, en vue de harceler l'ennemi à bon escient et au moment venu... »

Le 8 février, l'émission de la B.B.C., qui se veut en la circonstance une implicite leçon de choses à l'adresse des résistants français, est consacrée par Pétrovitch à la tactique « tout à fait nouvelle et souvent en contradiction avec les idées de jadis » des partisans yougoslaves dont les deux règles sont de ne jamais résister jusqu'au bout face à un adversaire supérieur en nombre et de ne jamais se retirer en formation serrée.

Dans la journée du 15 février, la B.B.C. diffuse bien un appel[1] invitant à la grève et à la solidarité les « citoyens et citoyennes des dix départements de la région de Lyon », mais le texte, envoyé le 8 février à Londres et à Alger par Jacques Bingen, au nom du bureau confédéral de la C.G.T., ne sera jamais diffusé.

Que disait-il ? Adressé au Comité français de la Libération, il réclamait « le soutien des réfractaires par des parachutages d'armes, des attaques par avion et l'envoi de troupes parachutistes ». Il exigeait également « la distribution immédiate des armes stockées », pressait le Conseil national de la Résistance et le Comité français de la Libération nationale de lancer un appel « à tous les Français, notamment à tous les groupes armés et à tous les ouvriers, en vue d'organiser des actions immédiates pour soulager et soutenir les réfractaires attaqués ». Il proposait enfin des actions militantes, menées en accord avec la

1. Texte émanant du Comité de la libération de la région de Lyon et du département du Rhône.

C.F.T.C. et conduisant à des sabotages, des grèves et des manifestations populaires[1].

Que ce texte soit interdit d'antenne prouve bien la répugnance des autorités anglaises à encourager l'embrasement de toute une région.

Mais, si l'appel de la C.G.T. n'est pas diffusé, des tracts ont cependant appelé à la grève, au sabotage, et la presse communiste prend vigoureusement parti en faveur de la résistance armée.

Entre le début de février et le 15 mars, quels seront les résultats de ces appels aux sabotages et aux attentats ? Très faibles, il faut le reconnaître, tant est imposante la présence policière.

Le 3 février, le journaliste Dépollier note : « En Haute-Savoie, arrêt brusque des événements quotidiens à l'exception du vol d'une moto. »

Le 7, il enregistre un attentat contre un café des Fontaines d'Ugine où des soldats allemands ont l'habitude de venir consommer[2] ; le 10, la destruction de plusieurs poteaux téléphoniques entre Saint-Paul et Vinzier ; dans la nuit du 12, un sabotage de lignes téléphoniques près d'Evian. Le 16 et le 28 février, ce sont encore des lignes téléphoniques qui sont momentanément coupées entre Vacheresse et Bellevaux ainsi qu'à Scientrier.

Le 17 février, les résistants font dérailler une machine haut le pied près de la gare de Valleiry ; le 18, la voie ferrée est sabotée à Amphion, tandis que trois machines sont endommagées au dépôt du Fayet ; le 29 février, la ligne Bellegarde-Annemasse est coupée pour quelques heures près de la gare de Saint-Julien.

---

1. Jacques Bingen (*Cléante*), qui a transmis le message, achève sur ces mots : « J'ai l'accord du bureau de la Résistance qui me charge de vous demander de faire radiodiffuser cet appel en signalant qu'il est appuyé par le Conseil de la Résistance. »

Malgré cette assurance, l'appel ne sera pas transmis.

« Bingen, écrit J.-L. Crémieux-Brilhac dans son excellente étude *La bataille des Glières et la " guerre psychologique "* (Revue d'Histoire de la Seconde guerre mondiale, juillet 1975), Bingen n'est pas suspect d' " aventurisme ". Neveu de Citroën, c'est un Français libre ; il a passé trois ans de guerre à Londres ; il connaît bien la B.B.C. et ceux qui l'actionnent... Mais il n'emporte pas pour autant l'adhésion des responsables français et anglais... »

2. Il n'y a ni morts ni blessés.

Quoi encore ? L'attaque, le 17 février, de la gendarmerie de Lullin par une trentaine de garçons qui maîtrisent aisément les deux gendarmes[1], s'emparent de 7 mousquetons, de 6 pistolets et de 2 paires de chaussures de montagne ; une fusillade sans résultat, dans la nuit du 23 février, entre gendarmes de Boëge et résistants ; le cambriolage, à Rumilly, d'une fabrique de vêtements[2] ; des coups de feu tirés, le 3 mars, contre un milicien en faction à Thonon, devant le Savoy-Hôtel ; l'assassinat de quelques miliciens, parfois au terme de véritables combats, comme à Samoëns, où M. Charles Mogenet, après s'être défendu durant plusieurs heures à l'aide de son fusil de chasse, s'est finalement rendu et a été fusillé devant sa maison.

Rien, dans tout cela, qui puisse ralentir efficacement l'activité des forces de répression.

Et, d'ailleurs, les journalistes envoyés de Paris et de Vichy, en prévision d'opérations de grande envergure... s'ennuient !

Dépollier le note, le 6 février : « Désillusion générale des confrères qui pensaient se trouver en face d'événements plus importants... et plus spectaculaires. »

Pour corser une situation qu'il trouve infiniment trop paisible, l'envoyé spécial de l'Office français d'information n'hésitera pas à écrire, le 9 février, que des chefs communistes, *dont certains venaient de Moscou* (!), ont été parachutés dans la montagne.

Quant à Bernard Dimont, du *Petit Parisien,* et à Kraemer, du *Matin,* accompagnant les patrouilles en opération dans des villages, dont toutes les maisons sont systématiquement fouillées, ils rapportent, vraies[3] ou imaginées, les doléances censées justifier les thèses de Philippe Henriot.

— Il était temps que vous veniez, fait dire à un paysan Bernard

---

1. D'autant plus aisément qu'il existe de nombreux liens de complicité entre gendarmerie locale et armée secrète. Ce qui se voit au nombre de fusillades volontairement sans aucun résultat.

A la gendarmerie d'Annecy le lieutenant Jacquet se montre particulièrement favorable à la Résistance et bon nombre de gendarmes indiquent aux maquisards les fermes dans lesquelles ils seront amicalement accueillis.

2. 600 pantalons et 100 vareuses militaires sont emportés.

3. Il ne faut cependant pas négliger les nombreuses lettres de dénonciations qui arriveront tant aux autorités françaises qu'aux différents services allemands.

Dimont. Ça ne pouvait plus durer. Ils venaient nous prendre de la viande, du pain, tout, avec des mitraillettes. Quand on refusait, ils ne se fâchaient pas tout de suite, mais on retrouvait, quelques jours après, un cadavre dans le pays.

Ainsi, contrairement à ce que l'on pourrait imaginer, février 1944 est-il, en Haute-Savoie, un mois où la résistance anti-vichyssoise et anti-allemande, loin de s'épanouir, se trouve freinée par les réactions de plus en plus violentes de la gendarmerie, des G.M.R., de la Milice et des troupes allemandes.

A Faverges, le 9 février, les forces de police piègent la population en faisant sonner l'alerte. Les habitants sont « invités » alors à se grouper à la mairie et dans la salle des fêtes où, cependant que l'on fouille leurs maisons, ils seront retenus jusqu'à 18 heures.

> « D'une manière générale, écrit Dépollier, en rapportant les événements de Faverges, l'opinion publique critique sévèrement la manière dont les opérations ont été faites (*à Faverges comme dans d'autres communes*) et le sentiment unanime est que cette manière s'apparente par trop à la manière de l'étranger. »

« L'opinion publique » n'est pas au bout de sa surprise et de son indignation. Les opérations se succèdent et s'enchaînent, en effet, rapidement. Le 10 février, la police arrête, toujours dans la région de Faverges, 9 « terroristes » et s'empare d'un matériel important ; le même jour, à Thônes, ce sont 10 maquisards qui sont pris, tandis que, le 12, au sud-ouest du village des Esserts, a lieu un sérieux engagement dont je dirai les circonstances dans le chapitre suivant.

Le 17 juin, après l'arrivée de Joseph Darnand, de vastes opérations de police se dérouleront à Thonon où les miliciens arrêtent et gardent à vue le commissaire de police et ses dix agents, occupent la sous-préfecture, la poste puis, barrant l'entrée de la ville, procèdent à des vérifications d'identité, à des perquisitions et à une centaine d'arrestations.

Darnand et son état-major ont pris leur repas au P.C. de la Milice installé à l'Ecole hôtelière. Le menu, qui ne tient aucun compte des restrictions officielles, est de ceux qui peuvent satisfaire les plus robustes appétits : pâté, saucisson, jambon, beurre ; beefsteak ; lotes du lac ; gratin de pommes de terre ; épaule de mouton ; salade ; fromage et confiture. Au café, Darnand prend la parole :

> « Je suis obligé, dit-il en substance, de retourner à Vichy au milieu de mes cachets et de mes paperasseries ; je vous avoue que j'aimerais mieux rester au milieu de vous... Vous n'êtes pas très aimés, je le sais. Vous le serez moins encore si vous commettez des excès. Je ne veux plus de bêtises. Respectez le plus possible la légalité. Si vous devez tirer, ne tirez qu'à bon escient. Il ne faut pas tuer à tort et à travers. »

On verra bientôt comment ces recommandations seront observées. A son procès, Joseph Darnand déclarera : « La Milice a commencé à dérailler, si j'ose m'exprimer ainsi, à partir de janvier 1944...[1] »

Nous sommes en février. Et nous sommes en mars lorsque les journaux publient les bilans de victoires remportées par des Français sur d'autres Français : 59 « terroristes » capturés dans la région de Thonon[2], 5 à Naves, 7 à Annemasse...

Le lundi 13 mars, Milice et brigades antiterroristes, placées sous la direction de Vaugelas et de Knipping, occupent Annecy dès 6 heures du matin et procèdent à de nombreuses arrestations dans une ville isolée du monde.

Les personnes arrêtées — plusieurs centaines, car l'opération s'est poursuivie le 14 mars dans les vieux quartiers — seront conduites aux abattoirs municipaux et sur le bateau France, ancré au bord du lac, avant d'être soit libérées, soit transférées aux Vieilles Prisons. Mais le coup de filet des 13 et 14 mars a évidemment désorganisé la résistance locale. Bon nombre de résistants arrêtés à Annecy ne peuvent plus poursuivre leur activité et, parmi ceux qui n'ont pas été capturés, la plupart hésiteront à se manifester.

Dans la semaine du 13 au 19 mars, Vallières, Cruseilles, Lugrin, Thonon, Taninges, Saint-Jeoire, où les miliciens arrêtent les deux

---

1. A son procès, Darnand expliquera que, nommé secrétaire général au Maintien de l'ordre, il était « surchargé de besogne » et n'avait pas trouvé en Bout de l'An l'homme capable de le remplacer à la tête de la Milice. Tout en ne refusant aucune de ses responsabilités, il affirmera qu'il y eut « une espèce d'écran entre les organisations miliciennes » et lui.

2. Les 20, 21 et 24 février 1944. Le 22, dans la commune de Lully, à l'alpage de Foges, se produit un violent engagement au cours duquel, cernés dans un chalet, une douzaine de maquisards tuent 5 miliciens dont Henri Canton, chef de trentaine ; à la fin du combat, sept maquisards avaient trouvé la mort.

chefs de brigade de la gendarmerie[1], sont également le théâtre d'actions policières qui déchireront la toile patiemment tissée par la Résistance et empêcheront qu'il soit porté secours, le moment venu — et il approche —, aux maquisards de Glières en grand péril.

Enfin, dans un département en état de siège, les Allemands sont toujours plus nombreux. Toujours plus redoutables.

Pendant plusieurs mois, Vichy s'efforcera de nier, sinon leur présence — comment serait-ce possible ? — mais leur responsabilité.

Ils avaient déjà fusillé[2] le marchand de bestiaux Joseph Borcier, son fils de 16 ans et leur domestique accusés d'avoir livré de la viande au maquis ; ils avaient déjà procédé, à Annecy, au contrôle des papiers d'identité des passants[3] lorsque, le 20 février, l'intendant de police Lelong demande aux journalistes de publier un communiqué réfutant toute « collaboration entre les forces de l'ordre et les troupes d'opération ».

Trois semaines plus tard, le 11 mars, 600 soldats allemands défilent dans Annecy. Sans doute sont-ils précédés d'une musique militaire. Mais des policiers les encadrent, prêts à ouvrir le feu[4], et la mise en place contre le maquis de Glières se précise chaque jour, chaque jour s'accélère.

Dans la chronologie officielle, c'est entre le 29 et le 31 janvier 1944 que les maquisards commencent à arriver en nombre sur le plateau de Glières.

Cernés par les miliciens et les G.M.R., menacés par les Allemands,

1. Ce qui suscitera une vigoureuse protestation du commandant Calvayrac ainsi que des généraux Martin et Perré, respectivement directeurs de la gendarmerie et de la garde mobile.
2. Le 12 février.
3. Le 17 février.
4. Le 13 février déjà, 15 camions chargés de troupes sont arrivés à Annecy en provenance d'Aix-les-Bains.

victimes d'opérations qui, dans les villes et les villages, compromettent leurs liaisons et leur ravitaillement, les maquisards espèrent que Glières, où existe une rudimentaire structure d'accueil, leur permettra soit d'échapper à un adversaire découragé par l'approche difficile d'un plateau enneigé et sans routes, soit de le vaincre à l'aide d'armes et d'hommes parachutés par les Alliés.

En janvier 1944, le plateau de Glières se présente donc comme le plus accessible de l'inaccessible.

L'idée d'une Résistance dotée des vertus morales qui lui permettraient de se maintenir sur des sommets où les forces de la collaboration n'oseraient jamais s'aventurer inspire certainement le télégramme adressé le 2 mars par Jean Rosenthal (*Cantinier*) à l'état-major de Londres.

> « Nous sommes décidés à occuper le plateau qui est imprenable et d'avoir pour devise : Vivre libre ou mourir.
>
> Nous jetons un défi aux Darnand, Lelong, Calvey, Racouillard, Battestini.
>
> C'est de pied ferme que nous attendons les policiers et miliciens, ces mercenaires de l'ennemi, recrutés dans les prisons. Malheureusement, ils n'ont pas le courage de monter.
>
> Nous espérons qu'ils seront promptement relevés et que nous pourrons ainsi rencontrer enfin le Boche... »

Ce message, Romans-Petit, qui a choisi, et choisi seul Glières [1], le jugera dans ses souvenirs « quelque peu déraisonnable ». Euphémisme comme il est d'usage d'en prodiguer lorsque, vingt ou quarante ans après un événement, on écrit l'histoire sans vouloir ni offenser les morts ni blesser les vivants.

Mais, puisque Romans-Petit a décidé Glières — et choisi son chef : le lieutenant Tom Morel —, quelles étaient les intentions de celui qui, en novembre 1943, commande l'Armée secrète et les maquis de Haute-Savoie ? Il les a fréquemment répétées sans jamais être contredit.

Afin de récupérer ces parachutages *massifs* d'armes et de munitions

1. Il l'écrira et le répétera constamment, ajoutant qu'un seul homme, Helsop (*Xavier*), officier britannique, chef de la mission *Musc*, avait été mis dans la confidence.

qui ne manqueront pas de se produire avant le débarquement, il est nécessaire de trouver des terrains situés hors des vallées, c'est-à-dire relativement bien protégés contre l'action policière et l'intervention allemande.

Sur ces terrains, séjourneraient des équipes permanentes légères dont le rôle serait, non de se battre, mais de réceptionner les containers, puis de les diriger vers les zones où ils seraient pris en charge et acheminés aussi rapidement que possible vers les maquis destinataires.

Voici le rôle — humble, indispensable, mais sans gloire historique prévisible — que Romans-Petit assigne à ceux qui monteront à Glières puisque, devant l'afflux des forces de police, un seul terrain de parachutage est désormais prévu au lieu des six initialement désignés.

Ce rôle et aucun autre rôle. « Jamais, écrira Romans-Petit, à aucun moment nous n'avons eu en vue la création d'un réduit, d'une forteresse. » Se déclarant hostile à cette « théorie d'un autre âge », il ajoutera, pour donner plus de force à son raisonnement : « Et pourquoi aurais-je agi en Haute-Savoie, moi, le chef départemental, différemment que dans l'Ain, où la consigne formelle était de refuser l'affrontement — consigne illustrée par une formule lapidaire : jouer au fantôme[1]. »

Sur les consignes données par Romans-Petit, tous sont d'accord. Sur leur possibilité de réalisation, il y aura divergence sans que Romans-Petit puisse intervenir dans un débat et un drame qui se dérouleront en son absence puisque, le 4 février, il doit précipitamment quitter la Haute-Savoie pour rejoindre l'Ain où les Allemands ont déclenché une très violente offensive contre tous les camps dont il fut le créateur et dont il demeure le responsable.

Avant son départ pour l'Ain — et c'est difficilement qu'il rejoindra la zone des combats —, Romans-Petit, en accord avec Didier Chambonnet, chef militaire régional de Rhône-Alpes, la région sans

1. « Puis-je dire, ajoute Romans-Petit, que l'évacuation rapide du matériel reçu a toujours été ma préoccupation et, malgré cela, nous avons eu dans l'Ain, par suite du retard dans la mise en place d'une équipe de ramassage, un bien pénible incident : les Allemands sont venus aux premières heures, le lendemain d'une opération, et nous ont raflé une bonne partie du matériel, en l'espèce des mitraillettes légères. Cela se passait à Echallon. »

doute la plus importante et la mieux armée[1], a remis le commandement au capitaine Humbert Clair (*Navant* dans la Résistance).

Alors qu'il était emprisonné à Lyon, ce père de six enfants, au courage sans ostentation, a bénéficié, le 21 octobre 1943, de l'extraordinaire opération menée avec succès par Lucie Aubrac pour sauver son mari, arrêté en même temps que Jean Moulin[2].

Humbert Clair se trouvait, en effet, dans la camionnette ramenant une douzaine de prisonniers de l'Ecole de santé, siège de la Gestapo lyonnaise, au fort Montluc, lorsque les hommes des groupes francs, attaquant à la mitraillette, tuent le chauffeur de la voiture, son accompagnateur et les deux soldats allemands qui surveillaient les résistants[3].

Miraculeusement libre, Clair s'est rendu à une adresse que lui avait indiquée l'un de ses compagnons de cellule, le pasteur Roland de Pury, avec qui, malgré, ou à cause, de sa situation désespérée, il avait évoqué de chimériques projets d'évasion[4].

Après avoir été mis trois mois « au repos » à Genève, Clair, qui a

1. Cf. *L'impitoyable guerre civile,* p. 521 et suiv.
2. Cf. *L'impitoyable guerre civile.*
3. Parmi les douze hommes qui attaquèrent la camionnette de la Gestapo, deux, Chevalier et Paupier, seront fusillés par les Allemands ; l'un, Tora, sera tué au combat ; Limasset et Millet mourront en déportation.
4. Dans son *Journal de cellule* que l'on trouvera réédité dans le livre *Evangile et droits de l'homme* (Labor et Fides, Genève), Roland de Pury parle à plusieurs reprises du capitaine C. (Clair) à qui le liait une amitié née du partage des épreuves. C'est ainsi que, le 22 octobre 1943, il note : « Capitaine pas rentré, grande excitation ! A-t-il sauté de la camionnette ? Est-il libre ? Est-il repris ? Est-il fusillé ? »

Le 24 : « Toujours pas de capitaine… C'était un vrai type d'officier et d'homme courageux et droit. »

Le 25 : « Hier, douches et nouvelles de la camionnette attaquée justement jeudi soir. Sensation ! Le même espoir me remplit de nouveau que pour l'autre capitaine (il s'agit du capitaine Devigny qui, avant de s'évader, avait, lui aussi, fait part de ses projets au pasteur de Pury), mais point certain cependant, car la camionnette fait plusieurs voyages et nous ne savons pas si notre camarade était dans le bon. Il y a bien des chances cependant. Et dire qu'en rentrant le mercredi soir il nous disait : " Pas moyen de sauter, décidément, car on nous met les menottes deux à deux. Il faudrait que cela vienne de l'extérieur, qu'une dizaine de types décidés arrêtent le véhicule et nous libèrent. " Non, je n'invente rien. Il nous disait bien cela, le dernier soir de sa présence au milieu de nous. On côtoie le miracle. »

M. Humbert Clair m'a précisé, en 1984, qu'évoquant, en cellule, l'intervention d'un commando de libération, il ignorait tout du projet mis sur pied par Lucie Aubrac. Il s'agissait d'un souhait presque désespéré… d'un vœu dont la réalisation paraissait impossible.

rejoint Annecy, a donc reçu le 4 février, de Romans-Petit, le commandement de la Haute-Savoie. Sur l'implantation, l'organisation, le rôle des maquis — de Glières notamment —, Clair n'a pas d'autres idées que Romans-Petit.

Mais les hommes et les circonstances vont tout bouleverser, rendant fatal ce qu'à l'origine tous désiraient éviter : le choc entre moins de cinq cents maquisards et plusieurs milliers d'Allemands ; la capture par l'ennemi de la quasi-totalité de l'armement parachuté ; un échec militaire inévitable, échec à qui la légende immédiate, puis l'histoire officielle d'un pays en quête de batailles à ciel ouvert, donnera, entre Bir Hakeim et Vercors, des lettres de noblesse.

Inaugurant, le 2 septembre 1973, le monument dressé sur le plateau de Glières comme un « grand oiseau blanc, avec son aile d'espoir [et] son aile amputée de combat[1] », André Malraux allait s'écrier : « Mais, alors que nous combattions par la guérilla, ce maquis, *à tort ou à raison* — peu importe, la France ne choisit pas entre ses morts ! —, avait affronté directement la Milice, allait affronter directement l'armée hitlérienne. »

Le « *à tort ou à raison* » de Malraux relançait un débat qui n'était pas clos, qui n'est pas clos davantage aujourd'hui, mais n'intéresse finalement que les survivants et les spécialistes. L'Histoire ne s'écrit pas à l'envers. Faite sur le terrain, elle est fonction du terrain et des circonstances ; faite par des hommes, elle est fonction des hommes.

Le premier de ces hommes s'appelle Théodose Morel.

Sur le lieutenant Théodose Morel, que l'histoire du maquis, puis l'Histoire, connaîtront sous le nom de « Tom », tous les témoignages concordent. Il s'agissait d'un homme totalement engagé dans sa foi patriotique et dans sa foi religieuse, répugnant à la médiocrité, voulant, comme il l'écrira à un prêtre ami, « s'élever toujours dans la noblesse ».

1. André Malraux, 2 septembre 1973.

Quarante ans après sa mort, parlant de lui, M. Humbert Clair me dira : « Il aspirait » et M. Jean de Leusse, qui l'a connu jeune officier : « Il était entré à Saint-Cyr comme on entre au séminaire. »

Exigeant pour les autres (excessif écriront certains), il l'était plus encore pour lui, ce garçon qui, dès sa seizième année, se préparant à un rôle de chef, écrivait : « Je cultive le prestige non pour une vaine gloire, mais pour élever les âmes. »

Officier au 27e bataillon de chasseurs alpins, à Annecy, Théodose Morel épousera, à 23 ans, une jeune fille de 18 ans avec qui il partagera les bonheurs de l'adolescence, quelques-uns des secrets de la Résistance et à qui, lorsque le couple devra se séparer, il confiera sans cesse, en de nombreuses lettres, sa foi dans la victoire finale.

Engagé sur le front des Alpes, en juin 1940, Théodose Morel a capturé une compagnie italienne, ce qui lui vaudra d'être fait chevalier de la Légion d'honneur à 24 ans. Demeuré au sein de l'armée de l'armistice, il sera nommé instructeur à l'Ecole de Saint-Cyr, repliée à Aix-en-Provence[1].

La dispersion et la dissolution de l'armée de l'armistice par les Allemands et par les Italiens, le 27 novembre 1942, précipiteront naturellement dans l'action clandestine un officier qui partageait les sentiments anti-collaborateurs, mais non point anti-pétainistes, de bon nombre de ses camarades.

Lorsque la propagande collaborationniste s'attachera à confondre systématiquement résistants de Haute-Savoie et communistes, Jean Rosenthal (*Cantinier*) précisera d'ailleurs à Londres : « En fait de communiste il [Morel] était un ancien membre de la Légion [des combattants], décoré de la Légion d'honneur sur le front. »

Mais, après l'invasion de la zone libre, après la dissolution de l'armée de l'armistice, Morel s'estime tout à la fois délié du devoir d'obéissance envers un pouvoir captif et libéré de ce serment qu'il avait, au même titre que tous les autres officiers, prêté au chef de l'Etat.

1. En février 1944, Théodose Morel adressera un message à ses anciens élèves de Saint-Cyr pour leur demander de le rejoindre. « Tant que mon action, écrira-t-il, ne présentait pas toutes les garanties nécessaires pour que vous puissiez y prendre part sans arrière-pensée, je n'ai pas cru, en conscience, faire appel à vous. Aujourd'hui, en plein accord avec nos chefs militaires, je parle de ceux qui sont encore dignes de ce nom, je vous rappelle notre dernière réunion de la chambre Rocroi. Il est temps de me rejoindre... Haut les cœurs et vive la France ! »

Ayant quitté son domicile trop menacé, tandis que Mme Morel abandonne elle-même Annecy en compagnie de ses trois jeunes enfants, Théodose Morel adressera à sa femmme des lettres rayonnantes de foi et de jeunesse.

> « Demain, lui écrit-il le 4 décembre, je vais aller communier pour toi et les petits. Dieu nous voit tous deux et nous unit quels que soient les distances et le temps...
>
> Le travail que j'accomplis n'est ni un amusement ni une inutilité, encore moins le fruit d'un raisonnement trompeur[1]. »

Le 15 décembre, il fait l'aveu d'un travail « écrasant ». « Maintenant, ça se calme et je me repose dans un lieu charmant très tranquille, faisant une cure de grand air et de bonne nourriture. »

La lettre envoyée le lendemain de Noël est écrite au crayon.

> « ... C'est un Noël bien particulier qui fut le mien. Le travail n'a pas manqué et je puis te dire que c'est avec une magnifique confiance et un optimisme basé sur la réalité que je vois s'approcher l'aube de cette nouvelle année, car le malade que je suis est en train de reprendre force et vigueur[2]. La montagne lui fait un bien (?) et c'est d'elle que viendra le salut, la délivrance de cet état de prostration où nous nous complaisons. Aussi, actuellement, tout va bien. Mes forces sont décuplées. »

Le 4 janvier 1944, Tom annonce à sa femme que « l'heure est venue d'agir » et que « les événements se précipitent ».

C'est quelques jours plus tard que, rencontrant à Thônes le lieutenant Louis Jourdan (*Joubert*), il lui exposera son plan et la conception qu'il se fait du proche avenir.

---

1. Ces lettres citées sont inédites. Elles m'ont été aimablement communiquées par Mme Morel.
2. Lettre écrite pour être lue par un éventuel censeur.

Les deux hommes ont noué amitié en 1940. Ils appartenaient tous les deux à ce 27e bataillon de chasseurs alpins, composé à 80 % de Hauts Savoyards, d'hommes qui, presque tous se connaissent, ce qui facilitera, de village à village, non seulement le recrutement pour la Résistance mais également l'organisation de relais et d'abris.

Après une tentative manquée de passage en Afrique du Nord, Jourdan regagnera Annecy en septembre 1943 pour y retrouver le commandant Vallette d'Osia (qui sera arrêté le 13, s'évadera et rejoindra l'Angleterre), ainsi que le lieutenant Tom Morel, mais également pour y prendre contact avec Romans-Petit et Rosenthal (*Cantinier*) et pour recevoir le commandement de trois camps du maquis dans la région de Manigod, où Alphonse Métral a déjà la responsabilité d'un remarquable camp-école de la Résistance.

A la fin du mois de janvier 1944, Jourdan, inquiet des menaces qui se précisent sur ses maquis, géographiquement difficiles à défendre et trop proches les uns des autres, ne sait vers quelle direction les déplacer lorsqu'un résistant « s'amène à vélo[1] » et lui annonce que Morel l'attend à Thônes.

— Il faut savoir, dit-il en substance à Jourdan, si, face à la pression allemande, nous voulons être ou ne pas être.

Ne pas être suppose l'inadmissible dissolution des camps avec les conséquences matérielles et morales qui en découleront.

Etre, alors que la neige empêche ou tout au moins retarde les déplacements, exige un regroupement « avec toutes les armes existantes, dans une zone facile à défendre que l'on interdirait coûte que coûte[2] ».

Le Semnoz, le plateau de Beauregard et le col des Saisies écartés, ce sera donc Glières qui réunit, aux yeux des résistants et de Morel, presque toutes les conditions favorables. A trente kilomètres environ d'Annecy, il s'agit d'un plateau d'une vingtaine de kilomètres de long sur quinze de large. Il est assez dégagé pour que les avions, chargés des parachutages, ne soient pas gênés dans leur manœuvre. A 1500 mètres d'altitude, il paraît assez bien protégé par l'absence de routes et

1. Ce sont les propres termes du colonel Jourdan-Joubert.
2. Louis Jourdan-Joubert in *Glières, première bataille de la Résistance.*

l'abrupt des rochers pour que ceux qui le défendront puissent le faire avec succès.

Morel veut donc Glières. Le slogan lancé par Londres : « *Trois pays résistent en Europe : la Grèce, la Yougoslavie, la Haute-Savoie* » habitera très vite son esprit et il désirera lui apporter la plus éclatante des justifications.

Romans-Petit avait prévu l'occupation, aussi discrète que possible, du plateau par 200 à 250 hommes qui recevraient les parachutages et, en cas d'accrochage, se replieraient sur les maquis voisins de Manigod et du Bouchet-de-Serraval.

Mais, lorsque les hommes de Manigod et du Bouchet, ainsi que ceux d'autres petits maquis, ne se sentant plus en sécurité, monteront sur le plateau, ce sont 450 hommes qui se trouveront rassemblés. Un chiffre trop important pour ne pas attirer l'attention, trop faible, sur un trop vaste espace, pour assurer une défense efficace.

Morel en a parfaitement conscience.

A Jourdan, au moment où l'encerclement se précise, il résumera ses projets : réunir assez de combattants pour faire éclater l'étau allemand et milicien ; descendre dans les vallées, armer, grâce aux parachutages, les « sédentaires » de l'Armée secrète ; tenir alors solidement tout le massif de Bormes formé par la chaîne des Aravis et ses contreforts, et réussir ainsi en France ce que Tito, avec d'autres moyens, réussit en Yougoslavie.

Et, quelques heures avant sa mort, il dira à Poirson et à Bouchardy :

— Je ne peux pas tenir le plateau à moins de 1200 hommes, tâchez de m'amener du monde.

Tom veut Glières. Jean Rosenthal (*Cantinier*) le veut également.

C'est un homme d'action, joyeusement dévoré par l'action. Passé en Angleterre en novembre 1942, il a été grièvement blessé en Tripolitaine, dans les rangs de la France libre, et, se retrouvant hospitalisé à Londres, n'a pas voulu demeurer étranger au combat qui se poursuit. Entendant parler de ce qui se prépare en région Rhône-Alpes — 300 000 hommes seraient prêts à se soulever, si l'on en croit une rumeur —, il est volontaire pour une mission.

Déposé à Sully[1], il a rejoint la région Rhône-Alpes, fait le décompte

1. En compagnie de Xavier Helsop, officier britannique, chef de la mission *Musc*. Helsop (*Xavier*) restera jusqu'à la Libération auprès de Romans-Petit dans le maquis de l'Ain.

approximatif des hommes et n'en a trouvé que 2300. Fait le décompte des armes qui sont peu nombreuses. Des moyens, dramatiquement limités. Cinq semaines plus tard, il revient à Londres, mission terminée, mais, en octobre 1943, le voici à nouveau en Haute-Savoie où, de cachette en cachette, aidé par l'admirable Jeannette Gasc, il circule autour d'Annecy.

Ses rencontres avec les chefs locaux de la Résistance d'Annecy ont lieu, bien souvent, quai de l'Evêché à l'Auberge du Lyonnais. Là, Jean-Marie Saulnier et sa femme Flora, qui sera arrêtée et déportée, accueillent tous ceux qui complotent et agissent. On sait leur courage, leur générosité, leur franc-parler. C'est chez les Saulnier que se déroulera une scène extraordinaire. Une vingtaine de résistants sont réunis dans l'attente de l'explosion des bombes placées dans l'usine de roulements à billes d'Annecy. A l'Auberge du Lyonnais chaque « boum » est salué par des cris de joie et des verres levés. Mais c'est en vain que la dernière explosion est attendue. C'est alors que Lucien Mégevand, un ancien du 27e, qui a déjà réalisé plusieurs sabotages et dont le pseudonyme éloquent est *Pan-Pan,* se souvient avoir oublié d'écraser le crayon du détonateur.

— Je vais y retourner, annonce-t-il.

Muni d'une carte d'inspecteur de police, se présentant aux soldats allemands qui gardent l'usine comme artificier chargé de prendre des photos, Mégevand placera cette fois convenablement l'explosif.

En retrouvant ses camarades de l'Auberge du Lyonnais il leur dira :

— J'ai eu pitié des deux « fritz ». En les quittant je leur ai dit « Vous ne devriez pas rester trop près de l'atelier. Avec ces " terroristes " on ne sait jamais ! »

A midi et demi une retentissante explosion signalera à toute la ville son succès.

Comment Rosenthal ne se trouverait-il pas en harmonie avec pareils hommes ?

« Ce baroudeur-né, ce type extraordinaire » — c'est ainsi que le définiront tous ceux qui l'ont alors connu — est servi par un courage qui frise parfois l'inconscience. N'amène-t-il pas, lui juif, lui résistant, son ami le résistant Jean Massendès[1], déjeuner à Lyon dans l'un des restaurants de marché noir où se réunissent les agents de la Gestapo ? C'est, avant tout, un volontaire, un entraîneur d'hommes pour qui la Résistance française ne doit pas se limiter à quelques sabotages discrets et quelques exécutions discutables.

Il arrive de Londres. Et c'est important, aux yeux de Français coupés des centres de décision. Il est convaincu de l'imminence d'un débarquement et du rôle de diversion que pourrait alors jouer Glières. Il possède des moyens de liaison puisqu'il communique non seulement avec Bourgès-Maunoury, qui se trouve à Lyon, mais qu'il peut aussi entrer en relations avec Londres grâce à un poste émetteur clandestin actionné par Haim (*Croate*).

Rosenthal (*Cantinier*) jouera donc, à la fois par la force du caractère et par la force des choses, un rôle capital dans le choix de Glières et dans les décisions qui suivront l'installation sur le plateau.

Guidollet (*Ostier*), qui, malgré son jeune âge, a été désigné par le directoire régional de Lyon pour reprendre, en Haute-Savoie, la direction des Mouvements unis de la Résistance ravagés par les arrestations[2], n'a pas oublié ses premiers contacts difficiles avec Rosenthal et cette réunion de février chez Périès, préfet révoqué par Vichy, réunion au cours de laquelle des hommes, également patriotes, également passionnés, avaient violemment débattu du sort de Glières.

D'après Guidollet, Rosenthal, ce jour-là, avait défendu, contre Humbert Clair, contre le capitaine Anjot et contre lui-même, l'idée du rassemblement sur le plateau des maquis de Thonon, de Bonneville, de Thônes et de tous les groupes qui pourraient rejoindre.

> « Pour lui, l'action de guérilla, de sabotage, n'était pas suffisante. Il fallait fournir à Londres la preuve que la Résistance ne s'exprimait pas seulement en paroles, mais par des faits, et qu'elle représentait une force considérable avec laquelle les Allemands devaient compter.

---

1. Qui deviendra préfet. Massendès a été affecté à la Brigade de police judiciaire d'Annecy où il rendra de très nombreux services à la Résistance.
2. Mort de Lamy, martyrisé par la Gestapo d'Annecy ; condamnation de l'abbé Folliet ; blessure de Georges Volland ; déportation de Flora Saulnier ; départs forcés de Paccoud, Lyard, René Blanc, Gotteland, Voisin, J.-M. Saulnier, Neyrinck.

> A contrecœur, nous avons tous décidé de nous rallier à la position catégorique adoptée par *Cantinier* (Rosenthal). En ce qui me concerne, avec le recul des années, je me rends compte que cette grave et terrible décision était, en fait, la seule solution valable pour faire admettre par les Alliés que la Résistance intérieure était capable de combattre... [1] »

L'ayant emporté, Rosenthal verra bientôt la plupart de ses télégrammes retransmis depuis Londres par la B.B.C.

C'est Maurice Schumann qui les diffusera, qui les commentera. Schumann que Rosenthal a rencontré à Londres, avec qui il s'est trouvé émotionnellement en symbiose et qui saura faire, de textes déjà chargés de passion et sans objectivité aucune, de véritables récits épiques.

Dans la mesure où ils seront répercutés par Schumann, les télégrammes de Rosenthal ne prouveront pas seulement à tous les Français que Londres s'intéresse à Glières. Ils offriront à Philippe Henriot les éléments de sa contre-attaque radiophonique, accélérant ainsi, en marge des combats, le développement d'une guerre psychologique dont le retentissement dépassera très largement les frontières de la Haute-Savoie.

1. Témoignage de M. Guidollet.

8

CHANT FUNÈBRE POUR LES MORTS DE GLIÈRES

Le plateau sur lequel, difficilement, car la neige est abondante, les maquisards se hissent en février n'est nullement inhabité.

Dans les chalets espacés, vivent les familles Bonzi, Merlin, Sonnerat, Jon ; un vieux garçon, Joseph Nicoud ; une veuve, Marie Missilier, dite « la Marie du Bosson » ; un adolescent, Alexis Rey.

Isolés du monde, de ses bruits et de ses batailles par l'absence de routes carrossables mais aussi par l'absence d'électricité, en un temps où elle est indispensable à l'écoute de la radio, les gens du plateau ne disposent pour vivre que des faibles ressources de l'élevage, du cochon tué chaque année, des pommes de terre, du fromage, du pain cuit pour dix jours.

« Ils allaient à Annecy tous les dix ans », me dira un survivant. Il se peut que l'image soit excessive, mais ceux qui, aujourd'hui, arrivent à Glières, l'été, par des routes bien tracées, comprendront difficilement l'isolement quasi insulaire des « gens du plateau » en février 1944.

Il existait bien une école, mais elle a définitivement été fermée en 1939, après la déclaration de guerre. Les paysans qui s'installaient d'habitude avec leurs bêtes entre le 15 mai et le 15 octobre sont naturellement absents, comme est absent l'alpagiste qui, chaque été, tenait un café, et c'est dans leurs chalets que vivront les premiers maquisards[1].

1. En 1943, cinq ou six maquisards, dont Roger Broisat, étaient montés depuis Bonneville. Ayant peu de besoins, ils avaient eu peu de contacts avec les habitants du plateau.

150, puis 200, puis 450 hommes, même répartis sur le plateau, cela représente, pour une population méfiante, et qui se plaindra de petits larcins, une contrainte. Il lui faut prêter ses fours à pain, ses chevaux, ses bras parfois pour aider à un ravitaillement difficile.

Le pain vient du Petit-Bornand. Il est monté à dos d'homme, mais trois quarts d'heure ou une heure de route sont nécessaires pour arriver aux premiers postes du maquis. Lorsque Arthur Ballanfat, qui sera arrêté puis fusillé (ainsi que Joseph Sonnerat, Joseph Vittupier et Gérard Pessey), ne pourra plus ravitailler le maquis, c'est sa fille Renée et Emile, son fils âgé de douze ans, qui prendront sa suite[1]. Hubert Puthod, qui a alors quinze ans, fait lui aussi partie de ces convois qui montent des vivres à Glières[2].

Jusqu'à l'instant où l'encerclement par les forces de Vichy et par les Allemands rendra toute circulation impossible, c'est le lieutenant Bastian, responsable du secteur de Thônes, qui organise les réquisitions et l'acheminement des vaches, du reblochon, du beurre, de la farine, des pommes de terre mais, à partir du 20 mars, les maquisards manqueront de vivres et le pain lui-même fera défaut.

Sur le plateau, le lieutenant Morel a disposé ses 460 hommes en 4 compagnies contrôlant les voies d'accès et protégeant d'assez loin le poste de commandement, l'arsenal, l'infirmerie.

Les lieutenants Jourdan-Joubert, Forestier, Humbert et Lamotte ont respectivement le commandement de chacune de ces compagnies. Il n'est pas indifférent de connaître le nom de quelques-unes de leurs sections. Elles s'appellent *Hoche* et *Lyautey,* chez Jourdan ; *Verdun, Liberté chérie* (il s'agit d'une section F.T.P.), *Bayard, Allobroges,* chez Humbert.

Dans la neige, les hommes ont aménagé des emplacements d'armes automatiques, construit des igloos, mais le problème majeur demeure — et demeurera — celui des liaisons entre des secteurs très éloignés les uns des autres. Aussi étrange que cela paraisse, il n'existe pas de

---

1. Témoignage de Mme Rey, née Ballanfat.
2. Témoignage de M. Puthod.

liaison radio entre les différentes positions et, apparemment, les Anglais n'ont parachuté aucun appareil radio[1]. La nuit, à heure fixe, des signaux lumineux permettent de faire savoir au P.C., soit qu'il n'y a rien à signaler, soit qu'une attaque est en cours, soit que des blessés doivent être secourus ou que des renforts sont nécessaires.

Mais, sur l'ampleur et sur la nature de l'attaque, il est impossible de fournir des précisions. Les nuits de brouillard, de neige abondante, ou encore de grand vent soulevant la neige fraîche, les signaux deviennent inutiles et il faut envoyer à la découverte des agents de liaison appartenant à cette section d'éclaireurs skieurs dont les hommes ont le double avantage de bénéficier, dès les premiers jours, d'un armement convenable et de skis de qualité.

Ils représentent une exception, car les skis font également défaut à des combattants qui devront se déplacer difficilement à pied dans une neige profonde, ce qui les condamnera à suivre des itinéraires facilement repérables par l'aviation allemande.

Les quelques skis des maquisards proviennent soit du 27e bataillon de chasseurs alpins, soit des touristes de Megève, Saint-Gervais, Samoëns, pour qui la vie « continuait » comme avant et qui ont dû les abandonner, bien contre leur gré, à quelques maquisards conduits par le Chamoniard Lambert Dancet[2].

Peu de skis et, pour l'instant, peu d'armes puisque, le 8 février, Bourgès-Maunoury signalera à Londres que « la Haute-Savoie est dépourvue d'armes ».

En prévision des parachutages demandés, le sous-lieutenant André Fumex, dès les premiers jours de février, a choisi et mis en état un terrain aux quatre coins duquel il a fait disposer d'énormes bûchers prêts à être incendiés au moment où se feront entendre les avions.

Le mauvais temps a retardé les parachutages qui ne débuteront que le 14 février. A deux heures du matin, quatre appareils lâchent 54 containers que les hommes de Jourdan dégageront, dès le lever du jour, de la neige dans laquelle ils sont profondément enfoncés.

12 containers suffisant à équiper une compagnie puisqu'ils contien-

---

1. En 1983, un appareil radio britannique sera bien découvert, mais il s'agissait, vraisemblablement, d'un poste parachuté après les événements de mars. Un téléphone de l'armée française a été apporté par des maquisards du Grand-Bornand à la section Savoie-Lorraine.

2. Qui sera tué, le 27 mars, aux côtés du capitaine Anjot.

nent, en règle générale, 6 fusils-mitrailleurs, 36 fusils, 27 mitraillettes, 82 grenades, 156 uniformes, Jourdan a raison de faire observer qu'après un second parachutage de 30 containers, dans la nuit du 4 au 5 mars, tous les maquisards sont convenablement armés.

Ils sont surtout moralement réconfortés. Le parachutage brise leur solitude. Coupés, en apparence et en réalité, du monde, les voilà reliés au monde, soutenus et secourus par la puissante Angleterre, pièces dont l'utilité est reconnue sur l'échiquier de la guerre mondiale.

Le bruit du passage des avions a d'autres conséquences que d'enthousiasmer les maquisards et de réveiller la population d'Annecy. Il alerte et inquiète d'autant plus les Allemands que des parachutes s'égarent.

Il est 23 h 5, le 10 mars, lorsqu'un avion survole Annecy, déclenchant, cinq minutes plus tard, une alerte qui jette les habitants dans la rue et leur permet — la nuit est claire — de voir l'appareil décrire de grandes orbes au-dessus du Parmelan et de Thorens.

Vers 23 h 30, trois autres avions arrivent, puis d'autres encore.

Combien d'avions ? Un débat toujours sans solution s'instaurera à propos de ce parachutage.

Trente appareils parachutant 500 containers, diront les occupants du plateau, alertés par le message : « *Le petit homme aime le Byrrh, le petit homme aime les tessons de bouteille.* »

En 1984, le colonel Jourdan se souvient toujours.

— Nous étions tous là à les compter. Un, deux, trois, dix, vingt, vingt-cinq, trente… Comment voulez-vous que nous ayons pu nous tromper… et oublier ?

Cependant, dans une étude publiée en 1977, Crémieux-Brilhac[1] affirmera que ces chiffres, s'ils étaient exacts, auraient représenté *plus du tiers* des armes parachutées en France au mois de mars depuis les bases anglaises. Or, les documents anglais ne font état, d'après Crémieux-Brilhac, que d'une opération de 17 avions ayant largué 200 containers.

---

1. *La bataille des Glières et la guerre psychologique.*

Quoi qu'il en soit, pour récupérer les containers dispersés sur le plateau, il faudra mettre à l'ouvrage non seulement presque tous les maquisards, mais encore les 67 G.M.R. capturés quelques heures plus tôt à Entremont[1].

Les Allemands, qui depuis le 8 mars ont envoyé des appareils de reconnaissance survoler le plateau, ne peuvent être trompés sur l'importance d'un parachutage dont Crémieux-Brilhac, lui-même, estime qu'il suffirait à l'armement de 5000 hommes. Ils trouveront d'ailleurs 12 containers égarés à Annemasse, 8 à Ambilly, 6 dans la région de Frangy.

Mais, lorsque ce parachutage imposant — et dont on ne sait ni où, ni quand, ni comment il aurait pu être réparti — a lieu, des combats se sont déjà déroulés à Glières entre maquisards et policiers français.

Et Théodose Morel est mort.

En face des maquisards de Glières, qui trouve-t-on ?

La garde d'abord. Sur son action, le colonel Raulet, qui la commandait en Haute-Savoie, a publié un livre[2] dont aucun des survivants de Glières ne met en doute l'objectivité et qui s'ouvre par une préface de l'abbé Truffy — ancien aumônier de Glières, ancien déporté — dans laquelle on trouve ces phrases : « C'est votre voiture, votre essence qui m'ont permis de voyager sans risque dans tout le pays et bien souvent de faire ravitailler Glières. C'est votre diplomatie qui a bien souvent sauvé les gars de Glières. »

Ce brevet semblera étrange à tous les simplificateurs de l'Histoire et plus étrange encore lorsque l'on sait que la préface de l'abbé Truffy s'achève sur ces mots : « C'est un prêtre déporté qui vous dit du fond du cœur, encore une fois, merci, ainsi qu'à vos officiers et vos gardes. »

L'abbé Truffy écrit en connaissance de cause. Le 7 février 1944, opérant au Petit-Bornand contre les F.T.P. de Lamouille, l'un des escadrons du 6e régiment de la garde blessera un maquisard et en

1. Ils vivent au P.C. et, pendant la nuit, on les prive de leurs chaussures.
2. *Alfred de Vigny a-t-il menti ? La garde au plateau de Glières.*

arrêtera trois autres. Prenant la défense de ses paroissiens, l'abbé Truffy obtiendra du commandant des Gardes et de l'intendant de police Lelong la libération de deux des captifs.

Trois jours plus tard, Lelong lui demandera même de prévenir « les jeunes gens de Glières pour leur demander de disparaître pendant quelque temps ». Mais Truffy ne peut agir immédiatement et, le 12 au matin, la garde reçoit l'ordre de commencer des opérations de reconnaissance contre un maquis estimé alors à 280 hommes.

Malgré les réticences de Raulet, qui aurait voulu que l'expédition soit repoussée aux beaux jours, il faut obéir. C'est le capitaine Yung, commandant le 5e escadron, qui dirigera l'opération, mais le commandant Raulet lui a ordonné d'alerter le maquis de Glières afin que soit évitée toute effusion de sang.

Malheureusement, le messager choisi « se saoulera la gueule et restera chez lui[1] » ; le maire de Petit-Bornand, cependant au courant des projets de la garde, ne préviendra pas le maquis et les villageois, pour qui les gardes sont des « étrangers » à qui l'on ne parle pas, ne bougeront pas davantage.

Tout se ligue pour que le drame éclate alors que, du côté des forces de l'ordre, comme du côté de la Résistance — où le lieutenant Bastian cherchait à prendre contact avec le commandant des gardes mobiles « pour lui demander ses intentions et savoir si on pouvait s'arranger avec lui » —, tous souhaitaient qu'il soit évité.

A 8 heures, et alors que la neige tombe en abondance, les escadrons s'engagent en colonne par un dans les sentiers de montagne. La plupart des hommes, arrivés la veille, ne connaissent pas le pays. Quoique lourdement chargés, ils ne disposent d'aucun équipement contre le froid et sont habillés, selon les mots du commandant Raulet, « comme pour effectuer un service d'honneur sur une place de Perpignan ou de Toulouse ».

A 9 h 45, une fusillade éclate dont les échos se répercutent dans la montagne.

Alertés dans la nuit par un agent de liaison, porteur d'un ordre de Tom Morel, Onimus (*Humbert*), responsable de la section « Savoie-Lorraine », a, en effet, envoyé une patrouille de 12 hommes armés

1. Témoignage de Raulet.

d'un fusil-mitrailleur, de 3 fusils, 4 mitraillettes et d'un lance-grenades à la rencontre des gardes qui avancent péniblement.

A la première sommation des maquisards, les gardes ne répondent pas ou, plus exactement, ils questionnent avec naïveté.

— Qui êtes-vous ?

Comme ils refusent d'avancer « un par un », afin de se constituer prisonniers, une rafale du fusil-mitrailleur servi par Albert Démolis vient, au-dessus de leurs têtes, fracasser la cime des arbres[1].

— Vous êtes fous, hurle Yung. Ne tirez pas ! Ne faites pas les cons !

Mais le feu se déplace. Ce ne sont plus les arbres qui sont visés, mais les hommes noirs bien visibles sur la neige fraîche, dominés par un adversaire habilement camouflé.

Le garde Albert Carriou, mortellement blessé, voici le garde Raphanaud atteint en se portant à son secours. Alors que le capitaine Yung a lancé l'ordre de repli, 5 maquisards, armés d'un fusil-mitrailleur, prennent en enfilade la colonne qui, sur l'étroit sentier, entre ravin et montagne, ne peut manœuvrer[2]. Le capitaine Yung[3] et le lieutenant Maurel sont blessés, ainsi que les gardes Couty, Gabon et Lansalot.

On assistera alors, dans les minutes qui suivent, à des scènes en apparence déconcertantes. Tom Morel, contacté par le lieutenant Courret, autorisera la descente des blessés à L'Essert. Les premiers soins leur ont été donnés par le médecin-lieutenant Imbert, du 6e régiment de la garde, *et* par le Dr Marc Bombiger, médecin chef du maquis. Comme Imbert manque de matériel de pansement, c'est Marc Bombiger qui lui en procurera immédiatement. Fait qui sera confirmé non seulement par Dépollier, dans son journal, mais également par un communiqué spécial des F.T.P. publié dans le clandestin *Ceux des maquis*[4].

Quelques jours plus tard, Imbert ayant restitué à Bombiger l'équi-

1. D'après le témoignage de René Dechamboux, qui appartenait à « Savoie-Lorraine » et faisait partie de la patrouille commandée par Cotteraz-Rannard, qui sera fusillé par les Allemands après la chute de Glières, les gardes auraient pris l'initiative d'ouvrir le feu.

2. Mis en batterie dans la neige, le fusil-mitrailleur du premier groupe a refusé de fonctionner.

3. Qui succombera dans la soirée, ainsi que le garde Couty.

4. Dans ce communiqué, l'engagement est, par erreur, daté du 5 février.

valent des médicaments et pansements utilisés recevra, datée du 8 mars, une lettre qui débute ainsi :

Infirmerie-Hôpital
de Glières

« Mon lieutenant et très dévoué confrère,

Je me permets de vous accuser réception et vous remercie très vivement pour ces médicaments que vous avez bien voulu me faire parvenir à la suite des malheureux événements du 12/2/44... Ce serait une grande joie pour moi que de pouvoir vous remercier pour votre geste symbolique qui témoigne si bien que le Service de santé est toujours fidèle à ses plus vieilles traditions, quelles que soient les cloisons qui malheureusement nous séparent. »

Et Marc Bombiger de terminer en demandant au médecin-lieutenant Imbert de lui fixer l'heure et le lieu d'un rendez-vous.

Le drame du 12 février aura plusieurs conséquences. Il provoquera tout d'abord une violente altercation entre le commandant Raulet et l'intendant de police Lelong, accouru au Petit-Bornand. Raulet dira à Lelong qu'il regrette de lui avoir obéi et Lelong décidera un certain nombre de mesures d'ordre : éloignement des étrangers installés à Petit-Bornand, obligation, pour l'abbé Truffy, de ne pas sortir de sa cure.

Le drame conduira ensuite Raulet à rechercher des contacts plus étroits avec un maquis où la mort de plusieurs Français n'a réjoui personne [1]. Dans la soirée du 12 février et grâce à l'abbé Truffy, il aura une entrevue, d'abord orageuse, avec le lieutenant Bastian. Au

1. René Dechamboux qui a participé à l'action avec « Savoie-Lorraine », écrira, en avril 1944 : « L'après-midi tout entier, nous nous reposons et échangeons nos impressions. Nous avons été fortement impressionnés par ce premier contact avec la mort... Nous restons étendus, les yeux dans le vague en pensant à la bêtise de la guerre. »

résistant qui lui demande s'il accepterait de rencontrer son chef, Tom Morel, Raulet répond par l'affirmative après avoir cependant exigé que trois gardes faits prisonniers par le maquis soient libérés et que les armes prises soient rendues. Ce désir sera exaucé le 15 février.

On pourrait s'étonner de cet accord, comme l'on pourrait s'étonner, non que l'abbé Truffy célèbre, dans l'église du Petit-Bornand, une messe à la mémoire des gardes tués, mais qu'il prenne l'initiative de faire, à l'intention de leurs veuves, une quête qui rapportera plus de 30 000 francs, si l'on ignorait que nul encore, d'un côté comme de l'autre, ne souhaite la répétition d'événements tragiques et inutiles.

Evoquant la situation en Haute-Savoie avant l'intervention des Allemands, Jourdan-Joubert écrira :

> « Mais surtout [la guérilla] n'était pas souhaitable : nos adversaires étaient des Français. Le sang qui coulait dans leurs veines les avait peut-être reniés ; mais il était le nôtre et il ne nous autorisait pas à frapper aveuglément. Ils avaient, eux, moins de scrupules à notre égard. »

Ce n'est pas rigoureusement exact. Des scrupules existent encore. C'est ainsi que, le 14 février, l'intendant de police Lelong fait porter deux lettres au commandant Raulet. La première à l'adresse de l'abbé Truffy à qui il demande d'user de son influence « auprès de nos frères égarés pour les ramener à reprendre le chemin du vrai devoir. Je me tiens, poursuit-il, à votre entière disposition pour tenter l'impossible. Mais, pour l'amour de Dieu, faites vite avant qu'il ne soit trop tard ».

La seconde lettre est destinée au commandant du plateau de Glières. D'après Raulet, qui en a pris connaissance, mais ne la reproduit pas dans son livre, Lelong, avec des mots différents, plaidait la cause de l'apaisement... et de la division entre maquisards.

« Je crois, écrira l'abbé Truffy, que le colonel Lelong était d'accord pour camoufler la vraie Résistance vis-à-vis des Allemands[1]. »

Mais est-ce au colonel Lelong, intendant de police de Vichy, de définir la « vraie Résistance » ? Sa tentative — même sincère — n'est-elle pas soutenue par la volonté de rompre la fragile unité d'une

1. « Il avait du reste, poursuit Truffy, un de ses fils qui combattait de l'autre côté, en Afrique, et, chaque fois que je lui ai demandé quelque chose, il me l'a accordé. »

Résistance au sein de laquelle l'Armée secrète, héritière, en Haute-Savoie, du 27e bataillon de chasseurs, et les communistes, actifs mais minoritaires, ne sont d'accord ni sur les objectifs ni sur les méthodes ?

Cette évocation de la « vraie Résistance », opposée à l'action de pillards se parant de titres et de galons volés ou encore, et surtout, de « moscoutaires », sera trop souvent mise en avant pour n'être pas éminemment suspecte. Dans la plupart des cas, il ne s'agit que d'une ruse de guerre, utilisée par des hommes de plus ou moins bonne volonté.

C'est ainsi que Lelong cherche le contact. Le 14 février, ayant obtenu l'accord de principe de Darnand, il aura, à Annecy, un entretien avec le capitaine Clair, puis avec le capitaine Anjot, qui prendra le commandement de Glières après la mort de Tom et, pour l'heure, voyage sans encombre sous le nom d'Audouit, grâce à un laissez-passer signé par le commandant Raulet[1].

Ce même Raulet à qui Tom, « commandant les Forces libres du plateau de Glières », demande une entrevue pour le 18 février. A 9 h 30, Raulet, après avoir franchi le barrage de gardes mobiles placé à l'Essert, s'avance seul.

Un homme d'une trentaine d'années l'attend. Il est coiffé du béret des chasseurs, vêtu d'un blouson de suédine bleu ciel et de pantalons de ski.

Le premier contact est abrupt, compliqué par des problèmes de protocole[2].

— Bonjour, monsieur !

— Je vous en prie, je monte vers vous en uniforme et j'ai mon képi, vous voyez que je suis commandant...

— Vous ne connaissez pas le grade que j'ai dans les Forces libres.

— Je l'ignore, mais vous me direz : « Mon commandant » ou bien, comme nous sortons tous deux de Saint-Cyr, vous me direz « Mon ancien », sinon, à mon grand regret, je ne vous écoute pas et je redescends...

---

1. Dans une lettre à Clair, chef de la Résistance en Haute-Savoie, Anjot écrira le 15 février : « Inutile que je vous donne tous les détails, mais j'ai eu hier au soir un contact personnel avec Lelong. Il y a nécessité absolue pour que nous trouvions, espérons-le, un terrain d'entente entre nous et le M.O. (maintien de l'ordre). »

2. D'après le livre du colonel Raulet.

Raulet ne redescendra pas et la conversation se poursuivra pendant une heure. Vive au début, chacun des deux interlocuteurs reprochant à l'autre des actes qui, ici et là, ont entraîné mort d'homme. Cependant, de l'aveu même de Raulet, « Tom sait trouver les paroles du soldat qui désarment mon ressentiment ; aussi, très vite, nous essayons de construire ».

« Construire », cela signifie se mettre d'accord, pour le ravitaillement du maquis, sur des points de passage où gardes et ravitailleurs résistants n'auraient pratiquement *aucune chance* de se rencontrer. A Morel, qui lui demande s'il peut prendre le sentier de la Louvetière, Raulet répond : « Autant qu'il vous plaira... »

Sur la complicité de la garde, les témoignages allemands seront d'ailleurs formels. Après l'attaque du plateau, le Dr Knab S.S. Obersturmführer, commandant de la police de sûreté, adressera, le 1er avril, un rapport à Oberg et à Knochen[1] dans lequel on peut lire ces phrases :

> « En ce qui concerne l'attitude de la garde qui tolérait les livraisons de ravitaillement aux terroristes, j'ai écrit à Lelong en le priant de faire arrêter les officiers et de les faire comparaître devant la cour martiale.
>
> Il s'agit des officiers des unités de la garde qui étaient mis en place au Petit-Bornand depuis l'encerclement du plateau. »

Lelong ne donnera aucune suite à ces exigences et Raulet se fera obéir sans difficulté de ses hommes lorsqu'il leur suggérera, par exemple, de ne pas « voir » un convoi de 54 vaches !

Il existe d'ailleurs chez les gardes, sensibles aux appels radiophoniques de Maurice Schumann, des hésitations, des crises de conscience, des désertions[2]. C'est ainsi que, lorsque Raulet demandera des volontaires pour une opération qu'il conduira personnellement — et orientera vers un secteur où il sait ne rencontrer aucun maquisard —, une vingtaine d'hommes seulement acceptera de l'accompagner.

Le projet de Raulet serait de faire une reconnaissance d'une journée sur le plateau dont les résistants, informés, se tiendraient momentané-

1. Oberg, commandant supérieur des S.S. et de la Police ; Knochen, délégué pour la Sûreté à Paris.
2. Cinq le 18 février.

ment éloignés. N'ayant vu personne, il pourrait alors adresser à ses chefs, qui le transmettrait aux Allemands, un rapport négatif.

Cette solution simpliste, qui ne tient pas compte de ce que savent les Allemands par leurs agents, par leurs avions et par les parachutages, sera rejetée par les responsables de la Résistance, mais il fallait l'évoquer. Il y aura d'autres prises de contact.

Ainsi, l'intendant de police Lelong va-t-il rencontrer longuement deux des chefs les plus importants de la Résistance. Comme secrétaire et chauffeur, Lelong a auprès de lui un résistant de la première heure : Georges Guillaudot, gendarme à la brigade d'Annecy, mais surtout fils de son ami, le chef d'escadron Maurice Guillaudot.

Avant la guerre, les deux hommes et leurs familles passaient ensemble leurs vacances. Arrivant à Annecy, au début de 1944, Lelong ignore que Maurice Guillaudot — qui sera plus tard déporté et que de Gaulle fera Compagnon de la Libération — a mis, en Bretagne, ses gendarmes au service de la Résistance. Aussi, lorsque le fils de son ami lui rend visite, l'accueille-t-il sympathiquement et sans s'inquiéter de ses sentiments profonds.

C'est tout naturellement qu'il lui propose de le faire muter à son service.

Voici Guillaudot installé dans un bureau proche de celui de Lelong. Il assiste en témoin muet, mais non sourd, à des réunions qui lui permettent de faire prévenir le maquis d'opérations déclenchées, *la plupart du temps, sur dénonciation.* D'après le témoignage de Georges Guillaudot, ce sont, en effet, *cinquante lettres* anonymes (ou signées) qui, *chaque jour,* arrivent sur le bureau de Lelong.

Délivrance d'une centaine de laissez-passer à des résistants ; transport, dans la voiture de Lelong, de Clair, Anjot, Rosenthal ; liaison avec le plateau de Glières, Guillaudot, toujours insoupçonné, est au centre de multiples activités.

Il fera davantage encore.

Un soir de février, soupant avec l'intendant de police, il lui dit :

— Mon colonel, hier, j'ai été accosté dans la rue par un homme se disant chef de la Résistance et qui désire, avec un ami, avoir un entretien avec vous afin d'éviter que le sang coule au plateau de Glières. Si vous acceptez de le recevoir, il voudrait obtenir votre parole d'honneur qu'ils pourront repartir librement, son ami et lui. Ils ont appris que je travaillais à la villa Mary (où siège Lelong), c'est la raison pour laquelle ils m'ont demandé d'intervenir auprès de vous. Il doit me revoir prochainement dans Annecy. Que dois-je faire ?

— Je suis d'accord, répond Lelong, pour qu'ils viennent ici, un soir, après minuit, tu les accompagneras et je donne ma parole que je ne les garderai pas.

C'est ainsi, trois jours plus tard, que, grâce à Georges Guillaudot [1], Clair et Anjot pénétreront villa Mary à une heure du matin.

Le thème de la conversation est facile à résumer. A Clair et à Anjot qui lui disent : « On se bat contre les Allemands. Fichez-nous la paix parce que vous faites du sale boulot », Lelong répond : « Je fais une grosse différence entre soldats de l'Armée secrète et F.T.P. communistes. Vous déposez vos armes et vous ne serez pas inquiétés. Mais laissez-moi en finir avec les bandes communistes et les pillards. »

Il ira même plus loin. Après avoir évoqué, en officier parlant à des officiers, « le retour dans le droit chemin », il offrira à Clair de « garder ses armes et de marcher avec lui contre les communistes ». Proposition inacceptable.

Bien que souvent anticommunistes [2], dans un département de foi religieuse profonde, les officiers responsables de l'Armée secrète ne peuvent, dans le combat, se séparer des communistes [3].

L'entrevue Lelong-Clair-Anjot ne marquera pas la fin des contacts entre les autorités de Vichy et les chefs de l'Armée secrète. Ils se poursuivront jusqu'à la veille de l'attaque allemande, mais ils n'empêcheront nullement le renforcement des mesures de police, l'arrivée de G.M.R., de miliciens, d'Allemands enfin.

---

1. Georges Guillaudot sera arrêté le 20 mars 1944 après avoir été dénoncé par René X, ancien chauffeur des officiers de l'Armée secrète en Haute-Savoie. X fera une « confession » totale et avouera que les laissez-passer qui permettaient aux chefs de la Résistance de circuler étaient établis par Guillaudot. Celui-ci sera déporté à Dachau.

2. Lorsqu'il a appris que son fils appartenait à la Résistance, le père du capitaine Clair lui a demandé : « Tu n'es pas communiste au moins ? »

3. Le 14 mai 1976, à Annecy, lors de l'inauguration de l'avenue Maurice-Anjot, Alphonse Métral, président de l'Association des rescapés de Glières, faisant allusion à cette rencontre, dira : « Au capitaine Anjot, qui lui proposait un plan pour tromper l'ennemi sous les apparences d'une action de police sans faire couler le sang français, Lelong opposa son aveugle détermination partisane qui lui faisait voir de bons et de mauvais Français là où il n'y avait que des patriotes dans la diversité de leurs opinions et de leurs espérances. »

Il existe, c'est certain, une volonté d'éviter les incidents. Mais tout, cependant, conduit inévitablement à l'affrontement.

Et des drames se produisent. C'est ainsi que, le 9 mars, Tom est tué au cours d'une opération montée contre les G.M.R. d'Entremont.

Il s'agit pour les maquisards d'obtenir — en capturant des otages — la libération du jeune « Michou ».

Sur le plateau, le service de santé a été confié au Dr Marc Bombiger qui a installé l'infirmerie dans un vaste chalet abandonné. Avec Marc Bombiger, quatre hommes, dont Michel Fournier, « Michou », jeune étudiant en médecine.

Le 1er mars, alors qu'il est allé chercher des médicaments apportés par sa fiancée, Henriette Beaud, « Michou » est arrêté [1].

N'ayant pu obtenir la libération d'un garçon très aimé du maquis, Tom prendra alors la tête d'une véritable expédition ayant pour objectif le village d'Entremont, où stationnent 60 G.M.R. Son but est de se saisir d'otages qu'il échangerait contre la liberté de « Michou » et d'autres résistants capturés par les forces de Vichy.

Dans la nuit du 9 mars, une centaine de maquisards se mettent donc en route.

Avant de quitter le plateau, Tom Morel a demandé à Robert Poirson, qui s'occupe du recrutement des sédentaires, et à Bouchardy de l'accompagner. C'est à eux qu'il confiera ce bref billet à l'intention de sa femme.

> « Ma chérie,
>
> Tout continue à bien aller. Ayant beaucoup de travail, je t'envoie un mot bref. Je pense sans cesse à toi : moral et physique excellents. De gros baisers aux fils. Pour toi, mon grand amour.
>
> Je t'embrasse longuement,
>
> Tho. »

---

1. Henriette Beaud sera également arrêtée.

Lelong interrogera Michel Fournier. Il lui dira qu'il souhaite éviter l'écrasement du plateau et n'a d'hostilité que contre les juifs et les communistes. Lelong convoquera le père de Michel Fournier, grand mutilé de 1914-1918, dans l'espoir de faire changer le jeune homme d'opinion. Mais Fournier père se solidarisera avec son fils qui, libéré sur parole pendant vingt-quatre heures, reviendra se constituer prisonnier et sera alors rudement traité.

« Tout continue à bien aller... » Non, car des chiens donnent l'alerte. Entre maquisards et G.M.R., des coups de feu sont échangés à l'aveuglette, puisque nul ne sera touché au cours de la fusillade. C'est donc sans effusion de sang que l'hôtel du Borne, où campent un certain nombre de G.M.R., est occupé par les hommes du lieutenant Humbert.

Tom Morel, lui, s'est attaqué à l'hôtel de France où se tient l'état-major des forces du maintien de l'ordre. De part et d'autre, on tiraille. Les G.M.R. sont sur le point d'être capturés lorsque éclate, entre Tom Morel et le capitaine Lefèvre, commandant les G.M.R., un violent incident qui aboutira à la mort des deux hommes.

De cet incident, plusieurs versions existent, la plus vraisemblable étant d'ailleurs celle de l'officier de paix Couret, adjoint de Lefèvre, qui se tient ce soir-là à ses côtés.

Selon Couret, Lefèvre a été désarmé, mais il refuse absolument de se constituer prisonnier. Entre Tom Morel et lui, les échanges verbaux se font de plus en plus vifs.

— Alors, c'est la guerre, finit par s'écrier Morel.

— Oui, c'est la guerre, réplique Lefèvre qui sort de sa poche un revolver, dissimulé, et ouvre le feu sur Morel.

La riposte ne se fait pas attendre. Lefèvre est tué d'une rafale de mitraillette tandis que, chez les maquisards, Tom n'a pas été la seule victime : Georges Descours est mortellement atteint, Frizon grièvement blessé, trois ou quatre autres maquisards souffrent de blessures légères.

Immédiatement connue, la mort de Tom provoquera la consternation. Frizon, la mâchoire fracassée, et que l'on a assis contre le mur de la salle du café, demande par gestes de quoi écrire. Sur le registre du café, il trace ces mots : « Je salue mon lieutenant... Moi à sa place, lui à la mienne. »

Soudain le deuil l'emporte sur la victoire. Les armes prises, les 60 G.M.R. capturés ne sont plus d'aucune importance. Ramenés sur un traîneau, les corps de Tom et de Descours seront déposés dans l'infirmerie du plateau transformée en chapelle et des maquisards armés, venus de toutes les sections, se relaieront pour monter une garde fraternelle.

Dans les jours qui vont suivre, Bourgès-Maunoury et Rosenthal insisteront pour que Londres célèbre avec éclat et dignité la mort de Tom.

Le 17 mars, Rosenthal demandera d'ailleurs qu'un « grand chef militaire salue le lieutenant Tom à la radio ; qu'il retrace la carrière de cet officier, ancien instructeur à Saint-Cyr, magnifique entraîneur d'hommes, chevalier de la Légion d'honneur [1] ».

Cet hommage, Maurice Schumann le rendra le 21 mars dans une émission qui s'achèvera par cet appel lancé aux G.M.R. :

> « G.M.R. de Savoie, G.M.R. de partout, dites-vous bien que le crime du 10 mars, venant après tant d'autres, hélas ! risque de faire peser sur vous tous une suspicion dont vous ne pouvez vous laver qu'en accomplissant, à votre tour, le grand devoir de désobéissance systématique envers l'ennemi et ses Waffen SS de Vichy...
>
> Au moment de l'assassinat du lieutenant Tom, 60 des vôtres, dont 2 officiers, venaient d'être capturés par les camarades de la victime. Pas un cheveu ne fut touché sur leur tête, alors que, si c'étaient eux qui avaient capturé les nôtres... ils les auraient fusillés ou plutôt assassinés sur l'ordre d'un Himmler transmis par un Darnand. »

Schumann dit vrai. Les maquisards de Glières ne se comporteront envers les G.M.R. prisonniers ni comme Lamouille et ses hommes se sont comportés envers les policiers de Bonneville, ni comme les policiers français, et plus encore les Allemands, se comportent envers les maquisards captifs.

Sans doute Rosenthal, dans une lettre adressée à Lelong, au lendemain de la mort de Tom, menacera-t-il d'user de représailles : « Je n'hésiterai pas à donner l'ordre de les exécuter... si votre attitude à notre égard ne change pas du tout au tout », mais il n'en fera rien et, sur le plateau, les G.M.R. seront seulement utilisés à quelques corvées.

Cette mansuétude, certains résistants la regretteront lorsqu'ils

1. Le 7 avril, Philippe Henriot parlera du lieutenant « Thomé », « réellement officier, réellement sorti de Saint-Cyr », mais « renégat, rebelle et immolant à ses rancunes le propre sang de ses frères ».

Paris, octobre 1985

Chère lectrice,

Cher lecteur,

Voici bientôt dix ans que je sollicite votre confiance. Vous m'avez informé, aidé, compris et c'est pourquoi j'ai voulu que ce septième volume de La grande histoire des Français sous l'occupation vous soit dédié en remerciement et hommage.

Mais une fois encore, pour la dernière fois sans doute, je fais appel à vous. Après Un printemps de mort et d'espoir, que vous avez entre les mains... et sous les yeux, paraîtra Joies et douleurs du peuple libéré. Un printemps de mort et d'espoir se termine le 5 juin 1944. Joies et douleurs du peuple libéré débutera le 6 juin 1944. Il s'agira pour moi de reconstituer et de faire revivre ces mois, si riches en événements, qui vont de juin à décembre 1944.

Débarquement, vie dans les villes du front de Normandie, batailles précédant la Libération de Paris mais aussi Libération de Paris, combats des maquis dans la France soulevée, représailles allemandes, premiers jours dans les villes et les campagnes libres d'occupation, "épuration" et vengeances, guerre menée en Alsace par les soldats de De Lattre et de Leclerc, misérable existence des déportés et plus particulièrement des déportés juifs, dont je n'ai pas parlé dans ce septième volume, choc politique, dans bon nombre de nos provinces, entre gaullistes et communistes, que de sujets à traiter en un volume. Deux, il se peut, si l'information originale est trop importante. Une fois encore il s'agit que la réalité de l'époque soit reconstituée aussi exactement que possible et sans emprunt aux légendes officielles.

En m'envoyant votre témoignage - lettres de 1944, journaux personnels, tracts ou tous autres documents - vous me permettrez de mieux comprendre, donc de mieux faire comprendre, les derniers mois de l'occupation et les premiers mois de la Libération.

Les éditions Robert Laffont, 6 place Saint-Sulpice, 75279 Paris Cedex 06 me transmettront toutes vos lettres et je serai très heureux de vous remercier de votre constance dans la confiance.

Henri Amouroux

a (fausse)
;ainte-Alliance

ırnand, Henriot, Laval, des hommes que les lemands installent ou maintiennent au pouvoir ntre la volonté du maréchal Pétain et contre le eu de l'immense majorité des Français.
ırnand, c'est la police et la répression.
ınriot (*ci-contre* à la tribune du Casino de Vichy), Voix capable de lutter à égalité avec les Voix i viennent de Londres.
erre Laval, la politique, une politique qui ne peut sormais que s'incliner devant les ordres des lemands.
/. Keystone et D.R.)

Italie : le fascisme s'effondre
Les Français prennent la revanche de 40

Chassé par le roi, arrêté, emprisonné le 26 juillet 1943, Mussolini a, certes, été délivré grâce à la hardiesse de Skorzeny. Mais c'est un homme vieilli et brisé qui est reçu, le 13 septembre, par Hitler, lui-même moralement atteint par l'attentat du 20 juillet.

En Italie, à côté des Américains, des Anglais, des Polonais, les Français, parmi lesquels beaucoup de musulmans.

En mai 1944, le général de Gaulle rendra visite aux troupes engagées. (*De gauche à droite :* de Gaulle; le général Béthouart; Diethlem, ministre de la Guerre; le général Juin et le général de Lattre.) *(Cl. Arch. secrétariat d'État chargé des Anciens Combattants, E.C.P.A., B.N., Keystone.)*

C'est la découverte des corps de plusieurs policiers assassinés — contre l'avis de l'Armée secrète —, qui devait précipiter les opérations contre le maquis de Haute-Savoie.

Les deux défenseurs de Glières : deux officiers, Théodose Morel (*à droite*) et Maurice Anjot, deux héros. *(Cl. Roger-Viollet et D.R.)*

26 mars 1944 :
Glières et ses défenseurs vont entrer dans la légende

Théodose Morel tué, le 10 mars 1944, au cours d'un engagement contre les G.M.R., tous les maquisards lui feront, sur le plateau enneigé, des obsèques sobres et solennelles.
Mais chaque jour qui passe voit l'étau adverse se refermer davantage sur Glières. Le 25 mars, les Allemands de la 157e division alpine prennent position pour l'attaque du 26. *(Cl. D.R.)*

A Paris bombardé
le dernier salut de Pétain

La France ne sera pas épargnée par les bombardements anglo-américains. Ce qui servira la propagande allemande et collaborationniste.

Par la suite de la carence d'une défense passive trop peu nombreuse, par suite également de l'insouciance de bien des Français, les victimes seront proportionnellement plus nombreuses en France qu'en Angleterre et qu'en Allemagne.

C'est à l'occasion d'un effroyable bombardement de Paris et de sa banlieue que le maréchal Pétain se rendra à Paris, le 26 avril. Son pouvoir paraît grand encore, cependant qu'à Alger, en condamnant à mort Pucheu, les juges ont voulu condamner Vichy et tous les dirigeants de Vichy.
(Cl. Roger-Viollet et Keystone.)

La misère des camps et l'attente de la mort

Des centaines de milliers de Françaises et de Français (juifs, communistes, gaullistes, hommes et femmes raflés dans les villes et villages, mais aussi trafiquants du marché noir) iront souffrir et mourir dans ces camps de concentration dont l'horreur sera découverte en 1945 seulement, lorsque leurs portes s'ouvriront enfin.

Pour les maquisards prisonniers, la mort, le plus souvent, est immédiate.
(Cl. F.N.D.I.R.P. et Roger-Viollet.)

découvriront, après leur défaite, que plusieurs de ces G.M.R. épargnés, mués en délateurs, vont les livrer à la Milice ou aux Allemands.

Le lieutenant Jourdan, qui assure l'intérim de Morel, a immédiatement écrit à l'abbé Truffy. Il lui demande de faire fabriquer deux cercueils et de venir célébrer la cérémonie religieuse. Egalement prévenus, les parents de Tom Morel sont arrivés au Petit-Bornand où l'abbé Truffy les accueille[1]. C'est en vain qu'il s'efforce de dissuader Mme Morel de monter jusqu'au plateau. Malgré la neige et toutes les difficultés d'une longue marche, cette mère douloureuse veut absolument assister aux obsèques de son fils, qui repose toujours dans l'infirmerie ornée de grands parachutes tricolores, sous un linceul frappé d'une grande croix de Lorraine.

Après la messe, dite par l'abbé Benoit, le cortège se forme pour monter au sommet du Plateau. De cette cérémonie pathétique, nous conservons quelques témoignages photographiques. Portant des croix de bois, deux maquisards précèdent l'abbé Benoit et l'abbé Truffy. A quelques mètres, sur les épaules d'une quinzaine d'hommes, le cercueil de Morel et celui de Descours. Ils seront enfouis au centre du plateau, près du mât où, chaque matin, sont hissées les couleurs. Après que le capitaine Clair — monté également au plateau — aura lu la citation de Tom, la mère du jeune officier affirmera que le corps de son fils ne quittera pas Glières avant la totale libération de la France[2].

« Jamais, écrira l'abbé Truffy, je n'ai assisté à une sépulture aussi émouvante... La France pleurait ses enfants enfouis dans un linceul de neige... Pendant ce temps, les cloches dans la vallée sonnaient le glas. »

La mort de Tom a démoralisé les combattants du plateau qui, dans l'après-midi du dimanche 12 mars, ont subi leur premier bombarde-

1. M. et Mme Morel seront accompagnés du jeune Robert Lamy, le frère de Mme Théodose Morel, alors âgé de 15 ans.

2. En mai 1944, le corps de Tom Morel sera descendu dans la vallée. Il se trouve aujourd'hui au cimetière national de Morette.

ment aérien par trois appareils, venus de la base-école de Dijon [1]. Les 110 bombes de 50 kilos lancées par les avions allemands n'ont occasionné que peu de dégâts, n'ont blessé qu'un petit nombre de maquisards [2], mais ce bombardement constitue un sérieux avertissement comme constituent de sérieux avertissements tous les indices d'encerclement qui se précisent.

Quelle décision prendre alors qu'approche l'heure d'un assaut, dont on sait maintenant qu'y participeront d'importantes forces allemandes ?

Deux thèses vont s'affronter. Le capitaine Clair, chef de l'Armée secrète, est partisan du « décrochage ». Il s'est rendu à Glières pour les obsèques de Tom, a constaté une baisse de moral explicable, un flottement compréhensible au niveau d'un commandement ébranlé et il estime qu'en huit jours il lui sera possible de faire évacuer vers les vallées l'armement parachuté par les Anglais.

Il le dit à Rosenthal.

— Sans doute, réplique celui-ci, mais Glières dépasse le cadre de la Haute-Savoie. Il faudrait prévenir Londres.

Clair acquiesce et Rosenthal promet d'apporter sans tarder la réponse en provenance de Londres.

Le lendemain, en effet, Rosenthal donne à Clair « un bout de papier » sur lequel se trouvent ces mots : « *Considérons Glières comme tête de pont. Parachuterons un bataillon. Si opération réussit, parachuterons en masse* [3]. »

A partir de cet instant, le sort de Glières est scellé.

Mais les autorités britanniques sont-elles à l'origine de ce télégramme ?

---

1. Irrité par ce bombardement, l'intendant de police Lelong offrira sa démission à Vichy qui la refusera. Les Allemands accuseront constamment Lelong de mollesse. Dans un rapport du 14 mars adressé à Knochen et au Dr Knab, le SS Hauptsturmführer Jeewe écrit : « L'attitude de Lelong ces derniers temps laisse prévoir qu'il n' [est] plus disposé à prendre des mesures énergiques en Haute-Savoie. »

2. Au cours du bombardement du 12 mars, un avion allemand sera atteint par des balles de mitrailleuses et le radio de ce Heinkel 111 recevra une balle... dans son gant.

3. Témoignage à l'auteur du commandant Clair. Alban Vistel, dans son livre *La nuit sans ombre,* cite ce télégramme dans les mêmes termes en le faisant précéder de la formule : « Il (Rosenthal) transmet peu après la réponse qui dit en *substance...* »

Alban Vistel, l'un des plus importants responsables de la Résistance en Rhône-Alpes, s'interroge simplement : « Qui a fait cette promesse rassurante ? Disons simplement au passage qu'à cette époque l'offensive alliée piétine devant Cassino[1]. » Il ne pousse pas davantage l'enquête.

En revanche, j'ai rencontré à Annecy des hommes qui, aujourd'hui encore, croient le télégramme parti tout simplement... de l'avenue Bouvard où se trouvait alors le P.C. de Rosenthal. C'est le soupçonner. Et le soupçonner gravement puisqu'il aurait forgé un télégramme afin d'emporter l'adhésion de ses amis à la thèse de la résistance à outrance.

Rosenthal protestera toujours contre des allusions aussi blessantes et, lorsque Clair reçoit le message, « le bout de papier », pour reprendre son expression, il ne lui vient nullement à l'idée d'en suspecter l'origine.

« On ne savait pas, m'a-t-il dit, en 1984, à quel moment le débarquement aurait lieu. On s'est dit : c'est le débarquement qui arrive ; les Anglais veulent créer des abcès de fixation. »

Et il est vrai qu'au mois de mars 1944 la France tout entière vit dans l'espoir d'un débarquement imminent.

De cet espoir, on trouve trace dans la plupart des rapports policiers de l'époque et la radio anglaise, comme d'ailleurs la radio allemande, en insistant sur l'imminence d'événements importants, donnent crédit aux rêves les plus fous... lorsqu'on les examine avec le recul du temps.

Mais comment, après avoir reçu, en trois parachutages, assez d'armes pour équiper 5 000 hommes, alors qu'ils ne se comptent pas 500, comment les maquisards du plateau de Glières n'imagineraient-ils pas que des troupes parachutées viendront, prochainement, à leur secours ? D'après des G.M.R. prisonniers des maquisards, ils auraient attendu 5 000 Canadiens et, dans Annecy, l'on va répétant que Londres leur a demandé de prolonger trois mois durant leur résistance.

Ce qui est inexact. Mais, en revanche, il est vrai que Churchill a exigé, à la fin du mois de janvier, « qu'il soit procédé extrêmement rapidement et, si possible, en février à l'armement de 20 000 hommes dans les maquis français ». Ceci dans l'espoir que pourraient être

1. *La nuit sans ombre.*

constitués, ainsi que le dira, le 1er mars, le major Morton, son représentant aux conférences franco-britanniques d'aide à la Résistance, « *des réduits susceptibles de créer à un moment donné une rébellion locale d'assez grosse envergure pour gêner les troupes allemandes* ».

Lorsque le major Morton parle le 1er mars c'est pour traduire la déception de Churchill qui, dit-il, s'est rendu compte que les maquis n'avaient pas « *l'aspect qu'il supposait* »[1]. Il n'en reste pas moins, qu'abandonnée, l'idée d'un « réduit » — qu'il faudrait bien alimenter en armes, munitions, cadres — a rôdé dans l'imagination du Premier ministre. Et qu'elle a paru vraisemblable à beaucoup, aussi bien à Londres qu'en Haute-Savoie.

Le 15 mars, Bourgès-Maunoury fera, en tout cas, savoir à Londres que « le plateau est très fortement armé et peut recevoir tous les effectifs que vos opérations peuvent [lui] faire parvenir ».

Entre le 15 et le 20 mars, la délégation de la France combattante en Suisse réclame à Alger des bombardements sur les concentrations de troupes allemandes et l'envoi de parachutistes en renfort[2].

Ces renforts, les Allemands eux-mêmes en prévoient l'arrivée.

Le 23 mars, l'ordre d'attaque de la 157e division alpine débute par ces mots : « D'importantes forces ennemies se sont regroupées sur le plateau de Glières : S.E. Thorens, S.W. Petit-Bornand, N. Thônes. Des parachutages de *troupes*[3], armes et matériel lourd sont attendus très prochainement. »

Ainsi existe-t-il une contradiction absolue entre les espoirs que placent les maquisards dans l'arrivée prochaine de secours et les réticences des responsables civils et militaires, tant anglais que français, qui multiplient tardivement, depuis Londres, des consignes de décrochage et de mobilité.

1. Procès verbaux des réunions du 28 janvier et du 1er mars 1944. A ces réunions assistent notamment du côté anglais Lord Selborne, le général Gubbins, le brigadier Mockler-Ferryman, l'Air Commodore Eastow, le major Morton ; du côté français le général Henri d'Astier de la Vigerie, Emmanuel d'Astier, Boris, *Jérome* (Michel Brault), le commandant Manuel. *Jérome* arrive de France où il a été responsable du service Maquis.

2. Ces bombardements sur les concentrations allemandes ont été réclamés à Londres par le général d'Astier et par Emmanuel d'Astier mais les Anglais ont répliqué qu'ils seraient très difficiles, très dangereux à pratiquer et, de surcroît, peu efficaces.

3. Je souligne intentionnellement.

Crémieux-Brilhac, qui appartint, à Londres, à la petite équipe franco-britannique chargée des rapports avec les maquis, devait analyser ainsi l'évolution militaire d'une situation, avant tout psychologique.

> « Entre les Glières, Annecy et Londres, on dirait que chacun surestime la capacité d'action des autres. Tout se passe dans l'immédiat comme si les maquisards, après avoir mérité une profusion d'armes, grâce à six semaines de siège et aux rapports publicitaires destinés à la B.B.C., se trouvaient dans une certaine mesure prisonniers de ces armes. Et tout va se passer ensuite comme si, ayant été les héros non seulement d'une aventure vécue, mais aussi d'un mythe développé jour après jour par la radio de Londres, il ne leur restait qu'à s'en montrer dignes[1]. »

Les conclusions de Crémieux-Brilhac appellent quelques réflexions. Tout d'abord, si les maquisards ont « *mérité une profusion d'armes* », il est bien évident qu'ils demeurent totalement étrangers au nombre, comme à l'importance, de parachutages décidés par les seuls services anglais.

Ils ne sont pas davantage responsables du « mythe développé jour après jour par la radio de Londres ».

S'il y a excès de propagande, il faut en chercher la raison dans la volonté de créer, en France, des abcès de fixation comme dans la relative pénurie de victoires françaises à la fin de l'hiver 1944.

Ainsi hissera-t-on Glières à la hauteur de Bir Hakeim, hissé lui-même presque à la hauteur de Verdun.

Victimes de ces outrances, les maquisards ne sauraient en être tenus pour responsables.

Que le plateau se trouve dans une situation dramatique, le capitaine Anjot, qui va prendre le commandement, en est, lui, convaincu. Ce n'est donc pas au « mythe » radiophonique, mais à une haute idée de

1. *La bataille des Glières et la « guerre psychologique »*.

son devoir qu'il cède, en montant au plateau, cet homme, si différent de Tom par l'allure et le tempérament, mais habité de la même foi patriotique.

Maurice Anjot, qui a pour pseudonymes *Audouit, Le Cloirec, Pierrot*[1]— nom sous lequel, très souvent, il sera cité dans les documents allemands —, *Bayard* enfin, va avoir 40 ans.

D'une famille fière de ses traditions religieuses et nationales, il entre à Saint-Cyr en 1923 et fait partie de la promotion du *Chevalier Bayard*. Après un séjour au Maroc, puis à Saint-Cyr, il commande, en 1935, la compagnie qui protège le pont de Kehl et le fanion qu'il emportera avec lui à Glières a flotté sur le poste français proche du pont.

Affecté à la 45e division d'infanterie, il accomplira, en juin 1940, son premier geste de résistance puisque, lorsque tout se défait, résister c'est d'abord ne pas subir la loi de l'ennemi.

Alors qu'avec les lieutenants Véron, Michel et Houillon il recherche sa division dispersée, il est arrêté, sur la grand-place de Troyes, par un sous-officier allemand, qui se tient près d'une automitrailleuse. Pistolet en main, l'Allemand intime l'ordre aux Français de stopper et de lui remettre leurs armes. L'un des lieutenants s'exécute. Le capitaine Anjot et les deux autres officiers ouvrent le feu sur le sous-officier allemand, qui sera tué, et sur le conducteur de l'automitrailleuse, puis réussissent à prendre le large.

Du 14 au 19 juin, de Troyes à Valence, en passant par Bar-sur-Seine, Dijon, Chalon-sur-Saône, Lyon et Vienne, ils s'efforceront vainement de retrouver la 45e division, mais du moins sont-ils de ceux qui échappent à la capture alors que tant d'hommes se constituent trop aisément prisonniers.

Quelques mois après la défaite, Anjot est affecté au 27e bataillon de chasseurs alpins dont le commandant Vallette d'Osia a fait non seulement une unité militaire d'une exceptionnelle qualité manœuvrière, mais également un vivier dans lequel, le moment venu, la Résistance savoyarde puisera ses meilleurs éléments.

Bien avant la dissolution de l'armée de l'armistice, Anjot se met donc en quête de recrues. Au printemps de 1941, il se présente ainsi chez le lieutenant de réserve Julien Gattelet et lui explique « qu'après

1. Anjot est né en juillet 1904 à Bizerte et non à Rennes comme l'affirment plusieurs biographies officielles. Parmi ses prénoms, celui de Pierre.

leur défaite, en 1918, les Allemands avaient monté une organisation occulte pour refaire une armée et qu'il était normal que la France fît de même ».

Ayant reçu d'Anjot l'assurance que le Maréchal était à la tête du mouvement[1], Julien Gattelet acceptera donc de prendre contact, pour les convaincre de rejoindre la Résistance, avec un certain nombre d'officiers de réserve.

Pendant des mois, en accord intime avec le commandant Vallette d'Osia, Anjot sera de ceux qui prépareront secrètement une mobilisation dont l'armée de l'armistice constituerait le noyau.

Le 11 novembre 1942, la Wehrmacht franchit la ligne de démarcation ; le 27 elle pénètre dans les casernes et jette à la rue des soldats français mal réveillés. L'épreuve atteint Anjot à Aix-en-Provence où, après son passage au 27e bataillon de chasseurs alpins, il venait d'être nommé instructeur à l'Ecole de Saint-Cyr. Reprenant immédiatement le chemin de la Haute-Savoie, il plonge dans la clandestinité. Aussi l'ordre d'assurer le commandement du plateau de Glières ne le surprend-il pas.

Romans-Petit écrit d'ailleurs qu'après la mort de Tom, Anjot avait « harcelé » Clair afin que lui soit attribuée une mission dont il savait tous les périls. « Officier, poursuit Romans-Petit, dans une phrase sévère pour la tactique adoptée et les choix retenus, officier il a le respect du devoir. Il l'accomplira même si une situation de catastrophe a été créée. »

Le 15 mars, trois jours avant de monter à Glières, Anjot adresse à sa femme une lettre, tout à la fois lucide, calme et noble.

> « Ma chère Maguy,
>
> Tu sais combien les événements ont marché depuis ton départ. La disparition brutale de notre camarade M... a nécessité son remplacement. Si j'ai pris cette charge, c'est parce que j'ai jugé

1. Rapport de l'inspecteur de police judiciaire E. Hurtaud, en date du 8 octobre 1942.

Julien Gattelet effectuera effectivement plusieurs démarches en vue de recruter des hommes mais, en février 1942, il sera détourné de son action par le capitaine Jacquemin, chef départemental du S.O.L. d'Annecy (sur la mort de Jacquemin, *cf.* tome VI, p. 360-361), qui lui dit que, faute d'armement, l'action semblait vouée à l'échec.

que mon destin était là. Ne crois pas qu'il ne m'en a pas coûté de le faire, toi absente, mais peut-être que cette absence même m'a permis de surmonter plus librement le côté familial de la question. Surtout, ma petite, comprends-moi bien. Je te demande de bien peser tous les sentiments qui ont pu être les miens.

Nombreux sont ceux qui, pour des raisonnements plus ou moins faux et lâches, se laissent détourner actuellement du devoir national. En tant qu'officier, je ne puis le faire...

D'ailleurs, tout se passera bien et nous nous retrouverons tous trois, j'en ai la conviction[1]. »

Optimisme à l'intention de sa seule famille. Anjot ne s'illusionne pas sur la gravité de la situation. Il a été, écrit encore Romans-Petit, « l'adversaire résolu de la trop fameuse théorie du réduit » et ne croit pas à une intervention massive de l'aviation alliée. Ayant circulé dans le département, étant exactement renseigné, il sait que miliciens et troupes allemandes ont toutes les chances de leur côté mais lorsque, le 17 mars, François Missilier, envoyé du plateau, se présente à l'hôtel de la Pointe percée, Anjot est prêt pour son destin.

Dans l'après-midi du vendredi 17 mars, le chef Humbert a convoqué François Missilier au P.C. de la section *Allobroges.* Il lui tend un pli.

— Tu partiras à la tombée de la nuit, pour Grand-Bornand, chercher un officier. Tu le trouveras à l'hôtel de la Pointe percée, au 2e étage, chez Raoul Baujeu. Descends sans armes[2].

Cet officier, c'est Anjot. Il est assis à la même table que le patron de l'hôtel, Raoul Baujeu, et que deux autres résistants : Léonce Missilier et René Bastard. Ayant pris connaissance du pli remis par François Missilier, Anjot ordonne :

— Donnez-lui à manger, nous repartirons dès qu'il aura repris des forces.

Une heure plus tard, François et Léonce Missilier, René Bastard et

1. Le 15 mars, Maurice Anjot adresse également une lettre à son fils Claude, alors âgé de 11 ans.

« Je te recommande surtout d'être toujours très gentil avec ta maman car, tu sais, elle a grand besoin de calme. Sois très obéissant et toujours le bon petit élève que j'avais plaisir à faire travailler.

Je rentrerai à la maison dès que je le pourrai et nous reprendrons notre vie d'avant. N'oublie pas ton papa dans tes prières. »

2. François Missilier emportera toutefois son revolver.

le quadragénaire, dont ils ignorent toujours le nom, se mettent en route vers Glières.

Sur leur dos, de lourds sacs tyroliens. Anjot a placé dans le sien sa vareuse de chasseur, ornée de la croix de guerre gagnée en 1940. A son arrivée sur le plateau, il fera disparaître favoris et moustaches qui constituaient son camouflage. « Si je dois mourir, dit-il, je veux mourir Anjot », puis il rassemble les chefs de compagnie, écoute les comptes rendus de situation, donne ses premiers ordres.

Le 18 mars, devant le drapeau du pont de Kehl, face aux tombes de Tom Morel et de Descours, il demande enfin aux maquisards rassemblés de le reconnaître pour leur chef.

Puis, s'aidant d'un bâton de ski, accompagné de quelques éclaireurs, il va sur tous les fronts, parlant en soldat aux hommes qui le trouvent froid, pondéré, précis, différent certes de Tom qui avait leur âge, qui avait leur fougue, mais rassurant par sa compétence et son calme.

Qui Anjot et ses 465 maquisards trouveront-ils en face d'eux lorsque l'assaut sera donné ? Essentiellement des Allemands, subsidiairement des miliciens.

Combien d'Allemands ? Les chiffres de 1944, donnés par Londres et répercutés par les journaux de la Résistance, étaient, cela se conçoit, des chiffres de propagande. Il est toutefois regrettable que, sans examen et sans dommage, ils aient franchi les années et, aujourd'hui encore, soient tenus pour vrais.

Dressant, le 4 avril, un bilan du combat de Glières, Rosenthal informera Londres qu'il a fallu « engager 12000 Allemands pour déloger 500 réfractaires ».

12000 Allemands, voici le chiffre que Maurice Schumann reprendra, dès le 8 avril, sur la B.B.C.

> « Quand, sur le plateau de Glières, 12000 Allemands (vous entendez bien 12000) eurent, après quatorze jours (vous entendez bien quatorze), triomphé de 500 Français… »

Inaugurant, le 2 septembre 1973, le monument du plateau de Glières, André Malraux passera, lui, de 12000 à 20000 assaillants, mais c'est le chiffre de 12 000 qui est généralement retenu. C'est lui qui figure sur la stèle du cimetière national de Morette où se trouvent regroupées les tombes de nombreux maquisards ; c'est lui que citent des auteurs comme Musard et Noguères, ainsi que la quasi-totalité des orateurs officiels.

Venant de Munich, la 157e division alpine, commandée par le général Pflaum, est arrivée en France en mai 1943. Il s'agit d'une unité statique de réserve qui n'a jamais été engagée et comprend deux régiments d'infanterie, un régiment d'artillerie à deux groupes, un bataillon de pionniers. Ayant pour mission de faire régner l'ordre en Isère, Savoie et Haute-Savoie, elle ne mettra pas en place contre le plateau de Glières 12 000 hommes mais 6 714 dont 3 086 seront véritablement engagés.

Sur la composition exacte de ces troupes, les chiffres cités en note [1], chiffres que je dois à l'amabilité du colonel de l'armée suisse Christian Wyler, apportent toutes les précisions utiles.

Afin de ne pas porter atteinte à la légende, alors que la vérité ne serait blessante pour personne, la Résistance surestimait, en 1944, et a toujours continué à surestimer, le chiffre des attaquants.

De leur côté, les Allemands, inexactement renseignés par un G.M.R. prisonnier qui a fui le plateau, exagèrent le nombre, l'armement, les possibilités de résistance des maquisards.

Le 26 mars, au moment de l'assaut, ils pensent se heurter à 900 hommes : ils sont 465 ; commandés par 100 officiers : ils ne sont

---

1. Les forces effectivement mises en place contre Glières sont les suivantes :
— L'état-major de la division 157, soit 156 hommes.
— Le groupe d'artillerie I/1057 avec 4 canons de D.C.A., 4 obusiers et 8 canons de montagne servis par 762 hommes.
— Deux compagnies d'observateurs d'artillerie, soit 131 hommes.
— Trois sections de chasseurs de chars : 149 hommes avec 24 chars légers de 6 tonnes.
— Le régiment d'infanterie 296 à 12 compagnies, soit 3 407 soldats.
— Un bataillon de fusiliers tenu en réserve : 916 hommes.
— Une compagnie de fusiliers, la 3/297, qui soutiendra l'action de la Milice : 133 hommes.
— Un détachement de transport ainsi qu'une compagnie atelier, soit 418 hommes.
— Un détachement de ravitaillement : 138 hommes.
— Un détachement sanitaire : 455 hommes.
— Enfin, 34 gendarmes et 15 postiers,
soit un total de 6 714 hommes.

que 5 ; possédant 1500 fusils-mitrailleurs, alors que 250 sont à leur disposition.

La Milice regroupe environ un millier d'hommes parmi lesquels seuls 500 francs-gardes peuvent être considérés comme de véritables combattants, bien que des répugnances se manifestent dans leurs rangs. Des miliciens requis ne se sont tout simplement pas présentés, si j'en crois cette lettre adressée le 21 avril par M. Noblet, chef de la Franc-Garde départementale de la Corrèze, à M. X...

« Mon cher Camarade,

Vous n'avez pas cru devoir répondre à l'ordre de réquisition que je vous ai adressé pour les opérations de Haute-Savoie. Je vous adresse, ce jour, sous ce pli, un nouvel ordre pour les opérations de la région de Limoges. Je vous avertis que, si vous ne répondez pas à cet ordre, des sanctions graves seront prises contre vous — sanctions pouvant aller à l'emprisonnement [1]. »

La Milice, que les impitoyables services de sécurité des S.S. accuseront de réaliser en Haute-Savoie « trop peu d'exécutions et trop peu d'incendies de maisons [2] », avait lancé, depuis le début de l'année, des opérations contre le maquis dans la région de Thônes, Annecy, Bonneville, et ses chefs voulaient qu'elle prît, avec les seuls G.M.R., la responsabilité d'attaquer le plateau de Glières.

Philippe Henriot ira donc répétant que les opérations « qui se déroulent en Haute-Savoie... sont menées exclusivement par des forces françaises ».

Il l'affirmera lorsque ce sera vrai.

Il l'affirmera lorsque ce sera beaucoup moins vrai et que les

---

1. Inédit.
2. Note du 15/5/1944. Inédit.

Allemands promettront « toute aide possible et imaginable... au chef de la police Darnand, pour sa première grande entreprise en Haute-Savoie[1] ».

Il l'affirmera toujours lorsque ce sera faux et que les Allemands, avec la responsabilité de l'attaque, auront celle de la plus grande partie des représailles.

Alors, follement, par vanité, mais également pour sauvegarder le principe de la souveraineté française — misérable souveraineté —, la Milice va s'attribuer — et la presse et la radio lui attribueront — le « mérite » de la « victoire » de Glières, se condamnant à porter ainsi le poids de toutes les exactions et le poids de tous les crimes.

Le 23 mars, le général Pflaum, qui commande la 157e division, a visité avec son état-major les abords du plateau de Glières. Il s'est entretenu avec le chef milicien de Vaugelas du secteur — entre Usillon et Petit-Bornand — qui serait affecté à la Milice[2]. Le 25 mars, Darnand étant présent à Annecy, il a également été décidé qu'une compagnie allemande, disposant d'armes lourdes, serait mise à la disposition du chef de la Milice.

Ce même jour, les miliciens reçoivent leur mission. Sous le commandement de de Vaugelas, ils devront contrôler le secteur Petit-Bornand, Thorens, Villaz, Dingy[3].

Mais alors que tout est prêt pour l'assaut, une ultime tentative de conciliation est en cours.

Avant que Darnand ne s'entretienne avec le général Pflaum des conditions dans lesquelles le plateau serait attaqué, le chef milicien d'Agostini a envoyé au capitaine Anjot deux parlementaires. Il

---

1. Télégramme du Dr Jeewe adressé, en février, au responsable S.S. Knab, qui se trouve à Lyon.

2. « Le général Pflaum a montré la plus grande compréhension pour le côté politique, parce que la Milice et les troupes allemandes vont opérer ici, pour la première fois en France, ensemble contre des Français » (télégramme 226 en date du 23 mars, signé Jeewe).

3. De Vaugelas avait réclamé d'être en première ligne, trois escadrons de G.M.R. étant placés en deuxième ligne.

s'agit du chanoine Pasquier et de l'abbé Gavel, professeurs au collège Saint-Joseph de Thônes[1].

Le 22 mars, d'Agostini informe l'abbé Gavel de l'arrivée dans la région d'importants détachements allemands, accompagnés d'artillerie. Glières attaqué, le plateau pris, « il s'ensuivrait, ajoute-t-il, une hécatombe de vies humaines ! de vies françaises ! Avant donc qu'il ne fût trop tard — et dans vingt-quatre heures ce le serait —, le chef d'Agostini voulait parlementer avec le responsable du plateau pour éviter le pire[2] ».

Plusieurs miliciens — il y a parmi eux d'anciens officiers de chasseurs — se sont proposés pour porter un message. Craignant pour leur vie, ou pour leur liberté, d'Agostini a préféré confier la mission à deux prêtres.

C'est ce qu'il dit à l'abbé Gavel et au chanoine Pasquier en leur exposant son idée qui est d'établir une discrimination entre les réfractaires. « Ceux dont le passé était honnête et qui avaient été abusés par la propagande anglaise verraient aussitôt leur situation régularisée aux yeux de la loi ; ils recouvreraient leur liberté, quitte pour eux à satisfaire aux obligations du S.T.O. ou de la relève. Quant aux autres, les « terroristes », ils seraient remis à la justice française. »

« On le sent convaincu, poursuit le chanoine Pasquier, de la présence sur le plateau de toute une pègre qui légitime à ses yeux l'action de la Milice[3]. »

D'Agostini, qui affirme agir sous sa seule responsabilité, remet donc un pli à l'abbé Gavel. Pli adressé au commandant Vallette d'Osia, ce qui prouve l'ignorance des miliciens sur la véritable identité du chef du maquis puisque, depuis plusieurs jours, Vallette d'Osia se trouve à Londres.

Gavel et Pasquier vont donc assurer l'avant-dernière liaison avec le

---

1. Il faut signaler également que Georges Raynal, chargé au cabinet du maréchal Pétain de la censure photographique, a tenté, en février, d'alerter le maquis de Glières des dangers qui le menaçaient. Parti muni de trois laissez-passer en blanc signés du Maréchal et obtenus grâce à Ménétrel, Raynal sera arrêté dans l'Allier et déporté à Buchenwald.

Le service photographique rattaché à l'hôtel du Parc paiera un très lourd tribut à l'occupation (dix morts et plusieurs déportés.)

2. Rapport du chanoine Pasquier, 24 avril 1945.
3. *Idem.*

plateau[1]. Après avoir franchi le barrage milicien de Nant-Debout[2], ils se trouvent à 9 heures aux avant-postes maquisards de Notre-Dame-des-Neiges. Un court arrêt leur permet de se restaurer. Les voici, à 11 heures, au P.C. d'Anjot à qui ils remettent le pli de d'Agostini.

Jusqu'au milieu de l'après-midi, le chanoine Pasquier, dans l'impossibilité de s'entretenir seul à seul avec Anjot, mettra à profit le temps qui lui est laissé pour rendre visite aux hommes qui montent la garde du côté d'Entremont, cependant que l'abbé Gavel parcourt les sections surveillant le Petit-Bornand.

A l'intention des deux prêtres, Anjot a établi un laissez-passer spécifiant que les chefs de poste devaient leur faciliter l'exercice de leur ministère. A 16 heures, épuisé par une longue marche sous le soleil et dans la neige molle, le chanoine Pasquier est enfin de retour au P.C. d'Anjot. Il lui parle des préparatifs allemands, affirme que la situation du plateau deviendra rapidement intenable et qu'il serait peut-être bon, pour le salut des hommes dont il a la charge, d'examiner la valeur de « la porte de sortie » entrouverte par d'Agostini.

Depuis qu'il a reçu le pli de d'Agostini, Anjot a eu le temps de réfléchir. Que propose le chef milicien ? Une reddition au terme de laquelle les hommes du plateau accepteraient que le bon grain soit séparé de l'ivraie ! Qui procéderait au tri ? Une police et une justice sous la coupe des Allemands.

Glières n'abrite pas uniquement des « petits saints » Il se trouve, sur le plateau, des hommes compromis dans des meurtres et des vols que la Résistance n'a jamais commandés. Cela, Anjot le sait. Mais, chef d'un rassemblement, en partie improvisé, il lui faut, sous peine de déshonneur, assurer à tous un traitement identique face à la vie, à la mort, à l'Histoire.

— Voyez-vous, monsieur l'abbé, dit-il à Pasquier, cette proposition

1. La dernière liaison sera réalisée par le Chamoniard Michel Bozon qui apportera du courrier aux hommes de Glières. Au nombre des raisons qui poussent le chanoine Pasquier à accomplir cette mission, il en est une qui lui est personnelle. Il espère, en effet, pouvoir rencontrer son jeune frère, chef d'un groupe franc dans la vallée de l'Arve. Quant au frère de l'abbé Gavel, il se trouve sur le plateau.

2. Un laissez-passer a été fourni par d'Agostini à l'abbé Gavel. En revanche, c'est facilement, et sans papiers, qu'ils franchiront les postes des maquisards.

d'entrevue [avec d'Agostini] est inacceptable, parce qu'inutile et parce que dangereuse pour le moral de mes hommes. Inutile d'abord : depuis l'arrivée des Forces du Maintien de l'ordre en Haute-Savoie, plusieurs fois nous avons eu des contacts directs ou indirects avec le colonel Lelong et ses affidés. En même temps qu'ils reconnaissaient, ou du moins le disaient-ils, la pureté de notre patriotisme et qu'ils se déclaraient enclins à séparer notre cause du terrorisme proprement dit, ils n'en continuaient pas moins à nous poursuivre, à nous pousser dans nos retranchements, à nous couper de notre ravitaillement ; aujourd'hui, ils nous ont acculés sur ce plateau ; par là, nous voici pour demain la proie facile de l'ennemi. Je ne crois plus à la sincérité de leurs attitudes. Une nouvelle entrevue ne servirait donc à rien. Les conditions que peut me faire le chef milicien seront certainement inacceptables pour mon honneur de soldat ; elles m'obligeraient à trahir gravement mes responsabilités de chef.

Anjot ajoute que le moral de ses officiers et de ses hommes se trouverait profondément affecté s'ils apprenaient pareille entrevue. « Ils devineraient chez moi une hésitation et celle-là en ferait naître une chez eux. Or, à l'heure critique où nous voici, le sacrifice étant accepté, ils n'ont besoin que d'une chose : de résolution. »

Le chanoine Pasquier va quitter le P.C. lorsque, dans le ciel pur, apparaissent des avions allemands. Ils rendent dérisoire la proposition de d'Agostini puisque la décision de la bataille appartient aux Allemands. Après le passage des avions, deux blessés graves ont été dégagés des ruines fumantes d'un chalet et mis à l'abri dans la chapelle de Notre-Dame-des-Neiges. Le chanoine Pasquier et l'abbé Gavel leur donnent les derniers sacrements avant de faire halte au poste maquisard de l'extrémité sud du plateau, dont les hommes accepteront leur ministère avec « émotion et ferveur ».

La nuit est tombée depuis longtemps lorsque les deux prêtres se heurtent au premier poste milicien [1]. Conduits à la Balme de Thuy, où les miliciens leur offriront de se restaurer, ils seront ensuite transportés jusqu'à Thônes. D'Agostini les attend impatiemment. C'est avec fébrilité qu'il ouvre le pli que lui tend Pasquier.

1. Dans son rapport, le chanoine Pasquier écrit avoir déclaré aux miliciens du poste de Nant-Debout « qu'ils devraient être, eux aussi, à Glières avec les soldats du plateau, et non contre eux ».

« Le chef du plateau de Glières à M. d'Agostini, Milice française,

Monsieur,

Il est profondément triste que des Français tels que vous l'avez été dans le passé agissent comme vous le faites. Vous acceptez de détruire, au bénéfice de l'ennemi, les éléments les meilleurs du pays. Si vous attaquez, vous porterez la responsabilité de nos morts. Quant à moi, j'ai reçu une mission, il ne m'appartient pas de parlementer.

Bayard. »

S'il marque son désappointement, son irritation devant ce refus, d'Agostini ne tentera pas une seule fois d'obtenir des deux prêtres des renseignements sur les positions du maquis.

Lorsque le chanoine Pasquier et l'abbé Gavel quittent le P.C. de d'Agostini, ils sont convaincus, tristement convaincus, que le plateau sera « nettoyé » par les Allemands en moins de quarante-huit heures. A Glières, ils ont pu constater l'absence d'armes lourdes, la médiocrité des liaisons, la pénurie de ravitaillement, l'insuffisance numérique des effectifs et des cadres. En revanche, passant par Morette, ils ont vu deux grosses pièces d'artillerie allemandes et, sur toutes les routes, observé de nombreux convois de troupes.

Frappés par la disproportion des forces, comment n'auraient-ils pas été sensibles au moral des chefs et des soldats du plateau.

L'annonce de l'attaque des Allemands, dont ils n'ont pas caché l'imminence, leur a valu ces réponses :

— Tant mieux ! Il y a longtemps que nous les attendions. Enfin, nous allons nous battre !

— Monsieur l'abbé, je suis monté ici pour un idéal. Il vaut bien que je meure pour lui.

Ils vont mourir, ces garçons du plateau.

Le 24 mars — au lendemain du jour où il a reçu le chanoine Pasquier et l'abbé Gavel —, Anjot rend compte au capitaine Clair de la gravité de la situation[1]. En prévision de l'attaque, Anjot réclame l'envoi d'un ou deux médecins; il réclame également un renfort de cadres, le parachutage d'armes lourdes et conclut : « De notre côté, nous ferons tout notre devoir, mais que l'on nous aide. Il y a des maquis qui ne font rien dans le département. Pourquoi ne pas les utiliser ? »

La vérité conduit à écrire qu'à l'exception d'un sabotage de la station de pompage qui alimente, à Annemasse, le dépôt de la S.N.C.F. et d'un déraillement, le 26, sur la ligne Annecy-La Roche, déraillement qui interrompt le trafic cinq heures durant et trouble légèrement les préparatifs allemands, les maquis du département demeureront passifs entre le 20 et le 28 mars.

Les plus actifs d'entre eux sont, il est vrai, déjà installés à Glières. Lamouille lui-même y est monté avec des F.T.P.[2], bien que le parti communiste ait dénoncé Glières comme un « guêpier[3] ». Et l'activité policière empêche les autres de se manifester.

Entre le 20 et le 28 mars, en Haute-Savoie, on ne recense donc que les deux attentats déjà signalés ainsi qu'une attaque, sans résultat, contre une voiture de la Feldgendarmerie.

Le vol de 11 500 francs au bureau de poste de Gets, l'assassinat du gendarme Jean André de la brigade de Sallanches et la libération des deux filles X... enlevées, le 15 février, par cinq inconnus et qui reviennent la tête rasée, les seins tatoués, après avoir été « utilisées » jusqu'à dix-sept fois par jour, ne sauraient naturellement répondre aux vœux d'Anjot et modifier en quoi que ce soit les plans d'attaque ennemis.

---

1. Le mitraillage du 23 a coûté un mort, un blessé grave, deux blessés légers. Dans un accrochage avec une patrouille milicienne, le 24, un maquisard a été tué.

2. Le groupe Lamouille est arrivé le 7 mars armé de 4 fusils-mitrailleurs et de 2 mitrailleuses. Tom Morel a dit à Lamouille : « Mon vieux Lamouille, tu viens ici, ou tu acceptes les ordres ou tu redescends. » Après la mort de Tom, Lamouille souhaitait quitter le plateau. Wolf le convaincra de demeurer et, avec son groupe, il restera jusqu'à la fin des combats.

3. Dans le livre publié en 1945, sans nom d'auteur mais rédigé par Bonfils et Loreilhe, *Francs-Tireurs et Partisans de la Haute-Savoie* (édit. France d'Abord), les communistes condamneront avec violence « le mot d'ordre venu de Londres, servant mieux les intérêts de l'impérialisme anglo-saxon que ceux de la Libération ».

Les Allemands avaient l'intention de lancer l'assaut le 28 mars mais, à la suite d'une avance imprévue de la Milice, en direction du col des Auges, où deux sentinelles de la section *Ebro,* Credor et Garcia, vont être tuées, ils seront conduits à précipiter le mouvement.

Dans la matinée du 25 mars, tout le versant oriental du plateau se trouve soumis à une intense préparation d'artillerie suivie d'un bombardement aérien qui fera non seulement une dizaine de blessés légers, mais ravagera de nombreux chalets, détruisant des armes, des équipements, du ravitaillement.

A Monthiévret, Serge Aubert prépare, en compagnie de quelques-uns de ses camarades de la section *Jean Carrier,* le repas de midi lorsque explosent deux obus, qui ne blessent personne, mais détruisent le chalet, les sacs de maquisards[1]... et le chaudron où cuisait une viande très attendue.. la première reçue depuis une semaine.

C'est à 10 heures, le dimanche 26 mars, que débute une attaque dirigée, sur le terrain, par le colonel Schwer. Il dispose de trois bataillons (Stöckel, Schneider et Geier) attaquant respectivement en direction de Notre-Dame-des-Neiges et du col de Glières; d'une compagnie de chasseurs qui a reçu une mission de bouclage, de deux batteries de canons de montagne, d'une batterie d'obusiers et surtout de quelques avions qui ne rencontrent aucune résistance, démoralisent les maquisards et les condamnent à se disperser.

Les miliciens placés sous ses ordres ont la responsabilité de barrer le col du Freux, le col de l'Enclave et le col d'Usillon, ainsi que de surveiller le secteur de La Roche-Dingy.

Une quarantaine d'Allemands vont tenter une opération de diversion contre la section F.T.P. *Liberté chérie,* qui défend l'aile gauche

1. Témoignage inédit de M. Aubert. Avec les sacs, seront détruits les vêtements des maquisards qui, lorsqu'ils ont été arrêtés, devront — ce sera le cas pour M. Aubert — conserver jusqu'au jour de leur libération les habits qu'ils portaient le 26.

du dispositif maquisard, au-delà du col de Spée. Ils s'attirent une vive riposte du sergent-chef Becker et de ses hommes, mais ceux-ci se trouveront immobilisés jusqu'à 17 heures sous le feu adverse.

En vérité, c'est contre Monthiévret qu'aura lieu l'attaque principale. La position, qui commande notamment le sentier montant d'Entremont, est défendue par la compagnie Lamotte [1] répartie en 5 sections : *Saint-Hubert, Savoie-Lorraine, Sidi-Brahim, Jean Carrier, Ebro*. Les maquisards de la compagnie Lamotte — une centaine d'hommes — disposent de 3 mitrailleuses Hotchkiss, de 16 fusils-mitrailleurs Bren et de quelques lance-grenades. Mais, avant l'attaque allemande, une partie de la section *Savoie-Lorraine* a été déplacée et la défense s'en trouvera amoindrie.

Après un bombardement d'artillerie, les Allemands du bataillon Geier, tout vêtus de blanc, réussissent à s'infiltrer à travers bois pour encercler les positions du maquis. Serge Aubert, chef de pièce de l'une des mitrailleuses, participe au combat lorsqu'il est envoyé remplir les chargeurs d'un fusil-mitrailleur gardant le chemin menant à Entremont.

Voici comment il a vécu la bataille :

> « Il y a des billons (billes de bois). Les Allemands se cachent derrière et progressent de billes en billes. André Gaillard, le servant, tire comme un fou, les assaillants ont des pertes. Ils ne pourront jamais passer par là et reculent. Je remplis les chargeurs et remonte vers Monthiévret. Plus bas, cela tire beaucoup, les Allemands font porter leurs efforts sur Saint-Hubert qui résiste très bien mais subira de nombreuses pertes dont le chef André Guy (*Chocolat*) qui, mortellement blessé, aura le courage de détruire son arme avant de mourir...
>
> Il commence maintenant à faire sombre, il y a déjà plusieurs heures que le combat a commencé. Je retourne à la mitrailleuse, les Allemands ne sont pas loin, il y en a qui appellent " Muti ", diminutif de maman en allemand... La nuit est là, nous tirons

1. Lieutenant Lalande. Arrêté par des Miliciens, grâce à la complicité d'un gendarme, le lieutenant Lalande sera fusillé en même temps que le lieutenant Bastian.

toujours sur l'ennemi et balançons des grenades, mais maintenant c'est le hasard, il fait nuit noire [1]. »

Tandis que Serge Aubert et quelques-uns de ses camarades luttent encore, les rescapés de Monthiévret ont dû, pour la plupart, se replier sur le centre du plateau où — il est 15 h 25 — l'artillerie et l'aviation allemandes incendient une dizaine de chalets ainsi que l'infirmerie où venaient d'arriver deux G.M.R. difficilement transportés depuis Notre-Dame-des-Neiges [2].

Monthiévret débordé, c'est, de l'avis des survivants, comme « une seule voie d'eau irréparable [qui] fait couler » le navire.

> « Les Allemands s'infiltrent sur le plateau par cette brèche ouverte, peut-on lire dans *Glières, première bataille de la Résistance,* mais ils n'avancent que lentement à cause de la nuit et ils n'iront pas loin : ils craignent de tomber sur des forces de manœuvre. La nouvelle se répand rapidement ; des hommes affolés assurent qu'ils ont vu les Allemands en train de ramper déjà près du P.C. L'angoisse étreint tous les combattants soudain réduits à l'impuissance ; en réalité, la nuit les protège, mais, en cette heure où s'effondrent toutes les assurances, elle se peuple pour eux de dangers mal définis et de formes hostiles. Le capitaine Anjot sait qu'il a un répit jusqu'au lendemain matin. Il envisage la situation avec le sang-froid qui a toujours fait sa force. Pas de réserves pour rétablir la ligne de front ! Une résistance d'ensemble n'est donc plus possible ; continuer la lutte contre une pareille marée d'hommes, ce serait condamner les groupes isolés à une extermination rapide et inutile. »

Anjot prend alors une décision logique pour un chef qui, en montant au plateau pour un combat statique, se plaçait en contradiction avec toutes ses convictions militaires sur les règles de la guérilla. Logique, la décision n'en est pas moins déchirante pour un homme aussi résolument engagé dans l'action.

---

1. Inédit.
2. Il s'agissait de deux des très rares G.M.R. combattant avec le maquis. Le Dr Marc Bombiger réussira à sauver les blessés de l'incendie en les portant sur son dos jusqu'au bois voisin.

Il ne la prend pas seul. A 16 heures, au moment où le bombardement aérien se fait plus intense, Armand Métral[1], replié avec quelques camarades dans les anfractuosités des roches calcaires de la montagne des Frêtes, l'a vu s'avancer sans dévier de sa route en direction de son P.C. vers lequel piquent deux stukas.

Anjot, qui revient d'inspecter les points d'appui dominant les communes du Petit-Bornand et d'Entremont, fait venir auprès de lui les lieutenants Bastian et Jourdan. Avec eux, il examine une situation plus ou moins exactement décrite par des messages arrivant avec retard. Après avoir reçu le lieutenant Lalande, qui lui rend compte de la perte de Monthiévret, c'est à eux, les premiers, qu'il annonce sa décision de repli général immédiat par les gorges d'Ablon et le col du Pertuis.

Avant de rédiger un ordre à l'intention de chaque commandant de compagnie, Anjot dit à Jourdan :

— Il me semble que l'honneur est sauf.

— Je le crois aussi, répond Jourdan.

Cependant, l'ordre de repli n'atteindra pas tous ses destinataires. Il est minuit passé lorsque Guillemenet rassemble quelques-uns des hommes qui, sans liaison, se battent encore à Monthiévret.

— Notre lieutenant a disparu, leur dit-il[2]. Nous n'avons aucun ordre, les Allemands vont nous déborder, nous allons évacuer la position. Si un jour on nous le reproche, dites bien que nous l'avons fait à la dernière minute[3].

Marchant difficilement dans la neige, où les hommes enfoncent parfois jusqu'aux cuisses, le petit groupe passera au P.C. Lamotte et au P.C. central sans rencontrer âme qui vive.

Commencera alors une longue marche qui le mènera, à travers un paysage où chaque ombre est suspecte, où chaque sapin peut dissimuler un ennemi, jusqu'à l'autre extrémité du plateau d'Usillon.

---

1. Aujourd'hui président de l'Association des rescapés de Glières.
2. Il s'agit du lieutenant Baratier dont certains auteurs écriront faussement qu'il a été tué à la tête de ses troupes en se repliant dans la nuit.
3. Témoignage inédit de M. Serge Aubert.

Le jour se lève, mais le drame est bien loin d'être terminé avec l'éclatement du maquis, puisque c'est après le combat du 26 mars que les pertes françaises seront les plus lourdes.

Quant aux pertes allemandes, aussi surprenant que cela puisse paraître, elles demeurent, aujourd'hui encore, difficiles à connaître avec certitude.

En 1944, dans le grand tumulte des propagandes, elles ont été considérablement exagérées pour les besoins de la Résistance. Mais des « erreurs » explicables en 1944 ont été pieusement entretenues et fidèlement répétées. Un conformisme que l'on croit sans doute patriotique assure ainsi crédibilité et longue vie à des chiffres faux. Or l'héroïsme n'est jamais dans le nombre des morts ennemis mais dans le risque assumé et le péril librement accepté.

Un télégramme envoyé le 7 avril par Rosenthal dira : « Nos gars se sont bien battus. Ils ont infligé aux Allemands des pertes s'élevant à 300 morts et 400 blessés. »

Mais, avant que ce télégramme ne soit arrivé à Londres, Maurice Schumann, dans son émission du 8 avril, véritable chant funèbre pour les morts de Glières, parlera, lui, de 400 morts et de 300 blessés pour *un seul* bataillon allemand[1]. Celui, très vraisemblablement, qui a attaqué Monthiévret, c'est-à-dire le bataillon Geier.

Nul, à l'époque, ne songera à faire remarquer que ce bataillon aurait été *totalement* détruit en quelques heures puisque, en 1944,

---

1. « Quand, sur le plateau de Glières, 12 000 Allemands (vous entendez bien 12 000) eurent, après 14 jours (vous entendez bien 14), triomphé des 500 Français qui, faute de pouvoir décrocher, s'étaient accrochés plutôt que de se rendre, le commandant d'un bataillon allemand qui avait dénombré ses morts (il y en avait 400 pour 100 Français) et ses blessés (il y en avait 300 pour 150 Français) s'écria très fort, à portée d'oreilles françaises : " Les hommes du maquis se sont battus comme des lions. Quant à ces miliciens, c'est de la racaille ! " »

dans une division d'infanterie allemande, un bataillon compte, sans les services, 708 hommes.

Dans la guerre psychologique, l'exactitude n'a qu'une importance relative. C'est la raison pour laquelle Rosenthal, dans un texte consacré aux combats de la Résistance, citera, de son côté, le chiffre de 447 tués et 303 blessés allemands.

En avril 1945, le chanoine Pasquier, dont on se souvient qu'il était monté à Glières, le 23 mars, en compagnie de l'abbé Gavel, pour remettre à Anjot un message du milicien d'Agostini, avait achevé le rapport concernant cette entrevue par une mise en garde. « C'est, me semble-t-il, abuser les esprits que de vouloir dénombrer les Allemands tombés sous les balles des défenseurs de Glières. On a eu tort de lancer tels ou tels chiffres (350, 700 ou 1000) dont on est incapable de prouver historiquement la vérité. »

Mais, dans l'enthousiasme de la Libération, qui aurait prêté attention aux conseils de prudence d'un humble prêtre savoyard ?

Faute d'étude sérieuse, les chiffres de morts allemands varieront donc suivant les auteurs.

Dans ses *Mémoires de guerre,* le général de Gaulle — utilisant un mot ambigu — écrira que 600 soldats allemands sont « tombés » à Glières Le mot « hors de combat » utilisé par François Musard, qui, dans son livre *Les Glières,* évalue à 300 hommes les pertes allemandes est également ambigu.

Mais c'est finalement ce chiffre de 300 hommes « hors de combat » qu sera officiellement repris, en 1984, à l'instant des cérémonies commémorant le 40e anniversaire de Glières[1].

Pour un auditeur inattentif, ou un lecteur hâtif, 300 soldats « hors de combat », cela signifie, le plus souvent, 300 tués, et c'est bien l'impression que l'on s'attache à donner à travers un vocabulaire volontairement imprécis, comme s'il s'agissait de ne pas contredire trop nettement les chiffres cités par la radio de Londres au lendemain de la bataille[2].

---

1. Dans une étude récente du colonel Daniel Reichel, celui-ci écrit que la division allemande a perdu « en tués et blessés graves *plus d'un millier* de combattants ».

2. Dans son étude (*op. cit.*) sur Glières, Crémieux-Brilhac précise, en appel de note, « les chiffres de 400 morts et 300 blessés, maintes fois reproduits, sont sans commune mesure avec la réalité des pertes allemandes ». Il ne précise pas cependant quelle est cette réalité.

Se tourne-t-il vers les archives militaires allemandes, qui insistent, toutes, sur la faible résistance rencontrée, l'historien français ne reçoit que « l'information »... qu'il n'existe pas d'information sur les pertes de la 157e division allemande le 26 mars 1944... autre que celle contenue dans un télégramme du 28 mars, émanant du lieutenant-général Pflaum, et d'après lequel les pertes allemandes seraient de « 2 sous-officiers et 2 hommes fort accidentés[1] ».

Ces chiffres dérisoires ont été contestés, notamment par le commandant Humbert Clair, responsable départemental de l'Armée secrète, d'après lequel « environ cent soldats allemands blessés » étaient soignés dans les hôpitaux d'Aix-les-Bains ; « quant aux tués, ajoute le commandant Clair, il est impossible d'en déterminer le nombre, les Allemands brûlant leurs morts. » En Russie c'est exact. En Haute-Savoie cela paraît infiniment plus douteux.

De son côté le colonel Jourdan, qui commandait une compagnie, estime qu'une trentaine de soldats allemands ont été mis hors de combat (tués et blessés) au terme d'un affrontement violent mais naturellement moins meurtrier en montagne (où les protections sont nombreuses) qu'en plaine.

Peut-on encore aller plus avant dans la recherche ? Le colonel de l'armée suisse Christian Wyler a pu avoir accès à des documents allemands selon lesquels la 157e division alpine aurait eu 28 tués au cours de 68 engagements du 12 au 31 mars (opération *Korporal*) et du 7 au 18 avril (opération *Frühling*)[2].

Mais les 26 et 27 mars, jours où la bataille se déroule sur le plateau de Glières ? Le souci de pousser aussi loin que possible l'enquête m'a finalement conduit à consulter[3] les trois forts volumes dans lesquels sont recensés les noms des 19 912 soldats allemands enterrés au cimetière de Dagneux.

Dans le cadre de la Convention franco-allemande de 1954, relative aux sépultures militaires, il fut entendu, en effet, que les corps des 238 000 Allemands (ou étrangers au service de l'Allemagne) morts en

1. Télégramme à « commandant territoire des Armées France sud ».
2. D'après les sources allemandes la 157e division a perdu 6 morts et 14 blessés au cours de l'opération *Frühling* (12 au 31 mars).
3. Grâce à l'amabilité de la direction du Service pour l'entretien des sépultures militaires allemandes.

France au cours de la Deuxième Guerre mondiale[1] seraient regroupés définitivement dans vingt-deux cimetières militaires.

Depuis 1961, celui de Dagneux, dans l'Ain, renferme donc les corps des soldats morts ou tués dans vingt-sept départements du sud-est de la France *dont la Haute-Savoie. Et ce sont, au total, 289 corps qui ont été exhumés de différents cimetières de Haute-Savoie pour être inhumés à Dagneux.*

Ces soldats étant morts des suites de maladie, ayant été tués dans les bombardements ou au combat, entre octobre 1943, date de l'occupation par la Wehrmacht du département, et août 1944, c'est-à-dire pendant une période de dix mois environ, il fallait donc aller plus loin dans la recherche[2].

J'ai pu le faire grâce à l'aide du général de la Barre de Nanteuil dont les importants travaux sur les unités combattantes de la Résistance[3], dans la mesure, peut-être, où ils remettent en cause un certain nombre de trop flatteuses affirmations, ne sont pas utilisés comme ils le devraient.

Dépouillant les archives nominatives du cimetière de Dagneux — 19912 militaires inhumés —, nous avons trouvé, pour la période allant du 24 au 31 mars, 4 soldats allemands tués ou décédés pour des causes diverses le 24 mars ; 3 le 25 ; 13 le 26, jour du combat de Glières ; 11 le 27 ; 4 le 28 ; 12 le 29 ; 20 le 30 ; 5 le 31.

Grâce au *Service pour l'entretien des sépultures militaires allemandes*[4] j'ai pu obtenir ensuite non seulement le nom, le prénom, le grade et le jour du décès, mais également, ce qui était important, vingt-sept départements se trouvant concernés, le lieu de la première inhumation.

Des treize soldats morts le 26 mars et ensevelis aujourd'hui à Dagneux, un seul, Kurt Piler, né le 24 août 1914, a été primitivement enterré à Annecy, tous les autres ayant été enterrés dans des lieux aussi éloignés de Glières que Nîmes, Montpellier, Toulouse, Marseille, Montélimar ou Draguignan.

1. Quelle que soit la cause de cette mort.
2. Après le 11 novembre 1942, date du franchissement de la ligne de démarcation, c'est l'armée italienne qui occupe la Haute-Savoie. Elle demeure dans le département jusqu'à l'instant (septembre 1943) de la signature de l'armistice entre l'Italie et les Alliés.
3. Publiés par le Service historique de l'armée de terre.
4. De Maisons-Laffitte et de Kassel.

Des onze morts du 27 mars, ensevelis à Dagneux, un seul, Karl Fischer, né le 26 juin 1913, appartenant au bataillon 100, tué à Notre-Dame-des-Neiges, c'est-à-dire à l'emplacement des avant-postes maquisards, a été enterré primitivement dans le cimetière d'Aix-les-Bains.

Voici tout ce que les archives m'ont appris. Je serais donc très heureux si des lecteurs me fournissaient sur les pertes allemandes des informations supplémentaires et fondées, car les rapports de la Wehrmacht ne sont pas exempts d'erreurs. Il n'est pas interdit de penser, par ailleurs, que des corps ont été ramenés en Allemagne avant ou après la fin de la guerre.

Quant à la Milice, elle aurait perdu, dans sa marche d'approche, 2 morts, 2 blessés et 4 disparus[1].

Du côté du maquis, les pertes sont connues aujourd'hui de façon moins imprécise, le cimetière national de Morette comprenant 102 tombes, dont deux de maquisards tombés plusieurs mois après mars 1944.

Dans un télégramme du 29 mars, le capitaine Resseguier, qui appartient à l'état-major du général Pflaum, estime à 39 morts « les pertes ennemies depuis le début de l'opération ». Chiffre inexact puisque le maquis a perdu en réalité, le 26 mars, 43 morts et 52 blessés.

Mais, dans les jours qui vont suivre, bien d'autres combattants de Glières tomberont sous les coups des Allemands et de la Milice[2].

Dans un télégramme envoyé à Londres le 2 avril, Rosenthal indiquera : « Aucun détail précis sur nos pertes. Estimation minimale 100 morts[3] et 150 prisonniers dans bagarre continue zone interdite. »

C'est vrai, la bagarre continue. Elle se poursuit dans d'effroyables

1. Télégramme de Knab à Oberg et à Knochen le 27 mars. Knab dit tenir ses renseignements de de Vaugelas, chef de la Milice.

Le 1er avril Knab précise : « La Milice a eu 2 tués et 4 blessés (les pertes sont du premier jour de l'action). »

2. D'après une dépêche allemande, la Milice aurait été responsable de la mort de 16 maquisards.

3. Il ne faut pas oublier que le maquis a perdu deux hommes, dont son chef Tom Morel, le 10 mars, 7 le 20, 3 le 22.

conditions. Tandis que des équipes allemandes ramassent et rassemblent tout ce qu'elles découvrent sur le plateau — et leur butin sera, au 31 mars, de 122 fusils-mitrailleurs, 1011 pistolets-mitrailleurs, 722 fusils, 160 revolvers, mais aussi de plusieurs dizaines de vaches qui défileront dans les rues d'Annecy —, d'autres se sont mises à la poursuite de fuyards qui tentent, comme ils en ont reçu l'ordre, de regagner leur maquis d'origine.

Après la tension du combat, les hommes sont épuisés, affamés, inquiets. Il leur faut marcher dans une neige molle où ils enfoncent et laissent leur empreinte, ce qui permettra à André Malraux d'évoquer plus tard : « la grande trahison de la neige ». Ils ont froid, ils ont soif, mais la neige fondue désaltère mal ; ils ont faim, mais les paysans hésiteront souvent à leur ouvrir la porte. Partout des patrouilles ennemies circulent ou guettent. Tendu par les Allemands, par les miliciens et par les G.M.R., c'est un vaste filet qui a été mis en place pour barrer toutes les sorties du plateau.

Les maquisards doivent-ils se regrouper et tenter de s'ouvrir un passage par le feu ? Doivent-ils, au contraire, s'égailler pour, à deux ou trois, se glisser entre les patrouilles ? Faut-il prendre à droite ? Faut-il prendre à gauche ?

Serge Aubert, qui s'était battu à Monthiévret, a retrouvé, le 27 au matin, huit de ses camarades du maquis des Gets. Après discussion, ils choisiront de tenter leur chance par groupes de trois. Trois réussiront à échapper aux poursuivants. Trois seront arrêtés quatre jours plus tard par les G.M.R. Trois seront capturés par les Allemands et fusillés[1].

> « Notre progression, écrit Julien Helfgott, fut dirigée avec sang-froid : chaque mètre de terrain, chaque bois, chaque clairière que nous traversions était longuement étudié. »

Il appartient à ce groupe de vingt-cinq hommes qui, sous la conduite du lieutenant Bastian, se sont repliés d'abord en direction du col du Perthuis où René Paclet a heureusement trouvé un passage.

1. Témoignage inédit de M. Aubert.

Lorsqu'il faudra traverser les eaux glacées du Fier, les hommes passeront enlacés trois par trois pour ressortir du torrent « gluants de crasse, d'eau et de sueur ».

Quétand et Sala, qui balisent la route, seront capturés par les Allemands et fusillés. Bedet dégringole d'un rocher derrière lequel il avait pensé trouver un refuge et se tue...

Il est des groupes provisoirement heureux. 43 hommes franchiront avec succès le col du Freux ; d'autres arriveront sans encombre à Thorens après avoir évité un barrage milicien.

Il est des groupes malheureux. A Morette, où 25 fuyards ont eu la malchance de tomber dans une embuscade allemande, 18 d'entre eux sont tués.

C'est près du village de Naves qu'Anjot, Lambert Dancet, Vitipon et quelques maquisards espagnols sont accrochés par une patrouille allemande qui ne leur laisse aucune chance.

La mort d'Anjot, dont le bruit court à Annecy dès le 31 mars, ne sera connue avec certitude des Allemands que le 19 avril. C'est ce jour-là, en effet, que le Dr Jeewe avise la police de sûreté de Lyon : « Selon communication de la police française, le capitaine Pierrot, alias Bayard, alias Anjot, chef du plateau, après la mort du lieutenant Morel, a été tué dans les environs de Naves. Des membres de la famille de Pierrot veulent (*sic*) l'avoir reconnu. J'ai demandé à la police française d'exhumer Pierrot pour identification de sa personne[1]. »

Maleski, chef de la police de sûreté et du S.D. de Lyon, s'est rendu à Annecy pour activer la chasse à l'homme et faire régner, jusque dans les plus petits villages, une terreur assez intense pour que les portes et

1. Dans le journal tenu par Dépollier, la mort d'Anjot est confirmée le 18 avril. Dépollier note également, le 27 avril, qu'une « messe secrète » à la mémoire d'Anjot a été célébrée le jour même.

les cœurs se ferment devant les fuyards. Et même pour que des dénonciations — certaines auront pour auteurs des familiers, voire deux anciens de Glières — soient récoltées par les enquêteurs en uniforme.

Près de Thônes, dans la montagne où crépite la fusillade, les Allemands, dont chaque colonne est accompagnée de policiers, cueillent ainsi des maquisards qu'ils fusillent non loin de la colonie de vacances des Vairons.

C'est à Thorens, où a été établi un centre de criblage, que le lieutenant de Griffolet et sept de ses hommes seront tués. A Thorens, également, que le lieutenant Bastian, qui venait de passer avec succès deux barrages de miliciens, volontairement ou non, quelque peu négligents, et cherchait à gagner le domicile de Mme Berger, sa logeuse, sera capturé grâce, précisera le Dr Knab, à la « circonspection de quelques soldats allemands[1] ».

Maleski a dit à ses policiers qu'ils reconnaîtraient les maquisards à ce signe : leur visage est brûlé de soleil.

A-t-il le visage « brûlé de soleil » le jeune étudiant Jacques Henri Lebovici, qui, dans le maquis, se faisait appeler Launoy ? Je ne sais. Mais je sais qu'il sera fusillé le 30 mars sur le chemin qui descend au Petit-Bornand.

Dans les bilans allemands transmis à Lyon et à Paris, le chiffre des prisonniers ne cesse de s'élever. De 183 le 29 mars, dont, il est vrai, 54 G.M.R. capturés par le maquis et sur le sort desquels les Allemands s'interrogent encore, il passe à 227 le 31 mars, puis à 237 le 2 avril[2].

Ces prisonniers seront tout d'abord l'objet de longues disputes entre Milice et police allemande.

Le 22 ou le 23 mars, Darnand a rencontré à Annecy le général Pflaum, commandant la 127e division alpine.

A Pflaum, Darnand explique, devant plusieurs témoins[3], que, le maintien de l'ordre étant du ressort des seuls Français, l'armée allemande devra remettre à l'intendant de police Lelong tous les maquisards qu'elle capturera.

Jeewe exposera d'ailleurs à ses supérieurs que, selon Darnand, « le

1. Bastian, responsable du ravitaillement, avait sur lui une somme de 170 000 francs.
2. Ce chiffre comprend les maquisards capturés par la Milice.
3. Du côté français, Knipping, de Vaugelas et Raybaud.

gouvernement français ne peut admettre que les prisonniers éventuels faits au cours d'une action commune... ne lui soient pas livrés, déjà par égard à l'opinion publique en France ainsi qu'à l'étranger et pour sauvegarder l'honneur national[1] ».

Cette thèse, les Allemands ne l'admettent pas. Ils le font savoir au lendemain de leur victoire.

Le 28 mars, en effet, l'Obersturmbannführer Dr Knab proteste car le chef milicien de Vaugelas « " est d'avis de n'exécuter que les terroristes qui étaient chefs ou faisaient partie des F.T.P.[2] ". Il lui fut répondu que cette manière de voir était trop douce... Si les terroristes ne sont pas punis, ou intimidés, la terreur ne pourra être brisée[3]. »

Le 31 mars, Knab reviendra à la charge. Il voudrait que « tous les terroristes paient leur conduite par la mort », mais il doute du verdict des cours martiales : « Il y a danger, du fait de la situation ici, que la plupart s'en tirent avec la détention ou même avec la mise en liberté. » Il doute également de la rigueur de de Vaugelas. « Même un homme comme de Vaugelas, qui est très dur dans ses façons de voir, précise-t-il dans son télégramme à Oberg, Knochen et Boemelburg, a déclaré que l'on ne pouvait pas tous les fusiller, pour cela je dois proposer que les prisonniers ne soient traduits par Darnand devant la cour martiale que si Darnand fait le nécessaire pour qu'ils soient réellement condamnés à mort. »

Quelle sera la position de Darnand ? Le Dr Jeewe la précise, le 16 avril, par un télégramme adressé d'Annecy à Knab, qui a regagné Lyon : « Lelong vient de m'aviser que, par ordre de Darnand, une commission était arrivée à Annecy pour interroger, comme il a été convenu, les prisonniers faits par les Allemands lors de l'opération contre le plateau de Glières. Ceci est en contradiction flagrante avec les instructions du SS Gruppenführer Oberg. » Les Français, poursuit en substance Jeewe, doivent traduire en cour martiale tous leurs prisonniers. Quant aux Allemands, ils ne doivent les remettre « aux fins d'interrogatoire que dans des cas très urgents ».

Jeewe a exigé que les Français traduisent en cour martiale *tous* leurs prisonniers. Il leur sera donné partiellement satisfaction. Le 4

1. Télégramme du 25 mars.
2. Donc communistes ou supposés communistes.
3. Télégramme en provenance d'Annecy n° 273 à Oberg et Knochen.

mai, 11 rescapés de Glières seront ainsi traduits devant la cour martiale réunie dans une pièce de la maison d'arrêt d'Annecy.

Aucune instruction n'a été faite, aucun acte d'accusation n'a été lu, aucune plaidoirie n'a été prononcée. Les « juges » n'ont pas à rendre la justice mais à exercer des représailles. Les 11 sont là pour payer de leur vie la vie du lieutenant-colonel Cristofini, chef de cette Phalange africaine qui, en Tunisie, avait combattu avec les Allemands et qui vient d'être fusillé à Alger.

Il ne faut guère plus de deux ou trois minutes au président de ce scandaleux tribunal pour lire la sentence condamnant 9 des 11 maquisards à la peine de mort pour « tentative de meurtre, complicité de meurtre, attaque à main armée ».

— L'exécution aura lieu ce jour, par fusillade... Emmenez les condamnés.

4 des 9 condamnés seront cependant épargnés dans l'attente du sort que les juges d'Alger réserveront à l'amiral Derrien, accusé d'avoir livré Bizerte aux forces de l'Axe. Que Derrien soit condamné à mort, fusillé, et ils seront fusillés[1].

Mais déjà, le 4 mai, Florent Valsesia, Fernand Decor, Zelkovitch, Hugo Schniot et l'adjudant-chef Louis Comte, qui habitait près du champ de tir, sont tombés sous les balles d'un peloton de G.M.R., moins d'une heure après leur condamnation.

Comte leur a demandé de chanter *la Marseillaise* et c'est ainsi qu'ils périront en patriotes inébranlables.

L'accès du cimetière où ils seront inhumés sévèrement interdit au public, la population d'Annecy trouvera le moyen de manifester son émotion en assistant en foule à la « messe secrète » célébrée quelques jours plus tard. Messe « secrète » dans la mesure où la presse ne doit pas l'annoncer, comme sera « secrète », le 27 mai, la messe à la mémoire des morts du 27e bataillon de chasseurs. Mais il est des informations qui n'ont nul besoin d'être lues dans le journal pour être connues d'une opinion sensibilisée.

---

1. A la suite d'interventions nombreuses auprès du Comité d'Alger, l'amiral Derrien sera condamné aux travaux forcés à perpétuité.

Lorsque sera venu le temps des jugements, puis celui de l'Histoire, plusieurs anciens responsables de la Milice, rappelant avec quelle insistance Darnand avait exigé des Allemands que tous les prisonniers fussent livrés à Lelong, affirmeront que des vies françaises furent ainsi épargnées. C'est exact. Le reconnaître, ce n'est pas oublier que bon nombre de prisonniers de Glières iront périr dans des camps de déportation.

Et que le hasard le plus déconcertant disposait alors de la vie des hommes. Lorsque Serge Aubert est capturé, il est conduit d'abord à la mairie de Thorens, puis à la caserne Dessaix à Annecy.

Les 103 prisonniers de Dessaix recevront un jour la visite d'un personnage en grande tenue — pour Aubert il se serait agi du colonel Lelong — qui fera remettre aux internés des cartons de couleur rouge, jaune et verte. Chaque couleur oriente des vies. Les gardes mobiles le disent aux intéressés qui s'informent. Les dépositaires de cartons rouges sont considérés comme « terroristes dangereux et beaucoup d'entre eux seront fusillés ; les jaunes sont, en quelque sorte, placés en attente ; les verts, jugés inoffensifs, pourront être libérés rapidement[1] ».

Comment oublier également les brutalités et les tortures dont se rendirent coupables certains miliciens ?

Après avoir été fait prisonnier, Raymond Millet se trouve en compagnie d'Espagnols de la section *Ebro,* des hommes qui ont courageusement combattu mais à qui, la bataille achevée, il ne sera presque jamais fait grâce.

Un Allemand s'approche et demande à Millet :

— Espagnol ?

— Non, Franzouze.

Quelques minutes plus tard, 5 des 6 Espagnols présents sont fusillés. C'est alors que Maud Champetier de Ribes, maîtresse de d'Agostini, qui l'accompagne partout, et, plus tard, sera fusillée

1. M. Serge Aubert qui m'a envoyé son témoignage avait un carton jaune. Conduit au fort de la Duchère à Lyon, puis à la centrale Saint-Paul, il échappera à la déportation, plus heureux en cela que 85 de ses camarades dont 14 périront, et il pourra, après bien des péripéties, rejoindre les maquis de l'Isère.

avec lui, ayant exprimé le désir de voir comment mourait un homme, un milicien dira au dernier des Espagnols : « Va chercher ce fagot... au bout du champ. » L'homme tombe criblé de balles[1].

Quant à Léon Mégevend, arrêté par la Milice le 29 mars, conduit à Thorens, il sera interrogé sans arrêt entre 21 heures et 4 heures du matin.

A l'hôtel du Parmelan où il se trouve enfermé, le climat est à la fête. Les miliciens « arrosent » la prise de Glières. Aussi, avant que ne débute l'interrogatoire de Mégevend, le médecin de la Milice, qui n'assistera pas à la séance, lui tend un verre de champagne.

— Buvez un coup, vous en aurez bien besoin tout à l'heure.

Mais Maud Champetier de Ribes est là, avec ses camarades miliciens. Soucieux de satisfaire ses caprices sadiques et son érotisme, d'Agostini lui demande :

— Veux-tu voir une autre corvée de bois ?

— Non, je veux voir un interrogatoire en règle.

« On m'a mis à poil tout de suite, devait me dire Léon Mégevend. On m'a battu. A grands coups dans le foie. D'Agostini avait des souliers à crampons qui faisaient terriblement mal. De Vaugelas tapait moins. Il y avait un lieutenant allemand qui ne m'a jamais touché. A 4 heures du matin, ils m'ont lancé sur la paille. Plus d'interrogatoire. C'était formidable. Quand ils sont venus me réveiller, je ne pouvais plus bouger. La paille était collée à ma tête, comme une auréole. Alors de jeunes miliciens ont rigolé et se sont écriés : « On dirait le petit Jésus[2]... »

Ces prisonniers de la Milice, Philippe Henriot va tenter de les déshonorer. Pour le secrétaire d'Etat, parlant le 29 mars, ils ont le visage « buté, sournois, vide ». Ils sont « indignes et lâches ». Ils ont, dit-il également, « été lâchés par leur chef au premier assaut, ils ont lâché leurs armes pour fuir plus vite ».

Les envoyés spéciaux des journaux parisiens ont les mêmes yeux que

1. Témoignage de M. Raymond Millet.
2. Témoignage inédit de M. Mégevend, qui ne participait pas à la bataille de Glières, mais servait d'agent de liaison avec la Suisse.

Philippe Henriot. Ils voient partout des êtres déguenillés et tremblants.

Mais ils ne voient pas un seul Allemand. Or, ce sont les Allemands qui ont réduit Glières. Ni Henriot ni les journalistes ne l'avouent. Toute la gloire aux « forces du Maintien de l'ordre ». Dans *Le Petit Parisien* du 28 mars, Louis Rouillac, envoyé spécial du journal, ne souffle pas mot de la présence de la Wehrmacht alors qu'il insiste sur la capture d'un certain nombre « d'Espagnols rouges ».

Axel, envoyé spécial du *Matin,* qui décrira complaisamment les repaires des terroristes, « pièces sales, literie crasseuse, plats et vaisselle ébréchés et graisseux », ne rencontrera pas davantage d'Allemands.

Le 29 mars, *Le Matin* titre d'ailleurs :

L'armée terroriste du maquis des Olières[1]
est anéantie par les forces de l'ordre

Le 7 avril 1944, sous la signature de Claude Maubourguet, engagé à la fois comme journaliste et comme milicien du rang, paraît dans *Je suis Partout* un article intitulé : « La fin du maquis des Glières ». Il s'agit de « choses vues ». Maubourguet appartient, en effet, à la 2e unité milicienne, composée de six trentaines, d'une section de mortiers, d'une section de mitrailleuses.

> « Le dimanche 26 mars, nous sommes en patrouille dans des rochers assez durs à gravir lorsque nous entendons des éclatements lointains. Le bombardement du plateau des Glières commence. Et, durant toute cette journée et celle du lendemain, des mortiers de 81 et des gros obusiers de 155, qui doivent être placés de l'autre côté du plateau, envoient sur les chalets des maquisards nombre d'obus. »

Pas un mot sur la nationalité de ceux qui servent mortiers de 81 et obusiers de 155. Lorsqu'il rapporte les paroles des maquisards qui lui disent que les bombardements aériens les ont démoralisés, Maubourguet ne précise pas que les bombardiers étaient allemands.

---

1. L'erreur typographique sera corrigée par la suite.

Quant à *Combat,* hebdomadaire de la Milice, si son directeur, Henry Charbonneau, peut, avec une apparence de raison, écrire, le 11 mars, qu'il n'y a « dans les rangs des forces de l'ordre pas un étranger, pas un Allemand », ce n'est plus vrai quelques jours plus tard.

Dans le numéro du 8 avril, Henry Charbonneau ne souffle pas mot du combat — ce qui lui évite d'avoir à mentir —, mais décrit seulement des prisonniers.

Il le fait, d'ailleurs, avec plus de mesure et de compassion que la plupart des autres reporters. Où les uns se heurtent à des visages « butés et sournois », il rencontre des hommes dont certains ont « conservé de bonnes figures sous leur allure de trimardeurs et d'hommes des bois ». Il ose même écrire qu'il a rencontré, à Glières, « des jeunes gens qui aiment leur pays comme nous l'aimons, qui ont risqué et souffert, souvent en servant une mauvaise cause, mais avec foi et bonne volonté ».

Charbonneau, il est vrai, a été fait prisonnier dans les combats de 1940.

Il sait donc, de cruelle expérience, qu'un prisonnier dépouillé de ses armes, de ses quelques biens personnels, de sa dignité, n'est plus, sur les routes de la défaite, qu'un pauvre hère.

Sa réaction d'ancien captif l'emporte alors sur sa réaction de journaliste engagé [1]. Dans une époque de fureurs partisanes, le fait est assez rare pour mériter qu'on le signale.

Le 5 avril, à Vichy, Laval félicitera Joseph Darnand « et les miliciens qui ont participé aux opérations de Haute-Savoie ».

Il fera davantage. Sous sa signature, le 8 juillet, paraîtront au *Journal officiel* les citations à l'ordre de la nation de Charles-Jacques-Marie-Noël de Bernonville, de Raoul d'Agostini, de Jean de Vaugelas, enfin, « chef milicien de très grande classe... qui a su donner à sa troupe, au moment de l'assaut final lancé contre les rebelles retranchés

1. Charbonneau a également combattu dans les rangs de la Phalange africaine. *Cf.* p. 198

sur le plateau des Glières, l'impulsion qui a permis d'obtenir le succès complet de l'attaque ».

Pourquoi, oui pourquoi, ainsi que l'a demandé sur la B.B.C. Maurice Schumann, le 8 avril, Laval, Darnand et Henriot, qui n'ignorent rien de la part prise par les Allemands dans l'attaque de Glières, « se targuent-ils d'avoir sur les mains encore plus de sang qu'ils n'en ont » ?

Pour Maurice Schumann, Laval, Darnand et Henriot voudraient entretenir ainsi l'illusion qu'il existe deux France dont l'une « serait prête à mourir pour Montoire ».

C'est une raison. Ce n'est pas la seule. En s'efforçant d'accréditer, par leur presse et leur radio, l'idée que seuls des Français ont été engagés contre des Français dévoyés, des « Espagnols rouges » ou des terroristes armés par Moscou, Laval, Darnand, Henriot, et tous ceux qui appuyent cette indécente opération de mensonge par omission, espèrent peut-être préserver la fiction de l'indépendance du gouvernement de Vichy.

Pitoyable indépendance que cette indépendance, sauvegardée, aux yeux de quelques naïfs, grâce aux armes d'un occupant dont on prend à charge tous les crimes.

TROISIÈME PARTIE

LES TRISTESSES

Les cadavres des hommes tomberont sur la face de la terre comme le fumier, et comme les javelles tombent derrière les moissonneuses, sans qu'il y ait personne pour les relever.

Jérémie 9/22.

9

LE PEUPLE DE L'ABÎME

Dans la nuit ou dans l'aube
C'étaient toujours les mêmes formes
Longues et grises, entrevues sous une lumière jaune
Un peu comme en un rêve énorme
Et sur la face pâle des vivants
Les yeux brûlaient d'une flamme hébétée...

J.-M. Théolleyre
déporté à Buchenwald

La soif. D'abord la soif. De toutes les tortures endurées pendant l'interminable voyage vers les camps de concentration, c'est la torture par la soif qui restera le plus durablement gravée dans la mémoire des survivants.

> « Nous ressemblons, écrit Sanguedolce[1], à ces carpes qu'on vient de sortir de l'eau. Nous n'avons rien mangé depuis deux jours, cela n'a pas d'importance, nous n'avons pas faim. Mais respirer de l'air pur, boire une bonbonne d'eau, voilà qui serait délicieux. »

On est en juin 1944. Formé de wagons à bestiaux aux portes bloquées, le train qui transporte Sanguedolce et ses camarades est

1. Militant communiste, interné à la centrale d'Eysses, puis à Compiègne, déporté le 17 juin 1944 à Dachau.

arrêté face à l'une de ces énormes bouches d'eau destinées au ravitaillement des locomotives.

— Wasser trinken, crie Sanguedolce à un cheminot allemand qui remplit un seau d'eau, s'approche mais, interpellé par un schupo, s'éloigne au grand désespoir des prisonniers torturés par la soif, et dont plusieurs entrent alors dans une lente agonie.

A Karlsruhe, l'étape précédente, ils avaient eu droit à deux litres d'eau. Deux litres pour cent hommes représentent *environ la valeur d'un grand verre d'eau pour dix ou onze déportés.* Beaucoup moins sans doute, car il faut compter avec les cahots du train, les tricheries, les bousculades et même, dans un wagon où grandit la haine, les pugilats. Lorsque, à Francfort, par exemple, dans le convoi où se trouve Christian Pineau, un représentant allemand de la Croix-Rouge tend une gamelle de soupe, *une seule gamelle,* à cent vingt assoiffés, la gamelle sera très vite renversée et, sur le vêtement de leurs camarades, certains déportés tenteront de lécher le jus dégoulinant[1].

Il y aura plus affreux encore. En route vers un monde sans dignité, des hommes, soumis à la torture de la soif, suceront les boutons des portes pour recueillir l'humidité de la nuit, boiront — Martin Chauffier, qui a vu et vécu, raconte cela — l'urine communautaire recueillie dans le vaste récipient, la tinette dégoûtante d'excréments, disposé au centre du wagon.

Voici enfin, dans sa relative sécheresse, car l'émotion perce sous les mots, un fragment du rapport inédit du 20 mai 1944 adressé au Commissariat civil de la gare Saint-Jean, à Bordeaux.

> 17 heures... Un employé de la S.N.C.F. nous avise du passage, vers 18 heures, d'un convoi de 700 prisonniers juifs venant d'Agen, à destination de Compiègne. Ces malheureux n'ont rien pris depuis vingt-quatre heures. On nous demande si nous pourrions les ravitailler en boissons chaudes.

---

1. A Trèves, le 23 janvier 1944, il fut distribué à quelques-uns des déportés du wagon dans lequel se trouvait le professeur Charles Richet une soupe d'un litre.

Téléphoné au service des évacués et au Secours national, ainsi qu'à M. Pevérelly.

17 h 25... Le S.N. (Secours national) envoie cinq ou six jeunes gens et jeunes filles pour aider au service (Equipes nationales).

18 heures... Nous demandons à l'officier allemand de la gare l'autorisation de distribuer aux prisonniers du bouillon chaud : accordé, mais interdiction absolue de monter dans les wagons.

19 heures... Nous apprenons que le convoi est arrivé, il va être garé sur la 2e voie, 2e trottoir, pour faciliter le service. Aucun renseignement précis sur la durée de l'arrêt.

19 h 20... Le train est en place ; les jeunes et le personnel du C.C. (Commissariat civil) commencent la distribution. Les wagons à bestiaux sont ouverts les uns après les autres, sous une surveillance très serrée de soldats allemands armés. On compte de 40 à 45 personnes entassées, pêle-mêle, dans chacun des 15 wagons du convoi. Quelques enfants en bas âge et des vieillards font pitié ; ils réclament du lait que nous leur servons. Aucune mesure hygiénique n'a été prise ; même pas un seau dans le wagon[1].

Nous demandons à M. le chef de gare de signaler le fait à la prochaine gare importante où le train s'arrêtera. Impossible, l'itinéraire n'est pas encore connu, vu les perturbations apportées dans le trafic.

Ces prisonniers sont pour la plupart des juifs allemands, en provenance de la région de Toulouse.

Les A.A. (autorités allemandes) nous permettent de remplir d'eau quelques bouteilles appartenant à certains prisonniers. Dès qu'un wagon est servi, il est immédiatement refermé.

La distribution a duré 1 h 25.

20 h 50... M. le sous-chef principal de service avise la gare

---

1. Dans les wagons de déportés, les conditions d'hygiène étaient, on le verra, déplorables sinon inexistantes. Le 10 janvier 1944, de nombreux juifs sont arrêtés à Bordeaux lors d'une rafle qui débute à 20 heures. Pour les Allemands, il y a lieu « de se saisir de *tous* les juifs restant encore, sans considération d'âge ».

Le 12 janvier, 317 juifs (en majorité des enfants et des femmes) embarquent, à partir de 13 h 40, dans 24 wagons de marchandises. 50 seaux hygiéniques ont été remis au Centre d'accueil de la gare. Les seaux sont disposés sur le quai n° 2 et deux seaux sont placés dans chacun des 24 wagons « complètement nus, ni bancs, ni paille ».

d'Angoulême du passage. Mais le train est cependant ramené sur une voie de la P.V. (petite vitesse). Nous remercions les jeunes des E.N. (Equipes nationales) qui ont accompli leur mission avec entrain et dévouement.

21 heures... Ravitaillement de la journée : 712 prisonniers juifs dont 10 enfants de zéro à un an, plus de 100 vieillards (bouillon, lait et biscuits pour les enfants).

Combien sont-ils par wagon ? Les chiffres varient suivant les convois, suivant les wagons à marchandises ou à bestiaux qui, pillés dans quinze pays différents, ne sont pas tous de dimensions identiques, suivant — c'est un élément à ne pas négliger — l'humeur des Allemands.

Ils sont 112 dans le wagon où se trouve Louis Bissinger, et c'est à tour de rôle qu'ils doivent s'asseoir, ou tenter de s'asseoir ; 95 dans le wagon qui emporte Pineau et son beau-père Bonamour, incapable de protéger, contre les heurts innombrables, son pied malade de la goutte [1] ; 75 dans le wagon de Bramoullé le 15 août 1944 ; 127 parmi lesquels 63 morts dans un wagon qui arrivera à Buchenwald le 19 septembre 1943 ; 76 dans le wagon du professeur Richet ; 60 dans celui de Martin-Chauffier ; 40 dans celui de Simone Saint-Clair déportée à Ravensbrück le 23 juin 1944.

Le trajet dure trois, quatre ou cinq jours. Bien davantage encore, dans le cas de ce train fou que les Allemands, obstinés, feront partir de Toulouse le 3 juillet 1944, bien que les maquis fassent un peu partout sauter les voies épargnées par les bombardiers anglo-saxons. Le 24 août, il arrive... à Beaune. Certes, entre le 9 juillet et le 10 août, les prisonniers ont été enfermés à Bordeaux, dans leurs wagons d'abord [2], puis dans la synagogue de la rue Labirat, mais ils ont « voyagé » — a-t-on le droit d'utiliser le mot ? — entre le 3 et le 8 juillet, entre le 10 août et la fin du mois ensuite, vivant dans la terreur de l'aviation alliée qui mitraille un convoi dont les pilotes ignorent le pitoyable contenu,

1. De 95, ce chiffre passera à 120, à Pagny-sur-Moselle.
2. Les 9, 10 et 11 juillet.

crevant de faim (2 400 grammes de pain à Chalon pour 70 hommes ; dix biscuits par déporté à Beaune), condamnés toujours, fût-ce au cours des transbordements imposés par la rupture des voies, à fuir, dans la vallée du Rhône, les armées de la Libération qui approchent.

> « Le “ bon wagon ”, écrira l'un de mes correspondants, M. Bramoullé, déporté le 15 août 1944 dans le dernier convoi ayant quitté la région parisienne avant la Libération, le bon wagon était celui où quelques fortes personnalités arrivaient à instaurer et à maintenir un minimum de discipline, à réprimer les paniques et les folies collectives, au besoin à mettre hors d'état de nuire — quelquefois à tuer — les fauteurs de désordre qui pouvaient entraîner le groupe à la catastrophe. »

Tuer ? Je ne sais, mais Pineau, Sanguedolce, Lacaze, d'autres encore, portant témoignage sur ce que fut la vie, dans les wagons de la déportation, d'hommes que n'unissaient pas toujours les liens de la résistance, que gagnait parfois la folie [1], qui sombraient dans un état comateux ou, au contraire, piétinaient sans remords leurs camarades pour gagner une place, rejoindre la tinette ou se glisser le long de la paroi afin de respirer un peu d'air frais, souligneront l'importance et l'influence de quelques « fortes personnalités » au milieu des troupeaux humains désorganisés, enfournés par les Allemands à l'instant du départ.

La discipline peut fort bien — c'est le cas le plus fréquent et le plus vraisemblable — ne concerner qu'une quinzaine ou une vingtaine d'hommes qui, alors, s'organisent, se protègent mutuellement et s'entraident. Elle peut aussi, le fait est plus rare, toucher un wagon tout entier. Dans le wagon de Sanguedolce, qui a quitté Compiègne le 18 juin 1944, ne se trouvent que des communistes [2]. Dès que le train s'ébranle, le « comité de direction » fait circuler ses consignes : constituer des groupes de dix dirigés par un responsable ; manger

1. « Un peu plus loin, du côté de la tinette, un de nos compagnons se met à hurler à la mort, se précipite sur ses voisins, saisi d'une irrépressible envie de mordre. Il est devenu un chien, un vrai, qu'il faut à moitié assommer pour le calmer. » Christian Pineau, *La simple vérité*.

2. Dans ce convoi, sur 2 000 détenus, 1 200 viennent de la centrale d'Eysses, sont communistes et demeurent collectivement soudés.

immédiatement les provisions emportées puisque, quelques heures plus tard, sous l'effet de la chaleur, comme du manque d'eau, il sera impossible d'avaler une seule bouchée ; organiser un système de rotation afin que chacun puisse s'asseoir ; remettre tout ravitaillement inattendu au collectif qui en assurera la répartition.

Un problème d'une tout autre gravité se posera bientôt.

Avant le départ de Compiègne, Sanguedolce a réussi à dissimuler sous ses vêtements une pince-monseigneur. Il a été convenu qu'il cisaillerait en pleine nuit les barbelés du vasistas du wagon puis, se glissant par le vasistas, sauterait sur le marchepied de la porte, couperait le fil de fer plombé et ouvrirait à ses compagnons un passage vers la liberté.

Mais, en gare de Compiègne, un jeune officier S.S. a dit aux prisonniers ce que les Allemands répètent au départ de chaque convoi.

— Vous n'avez aucune chance de vous évader, mais, en cas de tentative dans un wagon, nous doublerons le nombre des détenus de celui-ci. Si, par contre, un détenu parvient à s'évader, nous en fusillerons dix ; si dix s'évadent, nous fusillerons tout le wagon.

Que faut-il décider ? Peut-on spéculer sur un bluff de la part des Allemands ? Mais, s'ils étaient résolus à mettre leur menace à exécution, peut-on sacrifier la vie de 1900 hommes pour assurer la liberté de cent prisonniers ? Le collectif de direction décidera finalement de renoncer à l'évasion, Sanguedolce jettera par le vasistas la pince-monseigneur et quatre jeunes F.T.P. lyonnais, qui, à l'aide de couteaux, s'obstinent à creuser un trou au milieu du wagon, seront sermonnés puis désarmés.

Cette héroïque résignation n'est possible que dans la mesure où il existe des responsables. Et où ils sont obéis.

Mais, dans la plupart des wagons, l'initiative est individuelle. Au milieu des cris, des injures — « aucun juron ne semble assez cru pour exprimer notre état d'âme », reconnaîtra Pineau —, au milieu des bousculades, il se trouve presque toujours quelque audacieux pour découper, à l'aide d'un couteau dissimulé avant le départ, une planche de la paroi du wagon, agrandir l'ouverture, puis, à l'aide d'un camarade, aux mains duquel jusqu'au dernier instant il s'agrippe, se laisser glisser et tomber sur la voie.

Le risque est immense. Risque d'être mutilé par une roue, de se blesser grièvement dans la chute si la marche du train est trop rapide, d'être happé — cela se produira — par un convoi qui double, d'être aperçu par les sentinelles allemandes, rattrapé, fusillé.

Succès pour quelques-uns, l'évasion est un drame pour tous ceux qui restent, et qui sont l'immense majorité. Découvrent-ils des mouvements suspects, les Allemands font stopper le train, se précipitent vers les wagons dans lesquels des ouvertures ont été pratiquées, tirent quelques rafales de mitraillette qui blessent et tuent puis, arrivés à la première gare, reclouent les ouvertures — sans oublier cette fois celles qui permettaient l'aération —, font transporter les cadavres dans un wagon, empilent les chaussures des déportés qu'ils ont obligés à se déchausser dans un autre wagon et profitent de l'opération pour, dans chaque wagon, augmenter le nombre des déportés, rendre l'air plus irrespirable, la puanteur plus épaisse, les déjections plus effroyables, les conditions d'existence plus insupportables.

Dix-sept détenus ont réussi à s'évader du convoi dans lequel se trouve Martin-Chauffier. Les 43 qui n'ont pas voulu ou n'ont pas pu prendre la fuite seront déshabillés, privés de la boule de pain et du morceau de boudin qui leur avaient été remis lors d'une halte, battus, forcés d'aller s'entasser — nus — dans un wagon voisin où le chiffre des captifs passera brutalement de 60 à 103.

Cinq hommes deviendront fous avant l'arrivée au camp[1]. Arrivée d'hommes déshumanisés par trois ou quatre jours d'un effroyable voyage et qui s'apprêtent à pénétrer dans un système fait pour accentuer toujours la déshumanisation.

Lorsqu'ils arrivent à destination, les déportés sont toujours moins nombreux qu'au départ. Mais la mort en cours de voyage, plus que l'évasion, est responsable de cette chute des effectifs qui peut atteindre, dans les cas les plus tragiques, celui du convoi du 2 juillet

1. « J'ai revu plus tard, écrit Martin-Chauffier, déporté à Neuengamme, l'un des dix-sept évadés. Je lui racontai ce qu'il advint des autres, qui n'avaient pu les suivre. Il en fut un peu gêné. Sans plus. Je crois qu'il avait raison de n'éprouver aucun remords. Si la considération d'autrui avait pesé sur l'action, et la pensée des représailles retenu de les provoquer, il n'y aurait pas eu de résistance, la libération ne nous eût pas rendu l'honneur. La France ne se serait pas relevée. » Martin-Chauffier, *L'homme et la bête*.

1944, justement baptisé « train de la mort », jusqu'à 25 % des déportés.

Quand il arrivera à Dachau, après quatre-vingts heures de voyage, le convoi parti de Compiègne avec 2166 déportés ne contiendra plus que 1630 survivants ; 536 sont morts en cours de route, dont 99 dans l'unique wagon métallique du convoi. 99 sur 100.

Tous les récits d'arrivée au camp de concentration diffèrent et tous se ressemblent.

Les conditions du voyage, le climat, l'état physique et moral du déporté, la nature du camp peuvent introduire, ici et là, quelques différences dans les souvenirs et dans leur transcription, l'essentiel demeure : les hommes qui débarquent, parfois les pieds nus, parfois dépouillés de TOUS leurs vêtements, ce sera le cas pour 200 des 1000 déportés du convoi arrivé le 30 octobre 1943, sont à la limite de la résistance physique et nerveuse.

Il en est que la folie a gagnés et qui gesticulent, hurlent, tardent, malgré les coups des gardiens, les aboiements et les morsures des chiens, à prendre le départ pour gagner l'entrée du camp, signalée, à Buchenwald, par une manière de poteau indicateur en fonte sur lequel une frise allégorique représente, d'un côté, des soldats se dirigeant joyeusement vers la caserne, de l'autre, les ennemis du Reich : un prêtre, un moine, un juif honteusement en marche vers le camp de concentration.

Mais, avant le départ vers le camp, une ou plusieurs corvées de déportés doivent sortir du (ou des) wagon, où ils ont été empilés, les cadavres des détenus morts en cours de route, cependant que les soldats « font le ménage » et jettent sur le quai, inconscients, agonisants, tous ceux qui n'ont pas trouvé la force de descendre.

Les comptes faits — ces comptes qui, jusqu'à la Libération, seront et l'une des préoccupations majeures des Allemands, et l'un des supplices permanents des déportés —, les comptes faits, arrive le moment de se mettre en route.

— Allons, messieurs, en rangs, crie un S.S. planté sur le quai de la gare de Weimar.

— Je ne peux pas marcher, crie Bonamour, beau-père de Christian Pineau.

— Très dommage pour vous, réplique le S.S. en appuyant son index sur sa tempe, d'un geste parfaitement significatif, mais qu'il consent à commenter d'une phrase.

— Ceux qui restent là, fini pour eux... Vous, très bien marcher, monsieur.

> « Les bagages ayant été rangés sur le quai, l'on nous invite à nous en charger. Je saisis ma plus lourde valise de la main droite, le bras de Bonamour de la main gauche. Tant pis pour ce qui restera de nos précieux paquets. En rang par cinq, la colonne s'ébranle dans la neige, encadrée de S.S. et de chiens qui aboient spectaculairement.
>
> Nous sommes les derniers ; bientôt, malgré la lenteur relative de la marche, nous avons pris trois mètres de retard.
>
> — Allons, monsieur, dit le S.S. toujours amène, en donnant un léger coup de baïonnette dans une des fesses de Bonamour, pressons, ou gare.
>
> Au même moment, un chien attrape mon pantalon et tire... »

Convaincus par ces « arguments », Pineau et Bonamour rejoindront la colonne, et du S.S. « toujours cordial », Bonamour récoltera ce compliment :

— Vous voyez, monsieur, vous guéri. Nous, très bons docteurs.

Lorsqu'ils arriveront devant la porte de Buchenwald, son poteau allégorique et l'écriteau qui le flanque « *A chacun son dû* », Pineau et Bonamour entendront au loin des coups de revolver. « Ce sont sans doute, écrira Pineau, les S.S. qui achèvent nos compagnons blessés ou malades. »

Plusieurs déportés feront référence à l'exécution des traînards. Le communiste Jean Laffite, déporté à Mauthausen, rapporte le discours tenu par les gardiens allemands.

— Il reste cinq kilomètres à faire. Nous ne nous arrêterons pas. Tout homme qui ne suivra pas la colonne sera abattu sur place. Nous allons traverser un bois. Nous vous prévenons que toute évasion est impossible. Celui qui tenterait de s'échapper serait rattrapé par les chiens et dévoré vivant. Avez-vous compris ? Répondez !

— Oui !

— Plus fort et en allemand. Ici, on parle allemand.

— Ja !

Et Laffite de raconter le calvaire de déportés, harcelés par les chiens, harcelés par des hommes armés de gourdins, cependant que ceux qui ne peuvent plus suivre sont entraînés vers l'arrière, battus, tués parfois.

En revanche, le professeur Richet — arrivé à Buchenwald le 24 janvier 1944 — parle d'une marche lente de déportés s'entraidant. Sur la route, il ne voit pas de traînards abattus, mais découvre « une horde de truands », russes et polonais, qui, à l'intention d'arrivants épuisés mais aux musettes pleines, crient : « Donnez-nous du pain, nous mourons de faim. On va vous prendre vos provisions dès que vous serez rentrés. »

> « Nous sommes déjà des bagnards avertis, écrit Richet, et nous gardons nos provisions. Elles peuvent nous être utiles. »

Il déchantera rapidement.

Ce Buchenwald de l'horreur — qui ne sera pas le plus abominable des camps mais cependant un camp abominable — peut d'abord faire illusion.

Lorsqu'il arrive, le dimanche 20 août 1944, Bramoullé est favorablement « impressionné » par les pelouses tondues et arrosées, par les baraques de bois verni dont certaines s'égayent « de jardinières fleuries aux fenêtres » et même par les quelques individus en pyjamas rayés qu'il aperçoit et qui lui semblent totalement inactifs et correctement nourris.

— On va être drôlement bien là pour attendre la fin de la guerre, dit-il à son voisin de colonne qui a l'inconscience ou la générosité d'acquiescer[1].

En réalité, Bramoullé et ses camarades viennent de traverser le

1. « Je proférai calmement la plus énorme stupidité de mon existence. » A. Bramoullé, document inédit.

camp de la garde S.S. qui précède le camp de concentration, ville sinistre et géométrique, où, à leur grande surprise, ils sont abandonnés par les S.S. aux mains de déportés comme eux... et très différents d'eux. « C'était ce qu'on appelait, dans le camp, des fonctionnaires, mais nous ne le savions pas[1]... »

S'il existe des différences dans le transport de France en Allemagne, s'il en existe de considérables dans la nourriture, les conditions de travail, les punitions, suivant les différents camps, « l'accueil » est pour tous et partout identique.

A Flossenburg, à Oranienburg, à Bergen-Belsen, à Dachau, à Birkenau, à Chelmno, à Neuengamme, au Struthof, à Ravensbrück comme à Buchenwald, il s'agit d'abord de transformer, en quelques heures, ceux qui croient encore être des hommes, ceux qui, par leurs réactions, leur physique, leurs attitudes, leur vêtement, leur coupe de cheveux, leur barbe ou leur absence de barbe, leur moustache ou leur absence de moustache, sont encore des hommes différents de leurs compagnons de misère.

D'en faire les morceaux, les pièces, « stücke », d'un univers concentrationnaire, où le nom disparaît, effacé, remplacé par un numéro d'entrée dans cet énorme et monstrueux jeu de dominos, numéro auquel il faudra s'accoutumer rapidement, que la mémoire devra retenir, la voix apprendre à gueuler en allemand intelligible, numéro qui ne sera pas vous et qui sera vous cependant.

« L'homme a perdu sa peau », écrira David Rousset.

Il a perdu bien davantage à la fin des opérations qui se succèdent : dépôts des bagages, des vêtements, des montres, des papiers, des bijoux, le tout soigneusement enregistré pour ne jamais être rendu ; rasage, mais rasage intégral, opéré par des coiffeurs armés de tondeuses électriques et de grands rasoirs qui, sans eau, ni savon, enlèvent, raclent tous les poils où qu'ils se trouvent ; bain dans un énorme baquet rempli de désinfectant, bain dans lequel il faut plonger la tête et, si le mouvement est trop timide, un gardien l'accélère ;

---

1. Bramoullé.

douche brûlante ensuite ; badigeonnage des parties sexuelles parce qu'un pou, véhicule du typhus, égale la mort[1] ; habillement enfin après deux heures d'attente, deux heures que les déportés, nus, méconnaissables et ridiculisés, passent dans une sorte de salle d'attente glaciale.

Au magasin d'habillement, chaque détenu « touche » un caleçon long, une chemise, des chaussettes, des chaussures ou, plus exactement, ce que les déportés appelleront des « claquettes » et, phonétiquement, le mot s'impose, car il s'agit de bruyantes semelles de bois recouvertes d'un avant-pied en toile. Les vêtements sont disparates, comme tirés d'un misérable décrochez-moi-ça.

Si les costumes à rayures verticales blanches et bleues, les « pyjamas », les « zébra », dont le nom officiel était « trillich[2] », sont entrés dans l'histoire vécue, et dans l'histoire reconstituée par l'image, comme l'uniforme du déporté, tous les déportés ne seront pas vêtus de façon identique et beaucoup, surtout à partir de 1944, se trouveront habillés, selon le mot de Christian Pineau, « comme des figurants de cinéma [engagés] dans un film américain pour jouer des clochards français ».

Face à l'amas hétéroclite de chaussures, couvre-chefs, vêtements, il n'est naturellement pas question d'essayer, ni même de choisir. C'est au hasard — trop grandes ou trop petites, qu'importe — que seront distribuées des défroques (parmi lesquelles il se trouve des robes et des chapeaux de femmes) aux déportés qui se pressent là comme des gueux chez le fripier.

Les femmes déportées à Ravensbrück ne sont pas mieux traitées que les hommes.

---

1. « Eine Laus tein Tod », « Un pou, ta mort ». Pineau racontera dans *La simple vérité* l'une des périodiques « visites de poux ».

Les prisonniers, complètement nus, défilent devant un infirmier du *Revier* qui, assis sur un tabouret, examine s'ils n'ont pas, depuis leur désinfection, récolté quelques parasites.

« Avec un bâtonnet ressemblant vaguement à ceux dont on se sert pour battre le champagne dans les coupes, le préposé écarte les poils du patient — ceux-ci commencent à repousser —, soulève les parties pour voir si elles n'abritent pas quelques poux, écarte légèrement les fesses, jette un coup d'œil aux aisselles. Après cet examen, le détenu va se rhabiller. »

2. Treillis.

Elles aussi connaissent la cérémonie du dépouillage éclair. Abandon des bijoux, des alliances, des médailles sentimentales ou religieuses, de la Bible : « Ici Dieu est absent[1] » ; déshabillage total, « le linge le plus intime est enlevé », écrit Odette Amery ; visite médicale à la chaîne ; tonte des cheveux moins systématique cependant que chez les hommes[2] ; douche pour laquelle chacune a reçu un morceau de savon gros comme une boîte d'allumettes et qui devra durer un mois.

> « Navrant spectacle des bancales, des tordues, des obèses, des opérées, des porteuses de bandages, des flétries.
>
> On n'a plus envie de rire.
>
> Les robes rayonne et coton, aux bandes verticales bleues et grises, sont distribuées avec des chemises pleines de pus et de sang. Une paire de gros bas et la ficelle pour les attacher… Des galoches énormes. Du 40. Je chausse à peine du 37. Pas de veste. On en manque. Il faudra attendre les prochains morts. »

Pendant le voyage de France en Allemagne, la pudeur de bien des femmes avait été soumise à rude épreuve, mais, sous la douche de Ravensbrück, il n'est plus possible de dissimuler.

Mère Marie de Jésus, arrêtée à Lyon le 25 mars 1944, déportée à Ravensbrück, en compagnie de la révérende mère générale Marie Elisabeth de l'Eucharistie[3], a dû faire le sacrifice de ses habits religieux, elle n'échappera pas à la douche collective bien qu'elle s'efforce de passer après toutes les autres.

Toutes cérémonies d'entrée terminées, les déportés reçoivent, inscrit sur un petit carré de papier, ce qui sera désormais leur numéro matricule, numéro qui efface et remplace leur nom.

---

1. Réponse d'une surveillante à une amie de Marie Médard (témoignage inédit).
2. Selon Odette Amery (*Nuit et Brouillard*), tout dépend des parasites que les cheveux abritent, des inscriptions du dossier, de l'humeur de la surveillante de service.
3. Mère Marie Elisabeth de l'Eucharistie ne portera jamais la tenue du bagne, mais un pull-over à col russe et une robe noire.

Odette Amery sera le 24557, Flora Saulnier le 35466, Pineau le 38418, Michelet le 52579, Bramoullé le 77206... Ce numéro, qui sera souvent [1] tatoué, à l'aide d'un stylet, sur la peau du bras, du dos ou de la poitrine du déporté, est reproduit au pochoir sur une bande de tissu blanc. Le déporté devra le coudre sur le côté gauche de sa veste, proche d'un petit triangle destiné à indiquer aux gardiens et les raisons de l'internement et la nationalité (F pour Français) de l'interné. Le rouge est attribué aux politiques, le vert aux criminels de droit commun, le violet aux objecteurs de conscience ou zélateurs de la Bible, le noir aux asociaux et réfractaires au travail, le mauve aux homosexuels, le jaune aux juifs.

Ainsi, et il faut immédiatement en prendre conscience, le nouvel arrivant, l'entrant, *Zugang,* devenu un *Häftling* (détenu), pénètre-t-il, surtout s'il est politique, dans un monde qui ne ressemble en rien à ce qu'il a pu connaître, je n'écris pas dans la clandestinité, mais en prison et pendant le transport, lorsqu'il était encore possible de reconstituer ou de tenter de reconstituer une communauté d'idées.

Tout craque et tout bascule de ses certitudes. Voici Hélie Denoix de Saint-Marc, résistant, déporté à Buchenwald en septembre 1943 à l'âge de vingt et un ans [2].

> « Comment l'adolescent que je suis supporte-t-il ce monde auquel rien ne l'avait préparé ?
>
> D'abord, tout, ou presque tout craque. Le garçon relativement policé que j'étais affronte un monde sans merci, où seuls les rapports de force existent. Le vernis des uns et des autres

---

1. Souvent mais pas toujours. Selon *Tragédie de la déportation,* à Auschwitz, toutes les déportées étaient tatouées dès leur arrivée, tandis qu'à Birkenau le principe était appliqué avec moins de rigueur. Lorsqu'une déportée mourait, son numéro matricule devenait « libre ».

2. Hélie Denoix de Saint-Marc appartenait, à Bordeaux, au réseau Jade Amicol. Plus tard, officier parachutiste de la Légion étrangère, ayant combattu en Indochine (1947-1954), en Algérie (1954-1961), Hélie Denoix de Saint-Marc, treize fois cité, commandeur de la Légion d'honneur, commandera, en avril 1961, le 1er régiment étranger de parachutistes. Pour avoir pris part au putsch des généraux, il sera condamné à dix ans de détention criminelle.

disparaît. Il n'y a plus que l'être primitif qui mord, se bat, tue parfois pour survivre. »

Entre les mains et sous la responsabilité — c'est leur première surprise — de détenus portant, comme eux, triangles et numéros, les nouveaux arrivants sont conduits vers des baraques où trois étages de lits sont disposés. Leurs gardiens les font asseoir sur les minces matelas de fibres de bois, puis procèdent à un appel, l'un des premiers de ces innombrables appels, coutumiers à tous les camps de tous les pays et tous les temps [1], appels répétés à plusieurs reprises parce qu'il est rare que les surveillants ne se trompent pas dans leurs comptes.

Vient l'heure [2] de la distribution de la soupe : un litre d'une bouillie d'orge que les assoiffés s'accordent à trouver excellente. Après un temps de repos, les détenus, placés sur cinq rangs entre les boxes, attendent sans bouger pendant une heure et demie le sous-officier S.S. qui, sans leur adresser la parole, les comptera soigneusement, puis, abandonnant la pièce, les laissera entre les mains de leur véritable patron : le chef de block.

C'est lui qui expliquera l'organisation intérieure d'un camp dirigé par deux *Lageralteste* ou doyens, assistés de *Lagershutz* ou policiers, et dans lequel chaque block est administré par un chef de block nommé par les S.S., secondé par des gardiens de chambres, *Stubendienst,* chaque kommando de travail étant placé sous les ordres d'un kapo aidé d'un *Vorarbeiter.*

Ainsi, et sur ce point, tous les déportés sont formels, les S.S. ne sont visibles que sur les miradors de surveillance et à l'heure des appels. Désignée et manipulée par les Allemands, responsable devant eux, la véritable classe dirigeante des camps est donc composée de détenus anciens qui jouissent de privilèges incontestables, qu'il s'agisse de l'habillement, de la nourriture ou de l'espace vital. Privilèges qu'ils entendent à toute force conserver. Et le mot « à toute force » prend ici sa signification exacte puisque les cris, les coups, la délation sont les instruments de la maîtrise du pouvoir.

---

1. Dans *Souvenir de la maison des morts,* Dostoïevski fait déjà allusion à ces interminables appels.
2. Je suis ici le récit donné par Christian Pineau dans *La simple vérité.*

Dans sa très remarquable étude sur Ravensbrück, Germaine Tillion, qui confronte sans cesse ses notes quotidiennes de déportée, les textes qu'il lui a été donné de connaître et les documents authentiques auxquels elle aura eu accès, souligne la multiplicité des « milieux » qui se retrouvaient dans les camps.

Il faut toujours, en effet, garder en mémoire les aspects parcellaires de la déportation et le professeur Richet a parfaitement raison d'observer, de son côté, que, « jamais dans le " bagne capitaliste " le plus effroyable, il n'y eut et il n'y aura autant de différences sociales que dans l'établissement " égalitaire " de Buchenwald ».

Et Charles Richet de dresser la liste des quatre classes — en vérité subtilement divisées en sous-classes — représentées dans le camp.

L'aristocratie tout d'abord, constituée d'Allemands, communistes ou droits communs, internés depuis dix ou onze ans. Deux cents à Buchenwald d'après Richet. Comme il n'est pas de règle qui ne souffre exception, il arrive, surtout à partir de 1943, qu'à la suite de véritables et sanglantes « révolutions de palais » — dérisoires palais — les Allemands et les droits communs ne soient plus les véritables patrons.

Si les nazis, dans des camps où, jusqu'en 1938, ne se trouvaient que des citoyens allemands, ont tout d'abord privilégié leurs « droits communs », les « verts », l'arrivée massive de détenus, parmi lesquels des politiques, appartenant à toutes les nations, sont nombreux, va entraîner des bouleversements hiérarchiques. C'est ainsi qu'à Buchenwald les « triangles rouges » : les politiques communistes, remplaceront, à partir de 1943, les « triangles verts » : les « droits communs », aux postes de responsabilité[1]. Il n'en ira pas de même à Dora où les verts commandent toujours, ce qui fera écrire à l'abbé Robert Ploton, qui a connu les deux camps : « Ce qu'il est difficile de pardonner, c'est l'outrage systématique à notre dignité d'homme, c'est d'avoir été soumis au despotisme arbitraire, à la dictature ignoble de ces ruffians, assassins, voleurs ou invertis, qui prétendaient nous offrir des leçons de courage et de droiture. »

A Dachau, les monarchistes autrichiens ont éliminé les communistes

1. Ce qui fera dire au chef de block de Christian Pineau : « Aujourd'hui, Buchenwald est devenu un sanatorium. » Tout est relatif !

allemands longtemps maîtres du camp et, si l'on en croit Edmond Michelet, l'élimination ne s'est pas accomplie « sans carnage ».

A Ravensbrück, ce sont les Polonaises, majoritaires, qui règnent sur un camp construit d'ailleurs pour elles, par elles et, en quelque sorte, autour d'elles.

Sur les kapos, il existe une abondante littérature, généralement haineuse. Comment ne le serait-elle pas, s'agissant d'hommes qui, emprisonnés depuis plus de dix ans, n'ont pu survivre à l'ignominie des camps, à la violence des gardiens S.S., à la famine et aux coups, que par chance, servilité à l'égard des Allemands, brutalité à l'égard de ceux sur lesquels on leur accordait, au fil des ans, une parcelle toujours plus grande de pouvoir.

> « D'abord le kapo, honneur aux anciens. Impossible de faire mieux dans le genre ignoble. Tout était réuni sous une même casquette : la brute, le traître, le voleur, l'assassin, le gaffe, le pédé. Une prison à lui tout seul. A la place de la tête, une grosse boule de viande, rouge, sans lèvres, avec les oreilles en chou-fleur, des dents en plomb presque noires, et un œil, un seul œil. Ce cyclope sans âge, que les Français s'étaient empressés d'appeler Neunœil, n'était pas plus gâté pour la voix. Il ne parlait pas, il aboyait. »

La description est d'André Lacaze, déporté à Mauthausen[1].

Tous ceux qui évoqueront les camps n'auront pas la même qualité de plume que Lacaze, son même trait décapant, mais ils nous ont laissé le portrait de kapos déments comme celui qui, à Buchenwald, n'hésitait pas à « saigner » l'homme de corvée qui, affamé, venait de dérober une carotte ou un oignon[2]; de kapos sadiques comme « le grand Georges » qui règne à Mauthausen où on l'a vu enfermer un Russe dans un sac et frapper à tour de bras jusqu'à ce que mort s'ensuive[3]; comme Drokur, qui, à Neu Bremm, se vante de tuer un déporté par

1. *Le Tunnel.*
2. Reine Cormand, *La vie d'une famille face à la Gestapo.*
3. Il s'agit de Georg Finkenzeller qui, de Mauthausen, ira au Tunnel de Dora. Apprenant qu'après la chute de l'Allemagne le « grand Georges » avait été condamné, « faute de preuves », à deux ans de prison, la Fédération nationale des déportés et internés de la Résistance cherchera, en 1948, à le faire extrader en zone française.

jour ; comme Fuchs qui, au Struthof, pousse des déportés dans le fossé et leur tire dessus afin d'obtenir les quatre jours de permission promis par l'Obersturmführer S.S. Kramer à qui mettrait fin à toute tentative de fuite ; de kapos corrompus comme « le gros rouge » qui, à Dora, choisit ses « petits amis » d'une semaine ou d'un mois parmi les « gras » du Tunnel, Russes ou Polonais qu'il fait bénéficier de rations supplémentaires.

A Ravensbrück, où les filles publiques, ramassées à l'avènement d'Hitler, forment, pour reprendre l'expression de la déportée Odette Amery, « le fond de la clientèle », règne la blockova allemande Kate Knoll. Son mari est à Buchenwald, son fils aîné, âgé de seize ans, vient d'être envoyé en Russie, son autre fils a été tué dans le bombardement de Fürstenberg. Autant de malheurs qui « n'ouvrent pas son cœur à la pitié, au contraire[1]. »

Comme il faut qu'une fenêtre soit ouverte ou fermée et que d'interminables discussions se poursuivent dans le block 32, on la verra décider, en plein hiver, que les fenêtres seront toutes démontées. C'est « la » Knoll qui, à partir de 1943, aura sous sa coupe, à côté de nombreuses Polonaises, Hollandaises, Norvégiennes, Marie Trottier, Marguerite Dobigeon, Jane Bourron, Mme Delavigne, résistantes bretonnes ; la Normande, Mme Guérin ; Mmes Escoffier, Valentine et Ferras, arrivées de Lyon ; Jacqueline Richet et Germaine Tillion à qui nous devons de si dramatiques descriptions et de si précieuses observations scientifiques sur la vie à Ravensbrück[2].

Dans cette « élite » de la brutalité et du sadisme, qui ne se survit qu'en redoublant, aux yeux de ses maîtres, de brutalité et de sadisme, il existe toutefois quelques exceptions.

Edmond Michelet évoquera le minuscule[3] communiste allemand Willy Bader, chef de la chambre 2, qui porte le numéro 9 et surgit

1. Odette Amery, *Nuit et brouillard.* Kate est grande et blonde. Un chariot étant passé sur sa jambe droite, elle a, par méfiance, refusé de se laisser opérer et porte un appareil orthopédique. Dans le camp, on l'appelle « la Boiteuse ». Kate Knoll sera pendue par les Polonaises lorsque l'Armée rouge libérera Ravensbrück.

2. C'est Germaine Tillion qui, observant en combien de temps une Allemande, arrivée au camp pour y remplir les fonctions d'Aufscherin, se transformait de débutante, généralement effrayée, en mégère redoutable, écrira que huit, quinze jours, à l'extrême un mois, suffisaient pour que la mutation soit totale.

3. Il mesure 1 m 40.

devant les déportés matricules 25000, 40000 ou 70000 comme Lazare « sorti du tombeau, ayant fixé à jamais dans ses petits yeux rêveurs la terrifiante vision » de ce qu'avaient été la naissance et la construction du bagne, la lutte pour le pouvoir et pour le pain, l'agonie de milliers et de milliers de détenus victimes de la rigueur du bagne, adversaires pour une croûte, pour un souffle de vie [1].

Edmond Michelet écrira que Willy conservait, « par-delà tout ce qu'il avait subi, une admirable flamme d'humanité ». David Rousset portera témoignage en faveur d'Erich, chef du block 48 à Buchenwald, dont la famille entière a péri sous les coups du nazisme ; d'Emil Künder, un kapo que jamais, en douze mois, il ne vit frapper un détenu ; de Walter, « toujours sensible au rappel des exigences révolutionnaires », de quelques autres encore.

Quant à Flora Saulnier, arrêtée le 23 décembre 1943 à Annecy, arrivée à Ravensbrück le 23 avril 1944, elle n'oubliera pas la blockova allemande qui, à chaque inspection, s'arrangeait pour dissimuler, c'est-à-dire pour sauver, une juive de Roubaix et ses quatre enfants.

Parmi cette « élite » le plus souvent impitoyable, mais pitoyable parfois, il ne se trouve pas de Français.

Au-dessous de ce que Richet appelle « l'aristocratie de droit divin » — 200 personnes à Buchenwald —, au-dessus de « la classe moyenne » : 15000 détenus environ, et très, très au-dessus du « peuple de l'abîme », qui vit et meurt dans le dénuement le plus total, « la haute bourgeoisie » composée des médecins, infirmiers, pompiers, gardiens de chambre, cuisiniers, employés de l'Arbeitsstatistik, bureau, redoutable bureau, chargé de la répartition de la main-d'œuvre. A Buchenwald, 2000 à 2500 détenus parmi lesquels, cette fois, des Français.

De ces hommes, aux responsabilités très différentes, peut dépendre

---

1. Willy Bader sera victime, en janvier 1945, de l'épidémie de typhus. A Michelet, qui venait lui demander si quelque douceur lui ferait plaisir (les Français venaient de recevoir un envoi de la Croix-Rouge), il eut le temps de murmurer avant de mourir : « S'il te plaît, donne-moi une tasse de chocolat. Il y a douze ans que j'en ai envie. » *Cf.* Michelet, *Rue de la Liberté*.

la survie : un peu plus de soupe [1] et de pain, un lit dans une pièce de l'infirmerie, le maintien dans de « bons » et peu fatigants emplois.

Dès son arrivée à Buchenwald, Christian Pineau sera surpris par les interrogatoires auxquels les déportés sont soumis. Et, plus encore peut-être, par la « qualité » de ceux qui interrogent. Il s'agit, en effet, de « personnages courtois, bien habillés » et, cependant, porteurs du triangle rouge, donc « politiques ». A ces fonctionnaires, il faut tout dire : goûts en peinture, en lecture, en musique, aptitudes professionnelles ; foi religieuse et ce qui la justifie ; appartenance à un syndicat, à un parti politique.

> « Nous devinons obscurément, poursuit Pineau, qu'il y a des clefs à ces questions, que l'on attend de nous certaines réponses plutôt que d'autres. Mais nous ignorons où vont ces fiches de renseignements, qui les consulte. Servent-elles seulement aux administrateurs du camp ou bien aux S.S. ? Déclarer que l'on est communiste ou même socialiste peut attirer la foudre de ceux-ci. En revanche, il peut être habile de ménager " les politiques allemands " qui tiennent entre leurs mains notre avenir immédiat. »

Ces « politiques allemands » qui, effectivement, « tiennent en main » le sort des nouveaux arrivants sont, à de très rares exceptions près, des communistes arrêtés six ou sept ans plus tôt et qui, selon le mot de David Rousset, ont appris à travailler le « temps sans impatience ».

Ayant tissé, de camp à camp, à la faveur de nombreux « transports », des liens étroits avec leurs camarades de parti, ils prennent les « mesures nécessaires » à l'égard de tous ceux qui leur sont signalés. « Mesures » pouvant aller de l'isolement au meurtre... ou, tout au contraire, à l'efficace protection.

1. L'un de mes lecteurs, André X..., déporté à Auschwitz, Buchenwald, puis très rapidement à Flossenburg, m'écrit qu'il se souviendra « jusqu'à sa mort d'une scène inadmissible ». Alors qu'il vient d'arriver à Buchenwald, constatant qu'une distribution de soupe est en cours, il s'approche avec sa gamelle. « " De quelle cellule es-tu ? " La phrase résonne toujours à mon oreille. Je dois à l'honnêteté de spécifier que je suis parti de mon propre gré, que je ne peux donc affirmer que le distributeur m'aurait refusé la louche de " rab ", mais je n'ai pu supporter que la fameuse solidarité s'exerce après une question sur les opinions politiques. »

Faisant toujours preuve, selon Rousset encore, « d'une solidarité internationale réelle », les communistes allemands, à qui leur ancienneté assurait des positions clefs, peuvent faire (et font) bénéficier les communistes étrangers déportés d'avantages considérables puisque d'eux dépendent une « planque » au camp, l'envoi dans un « bon » ou un « mauvais » kommando, c'est-à-dire la survie provisoire ou la mort presque certaine.

A côté du pouvoir visible, réel et lointain des S.S., il existe donc un pouvoir occulte représenté, à Buchenwald par exemple, par le comité central du parti communiste qui comprend des Allemands, des Tchèques, un Russe et un Français : ce sera Marcel Paul.

Evoquant, dans un livre publié en 1945, ce qui le met à l'abri de toute polémique contemporaine, le problème des « autorités occultes », le professeur Charles Richet confirmera leur puissance.

> « Suivant qu'on plaisait ou non pour des raisons politiques ou personnelles, on était envoyé dans un camp de mort ou, au contraire, on gardait une place de choix.
>
> Quels étaient les chefs de ce " Conseil des Dix " suivant l'expression que nous utilisions par analogie avec le Conseil des Dix de Venise ? Nous ne pourrions avec certitude donner des noms car les grands chefs restaient dans l'ombre. Ceux auxquels nous faisons allusion exerçaient une fonction subalterne. Leur pouvoir était de fait absolu et ils savaient en user...
>
> Ceux qui avaient déplu à ce comité occulte étaient signalés au chef du kommando où ils allaient. Cette recommandation, c'était la certitude de la mort. Toutes les bonnes places, celles de gardien de porte, de policier du camp, de Stubedienst, étaient réservées aux amis politiques de ce pouvoir occulte, d'abord uniquement tchéco-allemand, puis qui devint international et comprit des membres français. »

Le professeur Charles Richet sera amené, d'ailleurs, dans un texte réservé à sa famille, et qui n'a jamais été publié [1], à défaut de donner des noms, à donner des initiales, parfaitement perméables.

1. Le professeur Richet avait, dans sa conclusion, autorisé ses enfants à divulguer ses souvenirs à partir de 1970.

« Quand mon fils Olivier (*déporté avec lui*) fut désigné pour Dora, je tremblai et allai trouver M. P., puissant dans le camp. M. P. refusa de le laisser à Buchenwald. Ce jour-là je désespérai de revoir mon fils...

En mars 1945 nous, non communistes, prîmes la décision suivante que nous énonçâmes devant les camarades : “ Si je disparais de façon obscure, les nôtres, de retour en France, rendront personnellement responsables vos chefs. ” Nous citons en particulier M. et M. P. et une poursuite judiciaire sera engagée contre eux. Trois fois, sauf erreur, les communistes essayèrent d'avoir ma peau. Mais soyons justes, deux fois je fus sauvé par d'autres communistes qui me furent reconnaissants des services médicaux rendus à leurs camarades. »

Gontran Royer, chef régional des maquis R. 5, déporté de la Résistance, attaquera, également, le sectarisme dont faisaient preuve les communistes[1] et il citera le cas de l'un de ses amis — Guillemot — à qui le responsable Front national « posera l'ultimatum suivant : “ adhère au Front National et je t'assure que tu ne partiras pas en transport ”. »

Guillemot, socialiste comme Royer, et qui avait appartenu aux Mouvements unis de la Résistance, suivra finalement les conseils de Royer qui lui dit que pareille adhésion, dans un tel lieu et de telles circonstances, n'engage à rien, et il demeurera dans les limites de Buchenwald.

Tout communiste était-il « à priori un homme tiré d'affaire », — comme l'écrira Eugen Kogon dans un livre publié en 1945[2], et comme les témoignages déjà cités peuvent le laisser croire ? Affirmation excessive dans la mesure où elle ne tenait compte ni de l'humeur allemande, qui ne s'embarrassait naturellement pas de la toile

---

1. Dans son texte publié le 8 novembre 1946 par *Brive Informations,* dont il était le codirecteur avec Edmond Michelet, Gontran Royer mettra personnellement en cause Marcel Paul et Manhés.

2. Dans plusieurs livres de déportés publiés dans les années suivant immédiatement la Libération, le problème des « autorités occultes » a été en effet évoqué. *Cf.* notamment David Rousset : *L'Univers concentrationnaire;* Eugen Kogon, *L'Etat S.S.;* René-G. Marnot, *Dix-huit mois au bagne de Buchenwald,* tous parus en 1945.

d'araignée administrative tissée par le parti communiste clandestin, ni des immenses bouleversements que provoquera « l'exode » forcé des déportés devant les armées russes.

Dans un petit opuscule dédié à la mémoire de son frère Jean mort en déportation [1], un homme comme le capitaine Pierre Brunet, déporté à Neuengamme, a marqué les limites d'interventions qui n'étaient ni systématiquement efficaces, ni uniquement favorables aux seuls communistes (bien qu'ils fussent prioritaires), ni éternellement durables.

Ainsi André, l'un de ses personnages, « jeune avocat communiste flamand », qui occupe un poste à l'Arbeitsstatistik de Neuengamme, s'il « applique tous ses soins à caser ses compagnons d'idéologie dans les équipes où ils auront apparemment le plus de chance de survivre », « fait preuve pour tous de toute l'humanité possible » et, son manège découvert, sera envoyé « au terrible kommando de Husum [2] ».

Quarante ans après l'événement, comment, en vérité, réduire à quelques affirmations ou négations sommaires ce qui fut complexe toujours et différent suivant les camps, les hommes, les époques ? Que l'explicable de 1944 soit nié en 1984 participe au combat politique, non à la recherche de la vérité historique. Les procès, journalistiquement retentissants, qui se dérouleront en novembre 1984 devant la 17e chambre correctionnelle de Paris, et qui verront s'affronter plusieurs anciens déportés à propos du rôle de Marcel Paul à Buchenwald, apporteront surtout la preuve de l'âpreté de la lutte pour la vie dans des camps où la mort était quotidienne et de la cohésion d'un parti communiste qui s'efforçait de maintenir en Allemagne les principes d'imperméabilité et de camaraderie jalouse qui réglaient sa vie dans la lutte clandestine en France [3].

---

1. *Les martyrs de Neuengamme,* par le général Pierre Brunet. L'opuscule porte en sous-titre « *Le camp méconnu...* », un camp où passèrent 106 000 déportés dont 11 000 Français.

2. André finira noyé dans les eaux de la Baltique comme bien d'autres déportés lorsque, près de Lübeck, plusieurs navires allemands transportant des déportés seront, le 3 mai 1945, coulés par l'aviation anglaise.

3. Conseiller municipal d'opposition, M. Laurent Wetzel avait refusé de participer à l'inauguration d'une rue Marcel-Paul à Sartrouville puis expliqué les raisons de son refus dans un article publié le 27 décembre 1984 dans *Le Courrier des Yvelines.* Dans cet article, M. Wetzel écrivait notamment : « Marcel Paul disposa du sort — c'est-à-dire de la vie et de la mort — de nombreux camarades de déportation. » Attaqué en justice par l'Association française Buchenwald-Dora et Commandos, Laurent Wetzel devait être relaxé le 17 janvier 1985 par la 5e

Les postes privilégiés ne servaient pas uniquement à « planquer » les uns, c'est-à-dire, par le jeu efficace de quelque mathématique sordide, à se défaire des autres puisque ceux qui étaient mis à l'abri étaient remplacés, dans les kommandos à mort brève, par autant d'anonymes sacrifiés.

A Buchenwald, au block de l'Institut d'hygiène des S.S. où il a été affecté, le professeur Balachowsky profitera de sa situation, non seulement pour aider de nombreux déportés[1], mais également pour sauver de la mort l'un des plus célèbres parmi les agents anglais : le wing-commander Forest Yeo-Thomas.

Yeo-Thomas et trente-six de ses camarades arrêtés en France sont promis à une pendaison prochaine dans la cour du crématoire — et déjà certains ont péri — lorsque Balachowsky intervient en proposant au médecin S.S. Ding-Schuller, directeur de l'Institut d'hygiène, « d'échanger », en quelque sorte, Yeo-Thomas et plusieurs de ses camarades contre une promesse d'attestation qui lui vaudrait, un jour, la clémence des futurs tribunaux alliés.

Si Ding-Schuller accepte, Yeo-Thomas et quelques autres seront versés au block des cobayes humains dont le médecin allemand est également responsable. Ils revêtiront l'identité d'un mort (tous les cobayes humains sont promis à la mort) et pourront être transférés ensuite dans des camps satellites de Buchenwald.

---

chambre correctionnelle de Versailles qui estimait que « la liberté d'expression, surtout lorsqu'elle repose sur une recherche historique, doit pouvoir jouer sans contrainte ».

Avant ce jugement Laurent Wetzel, défendu par Me Miquel, avait, le 6 décembre 1984, gagné le procès qu'il avait intenté pour « injures publiques » au responsable de la publication *Le serment,* bulletin de l'Association française Buchenwald-Dora et Commandos.

Pendant plusieurs semaines la presse française devait évoquer, à travers ces deux procès, l'attitude des communistes dans les camps de concentration et rappeler qu'en janvier 1953 encore la Commission nationale des déportés et internés résistants avait refusé à Marcel Paul le statut de « déporté résistant ».

1. « En les tirant d'un kommando mortel pour le[s] faire affecter à un autre où les chances de survie étaient meilleures. » Discours de Pierre Julitte, déporté résistant, compagnon de la Libération, à l'occasion de la cérémonie de la remise de l'épée d'académicien au professeur Balachowsky, le 14 janvier 1972.

Ce qui s'écrit aujourd'hui en quelques lignes allait, en vérité, demander de longues semaines de préparation psychologique auprès de Ding-Schuller, puisqu'il était nécessaire de lui dévoiler l'identité remarquable et redoutable de celui que l'on voulait sauver[1]. L'Allemand ayant finalement donné son accord et pris le risque d'un pari qui, révélé, lui aurait valu la mort comme il aurait valu la mort à Balachowsky, il avait fallu convaincre d'autres « fonctionnaires » encore. Et de plus en plus nombreux au fur et à mesure que se précisaient et, tout à la fois, se compliquaient les manœuvres administratives et les trucages indispensables au sauvetage des trois hommes qui, finalement, devaient être sauvés : Yeo-Thomas, le Français Stéphane Hessel, le Britannique Peulevé.

Sans doute ces différents « fonctionnaires » étaient-ils tous des détenus au service du système concentrationnaire nazi. Mais, bénéficiant de postes qui leur garantissaient une relative sécurité, c'est leur vie qu'ils risquaient, ne serait-ce qu'en écoutant pendant quelques secondes les propositions de Balachowsky.

Que, dans ce monde impitoyable, aucun d'entre eux n'ait trahi n'est pas le moins extraordinaire de cette histoire extraordinaire qui, dans un monde sans grandes nuances, donne des hommes une image infiniment nuancée[2].

Et de quelques Français une image bien différente de celle qu'en peuvent avoir leurs codétenus étrangers qui les méprisent ouvertement.

Ne nous y trompons pas, en effet. Les Français, qui aiment être aimés et se croient aimés de tous, perdent, lorsqu'ils arrivent dans les camps, bien de leurs illusions.

« La population française des camps, écrit Denoix de Saint-Marc, occupe la place la plus misérable et aussi, faut-il l'avouer, la plus

1. Identité que Balachowsky avait apprise de Pierre Julitte, son compagnon de déportation. C'est au cours d'un séjour en Angleterre que le chef de réseau Julitte avait rencontré Yeo-Thomas.

2. Ding-Schuller se pendra dans sa cellule de la prison de Nuremberg en apprenant que sa femme venait de demander le divorce.

méprisée, la plus humiliée. » De son côté, l'abbé Ploton parle du « discrédit et même de la haine » dont les Français ont été l'objet de la part des étrangers ; Edmond Michelet se souvient que nos compatriotes, en septembre 1943, étaient « méprisés au-delà de tout ce qu'on peut imaginer ».

Que reprochait-on aux Français ? Les Tchèques leur jetaient au visage Munich ; les Polonais, l'inaction de 1939 lorsque leur pays succombait sous les coups de l'armée allemande ; d'autres, ou les mêmes, évoquaient Pétain, symbole, à leurs yeux, de l'acceptation honteuse d'une avilissante politique de collaboration. Quant aux Allemands détenus, même hostiles au régime nazi qui les gardait prisonniers, ils ne pouvaient se départir d'une attitude de vainqueurs.

Ce sont là des raisons politiques. Justifiées ou non, beaucoup d'autres raisons militeront contre des Français accusés de ne pas vouloir se laver ; d'être efféminés ; de discuter à perte de vue ; de refuser la discipline S.S. retransmise par les chefs de blocks polonais ou allemands ; de ne pas accepter en silence les injustices dont ils sont victimes ; d'être, enfin, volontairement ou non, « bons à rien », ce qui relève du sabotage et peut compromettre l'existence de toute une équipe.

Mal aimés, méprisés, les Français, de leur côté, n'éprouvent généralement, pour leurs codétenus, ni sympathie ni estime.

Les Russes ? Très peu de politiques parmi eux, mais des paysans déportés dans les usines allemandes, arrêtés ensuite pour vol de nourriture ou infraction aux lois du travail ; des criminels professionnels échappés des prisons d'Ukraine ; des prisonniers de guerre jetés dans les camps pour marché noir, vols ou indiscipline. Hommes rudes et violents « dressés au fouet par les maîtres et ne sachant rien d'autre que les forces et les ruses, les rapines nécessaires, les haines inexpiables d'un monde sans bornes, sans frontière, sans règlement[1] ».

Les Polonais ? Des gens pris dans des rafles monstrueuses, qui ne se privent pas de frapper leurs camarades, se font, sous prétexte de maintenir la discipline, les serviteurs zélés de leurs bourreaux.

---

1. David Rousset, *L'univers concentrationnaire*. De son côté, Pineau, parlant des Russes, écrira : « Ceux que nous avions pris pour des héros de l'Armée rouge sont en réalité des déserteurs ukrainiens. » Le communiste Jean Laffite affirmera avoir été mis en garde, dès son arrivée au camp, contre les Russes.

Germaine Tillion rapporte ce mot, stupéfiant pour un Français, d'une Polonaise « de bonne éducation », arrêtée pour résistance : « *Tout maître doit être servi et tout travail doit être fait* », et elle insiste sur l'irritante mégalomanie nationale de déportées[1] que leur patriotisme n'empêchait nullement d'obéir aux ordres par amour du travail et de la discipline autant que par espoir d'éviter ainsi le pire.

Il y a également dans les camps des Tchèques[2] et des républicains espagnols « généralement bons[3] », internés depuis août 1940, mais qui n'aiment pas les Français ; des Yougoslaves, « braves types » ; des Hongrois, des Hollandais taciturnes et dont les Français d'abord se méfient, des Luxembourgeois[4], des Tziganes, hommes et femmes, dont l'effroyable destin n'intéresse que quelques philanthropes et qui n'obtiendront, malgré leurs dizaines de milliers de morts, qu'une très mince place dans l'histoire des camps, disparaissant comme ils ont vécu, à l'écart, et sans avoir rien compris des raisons qui faisaient d'eux des victimes[5].

Bien d'autres nationalités encore dans ces camps, où l'on verra même des Chinois.

Il serait stupide de les imaginer systématiquement dressées les unes contre les autres, s'affrontant bloc contre bloc, patrie contre patrie, même si les inimitiés et les préjugés, que j'ai dits, existent et habitent le cœur de la majorité des détenus.

Mais, fût-ce dans l'extrême égoïsme né de l'extrême misère, comme

---

1. Germaine Tillion reviendra vingt-sept ans plus tard sur son premier jugement dont elle écrira « avoir honte », ajoutant : « Je suis convaincue que, dans la même situation, n'importe quelle autre collectivité nationale en aurait abusé aussi » (de sa situation majoritaire). Elle évoquera d'ailleurs le souvenir de Jadje, Stubova, du block des N.N. *(Nacht und Nebel)*.
2. Solidaires, d'après David Rousset, « hommes de discipline pour eux et pour les autres ».
3. Laffite. Le premier convoi d'Espagnols arrivera à Mauthausen le 6 août 1940. Sur 9067 déportés, 6784 périront.
4. « Une franc-maçonnerie fermée ; à Buchenwald, la police » (David Rousset).
5. Selon Germaine Tillion : « Dans le long catalogue des crimes allemands, rien n'a atteint le martyre des Tziganes (même pas celui des juifs qui ont eu souvent la chance de mourir vite) : toutes les variétés d'assassinats ont été essayées sur eux... Ils ont dû servir de cobayes pour les expériences " scientifiques " et, à Ravensbrück, si quelques Allemandes ont été stérilisées à titre punitif et individuel, comme stérilisation en série, il n'y eut que celle des Tziganes — y compris les toutes petites filles. »

d'ailleurs de l'impossibilité de communiquer entre hommes et femmes, souvent d'éducation modeste, il est toujours possible de découvrir, comme autant de lumières dans la nuit, des gestes de charité.

Seule Française au milieu de diphtériques de toutes les nationalités, Germaine Tillion, qui n'a même pas droit à la grâce d'un verre d'eau, sera sauvée par sa voisine de lit, la Tchèque Hilda Synkova.

A Langenstein, où les Allemands travaillent et font travailler les détenus à la construction d'une usine souterraine, Hélie Denoix de Saint-Marc, qui, douze heures durant, dans la poussière épaisse, ne vit que « par une sorte d'automatisme », sera secouru par un Letton, mineur de profession et détenu communiste.

> « Géant blond, au regard clair, aux muscles puissants, je me demande comment il a pu conserver une telle forme, jusqu'au jour où je comprends qu'il vole. Il vole constamment, consciencieusement, sans scrupules et sans peur, puisqu'il vole jusqu'à nos gardiens. Contrairement à ses compatriotes qui détestent cordialement les Soviétiques, il est communiste. Il se prend d'amitié pour moi. Pourquoi, je ne sais. Il est fort et fait une part de mon travail. Il me donne de la nourriture, volée vraisemblablement, volée peut-être à d'autres qui en sont morts. Je me précipite dessus. C'est ainsi[1]. »

Les détenus étrangers ne se ressemblent pas tous et, à leur égard, un jugement manichéen n'est qu'un faux jugement.

Les détenus français ne se ressemblent pas tous. Ils ne se trouvent pas en Allemagne pour les mêmes raisons, ne sont pas solidaires politiquement ou patriotiquement, offrent le spectacle d'une société mêlée dans laquelle non seulement toutes les classes, mais encore toutes les opinions politiques — du communisme au pétainisme en passant par le gaullisme — sont représentées.

On rencontre dans les camps de nombreux ouvriers, mais également des notaires, des ingénieurs, des prêtres, des médecins, des journa-

1. Inédit.

listes, des étudiants, des professeurs, des paysans, des officiers que les sbires des Allemands prennent plaisir à humilier, à l'image du commandant de gendarmerie Veyssières que le Blockführer obligera, après une séance de douches, à défiler nu ou, plus exactement, « vêtu » de son seul baudrier et de son képi, devant ses camarades ahuris[1].

On rencontre dans les camps des hommes qui ont fait sauter les voies, saboté des câbles téléphoniques, lutté dans le maquis, comme des adeptes de la non-violence, par exemple cet agrégé de grammaire, Régis Messac, arrêté le 10 mai 1943 à Coutances et qui, ni dans la première, ni dans la deuxième guerre, n'avait voulu « tirer sur l'ennemi » mais, en « planquant » des réfractaires, avait pris des risques qui le conduiraient à la mort.

Ce n'est pas tout. Si, grâce au temps qui fuit, comme à une littérature simplificatrice et racoleuse, la déportation est systématiquement devenue pour l'opinion la sanction d'un acte de résistance, il n'en allait pas toujours ainsi dans la réalité de 1943 et de 1944.

Le professeur Richet écrira qu'en évaluant à 25 %, parmi les déportés français de Buchenwald, le nombre des résistants authentiques, on se trouvait « très près du chiffre réel[2] ». Aux yeux de certains de ses codétenus, ce pourcentage modeste est encore excessif, et beaucoup de déportés pour faits de résistance se plaindront de confusions dommageables. Confusions entretenues, à l'intérieur du camp, par les Allemands qui attribuaient à tous les Français, et quel que soit le motif de leur déportation, ce « triangle rouge », honneur des « politiques ». Confusions entretenues, après la Libération, par des truands, des maquereaux et des trafiquants tirant gloire et bénéfice social d'une déportation qui avait rudement puni des délits de droit commun.

Seul, ou presque seul, le très charitable Edmond Michelet, devenu Garde des Sceaux, exigera que fussent mis sur le même pied d'égalité les droits communs et les politiques, et s'appliquera « à faire légaliser cette assimilation ».

1. Martin-Chauffier *(L'Homme et la Bête)* racontera « la mort des colonels ». « Ce n'est pas sur eux qu'ils [les coups] tombaient, c'était sur leurs galons : chaque volée qu'ils recevaient devenait une insulte subie par l'armée française, un sacrilège insupportable. »

2. Sans doute Richet ne compte-t-il pas dans ce nombre les hommes raflés souvent au cours de manifestations patriotiques : 11 novembre, 14 juillet, ou pris dans des villages en représailles d'une action du maquis.

> « On peut dire que, grâce à lui, écrira son fils Claude[1], les Français de Dachau (trafiquants de beurre ou plastiqueurs) retrouvèrent une dignité et, par là même, leur fierté.... »

Sur l'attitude de certains droits communs — maquereaux et patrons de « maison » capturés par les Allemands, notamment lors de la destruction du vieux port à Marseille —, voici un document inédit.

L'un de mes lecteurs, M. Georges Desray, a été arrêté à Dijon le jeudi 18 août 1944, alors qu'il s'apprêtait, en compagnie d'autres officiers, à rejoindre le maquis. Après quelques jours de prison — les armées alliées avancent —, il est envoyé au redoutable camp de Struthof, à une cinquantaine de kilomètres au sud-ouest de Strasbourg[2]. Le Struthof évacué en septembre, le voici à Schönberg, d'où, le 7 avril 1945, alors que l'Allemagne croule (mais elle replie jalousement sur ce qui lui reste de territoire encore libre, avec les débris de ses armées, la tourbe de ses captifs), il est transporté à Allach, un camp proche de Dachau.

Voyage interminable avec des haltes qui se prolongent. Dans son wagon, Georges Desray griffonne quelques courtes notes.

> « *Dimanche 8* — Empilement d'animaux qui se battent pour une place. Rares sont ceux qui demeurent des hommes.

1. *Mon Père Edmond Michelet.* Claude Michelet ajoute que son père « veilla même à ce que certains récidivistes — qui, quelques années après Dachau, se retrouvèrent à Fresnes ou à la Santé — bénéficient d'une clémence particulière ».

2. La construction du camp de Netzweiller-Struthof, en Alsace annexée, fut décidée en mars-avril 1941. 15 baraquements devaient accueillir à l'origine 2 500 détenus employés dans une carrière de granit proche. Mais, rapidement, Struthof devint un camp d'extermination, tous les N.N. français *(Nacht und Nebel)* devant notamment y être rassemblés. On estime que 20 000 déportés ont dû périr entre mai 1941 et les premiers jours de septembre 1944, Russes sur lesquels les Allemands avaient essayé les effets du Zyklon B, Tziganes utilisés comme cobayes par les Prs S.S. Haagen et Bickenbach, mais également nombreux Français dont le général Aubert Frère, fondateur de l'Organisation de résistance de l'armée, ainsi que 141 membres du réseau *Alliance* dirigé, on le sait, par Marie-Madeleine Fourcade.

Lundi 9 — Nous passons à Sigmaringen, jolie ville, partout effet du bombardement... Quelle vie, troisième jour sans ravitaillement. Après 3 jours, on commence à boire un peu.

Mardi 10 — La nuit a passé. Nous nous sommes imbriqués tant bien que mal. J'ai perdu ma seule richesse : un petit morceau de pain... Je commence à faire des escarres. Heureusement, le ciel demeure bleu. S'il pleuvait, quelle misère ! Faisons confiance. Mais qu'on est faible et sale et, à côté, les anciens, un patron de bordel, Lulu, et deux autres continuent à se ravitailler. »

Le 12, à 10 heures, le convoi dans lequel se trouve Georges Desray s'arrête en gare d'Allach : « qq chose comme Saint-Pierre-des-Corps », écrit Desray.

« Descente des wagons, on assiste au déchargement de 3 wagons de macchabées, ça fait environ 200 morts : un petit déchet[1]. »

Pendant les jours qui vont suivre — et qui précèdent de peu la capitulation allemande[2] —, Georges Desray et ses camarades, placés en quarantaine à la suite d'une épidémie de typhus dans le block 29 du camp d'Allach, sont exemptés de tout travail et pratiquement privés de tout vêtement — à l'exception d'une couverture dans laquelle ils se drapent[3] — et de presque toute nourriture, puisqu'ils ne reçoivent quotidiennement qu'une rondelle de saucisson, le huitième d'une boule de pain et une soupe claire.

Sur un carnet de format modeste trouvé dans la poussière du camp d'Allach, carnet perdu par son premier propriétaire, Jules R..., qui n'a eu que le temps d'inscrire sa date de naissance — 7/3/22 —, son matricule : 40553, son rôle : Arbeitseinsetz, Georges Desray va recopier ses notes précédentes et, jusqu'à la fin, tenir son journal de

1. Pendant les quatre jours et demi qu'a duré le voyage, Georges Desray a touché, le 11 avril, 1/4 de boule de pain et 4 « bouts de sucre tombés du ciel » et, le 12 avril, 1/4 de boule (soit 375 grammes) et 250 grammes de margarine.
2. Le camp sera libéré le 28 avril par les Américains.
3. Le 21 avril, Georges Desray écrira : « Toujours pas habillés. Nous ressemblons à des Romains, avec notre couverture péplum. Pauvres Romains. »

déporté, mais également de croyant déconcerté par le monde affreux dans lequel les événements l'ont plongé[1].

Voici ce qu'il écrit, le jeudi 19 avril 1945, et ce texte inédit donne, il me semble, une idée exacte du surprenant mélange des milieux sociaux et du brassage des hommes, des caractères... et des centres d'intérêt dans les camps d'Allemagne.

« De temps à autre, un détenu crève. La civière vient, il est emporté par des infirmiers, l'enterrement est terminé !

Vie de brute, Dieu ! l'âme ! appareil de la vie courante ? Dure épreuve pour la foi, revoir toutes ses valeurs : patrie, armée, devoir, communisme, etc.

Jeudi, conversation avec Lulu sur le monde du milieu.

Les maquereaux, les tenanciers, les placiers.

3 catégories de femmes

— celles des marques (*sic*)

— celles des placiers

— celles qui sont hystériques.

Placements à forfait — envoi de l'argent au maquereau, paiement du tenancier. Travail à la nuit — celui qui vient pour une nuit. Le client d'une passe — le prix de la chambre.

. . . .

Les femmes viennent par déception d'amour, un gosse ou un vice. Femmes de la bourgeoisie. Les jouisseuses. Quelle vie ! ! !

Mon Dieu, que le mal est répandu ici-bas. Et le bien ? Je cherche le devoir, la vérité, la vie droite. Isolement dans un couvent.

Mon Dieu, quelle est votre volonté sur moi ? Manifestez-la. T.S.V.M. [*Très Sainte Vierge Marie*], aidez-moi, je me remets entre vos mains.

Je sens que je chipe une bronchite.

1. Plusieurs déportés purent prendre quelques notes et les rapporter. Dans le camp de Flöha, Robert Desnos avait ainsi rédigé, sur des feuilles de papier à cigarettes, un long poème surréaliste, « Le cuirassier nègre », poème perdu, Desnos étant mort du typhus après la libération du camp.

Au musée de la Résistance et de la Déportation de Besançon, on trouvera les admirables dessins de l'abbé Jean Daligault. Daligault (qui sera tué à Dachau le 5 avril 1945) peignait sur de petits morceaux de papier journal et à l'aide de « couleurs » prises à la moisissure des murs, à la rouille de la pelle...

Il y a un vol d'un petit paquet de sucre remis par la solidarité...
On sent le corps qui se vide, plus de jambes, plus d'idées. »

La faim !

Déporté à Buchenwald, le professeur Charles Richet a scrupuleusement pris note des rations quotidiennes reçues de janvier 1944 à janvier 1945 ; 500 grammes de pain, 25 grammes d'une margarine riche en eau, un litre d'une soupe faite soit avec des rutabagas, soit avec de l'orge et comprenant 10 grammes de viande. Deux fois par semaine, la ration de soupe est limitée à un quart de litre, mais le déporté reçoit alors 500 grammes de pommes de terre non épluchées.

Des suppléments quotidiens : 50 grammes de confiture *ou* 40 grammes de saucisson *ou* du fromage blanc et, une fois par semaine, *soit* 250 grammes de lait caillé écrémé, *soit* 50 grammes de petits poissons, *soit* encore 200 grammes de betteraves ou de carottes viennent, en principe, améliorer un menu de misère qui sera sensiblement diminué lorsque, à partir de février 1945, la ration de pain tombera à 300 voire 200 grammes par jour, celle de soupe à trois quarts de litre, tandis que les 25 grammes de margarine ne seront plus attribués que trois fois par semaine et les suppléments totalement supprimés.

Combien ces rations théoriques — qu'il faut diminuer du pourcentage, que prélèvent, avant distribution, les cuisiniers, infirmiers, garçons de salle, chefs de blocks et tous ceux qui occupent, aussi insignifiant soit-il, un poste d'autorité —, combien ces rations représentent-elles de calories ?

De façon pragmatique, Richet, qui, à Buchenwald, ne disposait naturellement d'aucun instrument de mesure et d'analyse, estimera à 1 750 calories quotidiennes l'apport des rations dans l'année 1944. Chiffre qui tombera à 1 050 après le mois de février 1945.

1 750 puis 1 050 calories alors que travail, rigueurs de la température, insuffisance de l'habillement exigeraient 3 000 calories, cela signifie que l'alimentation des camps ne couvre que 60 %, puis 35 %, des besoins de l'organisme.

On comprend qu'évoquant ses compagnons de misère et puisant des comparaisons dans les souvenirs de sa vie professionnelle, le professeur Richet parle de milliers de « tuberculeux ou cancéreux à la dernière période » réunis dans le même enclos.

A travers photos et films, n'est-ce pas l'image qui a d'ailleurs impressionné nos sensibilités et nos mémoires ?

Corps vidés par l'amaigrissement qui a entraîné la disparition de toute la couverture graisseuse de l'organisme ou déformés par des œdèmes d'abord localisés aux jambes puis généralisés, les déportés perdent, avec les kilos, beaucoup de leurs facultés mentales, se détachent de tout ce qui n'est pas la ration quotidienne de soupe, sombrent dans une hébétude qui rappelle celle des alcooliques invétérés, s'abandonnent enfin à la mort dans laquelle ils glissent sans émouvoir un entourage insensibilisé aux drames individuels par la multitude des drames collectifs et qui, le plus longtemps possible, le faisant passer pour malade, conservera dans la baraque le camarade mort afin de bénéficier d'une ration supplémentaire.

A Ravensbrück, Germaine Tillion a remarqué que, lorsqu'une femme « brave et intelligente » était au bout de ses forces, deux symptômes annonçaient une mort prochaine : elle cessait de lutter contre les poux et elle ajoutait foi à de folles histoires de libération prochaine par les Russes, les Américains, la Croix-Rouge...

> « Etait-ce parce qu'elle avait cessé de lutter qu'elle mourait ? Ou parce qu'elle était mourante qu'elle cessait de lutter ? Mais elle mourait [1]. »

1. Germaine Tillion écrit que la moyenne de vie d'une Française était à Ravensbrück de trois ans et qu'en dehors des camps d'extermination la mortalité masculine a été plus forte que la mortalité féminine, les femmes ayant plus d'ingéniosité pour tout ce qui touche à la conservation : tricoter la nuit des déchets de laine, coudre des chiffons.

Plus de 100000 femmes (entre 105000 et 123000) dont 6621 Françaises recensées, mais le chiffre réel est supérieur, de très nombreuses Russes et Polonaises passeront par Ravensbrück où elles seront employées dans des ateliers de fabrication de vêtements militaires, dans des usines (Siemens) de construction de matériel téléphonique, ainsi que dans plusieurs kommandos extérieurs.

En 1945, des exécutions en série auront lieu à Ravensbrück et plusieurs centaines de déportées polonaises, grecques, gitanes serviront de cobayes — on les appelle « lapins » (*kaninchen*) — pour des expériences médicales sur les greffes osseuses, la stérilisation, la gangrène gazeuse.

Ravensbrück, partiellement évacué le 2 mars sur Bergen-Belsen et Mauthausen, sera libéré par les Soviétiques le 28 avril 1945.

Ce qui est vrai pour les femmes l'est également pour les hommes. Pierre Maurange, arrêté à Bordeaux en mars 1944, a rencontré au camp de Neuengamme le colonel Labat. Les deux hommes se lieront d'une amitié que les coups et les privations renforceront toujours davantage et qui prend racine dans le partage d'une même foi patriotique et religieuse.

A bout de forces, martyrisé par ses gardiens, « Le chat botté » et « Peau de vache », qui prennent plaisir à battre et humilier un officier français, lui jetant au visage « Kolonel? Nein! Hund[1]? Ia », Labat agonise...

> « Cadavre ambulant, écrit Maurange[2], et l'esprit perdu, il tourne en rond et ne reconnaît plus personne.
>
> Ce matin, au cours d'une prostration prolongée, le Colonel a fait un songe. Il a vu sa femme qui lui portait un beau pain blanc. Il lui a souri et lui a dit : " Garde-le pour les enfants, ici on me donne des biscuits ! " Puis, tout aussitôt, il s'est mis à sonner la charge et, durant trois heures, entonnant toutes les chansons de marche des régiments de France, il a défié la mort.
>
> Epuisé, il s'est peu à peu apaisé. En un dernier souffle, sa belle âme, âme de chrétien et de soldat, est montée vers Dieu.
>
> La nouvelle nous est parvenue au chantier. Français, Belges et nombre d'Espagnols se sont découverts en silence. »

Ceux pour qui l'on se découvre sont une bien faible minorité. C'est dans l'indifférence que l'on vit et dans l'indifférence que l'on meurt. Voici, racontée par Simone Saint-Clair, ce que pouvait être une mort ordinaire à Ravensbrück.

> « Une femme allongée derrière moi gémit depuis longtemps, réclamant le bassin. On le lui donne enfin, mais au pied de son lit. Force lui est de descendre.
>
> Au bout d'une heure, comme elle n'a pas changé de position, une fille l'interpelle rudement, l'injurie. La femme ne remue pas.

1. Chien.
2. Dans le texte, tiré à quelques exemplaire, qui m'a été communiqué par sa famille.

— Tiens, elle est morte, déclare la fille.

Tout auprès, une balayeuse engloutit une gamelle de soupe, une autre lave la vaisselle dans un " cube ", une troisième fait la cuisine sur le poêle, tandis que sa camarade lave son linge. Et les conversations vont leur train.

Alors qu'on emporte le cadavre pour le jeter au lavabo :

— C'est une Française ? demande Odette.

— Non, une Polonaise.

C'est là toute l'oraison funèbre. »

Il y a plus atroce encore. Près de Trèves, à Hinzert, camp peu connu mais redoutable puisqu'il recevait les détenus relevant du décret *Nacht und Nebel,* c'est-à-dire hommes et femmes qui, en aucun cas, ne devaient avoir de rapports avec le monde extérieur, dont on ne devait rien savoir, comme, suivant une expression d'Hitler, s'ils « avaient disparu dans la nuit et le brouillard[1] », on hâtera systématiquement la mort. Gaston Hulin se souviendra toujours avoir vu un S.S. appeler deux infirmiers, leur demander de dévêtir un malheureux dont il juge l'agonie trop longue, le faire ficeler dans le carton qui doit bientôt lui tenir lieu de linceul et l'envoyer mourir de froid dans les lavabos aux fenêtres grandes ouvertes.

Pineau raconte, de son côté, qu'à Buchenwald, Philippe, l'un de ses camarades, s'étant affaissé soudain près du poêle, Alfred, le chef de block allemand, pour vérifier qu'il est mort, le frappe à grands coups de botte dans le corps et dans la tête. Comme plusieurs Français, indignés, tentent de s'interposer, c'est contre eux qu'il retourne sa colère. N'ont-ils pas la prétention d'observer une minute de silence ?

— Cochons de Français, hurle Alfred, vous êtes tout juste bons à lécher le cul des femmes, à pleurer comme des veaux. Je vous apprendrai, moi, à faire des simagrées. Est-ce que vous vous figurez que je n'en ai pas vu avant vous des cadavres ? Des milliers, des milliers depuis douze ans.

---

1. Sur Hinzert, *cf.* l'étude de l'abbé Joseph de La Martinière, *Nuit et brouillard à Hinzert* (université François-Rabelais, Tours).

Joseph de La Martinière a été arrêté sur dénonciation le 12 mai 1942 au presbytère de Gien. L'abbé La Martinière a également consacré une importante étude au décret *Nacht und Nebel : Le décret et la procédure Nacht und Nebel (Nuit et Brouillard)* (édité par l'auteur en 1981).

Et lorsque le chef de block ne se comporte pas avec la même brutalité qu'Alfred, que se passe-t-il ? Les codétenues de Mme du G..., déportée à Ravensbrück, ont obtenu que son corps ne soit pas jeté par la fenêtre. Il faut donc le sortir difficilement par l'étroit couloir qui sépare les lits ; en inclinant la civière, lui faire franchir la porte ; l'accompagner, à travers les rues du camp, jusqu'à la morgue, une cave où sont alignés les cadavres du jour. Dans un très beau texte[1], Simone Lahaye a raconté la « cérémonie » qu'elle a vécue alors.

> « Une lumière dans le fond ; une détenue est là qui range les mortes et rompt à voix forte notre silence et notre atterrement : " Par ici, à reculons ". Francine, marchant à reculons, a posé le pied sur une jambe, car les cadavres ont des poses tourmentées, jambes écartées toutes grandes, bras rejetés. Elle pousse un cri d'angoisse, trébuche, mais se raccroche à la civière. Nous écartons la femme qui veut nous aider à descendre notre amie, et qui a déjà laissé brutalement retomber un de ses bras, et nous la couchons doucement, si doucement sur le sol battu, nous l'avons déshabillée, le *Bettzug*[2] qui l'enveloppe appartenant au camp.
>
> La voici, comme toutes nos mortes, nue, son numéro inscrit au crayon sur sa poitrine parcheminée. Nous voulions lui trouver une place près du mur, mais il faut la mettre au milieu où elle risque d'être foulée... Le lendemain, nous retournons porter une autre camarade pour revoir Mme de G... Mme de G... est déjetée, bouche démesurément ouverte, bras tordus et pose tourmentée comme les autres. Les dentistes ont passé par là qui ont arraché aux mortes leurs dents en or et, pressés, les ont rejetées en tas. »

Dans les camps, selon la remarque du professeur Charles Richet qui, cinq semaines après son arrivée, sera affecté au petit hôpital de

1. *Libre parmi les morts.*
2. Drap.

Buchenwald[1], « les conditions étaient idéales pour favoriser les maladies infectieuses » : érysipèle entraînant, avant l'arrivée de médecins français et belges, une mortalité de 15 % parmi ceux qui étaient atteints ; pneumonie tuant par septicémie ; dysenterie à bacille de Flexner qui, dans le premier trimestre 1945, tuera 4000 déportés, typhus exanthématique, tuberculose, favorisée par la famine et responsable — sauf en période d'épidémie dysentérique — de 40 % des morts[2].

A l'hôpital, Richet aura la chance d'avoir pour kapo Herman, communiste allemand « intègre, loyal, intelligent, actif et bon ». C'est une grâce car, dans les infirmeries et les hôpitaux, les kapos, anciens bouchers, garçons de bureau, maçons, s'ils n'ont de formation que celle apprise « sur le tas », ne manquent pas de prétentions et il faudra beaucoup de temps avant qu'ils soient influencés par la science de véritables médecins et chirurgiens venus, bien contre leur gré, de France, de Hollande, de Belgique.

Richet et ses confrères pouvaient-ils soigner les malades ? Possédaient-ils les médicaments indispensables ? Dans sa sécheresse scientifique, la réponse du professeur Richet dit l'essentiel sur Buchenwald, dont il ne faut jamais oublier qu'il est bien loin d'être le plus effroyable des camps.

> « Au début, leur quantité (celle des médicaments) était suffisante. Notre service de pharmacie, dirigé par un des nôtres, " empruntait " bon nombre de ces médicaments à l'hôpital S.S. mieux achalandé que le nôtre et qui, d'ailleurs, ignora toujours ce fait. Plus tard, nous en eûmes beaucoup moins. Alors, nous ne pûmes traiter par les sulfamides ou la digitale que les cas " moyens ". Ni les hommes qui devaient mourir, ni ceux qui devaient guérir ne recevaient de ces drogues à cause de leur rareté. C'était une nécessité...

---

1. Par opposition au « grand hôpital », bien installé avec un jardin assez spacieux et qui se trouve en face de la maison close du camp où vivent et travaillent seize à dix-sept pensionnaires.

2. D'après Richet, qui fait référence à des documents allemands, il est mort à Buchenwald 2000 personnes en janvier, 5400 en février et 5625 en mars sur un effectif approximatif de 40000 détenus. Soit une mortalité soixante fois plus forte qu'à Paris.

Le grand et le petit hôpital étaient insuffisants[1]. De très nombreux malades, faute de place, restaient dans les blocs. Les médecins de ces blocs étaient beaucoup moins bien approvisionnés que nous. Ils avaient tout juste quatre médicaments : aspirine, tanin, kaolin et charbon. Naturellement, beaucoup de malades mouraient. Il ne pouvait en être autrement. »

Richet écrit en médecin, attentif aux signes cliniques, soucieux de la valeur des mots. Déporté certes, mais ayant bénéficié d'une situation relativement privilégiée.

Lorsqu'elle évoque les nuits passées dans la même couverture qu'une camarade qui a la diphtérie, la typhoïde ou d'érysipèle ; la gamelle partagée avec des gitanes syphilitiques ; l'eau froide « pure et simple » en guise d'unique médicament sur les plaies faites par les sabots, Simone Lahaye écrit, si j'ose dire, en déportée du « rang » qui n'a pas obtenu d'accéder à ce « paradis » du *Revier* qui ne constituait, bien souvent, qu'une simple halte avant la mort.

Qu'il survive, malgré tout, une vie spirituelle, alors que les Allemands, mais plus encore les misérables conditions d'existence, semblent radicalement s'y opposer, n'est-ce pas miraculeux ?

Sans exagérer un phénomène qui sera le privilège de quelques âmes fortes — des « saints », écrira Richet —, il faut le mentionner.

Le 26 mai 1944, c'est-à-dire quarante-huit heures après son arrivée au camp de Neuengamme, Pierre Maurange est abordé par un inconnu qui lui dit « qu'au bout de l'allée, des prêtres et des religieux se sont assemblés pour célébrer le saint jour de la Pentecôte ». Il s'y rend aussitôt. Debout, adossé au mur d'un baraquement, un père jésuite, les yeux clos, récite les prières de la messe du Saint-Esprit.

Ce même Maurange, envoyé en kommando de terrassement à

1. A Dachau (témoignage de Jean Lassus), l'hôpital, convenablement installé, prévu pour les 20 000 internés du camp, était, en réalité, au service de 50 000 hommes : Dachau et les camps secondaires.

Laagberg[1] avec 300 Français, a constitué, avec trois autres camarades : Jean Deffieux, un très jeune médecin ; Jacques Mano, un garçon de 17 ans, et le Basque Clément Sagarzazu, ce qu'il appelle « une famille ». « Ce qui fait, écrit-il, que j'ai désormais deux frères et un fils. Aucun d'eux ne s'endort sans avoir échangé le baiser de paix. »

A Neuengamme, Michel Holland, qui fit tant pour alerter les Britanniques sur l'implantation des V1 et fut, avec son réseau, à l'origine de bombardements anglais retardateurs, a constitué des groupes de prière et s'efforce de réconforter moralement ceux qui souffrent dans leur chair et dans leur dignité.

Elisabeth Will, qui fait partie des professeurs de l'université de Strasbourg arrêtés à Clermont-Ferrand et déportés, écrira dans ses souvenirs qu'à Ravensbrück « le dimanche, après la cuillerée de confiture qui marquait cette heureuse journée, on lisait la messe, puis, du côté B, une femme pasteur célébrait un service protestant ».

A Ravensbrück, toujours, Mme Roux, la femme d'un pasteur marseillais mort en déportation, réunit chaque dimanche une trentaine de protestantes devant qui elle lit la Bible. Transférées au kommando de Torgau, quelques femmes, parmi lesquelles Marie Médard, auront davantage de facilité pour le culte du dimanche car des prisonniers de guerre leur ont fait passer des Nouveaux Testaments qu'elles liront dans le wagon à bestiaux qui les transporte de kommando en kommando.

Quant à Christian Pineau, le *Minuit, chrétiens,* accompagné au violon par un déporté, repris en chœur par toute la baraque, lui laissera, de la nuit du 24 décembre 1944, un souvenir inoubliable[2].

Dans un camp de concentration, la charité quotidienne n'est-elle pas l'une des plus efficaces manifestations de la prière ?

Marie Médard l'affirmera dans ses souvenirs inédits :

> « Le témoignage chrétien aurait été de rester joyeuses et de ne vivre que pour les autres, au lieu de se lamenter sur soi, et de garder jalousement le peu qu'on avait. Ce témoignage a toujours

---

1. Il s'agit de poser les canalisations nécessaires à l'adduction d'eau. Pendant quarante-cinq jours, à l'exception du café du matin, les déportés n'auront rien à boire. Ils n'obtiendront pas davantage d'eau pour se laver.
2. « Jamais, écrira-t-il, je n'ai connu, à une soirée de Noël, un caractère aussi proprement “ divin ”. » *(La simple vérité).*

été celui de Nanouk, qui allait voir les malades au Revier[1] après son travail, toujours prête à rendre service jusqu'à l'épuisement. »

A Dachau, Edmond Michelet portera, lui aussi, témoignage. Il ne se contentera pas — si l'on ose écrire, car il agissait au péril de sa vie — d'apporter aux malades et aux agonisants quelques fragments d'hostie enfermés dans une boîte de pastilles Valda, mais, bon samaritain, offrira aux plus nécessiteux ce qu'il s'est procuré au terme d'invraisemblables négociations : vieux chandail ou quignon de pain[2].

Mère Elisabeth de l'Eucharistie, arrêtée à Lyon le 25 mars 1944 pour avoir aidé la Résistance et caché des armes[3], aura la même attitude héroïque et charitable.

Conduite, avec 1500 femmes, pour examen, au camp d'extermination qui se trouve à dix minutes de marche de Ravensbrück, peut-être aurait-elle pu échapper aux rigueurs de la visite médicale qui décidait de la survie ou de la mort immédiate, si elle n'avait vu trembler et pleurer beaucoup de ses compagnes. C'est alors qu'elle se joindra volontairement à elles, après avoir demandé : « Auriez-vous plus de courage si je montais avec vous ? »

Le Vendredi Saint, 30 mars 1945, sans illusions sur son sort, « Je pars pour le Ciel... Prévenez à Lyon », dira-t-elle à Mme Combes, Mère Elisabeth de l'Eucharistie montera donc dans le camion qui l'emmène au supplice réservé à toutes celles qu'un médecin venu d'Auschwitz a jugées (« Relevez vos robes[4] ») impropres au travail.

Cette spiritualité, qui n'est pas uniquement furtive assistance à des messes clandestines, récitation du chapelet, mais don et partage, attention du misérable aux misérables : « Et quiconque donnera

---

1. Infirmerie.
2. De Michelet, Jean Lassus écrira : « Sa droiture, sa gaieté, son autorité souriante, sa piété aussi et son inlassable générosité lui avaient gagné l'estime de tout ce qui comptait dans le camp... Il était tout à tous. »
3. Née en Algérie le 19 janvier 1889, Elise Rivet, venue en France à vingt ans, entra au Postulat du Refuge N.-D. de la Compassion en 1912, devint sœur Elisabeth de l'Eucharistie en prenant l'habit, prononça ses vœux perpétuels en mai 1915 et, après avoir été maîtresse des novices, fut élue en 1933 à la charge de supérieure générale de la Congrégation.
4. Des jambes gonflées par l'œdème, preuve de carence alimentaire, sont ainsi détectées d'un simple coup d'œil.

seulement un verre d'eau froide à l'un de ces petits, il ne perdra point sa récompense[1] », n'est pas seulement le fait de certains chrétiens.

Edmond Michelet a tracé le bouleversant portrait du communiste Auboiroux, un homme dont il dit qu'il fut son « frère », tout en ne laissant pas croire un seul instant qu'il aurait été « une sorte d'hérétique de sa religion » communiste.

A Buchenwald, où il est arrivé avec les détenus d'Eysses, Auboiroux se conduira, en effet, en héros — ou en saint — au moment d'une épidémie de typhus. On verra alors cet homme, qui manifeste par ailleurs la plus grande peur des microbes, circuler dans le camp pour transmettre des nouvelles des mourants à ceux qui, demain, seront vraisemblablement atteints à leur tour. C'est lui qui distribue aux diarrhéiques du charbon de bois qu'il a fabriqué en faisant calciner des pieds de tabouret : « Il en bourrait les poches de son paletot, ce qui donnait à son allure un aspect plus cocasse encore. Il obligeait les malades à absorber son médicament, le leur introduisait dans la bouche, desserrant les dents, quand c'était nécessaire et qu'ils n'avaient plus le courage de le faire eux-mêmes. »

Sauvé par le charbon d'Auboiroux, Michelet, convalescent, cloué sur sa couchette par des escarres, recevra de son camarade communiste la plus inoubliable et la plus ininventable preuve d'amitié qui se puisse imaginer.

Auboiroux décide, en effet, de se rendre chaque matin à la chapelle pour assurer, en quelque sorte, « l'intérim » de Michelet. C'est ce qu'il appellera d'ailleurs « faire l'intérim ».

> « C'est ainsi que, pendant les jours qui suivirent, les curés du block 26 eurent la surprise de voir Auboiroux, le communiste français bien connu de la désinfection, monter la garde de l'amitié devant le tabernacle, revêtu de son inséparable paletot court, nuance moutarde, les poches bourrées de charbon de bois sauveur, le seau de crésyl à ses pieds. »

1. Matthieu, 10, 11.

Les B.A. existent. Il ne faut pas se leurrer, elles demeurent l'exception dans ce monde de brutalité, où les corvées de soupe au gruau sont attaquées par des « hordes de détenus déchaînés[1] », où les voleurs sont battus à mort par leurs camarades, où l'on parlera même — en 1945 — de cas d'anthropophagie.

La faim s'aggravera, en effet, avec le temps qui passe lorsque la situation militaire, économique, alimentaire de l'Allemagne nazie se trouvera à ce point détériorée que les déportés de Dora ne recevront plus que 150 grammes de pain par jour, en attendant, cette ration supprimée, de toucher, à la place du pain, deux ou trois pommes de terre cuites à l'eau.

A partir de la libération de la France, d'ailleurs, colis et lettres n'arriveront plus aux déportés.

Il peut paraître extraordinaire que des femmes et des hommes si étroitement surveillés, si jalousement protégés de tout contact extérieur, aient pu échanger des nouvelles, recevoir quelques vivres. Il en ira pourtant ainsi même si, une fois encore, il est interdit de généraliser[2].

Le 18 octobre 1942, à Rawa-Ruska, camp de représailles pour prisonniers de guerre, situé en Galicie polonaise[3], l'autorisation d'envoyer une carte à leur famille a été accordée aux internés ; Edmond Michelet, de son côté, note qu'à Dachau « certains déportés » pouvaient écrire deux fois par mois. A Brive, où elle réside, la famille de Michelet recevra d'ailleurs de ses nouvelles directement (le déporté, le plus souvent, doit rédiger sa lettre en allemand et ne faire aucune allusion à la vie du camp), mais également indirectement

1. Témoignage d'Hélie Denoix de Saint-Marc.

2. Dans le tome VI, *L'Impitoyable guerre civile,* j'ai cité p. 448 et suiv. la lettre adressée par le général Verdier, délégué général de la Croix-Rouge française pour la zone Sud, à la maréchale Pétain qui demandait des informations sur les camps. Dans cette lettre datée du 18 décembre 1943, il est fait allusion, à plusieurs reprises, à la possibilité d'envoi de colis et de lettres.

3. Et où les conditions d'existence sont à peu près identiques à celles des camps de concentration. A Flöha, où il est arrivé en mai 1944, après être passé par plusieurs camps, le poète Robert Desnos recevra plusieurs lettres de sa femme Youki.

par des jeunes du S.T.O. envoyés à Dachau, pour fautes plus ou moins sérieuses, et libérés une fois leur peine purgée[1].

En janvier 1944, Jean Martin-Chauffier, déporté à Buchenwald, adresse aux siens, au crayon, et en allemand, une carte qui arrivera en France trois semaines plus tard et dans laquelle il précise qu'il est possible de lui adresser des colis « en nombre et poids illimités[2] ». Simone Martin-Chauffier et ses amis enverront donc, chaque semaine, en direction de Buchenwald, des colis de dix kilos — qui représentent bien des sacrifices financiers en un temps de sévères restrictions —, colis qui arriveront au moins partiellement puisque, à la fin de février, Jean accusera réception de plusieurs d'entre eux.

Plusieurs familles d'un département où des rafles ont eu lieu le même jour, recevant, presque dans le même temps, des nouvelles de déportés qui demandent vivres, mouchoirs, souliers, savon[3], peuvent se retrouver dans un local de la Croix-Rouge pour mettre en commun leurs informations et préparer leurs colis.

Cinq ou six habitants de la commune de Cublac, en Corrèze, parmi lesquels Maurice Lafon, Jules Labrousse, Urbain Dumeney, arrêtés le 14 mars, feront savoir, en juin, qu'ils se trouvent à Mauthausen.

Selon Reine Cormand, après les rafles qui ont eu lieu non seulement dans les milieux universitaires de Clermont-Ferrand, mais également à Saint-Maurice et à Billom, « presque toutes les familles de déportés du département [Puy-de-Dôme] ont reçu de la correspondance en provenance de Buchenwald, Flossenburg, Flöha, Hersbruck et Johanngeorgenstadt, à la frontière tchécoslovaque ».

C'est donc en direction de ces différents camps que partiront des colis qui n'arriveront pas tous ou qui, bien arrivés, seront systématiquement arrêtés par les gardiens comme à Schirmek-Vorbrücht où passeront 15000 résistants alsaciens ; pillés par les kapos ; « orga-

1. Certains S.T.O., responsables de sabotages ou par trop indisciplinés, ce qui est une autre forme de sabotage, périront à Dachau. Le 11 novembre 1943, un travailleur français enverra à Mme Michelet une lettre qui débute par ces mots naturellement ambigus : « Madame, Permettez-moi de venir vous donner des nouvelles de votre mari qui actuellement est en très bonne santé. J'ai eu moi aussi la malchance d'aller faire un stage au camp de concentration de Dachau. La vie que nous menons au camp est très supportable, nous mangeons à peu près notre content, enfin on y vit quand même... »

2. Simone Martin-Chauffier, *A bientôt quand même.*

3. *Cf.* Reine Cormand, *La vie d'une famille face à la Gestapo.*

nisés », c'est-à-dire volés par les Russes et les Tziganes qui n'ont rien à attendre de personne. Comment, d'ailleurs, dans des camps sévèrement contrôlés, dans des camps où la famine fait des ravages, un colis pourrait-il arriver intact à son destinataire et demeurer longtemps entre ses seules mains ? Aucun emballage n'ayant le droit de parvenir aux déportés, les chefs de block, après avoir ouvert les paquets, se servent les premiers, leurs subordonnés les imitent [1].

Charles Sadron, professeur à la faculté des sciences de Strasbourg, arrêté le 25 novembre 1943 à Clermont-Ferrand, déporté à Buchenwald en janvier 1944, puis à Dora en février, reçoit-il un colis, il lui faut « abandonner » une boîte de sardines et une chemisette au chef de block ; un miroir de poche et un paquet de gâteaux secs au responsable du contrôle ; jeter enfin une poignée de biscuits dans un récipient destiné à la « solidarité ».

Encore a-t-il plus de chance que l'un de ses camarades à qui un Russe, s'étant laissé tomber du quatrième étage des couchettes, arrache son colis et s'enfuit. « Coup » classique, si bien que les « anciens », méfiants, se font protéger par un camarade avant de s'aventurer avec un colis.

> « Mon paquet bien serré sur le ventre, veillé par mon voisin qui écartera les cambrioleurs probables, écrit Sadron, je m'endors plein d'une nouvelle confiance [2]. »

« L'arrivée d'une lettre pouvait insuffler assez d'espoir pour que le courage habitât à nouveau les familles », peut-on lire dans les souvenirs de Reine Cormand, mère d'un déporté.

Mais l'arrivée d'une lettre, si elle apportait la preuve qu'à l'instant où il l'avait écrite l'interné vivait toujours, si elle donnait quelques

---

1. Pour réceptionner les colis envoyés par les familles, il fallait payer à Dora, Ellirch, Harzungen, des sommes variant entre 50 pfennigs et 3 marks.

2. Sadron fera naturellement profiter ce voisin des nourritures reçues de France.

François Cormand, interné à Buchenwald avec six autres Français, Bernard, Grollier, Dupont, Boucoiran, Blanc, Kleinprintz, sera le seul de son équipe à avoir le droit de recevoir des colis dont il partagera le contenu avec ses camarades.

précisions géographiques sur la situation de son camp, ne faisait rien savoir de l'inimaginable.

Ecrites bien souvent en allemand pour faciliter le travail de la censure, ces lettres — d'ordre des autorités allemandes — ne comportent aucun détail sur une vie dont les horreurs demeureront, jusqu'à la libération des camps, sinon totalement ignorées, du moins presque totalement dissimulées par ceux qui savaient.

Sans doute, dans quelques journaux clandestins français — *Libération, L'Humanité, Les Lettres françaises,* dont le n° 9 donnera, sur Auschwitz, des indications exactes mais très inférieures encore à la triste réalité [1] —, les camps de concentration sont-ils évoqués, mais Germaine Tillion, faisant réflexion sur ce qu'elle savait et ce qu'elle ignorait à l'instant de son arrestation, le 13 août 1942, écrira que ce qu'elle savait [2], elle, résistante et universitaire, était « très au-dessous de la vérité ».

Comment les Français occupés auraient-ils pu être informés de ce qui se passait dans les camps alors que la réalité, dans la mesure où elle était connue des autorités alliées, se trouvait cependant masquée ? Sur le silence gardé par Américains, Anglais et Russes, « pendant que six millions de juifs » mouraient, mais aussi pendant que des centaines de milliers d'hommes et de

---

1. Dans ce numéro (septembre-octobre 1943), *Les Lettres françaises* évoquent le sort de Mmes Politzer, Bauer, Dudach, Blech, Laguesse, Marie-Claude Vaillant-Couturier, Danièle Casanova, déportées à Auschwitz.

« Le régime d'Auschwitz, peut-on lire dans le journal clandestin, 300 détenues par chambrée, un lit de paille jamais changé pour sept, un costume de bagnard, le matricule imprimé sur la poitrine, cent grammes de pain et une soupe au rutabaga pour quatorze heures d'un pénible travail. La cravache à la moindre infraction. Fréquemment, des internés sont fusillés " pour exemple " devant le camp rassemblé.

« Une seule douche par mois. Le linge n'est jamais changé. La vermine pullule. Les internés n'ont droit à aucun objet de toilette. Un seul médecin pour tout le camp. La mortalité est en moyenne de dix détenus par jour. »

2. Germaine Tillion dit avoir « entendu dire » en 1942 que les Allemands tuaient les fous, les débiles mentaux, les incurables et parfois certains de leurs blessés ; avoir appris « d'une façon vague et incertaine qu'ils avaient gazé des trains entiers de juifs » ; avoir connu, par le livre d'un acteur allemand, interné pour communisme, l'existence des camps.

« Ce récit relativement modéré et les récits d'émigrés allemands m'avaient donné une idée sommaire et très au-dessous de la vérité de l'existence de ces camps. »

femmes de toutes nationalités mouraient[1], les documents, hélas! abondent.

Dans sa campagne d'aide alimentaire aux internés politiques, le *War Refugee Board* rencontrera ainsi, au moins jusqu'au milieu de 1944, l'hostilité du Département d'Etat. Et il faudra attendre juin 1944 pour que les Britanniques autorisent l'envoi, la distribution par la Croix-Rouge internationale de 100 000 colis par mois... pendant trois mois et pour plusieurs millions d'hommes.

Encore s'agit-il d'une aide apportée par priorité aux déportés *non juifs,* les victimes juives étant restées longtemps et volontairement ignorées de gouvernements qui ne voulaient pas avoir à examiner, pour les régler favorablement, les problèmes d'accueil de ceux qui pouvaient encore fuir comme de ceux qui survivraient aux persécutions[2].

Comment ce qui est parcimonieusement révélé par ceux qui savent — *Ici Londres,* par exemple, ne parle que très rarement des camps de concentration[3] — serait-il connu de tous ceux qui n'ont aucun moyen d'information et que n'éclairent nullement de rares lettres qui, par ordre des geôliers et volonté des prisonniers, sont obligatoirement

1. *Cf.* Arthur Morse, *Pendant que six millions de juifs mouraient...*

2. Je reviendrai sur ce problème dans le tome VIII de mon œuvre, mais le livre d'Arthur Morse apporte sur tous ces points, et notamment sur le refus de plusieurs nations de recevoir des juifs, d'intéressantes et tristes précisions.

Lors de la Conférence de Moscou (19-30 octobre 1943), Cordell Hull, Eden et Molotov ne mentionnaient pas les juifs dans leur déclaration « sur les atrocités nazies et sur la nécessité de punir les criminels de guerre », omission volontaire qui devait provoquer la stupeur et la fureur du Congrès mondial juif.

Le 24 mars 1944, Roosevelt, dans un message largement diffusé, notamment par tracts parachutés sur l'Europe occupée, signalait cependant aux Allemands que « tous ceux qui prennent part sciemment à la déportation de juifs vers leur mort en Pologne, ou de Norvégiens et de Français vers leur mort en Allemagne, sont aussi coupables que le bourreau. Partageant la culpabilité, ils partageront le châtiment. ».

Il est à noter que les Soviétiques refuseront la diffusion de ce message en direction de la Hongrie et de la Roumanie.

3. Du 10 juillet 1943 au 17 août 1944, *Ici Londres* consacrera en effet fort peu d'émissions aux camps de concentration. Quatre sont reproduites dans les volumes IV et V d'*Ici Londres,* celles des 17/8/1943, 13/10/1943, 6/5/1944 et 16/8/1944.

courtes et rassurantes, la formule « Je vais bien » camouflant alors d'effroyables réalités.

Comment les lettres révéleraient-elles que le « gummi » est un tuyau de caoutchouc plein, de 60 à 80 centimètres de long, qui sert à punir — 25 coups sur les fesses — les fautes les moins graves contre la discipline, mais que toute infraction jugée sérieuse peut être punie de mort par pendaison et que la « cérémonie » se déroule en quelques minutes, des détenus faisant monter sur un escabeau le coupable dont le cou est relié par une corde à la basse branche de « l'arbre des pendus » ? Alors, d'un coup de botte, le S.S. de garde fait tomber l'escabeau et l'homme, après quelques soubresauts, passe de vie à trépas.

Comment les lettres diraient-elles que tout déporté trouvé vêtu au milieu de la nuit est considéré comme ayant tenté de s'évader et traité comme tel ?

Comment diraient-elles l'étonnante cérémonie matinale au cours de laquelle les détenus sont conduits en rangs aux cabinets, dans un block sombre où un système de barres de bois, reliées à une plate-forme centrale, permet à des dizaines d'hommes, serrés les uns contre les autres, de s'accroupir pour satisfaire leurs besoins. Et comment les lettres diraient-elles qu'il existe un « maître de la merde » chargé de surveiller que nul ne s'attarde plus que nécessaire ?

Comment diraient-elles que, chaque matin, avant l'aube, les déportés — les femmes aussi bien que les hommes — doivent répondre dehors, et quel que soit le temps, à deux interminables appels successifs[1] auxquels, même mourants puisque ceux qui meurent sur place sont comptés présents, il n'est pas question de se soustraire ?

Comment diraient-elles les conditions de travail sur des chantiers atteints après avoir défilé devant une fanfare de cirque ? Travail épouvantable dans ces deux tunnels principaux de Dora longs de 1 800 mètres et dans ces 46 tunnels secondaires où de si nombreux Français devaient laisser leur vie[2].

---

1. Appel numérique qui se déroule devant le block auquel appartient le déporté, puis appel sur les lieux du travail.

2. Selon l'abbé Ploton, seuls 10 % des Français portant les numéros matricules inférieurs à 30 000 survécurent parmi ceux qui furent déportés à Dora et employés aux travaux d'aménagement du tunnel.

Des 3 500 Français envoyés à Ellrich, kommando dépendant de Dora, 210 seulement devaient revoir la France.

Beaucoup de déportés travaillent, mangent et dorment sous terre. Il n'y a pas d'eau pour se laver. Pas d'eau pour boire car l'eau glacée du tunnel, tombant dans des ventres vides, provoque des crises d'entérite souvent fatales. Pas d'infirmerie, au moins dans les premiers mois. Et les morts, qu'une corvée spéciale ramasse chaque matin dans des brouettes, ne se comptent plus. Ce qui importe aux Allemands, c'est, aussi rapide que possible, l'installation dans ces montagnes du Harz, d'où l'on extrayait jadis des roches calcaires, d'usines souterraines dans lesquelles seront fabriqués non seulement les « armes de représailles » V1 et V2[1], mais également l'oxygène liquide et l'essence synthétique.

D'après Bramoullé, envoyé de Buchenwald à Dora dans l'automne de 1944, si l'on fait exception des camps d'extermination pour juifs, Dora était, avec Mauthausen et Struthof, l'un des trois camps les plus meurtriers, véritable « moulin à os » où, sur 60000 déportés, 30000 environ trouveront la mort.

Le professeur Charles Sadron[2], qui, après un court passage à Buchenwald, sera envoyé en février 1944 à Dora, décrira son premier contact avec des détenus « au drôle de teint terreux, d'un gris un peu jaune... les yeux agrandis dans les faces émaciées ». Les voyant, il imagine ce qu'il deviendra... s'il survit.

Avec lui, nous pénétrons à l'intérieur de l'usine monstrueuse où, « dans la violente lumière des arcs au mercure », on découvre « une file ininterrompue de corps fusiformes et d'ailerons noirâtres se perdant au loin dans une perspective estompée de poussière ».

> « Il s'agit de gigantesques projectiles, comparables à des bombes d'avion, mais des bombes qui auraient seize mètres de long et près de deux mètres de diamètre[3]. Médusés, nous défilons le long des chariots très bas qui portent ces énormes corps. »

---

1. En deux mois (octobre et novembre 1944) 628 V2 sortiront des usines de Dora.
2. Son témoignage a été publié dans le recueil intitulé *De l'Université aux camps de concentration. Témoignages strasbourgeois.*
3. Les V1 mesuraient 8 mètres pour un poids total de 2 tonnes, les V2 14 mètres pour un poids de 13 tonnes.

Employé plus tard, et en sa qualité de scientifique, au contrôle et au réglage de la machinerie des V2[1], Sadron échappera le plus souvent à la Transport-Kolonne lorsque, à six, les détenus doivent porter, pendant plus d'un kilomètre et demi, sur leurs bras en berceau, les réservoirs vides qui formeront le corps des torpilles. Il échappera également à la carrière, c'est-à-dire à la mort en un mois. L'atelier de contrôle des V2, il le reconnaîtra, c'est « les vacances du bagne », et c'est à l'atelier que le professeur von Braun viendra, un jour, demander au professeur Sadron de travailler dans son laboratoire personnel.

Sadron refusera mais, dans sa misérable situation, il demeure un privilégié, le sait et ne compare jamais son sort à celui d'esclaves qui n'apparaissent que pour disparaître : Russes surtout et Français affamés, minés par la dysenterie, échappant difficilement aux coups de S.S dont la cruauté redoublera encore après l'attentat du 20 juillet 1944 contre Hitler.

Lorsque ceux qui ont le goût et la force de la réflexion historique s'interrogent sur la façon dont ont été édifiées les impressionnantes pyramides qui peuplent la vallée du Nil, ils devinent, à travers leur condition d'esclaves, de combien de vies humaines elles furent payées.

Sans souci véritable de rendement et dans la mesure où le travail doit constituer une punition, les Allemands confient ainsi à des déportés affamés et inexpérimentés des tâches qui réclameraient des hommes robustes et compétents. Ils mettent à leur disposition soit des outils modernes qu'ils ne savent pas utiliser, soit, bien souvent, des outils préhistoriques. Ils les réduisent parfois au rang de bêtes de somme, leur faisant tirer, au camp de Schirmeck-Vorbrück — neuf à droite, neuf au milieu, neuf à gauche —, de lourds rouleaux destinés à parfaire l'empierrement des routes, leur faisant porter, à Mauthau-

1. Avec une quarantaine de ses camarades, Sadron s'occupe plus particulièrement de la partie électromécanique : gyroscopes, relais de stabilisation, appareils radioélectriques d'émission-réception.

Dans ses *Souvenirs,* publiés en 1947, il insiste sur l'incompétence d'une partie du personnel allemand et sur la facilité de certains sabotages : « Un tour de trop à la vis du potentiomètre d'un gyroscope, un chronométrage un peu fantaisiste de l'amortissement d'un pendule, et la torpille géante, coûteuse et compliquée, va fuser dans une direction inattendue. »

10 000 V2 furent fabriqués par les Allemands : 1 115 furent envoyés en direction du sud de l'Angleterre (2 500 tués), 1 341 contre Anvers, 15 contre Paris.

sen et ailleurs, des pierres de 20 ou 30 kilos sous le poids desquelles ces squelettes finissent par défaillir et succomber.

Les Français qui reviendront des camps ont eu, assez souvent, la « chance » d'échapper aux kommandos les plus rudes, pour être employés dans des kommandos où des tâches moins astreignantes offraient l'espoir de « durer ». C'est ainsi que, à Dora, Bramoullé se trouvera affecté, en compagnie de plusieurs personnalités françaises de la Résistance, dont Bollaert, représentant du général de Gaulle en zone Nord, au kommando de reprisage des chaussettes (*Strumpfstopferei*).

A Neuengamme, où les intellectuels, ceux qui ne sont « bons à rien », douze à seize heures durant, déchargent les péniches, portent les briques aux maçons qui construisent une nouvelle prison ou agrandissent un crématoire, Martin-Chauffier travaillera, lui, au « kommando des tresses ». Pour les plus vieux, les plus faibles, installés devant un métier à tisser, il s'agit de tresser des bouts de ficelle ou de vieilles gabardines. Travail certes moins pénible que le terrassement, mais qu'il faut effectuer dehors, et quel que soit le temps, douze heures durant sous la surveillance hautaine du lieutenant Thumann et la surveillance frénétique des *Vorarbeiters* et du kapo désireux, avant tout, de satisfaire leur seigneur et maître[1].

Dans les kommandos qui dépendent des camps de concentration, les déportés seront employés aux tâches les plus diverses. Des femmes — c'est à Petit-Königsberg, kommando dépendant de Ravensbrück — perceront une route dans la forêt ; d'autres — c'est à Limmer — fabriqueront des masques à gaz ; d'autres encore démonteront les moteurs des avions allemands, anglais, américains ou russes abattus, pour récupérer les pièces intactes ou réparables.

Le ventre creux, des hommes — professeurs, officiers, avocats —

1. Martin-Chauffier écrit que l'on employait au « kommando des tresses » ceux qui revenaient « presque morts des kommandos extérieurs... pour leur arracher un dernier effort de travail avant qu'ils ne crèvent tout à fait ».

Le « kommando des tresses » existait également à Auschwitz et à Neuengamme.

travailleront dans les mines de sel d'Helmskedt et, par 50°, dans les mines de potasse proches de la centrale d'Ensisheim. Ils déchargeront des wagons de charbon, abattront, débiteront et transporteront des arbres, mais, aussi inhumain que soit leur travail, aussi affreuse que soit leur existence quotidienne, aussi incertain que paraisse leur avenir, il n'est pas possible de comparer leur destin au misérable destin des juifs et des juives qui arrivent, passent et disparaissent, victimes promises à l'anonymat du crématoire.

En septembre 1944, Simone Saint-Clair verra arriver à Ravensbrück des milliers de juives hongroises.

Elles ont marché pendant près de cinq cents kilomètres, sont vêtues de haillons, se traînent et, avant que les S.S. ne les enferment dans une tente élevée entre les blocks 24 et 25, offrent aux malheureuses qui les regardent le spectacle du malheur absolu.

> « Empilées sous la tente, n'ayant pas la place de s'asseoir ou de s'allonger, elles demeuraient debout ou, les plus favorisées, accroupies, tombant les unes sur les autres, croupissant dans leurs immondices. Car, pour avoir été privées de nourriture ou avoir reçu des aliments empoisonnés, elles amenaient, avec elles, une sorte de choléra qui devait, en se répandant dans le camp, y causer des ravages.
>
> ... La tente, mal jointe, laissait passer l'eau et, des bas-côtés de ce lieu infernal, s'écoule un fumier immonde, qui se répand dans les allées, infestant les blocs voisins, empuantant l'air. Elles meurent à une cadence de cinquante par nuit. Le jour, on les transporte au block 6... »

L'anonymat du crématoire... Ce n'est plus tout à fait exact depuis l'admirable travail réalisé par Serge Klarsfeld qui, convoi après convoi, a établi la liste nominative des juifs déportés de France ; 75 721 hommes, femmes, enfants, sur lesquels 2 500 seulement survivront.

J'utiliserai ce *Mémorial de la Déportation,* monument de rigueur historique, de courage et de piété, lorsque, dans un prochain tome, j'évoquerai le sort des juifs raflés à travers la France entière, déportés dans d'abominables conditions et dont bien peu, échappant à l'horreur des camps, pourront, plus tard, porter témoignage au nom du peuple des morts.

10

LE DRAME DES « MALGRÉ NOUS »

Nos morts ne revendiquent pas la célébrité, mais leur voix s'élève vers nous...

Numéro spécial des *Anciens de Tambow,* avril 1983

Mars 1946. Jean Steinmetz a rendez-vous avec ses camarades du collège épiscopal Saint-Etienne, à Strasbourg.

Autour de la table du réfectoire, ils sont huit ou dix qui se penchent sur la dernière photo de leur scolarité, en octobre 1939. Ils avaient alors 17 ou 18 ans. Beaucoup aujourd'hui manquent à l'appel. La guerre est passée par là.

Celui-ci a trouvé la mort, en Charente, au cours de l'avance allemande de juin 1940. Cet autre a été tué dans les rangs des troupes de la Libération. Mort H..., en essayant de gagner la zone libre ; A..., déporté à Mauthausen ; G..., qui faisait partie d'un réseau de résistance ; V..., qui avait tenté d'échapper à l'incorporation de force, et que nul n'a revu.

Quatorze autres morts encore : tués sous l'uniforme allemand à Orel ; en Crimée ; quelque part dans la forêt ou dans les marais russes ; dans l'une de ces compagnies disciplinaires vouées à une disparition rapide ; morts de faim et de froid à Tambow, camp pour prisonniers de guerre alsaciens et lorrains, ou encore des suites d'une effroyable captivité.

Une photo. Des centaines, des milliers de photos qui, dans tous les lycées et collèges d'Alsace et de Lorraine, dans la plupart des familles, illustrent tristement le drame des « malgré nous », ces hommes mobilisés de force par l'Allemagne à partir du mois d'août 1942, envoyés combattre en Russie et dont, en 1985 encore, il n'est pas certain que tous aient pu regagner leur patrie[1].

200 000 Alsaciens et Lorrains mobilisables, 132 000 incorporés, 27 000 morts, 20 000 disparus, 10 000 grands blessés, tel est le prix payé par l'Alsace et par la Lorraine à l'annexion.

Mais les chiffres ne diront jamais le poids de douleurs aggravées par l'incertitude puisque, en Alsace comme en Lorraine, le sort des hommes mobilisés demeurera si longtemps ignoré que, le 11 juillet 1946, devant l'Assemblée nationale, le député Pierre Clostermann pourra dire, avec raison, qu'en Alsace « toutes les questions économiques et politiques sont dépassées par cette question des " malgré nous " ».

Au 1er juillet 1946, 70 000 soldats ont regagné leurs foyers, 8 000 Alsaciens et Lorrains sont *officiellement* tombés au combat contre les Russes, mais, sur les 65 000 incorporés du Bas-Rhin, on ne sait rien de 26 671 ; sur les 35 000 incorporés du Haut-Rhin, 16 292 n'ont pas donné de leurs nouvelles, non plus que 12 050 des 32 000 Mosellans incorporés.

Morts ? Prisonniers ? Nul ne peut le dire avec précision. Dans les derniers mois du conflit, la Wehrmacht — 16 500 000 mobilisés pour toute la guerre — a été dans l'impossibilité de prévenir les familles des décès intervenus au combat et dans les hôpitaux. Il faut rappeler également que la Lorraine et l'Alsace sont libérées

---

1. En mars 1985, la presse parlera du cas de M. Paul Catrain, fait prisonnier en 1940 par les Allemands, détenu à Lublin, « disparu » lors de la prise de la ville par les Soviétiques. Selon M. Roland Dumas, ministre des Affaires extérieures, M. Catrain, qui vit aujourd'hui dans un petit village d'Ukraine, et n'a signalé son existence à l'ambassade de France qu'en 1980, ne tiendrait pas à regagner son pays natal.

M. Catrain n'était pas l'un de ces « malgré nous » dont le sort a été évoqué par Patrick Meney dans son livre *Les mains coupées de la taïga*. Or, c'est seulement à la suite du livre de Meney, donc en mars 1985, que l'agence soviétique Novosti révéla notamment la présence de 345 Français inhumés dans le cimetière de Kvisanov, près de Tambow. En juin 1985, selon des sources officielles, 216 Français seraient toujours retenus en U.R.S.S.

alors que se poursuivent toujours des batailles dans lesquelles se trouvent engagés, sous uniforme et commandement allemands, des Alsaciens et des Lorrains.

Le sort des « malgré nous » ne préoccupe pas uniquement les familles des disparus qui, dans les journaux locaux, publient photos, dates de naissance et de mobilisation, dans l'espoir d'obtenir un renseignement auquel raccrocher leur espoir, il intéresse également plusieurs parlementaires.

Les 11 et 23 juillet 1946, au cours d'un débat passionné, Clostermann, Pierre July, de Moro Giafferri, Sigrist, Henri Meck prendront la parole, mettant en cause le ministre des Anciens combattants et victimes de la guerre, le communiste Laurent Casanova, et, à travers lui, l'U.R.S.S., dont la politique de silence est vigoureusement dénoncée.

Henri Meck insistera sur l'ignorance dans laquelle les Soviétiques laissent les faibles missions françaises de recherche, sur l'impossibilité pour les Alsaciens et les Lorrains, toujours prisonniers, d'informer leur famille, sur l'extrême lenteur des rapatriements.

Laurent Casanova répondra, non seulement en dénonçant l'anticommunisme des orateurs, mais également en mettant en cause la bonne foi de certains évadés des camps soviétiques. Il ajoutera qu'il est très difficile « de faire admettre à nos alliés [russes] que la plupart des Alsaciens et des Lorrains enrôlés dans les formations de la Wehrmacht [l'ont] été contre leur gré ».

Fernand Grenier, député communiste, accusera de son côté ceux « qui rentrent après avoir vécu un an et plus auprès des femmes allemandes ».

Ainsi, un débat, qui aurait dû demeurer toujours sur le plan humanitaire, sera-t-il, de part et d'autre, constamment politisé.

On sait avec quel cynisme [1], dans les jours qui ont suivi leur victoire, les Allemands ont agi en Alsace et en Lorraine.

Rétablissant les frontières d'avant 1918, ne donnant jamais de

1. Cf. *Quarante millions de pétainistes,* p. 132 et suiv.

réponse aux protestations de Vichy, protestations qui avaient le mérite d'exister mais l'inconvénient de demeurer secrètes, éliminant tout ce qui, administrativement, économiquement, culturellement, sentimentalement, rappelait la France, rapatriant, après l'exode de 1939 et celui de juin 1940, les Alsaciens et Lorrains supposés favorables à leur cause, expulsant bientôt les autres, mettant en relief les incontestables erreurs psychologiques et politiques commises par les gouvernements français qui s'étaient succédé après 1918, s'appuyant sur un réseau autonomiste relativement bien implanté et qui croyait, avec la victoire du Reich, obtenir des garanties pour ses thèses et des places pour ses dirigeants, l'Allemagne hitlérienne, si elle avait envisagé immédiatement la « défrancisation » des trois départements et, à relativement court terme, de vastes opérations de naturalisation, n'avait pas eu le projet de mobiliser des hommes qui semblaient inutiles à la poursuite d'une guerre menée alors contre la seule Angleterre.

Les autorités en place avaient seulement prêché en faveur de l'engagement dans les unités de police. Sans grand succès puisque, au 3 décembre 1940, les engagements dans la police auxiliaire se limitaient à 622 hommes en Alsace et 367 en Lorraine. De leur côté, les S.S. avaient recruté respectivement 32 et 68 volontaires.

Les choses allaient changer avec l'intensification des combats en Russie et lorsque s'évanouirait l'illusion d'une guerre courte.

En janvier 1942, cependant, les affiches, signées d'anciens combattants de la Première Guerre mondiale [1] et de quelques combattants de la guerre en cours, ne feront appel qu'à ces volontaires sur lesquels le Reich espérait pouvoir compter : fonctionnaires, agents des services publics, membres d'associations créées à l'image de celles qui existaient en Allemagne, beaucoup moins pour convaincre les habitants du bien-fondé des doctrines nazies que pour les prendre au piège de l'uniforme qui abolit tout individualisme.

Dès le 11 octobre 1940, l'Allemagne avait créé l'*Opferring* (ou cercle de ceux qui consentaient à faire des sacrifices pour le Reich), dont le rôle, notamment à travers l'activité des Blackleister et des Polischleister, était de contrôler la position de chacun vis-à-vis de l'Etat national

1. Puisque, entre 1871 et 1918, l'Alsace et la Lorraine, annexées après notre défaite de 1870, faisaient partie du territoire allemand.

socialiste[1], l'assiduité aux réunions du Parti, la générosité envers des œuvres comme le Secours d'hiver, l'attitude d'enfants pris en main par la Hitler Jugend, où l'inscription, facultative d'abord, deviendra obligatoire à partir du 2 janvier 1942.

Ainsi, des milliers de jeunes Alsaciens s'étaient-ils trouvés embrigadés dans des organisations à caractère militaire. A partir de l'âge de 12 ans, ils étaient initiés au maniement du fusil, à partir de 14 ans, ils se voyaient, quatre semaines durant, astreints à des exercices de préparation militaire en attendant d'être envoyés dans des unités de D.C.A.

A l'occasion de la « fête du serment », célébrée en mars et qu'il fallait préparer plus attentivement et plus scrupuleusement que les fêtes religieuses de jadis[2], les jeunes Alsaciens et Lorrains devaient collectivement prêter serment au Führer :

> « *Ich verspreche in der Hitler Jugend alle zeit meine Pflicht*... Je promets de faire toujours mon devoir dans la Hitler Jugend par amour et fidélité pour le Führer et pour notre drapeau. Que Dieu nous soit en aide. »

Les nazis ne s'efforceront pas seulement de limiter l'action, en quelque sorte « concurrentielle », des prêtres et des religieuses. A l'intention de la jeunesse, plus encore que des adultes aux sentiments douteux, ils multiplieront les fêtes à connotation politique : commémoration du putsch hitlérien de Munich en 1923 ; Horst-Wessel-Tag, en l'honneur d'un jeune militant nazi tué dans une bagarre avec les communistes ; journée des héros tombés sur les champs de bataille ; anniversaire du Führer, le 20 avril ; journée

1. Ce rôle était facilité par la présence en Alsace et en Lorraine de nombreux fonctionnaires allemands arrivés, avec leur famille, dans les jours qui ont suivi la défaite de la France.

2. L'Allemagne avait procédé en Alsace et en Lorraine à l'expulsion de très nombreux prêtres (50 % du clergé mosellan). C'est en février 1941 que le Gauleiter Joseph Bürckel légalisa, en Lorraine occupée, l'abolition des organisations religieuses, des ordres et des congrégations ainsi que la confiscation de leurs biens.

Albert-Léo Schlageter, à la mémoire d'un jeune saboteur fusillé par les occupants français.

Mais, très rapidement l'entreprise de séduction, qui pour se développer avec une petite chance de succès aurait réclamé bien des années, allait se transformer en entreprise de coercition.

Le 23 avril 1941, en effet, le Service du Travail du Reich était introduit dans les départements annexés. Il touchait les garçons nés en 1922 et les filles nées en 1923. Ainsi, à petits pas, se rapprochait-on du service militaire obligatoire, qui devait être imposé le 25 août 1942, à l'issue de plusieurs réunions auxquelles Hitler avait pris part.

Dans la dernière de ces réunions, au quartier général d'Hitler, en Ukraine[1], il avait été question « du service militaire obligatoire et [de] l'attribution des droits civiques dans les nouveaux territoires ».

Lier le service militaire obligatoire à l'obtention de la nationalité allemande avait toujours été dans l'intention de l'administration nazie. Juridiquement il lui était d'ailleurs difficile d'agir autrement, les Alsaciens et les Lorrains demeurant français en droit international.

L'ordonnance du 23 août 1942 conférera donc la nationalité allemande aux Alsaciens, Lorrains et Luxembourgeois de souche allemande qui *sont* ou *seront* incorporés dans la Wehrmacht ou la Waffen S.S. ; à ceux également qui « sont considérés comme des Allemands ayant fait leurs preuves ».

Et, deux jours plus tard — le 25 août —, paraîtra l'ordonnance rendant le service militaire obligatoire pour « les personnes de race allemande » appartenant aux classes 1920, 1921, 1922, 1923 et 1924.

Sans doute l'ordonnance sur la nationalité a-t-elle été conçue comme devant récompenser en priorité les autonomistes, les hommes et femmes « ayant eu une conduite reconnue sans équivoque » ; les soldats ayant combattu héroïquement dans les rangs allemands au cours de la Première Guerre mondiale ; les Alsaciens et Lorrains membres des différentes organisations nazies ; les garçons et filles de la Hitler Jugend âgés de plus de 17 ans. Mais, avec le temps et les besoins croissants de la Wehrmacht, elle concernera très rapidement la quasi-totalité de la population. Le Gauleiter Burckel, parlant le 31 août 1942, ne s'embarrassera pas de nuances, puisqu'il déclarera qu'avec

1. A cette conférence participaient Bürckel, Wagner, Lammers, Ribbentrop, Himmler, Stuckart et Bormann.

« effet immédiat la nationalité allemande [était] accordée d'office aux Lorrains de communauté [linguistique] allemande qui sont à 98 % de souche allemande. En conséquence, à partir de ce moment, il n'y a plus de place pour l'option en faveur de l'une ou de l'autre nationalité[1]. »

Les Allemands voulaient qu'en Alsace et en Lorraine, plus que partout ailleurs, la conscription soit une fête. Aussi donneront-ils des instructions pour que les « mobilisables des communes [soient transportés] jusqu'au lieu de la conscription... dans des chariots à ridelles décorés de fleurs (travail dont pouvaient se charger les filles du village), sans oublier les accordéons, harmonicas et autres instruments[2] ».

Quant au retour, il devait être occasion de manifestations plus joyeuses et plus bruyantes encore. « En tête du cortège, trois conscrits sautillant d'un côté de la route à l'autre ; derrière eux, la musique jouant avec entrain... le peuple chantant et exultant, accompagné, bien sûr, par la jeunesse enthousiaste du village. »

L'enthousiasme ne sera pas présent au rendez-vous imaginé par les Allemands. Il y a bien tapage, mais ce n'est pas le joyeux tapage des instruments de musique.

Selon le Kreisleiter Bickler, qui en fit l'aveu dans l'un de ses discours, « dès l'annonce de l'introduction du service militaire obligatoire en Alsace, il y eut beaucoup de bavardages et de cris dans les magasins, les laiteries, boucheries et salons de coiffure, les fabriques et les ménages. Il se produisit un grand tapage et les gens déclarèrent que cela ne se ferait pas, qu'il ne saurait en être question, qu'ils refuseraient, qu'ils n'iraient pas ».

Un rapport de l'état-major du service de sécurité sur l'état d'esprit des Mosellans — pour la période du 28 août au 3 septembre — se révèle particulièrement instructif.

1. Cependant, le même Burckel accordait « à ceux qui ne se sentaient pas allemands » le droit de partir en direction de la France non occupée, droit limité au 5 septembre.

2. Instructions du Kreisleitung de Saverne.

L'annonce de la mobilisation « provoqua, peut-on lire, une grande émotion qui se manifesta, dans les jours suivants, par l'action de porte-parole, probablement issus du parti communiste ou de la C.G.T. ; il en résulta une attitude d'opposition intense de la population. Cela commença le lundi et le mardi dans les différents arrondissements de Saint-Avold, de Sarreguemines et de Metz : une avalanche d'inscriptions en vue d'un départ volontaire en France s'abattit sur les bureaux de recensement[1] ».

Les agents de la Gestapo, auteurs de ce rapport, indiquent bien avoir entendu des chansons dans la bouche de ceux qui refusent de revêtir l'uniforme allemand ; mais ce sont des chansons françaises et le chef du parti nazi de la commune lorraine d'Amnéville rapporte, le 31 décembre 1941, qu'un jeune homme a transformé ainsi les paroles de *Lily Marlène :*

Devant Moscou, devant la grande porte
L'armée allemande est arrêtée et ne peut plus avancer
Tout le monde sait que les Allemands devront foutre le camp
Comme autrefois en 1918.

Les agents de la Gestapo ont également relevé quelques-unes des réflexions des Lorrains.

— Je ne peux tout de même pas prêter serment sur le drapeau allemand, dit l'un, alors que je l'ai fait sur le drapeau français.

Nombreux sont ceux qui voient dans la décision allemande de mobiliser Alsaciens et Lorrains comme la preuve que l'Allemagne, incapable de vaincre seule, a perdu la guerre. Cette conviction s'exprime en termes qui vont de l'ironie cinglante : « Pauvre Adolf, maintenant il a encore besoin de nous autres pour perdre la guerre », au raisonnement d'apparence stratégique : « L'offensive allemande dans le Caucase est stoppée, même si nous sommes incorporés dans l'armée, nous ne pourrons rien y changer, cela va vers la fin. »

Dès le 4 septembre, les Allemands lancent des avertissements à ceux qui ont négligé de se présenter au conseil de révision, à l'exemple de Herling, de Saverne, de Wendling et de Kaiser, qui habitent Wissenbourg. Les trois garçons sont arrêtés. Ils attendent en prison leur

1. 2000 personnes pour la seule ville de Metz.

condamnation et l'avis allemand publié par la presse met en cause l'attitude de parents qui « n'ont pas encore compris les exigences des temps actuels qui ne tolèrent en Alsace que des gens sûrs ».

Les parents des réfractaires seront donc « déportés sous peu dans l' " Alt Reich " pour acquérir, dans un milieu de nationaux-socialistes, une attitude conforme à l'esprit national-socialiste ».

La perspective de ces représailles à l'égard des familles freinera d'autant plus sérieusement « l'émigration illégale » en direction de la France non occupée que la menace vise, outre l'épouse, « les ascendants et descendants, les parents adoptifs et les enfants des conjoints ainsi que les frères et sœurs et leurs conjoints ».

Le 10 février 1943, la presse annoncera l'expulsion vers le Reich de la famille d'Edouard Fuchs, qui habitait Mulhouse avec ses quatre enfants ; de celle d'Eugène Bech, de Soufflenheim ; de celle de Jacques Angst, de Salmbach, et encore de celles de Joseph Aman et de Louis Christian.

Il faut partir sans délai et presque sans bagages. Catherine Peter, dont le frère Paul, réfractaire au service militaire et qui a cherché à passer en Suisse, sera fusillé le 17 février 1943 au Struthof, voit la ferme familiale investie à 8 heures du matin. La police accorde à ses parents une heure à peine pour réunir trois jours de provisions, ainsi qu'un peu de linge puis, dans un camion, toute la famille est conduite à Ballersdorf où se trouvent déjà rassemblées les familles de ces 18 réfractaires qui, dans la nuit du 12 février 1943, ont vainement tenté de franchir cette zone interdite de trois kilomètres de profondeur, établie entre la Suisse et la France par ordonnance du 16 septembre 1942.

Tandis que treize des garçons, hâtivement jugés, étaient condamnés à mort et exécutés, leurs parents seront déportés au camp de Schirmerk où ils séjourneront six semaines avant d'être dispersés dans des usines et des fermes du Reich[1].

Les Allemands spéculent d'ailleurs sur les conflits familiaux que leurs exigences peuvent faire naître. Henri Jaeglé, de Kaysersberg, sera fusillé pour avoir pris parti en faveur de son fils réfractaire à la mobilisation, mais bon nombre de pères de famille, ayant à la fois un garçon en âge d'être mobilisé et des enfants en bas âge, conseilleront

1. 3 des 18 réfractaires ont été tués en s'efforçant de franchir la zone interdite.

au premier d'obéir malgré tout aux ordonnances allemandes, afin d'épargner à toute la famille le poids de rudes représailles.

Toutefois, les rapports mensuels du chef du parti nazi de la commune lorraine d'Amnéville[1], que je dois à l'amitié de l'un de mes lecteurs, M. Paul Flecher, permettent de se rendre compte de l'intensité croissante d'une résistance qui se manifeste d'abord par l'obstination de la population à parler français ; par le boycott des « établissements typiquement allemands »... avec des remarques telles que : « Nous n'allons pas chez ces cochons de Prussiens » ; par la multiplication, jusque dans les vespasiennes, d'inscriptions hostiles au Führer ; mais surtout par des départs en direction de la France, qui touchent toutes les catégories sociales.

Le 31 janvier 1942, le chef du parti nazi d'Amnéville signale ainsi « la fuite vers la France » de 4 hommes, dont le fossoyeur qui « a laissé une famille de 7 personnes » ; un an plus tard, c'est l'instituteur et sa femme qui abandonneront le village de Gondrange d'où partiront clandestinement, en juillet 1943, les familles Guenot, Pacquin et Jacques. En novembre, ce sont une vingtaine d'habitants de la commune qui vont passer la frontière et désormais, dans les rapports officiels, il est de plus en plus question de « malgré nous » permissionnaires qui ne rejoignent pas leur corps : Erwin Lapp, Joseph Acker, Lucien Lauter...

Un déserteur, cependant, a été rattrapé ; il s'agit du soldat Kolsch, classe 1919. On ignore son destin, mais il a dû être cruellement frappé par des lois allemandes impitoyables.

C'est à partir du 10 janvier 1941 que le Gauleiter Wagner avait introduit en Alsace les textes visant à sanctionner les « ennemis et

1. Dans l'arrondissement de Metz-Campagne. Les Allemands donneront à Amnéville le nom de Stahleim.

parasites de la société » ; les auditeurs des radios hostiles au Reich ; ceux et celles qui attaquaient le Reich et le Parti en aidant notamment, et le cas avait été fréquent en Alsace aussi bien qu'en Lorraine, les prisonniers de guerre évadés [1].

Au fil des mois — 6 mai, 19 juin, 24 juillet, 30 septembre, 3 octobre 1941, 30 janvier 1942 —, tout le code allemand allait être appliqué aux provinces annexées et des tribunaux particuliers installés : tribunaux pour enfants, tribunaux de simple police, de flagrant délit, tribunaux du Parti, cours martiales, tribunal spécial ou d'exception composé de magistrats uniquement allemands et chargé de la justice d'exception, qui condamnera à mort, le 31 mai 1942, le jeune Marcel Weinum accusé d'avoir placé une bombe dans l'auto du Gauleiter Wagner ; tribunal du peuple enfin, qui, sous la présidence du Dr Roland Freisler [2], prononça une centaine de peines capitales visant aussi bien les communistes que les responsables de réseaux d'évasion.

C'est le tribunal du peuple (*Volksgerichtshof*) qui, pour aide à des prisonniers de guerre français, devait condamner à mort, en janvier 1943, Lucienne Welchinger et 4 des 10 coaccusés [3] ; c'est lui, également, qui condamnera à la peine capitale René Birr, Auguste Sonntag, Adolphe Murbach, Eugène Boeglin, 4 communistes décapités à Stuttgart le 1er juin 1943 ; Eugène Schwartz, René Kern, Marcel Stoessel, Alphonse Kunz, décapités le 29 juin 1943 ; Lucien Rohmer et sa belle-sœur, Anna Rohmer, propriétaires de l'hôtel de la Bourse à Mulhouse, qui avaient aidé des prisonniers de guerre français ; le communiste Georges Goss-Kunz, de Mulhouse ; Jean Burgy, de Colmar, auteur de caricatures hostiles au parti nazi ; Roger Kuhn, de Strasbourg, suspecté d'espionnage.

C'est devant Freisler et ses assesseurs que comparaîtront égale-

---

1. J'ai évoqué dans *Quarante millions de pétainistes* les réseaux d'évasion alsaciens et lorrains. Un homme comme Pierre Laurent eut à son actif 450 évasions réussies. L'Alsacien Paul Koepfles, qui avait choisi le Jura pour exercer son activité, devait être abattu par la Gestapo à Poligny. Enfin, des Lorrains et des Alsaciens contribuèrent à la réussite de l'évasion du général Giraud. Deux d'entre eux, l'abbé Stamm, curé de Liebsdorf, dans le Sundgau, et le garde forestier alsacien Henri Kupfer devaient payer de leur vie (arrêtés le 21 septembre 1943, ils furent exécutés en 1945) l'aide apportée à Giraud.
2. Freisler présidera le tribunal du peuple appelé à juger les auteurs de l'attentat contre Hitler (20 août 1944).
3. La peine ne sera pas exécutée.

ment, en juillet 1943, une trentaine d'étudiants et anciens élèves du collège Saint-Etienne, de Strasbourg.

Dix d'entre eux allaient être condamnés à mort et 6, Alphonse Adam, Robert Kiefer, Joseph Sezer, Pierre Tschuen, Charles Schneider, Robert Meyer, immédiatement exécutés[1].

Dans la sablière du Struthof, sont déjà tombés le 17 février 1943, à 15 heures, cinq cultivateurs : Camille Abt, Aloyse Boll, Charles Boloranus, Paul Peter, Charles Wiest ; deux boulangers, Cheray et Maurice Wiest ; quatre étudiants, Justin Brungand, Aimé Fulleringer, Jean Klein, Henri Miehe ; deux ouvriers, Alfred Dieteman et Robert Gentzbittel.

De cette exécution collective, les Allemands espéraient une obéissance collective et la presse, sous direction allemande, se félicitera qu'aient été châtiés, « avec la rapidité de l'éclair et toute la rigueur qu'exigeait la gravité sans pareille de cette rébellion insolente, les traîtres qui pensaient se soustraire, par lâcheté et égoïsme, au devoir naturel imposé par la gravité de la situation à chaque Allemand capable de porter les armes ».

Ces drames, et leurs terribles conséquences pour les réfractaires et pour leurs familles, n'empêcheront pas les tentatives de fuite des Alsaciens mais les limiteront certainement.

> « Si je ne réponds pas à la convocation, écrit Georges Starcky[2], ils s'en prendront à mes parents, les enverront dans un camp de concentration, leur feront subir des tourments quotidiens et je ne suis pas sûr de les revoir vivants. Si je me laisse enrôler, je serai tôt ou tard expédié sur un front d'où j'aurai peu de chances de revenir. Mon choix est fait. J'endosserai l'uniforme allemand. »

Le 4 septembre 1942, quelques jours à peine après l'annonce des mesures de mobilisation, un avertissement avait été lancé, on le sait, à ceux qui négligeaient de se soumettre aux formalités du conseil de

1. Au cours de l'année 1943, les journaux alsaciens annonceront 78 condamnations à mort, dont 38 seront exécutées.
2. *L'Alsacien.*

révision. Le réfractaire devait être « immédiatement arrêté, écroué et expatrié dans le Reich après avoir purgé une peine de prison fixée par le commandant de la Sicherheitspolizei ».

Résignés pour la plupart, les futurs mobilisés se rendront donc sur les lieux de la convocation. Ils le feront souvent en brandissant des drapeaux tricolores, en chantant *la Marseillaise,* en s'attardant en route, ce qui leur permettra de ne pas négliger les débits de boissons, en injuriant les gendarmes, en se présentant devant les autorités coiffés du béret basque interdit par l'ordonnance du 13 décembre 1941, en ameutant enfin la population.

A l'occasion des conseils de révision, les incidents se multiplieront.

Incidents à Keysersberg où une vingtaine de réfractaires, aidés par une partie de la population, engageront une lutte sans espoir contre les soldats allemands qui les conduiront d'abord au camp de Schirmeck, d'où ils seront expédiés plus tard vers une unité disciplinaire.

Incidents à Freland où, le 16 février 1943, des S.S., à la recherche des insoumis, mettent finalement la main sur 9 garçons, dont Pierre Bertrand qui a revêtu son uniforme de soldat français.

Incidents à Orberg où, à la fin de la journée, alors que l'heure prévue pour le conseil de révision était largement dépassée, des bagarres auront lieu entre plusieurs jeunes et les Feldgendarmes. Au terme de ces affrontements, Paul Munier, qui a refusé de signer la feuille de recensement et la déclaration de non-appartenance à la race juive, sera battu, arrêté, conduit à la prison de Colmar, transféré au camp de Schirmeck et fusillé le 24 janvier 1943.

A Sarreguemines, c'est une véritable émeute qui a éclaté le 25 juin 1943. Des parents et des amis ont accompagné les 1500 jeunes venus de Puttelange, Sarrable, Phalsbourg, Sarrebourg, pour être incorporés dans les locaux de l'ancienne caserne Gallieni. Bien que les débits de boissons aient été fermés, police et population se disputeront jusqu'à la nuit les jeunes gens, les policiers voulant les entraîner jusque dans la cour de la caserne, les habitants de Sarreguemines faisant barrage de leurs corps.

De ces manifestations, on trouve l'écho dans les rapports allemands, comme on y trouve l'écho des manifestations dont les trains de mobilisés sont le théâtre. Par leur violence et l'expression des sentiments patriotiques français, elles dépassent tout ce qui, en pareille circonstance, pourrait être tenu pour normal.

Le train 905, qui emporte de Molsheim André Fassnacht, René

Humbert, Albert Diebolt, Paul Brun et 316 autres appelés, arrive à Saverne dans un état pitoyable : 130 fenêtres sont brisées, le signal d'alarme a été tiré une dizaine de fois et, sur certains compartiments, les Allemands vont relever les inscriptions suivantes :

HITLER VAINCU, LA FRANCE RENAÎTRA.
VIVE GIRAUD ! VIVE DE GAULLE ! VIVE CODRÉANU[1] !
MERDE LA PRUSSE ! VIVE LA FRANCE !
RETRAITE EN RUSSIE ! RETRAITE EN AFRIQUE !
LE GRAND CHANGEMENT EST ARRIVÉ !
C'EST LE DÉBUT DE LA FIN !

Le rapport allemand exposant les délits, rapport selon lequel les accusés ont été identifiés grâce aux blessures qu'ils présentaient aux mains et parfois aux jambes, parle d'une « fureur déchaînée » contre laquelle deux agents de la police du rail ainsi que des soldats de la Wehrmacht ont été impuissants.

Une fois mobilisés, les Alsaciens et les Lorrains vont faire connaissance avec la discipline allemande.

Au mois de février 1944, André Aron[2] est incorporé dans la Wehrmacht. Il a 17 ans et 3 mois. Envoyé à Rapiau, en Prusse-Orientale, il sera affecté d'abord à une unité sanitaire avant de faire partie d'un régiment de grenadiers.

Officiellement, il est soumis aux mêmes règlements que les soldats allemands, a les mêmes droits, les mêmes devoirs.

Devenu, selon les *Principes fondamentaux,* établis le 14 février 1944 par le Gauleiter Wagner, « définitivement citoyen du Reich allemand à compter du jour de son incorporation », le jeune Alsacien ou

1. On est en droit de se demander pour quelles raisons le nom de Codréanu, fondateur en Roumanie des Gardes de Fer — et tué en 1938 —, se trouve écrit sur les parois d'un wagon emportant vers l'Allemagne des « malgré nous »...

2. Aron, qui n'est pas juif, n'aura pas à changer son nom au sein de l'armée allemande mais, demeurée en Alsace, sa famille devra prendre le nom d'Aren et sa sœur devra abandonner son prénom d'Aimée pour celui d'Amanda.

Lorrain doit être traité cependant comme un homme qu'il faut remettre dans le droit chemin. Ce chemin dont, entre 1918 et 1940, « l'occupation française », sa famille et ses professeurs l'ont détourné.

Le troisième paragraphe des *Principes fondamentaux* précise d'ailleurs :

> « Chaque citoyen allemand doit mettre son point d'honneur à aider les Alsaciens à sortir de leurs errements dus à leur passé tragique. Chaque supérieur et camarade qui s'en prend au passé des Alsaciens, qui se moque d'eux et les considère comme inférieurs manque à ses devoirs d'Allemand. Témoigner de la compréhension pour leurs défauts et faiblesses ne signifie pas cependant les ignorer ou les laisser subsister, mais au contraire les éliminer. »

Georges Starcky a raconté comment[1], en application de ces consignes, il avait été accueilli, en octobre 1943, dans son unité : une compagnie de la 68e division d'infanterie appartenant à la 6e armée, commandée par le général von Manstein, 6e armée dont le front s'étend du nord de Kiev à Melitopol, sur la mer d'Azov.

Mêlés à 1000 hommes de renfort, les Alsaciens et Lorrains, qui attendent leur répartition dans les différentes compagnies, espèrent rester groupés. Il n'en sera rien. Leur livret militaire se trouve, en effet, placé à part et c'est seulement après avoir appelé 9 Allemands qu'un officier d'ordonnance appelle le nom d'un Alsacien ou d'un Lorrain…

Après une épuisante marche à travers la plaine russe, ayant enfin rejoint la 13e compagnie, George Starcky sera présenté en ces termes aux 59 artilleurs brandebourgeois, destinés à devenir ses camarades de combat :

— Voici un nouveau camarade qui entre dans notre unité. Je tiens à vous le présenter personnellement, car j'ai deux mots à vous dire à son sujet. C'est un Alsacien qui, jusqu'à 20 ans, a été modelé à la française. Il ne pense donc pas comme vous qui étiez dans la jeunesse hitlérienne, dans le Parti. Tout est neuf pour lui ici. Accueillez-le comme un frère, afin qu'il comprenne rapidement que sa véritable

1. *Op. cit.*

patrie n'est pas la France, mais la Grande Allemagne, et qu'il puisse en être fier. Maintenant, le premier d'entre vous qui s'aviserait de le traiter de « tête de Français » filerait dans une compagnie pénitentiaire. Vous m'avez compris ? Vous, soldat Starcky, je vous préviens, dans votre intérêt, que, si nous nous apercevons que vous préférez la société d'Ivan à la nôtre, on vous descendra comme un chien. Et malheur aux vôtres en Alsace. Rompez !

Isolés dans la masse des fantassins allemands[1], les Alsaciens et Lorrains n'auraient pas dû connaître un sort différent de celui des autres soldats de la Wehrmacht. En réalité, leur courrier se trouve strictement surveillé, ils sont plus aisément suspectés de rêves de désertion et certaines armes : aviation et transmissions notamment, leur demeurent généralement interdites. Mais, en première ligne, et sur ce point les témoignages sont la plupart du temps concordants, pris dans l'atmosphère, soumis aux dangers du combat, ils sont traités comme les autres combattants... et réagissent, la plupart du temps, comme les autres soldats. Comment pourrait-il en aller autrement ?

Qu'ils soient allemands, alsaciens ou lorrains, les hommes de la Wehrmacht vivent, dans l'hiver de 1943-1944, la même existence difficile et dangereuse. Ils éprouvent les mêmes terreurs lorsque, porté par le vent, arrivent le bruit des chars soviétiques, puis celui des chants qui précèdent des assauts sauvages presque indéfiniment répétés et que le tir des mitrailleuses ne peut toujours stopper.

1. Cette règle souffrira des exceptions. On verra ainsi, dans le nord de la Russie, 4 Mosellans être de faction, la même nuit, aux différents postes de garde. En Sicile, François Lotz, engagé dans la journée du 15 juillet 1943, pourra s'évader et passer aux Anglais dans la mesure où 11 Alsaciens composent l'armement des deux mortiers de 81 qui ont ouvert le feu sur les Britanniques. Internés à Syracuse, puis à Alexandrie, libérés le 6 décembre 1943, François Lotz et ses camarades devaient s'engager immédiatement dans les Forces françaises libres.

> « On va se battre pour soi-même, écrit Guy Sager[1]. Pour essayer de ne pas crever, malgré tout, dans un trou de boue ou de neige. Foutus pour foutus, notre terreur va se transformer en une forteresse de désespoir. »

Comme les autres, les Alsaciens et les Lorrains ont subi l'un des entraînements les plus rudes qui soient. Ils ont connu l'abri des punis, cette niche, *Die Hundehütte,* où, après trente-six heures d'exercice, ils ont passé huit heures de « repos » assis sur une chaise. Ils ont guetté, dans un fossé, l'arrivée des chars, sur lesquels il faut bondir pour tenter de placer au point de jonction de la carcasse et de la tourelle la mine magnétique ; ils ont patienté à la porte des baraques sanitaires envahies par les diarrhéiques ; pris la relève par – 40° lorsque l'huile des moteurs n'est plus qu'une pâte et que gèle l'essence ; vu mourir des camarades blessés qui supplient qu'on les achève et laissé derrière eux bien des tombes que les chars russes nivelleront.

Gustave Dehen, qui appartient à l'équipage d'un *Sturmgeschütz* (canon d'assaut) de 24 tonnes[2] et a combattu au sein de la Panzerjägerabteilung II dans le secteur de Riga, écrira : « Les engagements auxquels il me fallut prendre part m'apportèrent tous la preuve de ce que je ne pouvais admettre, c'est-à-dire qu'on ne s'évade pas d'un char et surtout qu'on ne s'évade pas avec le char. »

Adolphe B..., qui habitait dans la région de Colmar, sera mobilisé en 1943 et, après six mois passés au Danemark — dont il se souviendra toujours comme d'un pays de lait, de poisson fumé, de pain abondant et de civils courtois —, sera envoyé comme canonnier dans une unité de chars engagée à l'automne de 1944 près de Varsovie.

« Quand on a vu à côté de soi, m'a-t-il confié, des chars atteints par les obus des chars russes, le canonnier chargeur que j'étais n'hésitait pas à charger le canon quand on lui criait : " Char russe devant ! " On tirait pour se défendre. »

Si le chef de char d'Adolphe B..., un Silésien qui avait refusé d'aller

---

1. Sager, *Le soldat oublié.* De père français et de mère allemande, Guy Sager fut versé dans la division S.S. « Gross Deutschland ».
2. Engin blindé, entré en service en avril 1940 et spécialisé dans l'accompagnement de l'infanterie, le *Sturmgeschütz* est armé initialement d'un canon de 75 (plus tard d'un canon de 76).

Le blindage frontal passera de 50 à 80 mm. Privé de tourelle, le *Sturmgeschütz* peut porter une dizaine de fantassins. Son équipage est de quatre hommes.

en permission avant d'avoir obtenu la croix de fer de 1re classe, se montrait nazi intraitable, bien des soldats allemands se comportaient, envers les Alsaciens et les Lorrains, en bons camarades, lorsqu'il s'agissait de faire face aux mêmes épreuves.

Dans son livre, *Le soldat honteux,* Armand Zahner raconte que ses camarades alsaciens s'étaient tout d'abord méfiés de soldats allemands en qui ils avaient vu des espions. « En fait, écrit-il, en évoquant avec sympathie le capitaine Hoeisel, le lieutenant Daennicke et surtout le soldat Heinz Gebhardt, son ami des bons et des mauvais jours, en fait il faut leur rendre cette justice : jamais, à notre connaissance, aucun d'entre eux ne joua le rôle détestable que nous leur prêtions et, le plus souvent, ils se révéleront comme de bons et loyaux camarades. »

Plus de quarante ans après des événements auxquels des dizaines de milliers d'hommes furent mêlés, il est d'autant plus impossible de reconstituer toutes les réactions individuelles que, dans les années 50, les « malgré nous », culpabilisés, ont naturellement minimisé leur rôle dans les combats.

Un auteur, Charles Béné[1], estime à 10 % des mobilisés ceux qui seraient partis d'Alsace et de Lorraine « sans trop s'élever contre la décision nazie » et qui auraient fait « du zèle pour obtenir un avantage quelconque ou même une décoration ».

Est-ce à dire que 90 % demeurèrent passivement l'arme au pied ? Ce serait tout ignorer de l'âpreté d'un combat dans lequel la survie ne dépendait nullement d'une parfaite connaissance de la doctrine nazie, mais de la précision du tir, du courage quotidien et de la solidarité militaire.

Il n'est, d'ailleurs, jamais aisé de se rendre aux Russes, en étant assuré de conserver la vie sauve.

Les soldats allemands ont reçu l'ordre d'ouvrir le feu sur les déserteurs, et ils obéissent. Si bien qu'avant les désastres de 1945 les déserteurs alsaciens et lorrains sont relativement peu nombreux. Pour toute l'année 1943, l'Inspection des réserves et du chef de la police de la sécurité a estimé à 35 les soldats alsaciens « passés à l'ennemi » et à 350 le nombre des déserteurs.

Si, du côté français, et après la fin des hostilités, l'on a pu parler de 40 000 « déserteurs », c'est à la suite d'une confusion dans le choix des

1. Charles Béné, *L'Allemagne dans les griffes nazies.*

mots. Insoumission n'est pas désertion. Et le passage en Suisse, ou en France non occupée, d'un garçon menacé par la conscription n'a rien à voir, aussi périlleux soit-il, avec la désertion en direction des lignes soviétiques depuis un avant-poste allemand. La reddition aux Soviétiques n'est pas, en effet, sans grand danger.

Les soldats des premières vagues d'assaut russes ignorent tout de la situation particulière de l'Alsace et de la Lorraine. Ils s'en désintéressent, comme ils se désintéressent de tout ce qui n'est pas un combat où il importe de tuer pour ne pas être tué.

Jean Lemblé lève-t-il les bras à l'arrivée de deux soldats russes, les balles claquent autour de lui. Il voulait se rendre. Le voici obligé de s'enfuir aussi rapidement que possible en direction des lignes allemandes. « Jusqu'à cet instant, écrit-il, j'ai toujours nourri le désir de passer du côté des Russes et de faire reconnaître ma qualité d'allié en tant que Français. A présent, il n'y a plus d'alternative : il me faut continuer à combattre avec ceux dont je porte l'uniforme, si je ne veux pas mourir misérablement comme un chien[1]. »

Il y aura des exceptions. Alfred Minig, qui se bat en Ukraine avec le 202e régiment de grenadiers, réussira à ramper, jusqu'à la tranchée russe et son « *Je suis français. Ja Franzouski* » sera compris d'une troupe qui le ravitaillera, puis lui demandera d'appeler à la désertion ses anciens camarades de combat. Ce qu'il fera.

Marcel Sausy, dont le plan de désertion a été éventé et qui attend dans un baraquement militaire l'heure du jugement et de l'exécution, réussira à s'évader, à gagner la forêt proche et à trouver refuge auprès de partisans locaux qui l'intégreront finalement dans leur unité[2].

Aucune aventure ne ressemble à une autre aventure mais, dans les premières minutes de la capture, presque toutes auront des suites identiques.

Depuis le trou où il se cache, Gustave Degen découvre que des Russes font avancer quelques prisonniers allemands et *qu'ils ne les maltraitent pas.* Cette constatation lui donne le courage de sortir de son

1. Jean Lemblé, *J'ai perdu la guerre avec eux.*
2. Près de Minsk, le 26 juin 1944, la troupe à laquelle appartient Sausy sera capturée en totalité par les Allemands. Ayant réussi à dissimuler son identité, Sausy sera interné, seul Français parmi des milliers de Russes, au stalag IIIa, puis au stalag IIc en Poméranie. La libération de son camp par les Soviétiques interviendra le 29 avril 1945.

refuge et de courir vers les positions soviétiques en criant « *Moskwa*[1] *! Franzouski ! Franzouski !* »

Grâce aux indications d'un jeune soldat russe, il évitera même le tir d'une mitrailleuse allemande qui l'a pris pour cible. Après l'avoir délesté de son ceinturon et de son revolver, son sauveur le gratifiera d'une tape amicale.

> « J'étais on ne peut plus enthousiaste. Je rentrais dans le camp de mon pays avec les honneurs de la guerre, après avoir essuyé le feu de l'ennemi. »

Il déchantera.

« *Franzouski !* » A l'aide de ce mot-code, les Alsaciens et les Lorrains espèrent être, immédiatement, traités en alliés.

Sans doute, dans les derniers mois de 1942, les autorités de Moscou ont-elles été officiellement informées, par les services de la France libre, de la situation des Alsaciens et des Lorrains mobilisés contre leur volonté, sans doute les émissions françaises de la B.B.C. assurent-elles que ceux qui se feront connaître en répétant « *Ja prijatel, ja franzouz* » seront non seulement « traités en alliés », mais encore « dirigés au plus vite vers les unités françaises qui se battent aux côtés des Nations Unies » ; sans doute, le 10 juillet 1943, l'écrivain Ehrenbourg a-t-il publié dans la *Pravda* un long article en faveur des déserteurs alsaciens[2] ; sans doute le 26 août et le 15 septembre 1943 Molotov et le maréchal Staline seront-ils alertés par M. Raymond Schmittlein et par le général

1. C'est une étrange idée que de se présenter aux Russes en évoquant le nom de Moscou et la prise de la ville par les armées napoléoniennes en 1812...

2. « La nuit était noire, une vraie nuit du Sud. Un soldat allemand passa le fleuve. Il rampa jusqu'à nos combattants et, leur tendant son fusil, il dit : " Je suis français. " Il était né en Alsace... »

Petit[1] sur le sort des ressortissants français dans l'armée allemande, mais il en faudrait davantage — et cela n'a rien d'anormal — pour atteindre et sensibiliser des millions de combattants soviétiques.

Les Alsaciens et les Lorrains disent « *Franzouski* », sortent de leur poche un ruban ou une cocarde tricolore, exhibent (puisque les Allemands ont mobilisé d'anciens soldats de l'armée française[2]) leur livret militaire d'avant 1939 lorsqu'ils ont réussi à le conserver...

Armand Zahner, qui a eu le temps de crier : « *Ja, niet Nịemetzki, Ja Franzouski*[3] » et de plaquer une cocarde tricolore sur sa poitrine, a bon espoir. Un lieutenant soviétique ne lui a-t-il pas répondu :

— *Franzouski ?... Karacho, karacho, Tovaritch,* mais pour ajouter immédiatement : *Ouri !*

Il y a bien longtemps que l'on connaît, dans l'armée allemande, la passion que les Russes éprouvent pour les montres. Aussi Zahner n'est-il nullement surpris d'avoir à donner sa montre.

Après sa montre, il perdra tout ce qu'il porte sur lui.

Gustave Degen, que nous avons vu tout heureux de la petite tape amicale donnée par le soldat russe qui l'a capturé, ne tardera pas, lui aussi, à aller de déception en déception.

Voyant approcher cinq officiers russes, il s'avance, salue, explique qu'il est « français et déserteur » et réclame un certificat. En réponse, il reçoit un coup de genou dans le bas-ventre et l'un des officiers s'efforce vainement de retirer de son doigt gonflé la chevalière qui vient d'attirer son attention.

Bien des années plus tard, rédigeant ses souvenirs, Degen ne sera pas encore consolé de brutalités et de fouilles successives qui lui feront perdre son portefeuille, son couteau, son savon à barbe et, finalement, sa chevalière qu'un soldat, plus astucieux et plus obstiné que l'officier, réussira à s'approprier.

---

1. Respectivement chargé de mission du Comité de Libération et chef de la Mission militaire française à Moscou.

2. Plusieurs de ces soldats ainsi remobilisés avaient été libérés en 1940 après leur capture par l'armée allemande. Au moment de leur libération, les Allemands avaient promis qu'ils ne porteraient plus les armes.

A partir de janvier 1944 — et contre l'avis de Keitel — Himmler, influencé par le Gauleiter Wagner, fit admettre que les Alsaciens, officiers de réserve dans l'armée française, pourraient également être incorporés. 42 officiers français qui refusaient d'entrer dans la Waffen-S.S. furent envoyés, en juillet 1944, au camp de concentration de Neuengamme ; 22 y périront.

3. « Je ne suis pas allemand, je suis français. »

LISTE DES 42 OFFICIERS FRANÇAIS, D'ORIGINE ALSACIENNE, DÉPORTÉS AU CAMP DE CONCENTRATION DE HAMBOURG-NEUENGAMME POUR AVOIR REFUSÉ DE SERVIR SOUS L'UNIFORME ALLEMAND[1]

Nom et Prénom	Grade	Profession	Domicile
† Adolf Robert	s.-l^{t}	Ingén. T.P.	Geispolsheim.
† Binnert Lucien	s.-l^{t}	Instituteur	Munster.
Blaes Emile	s.-l^{t}	Juge	Kurtzenhouse.
† Bollenbach Jules	l^{t}	Instituteur	Muntzenheim.
† Dossinger Robert	l^{t}	Agent d'ass.	Strasbg. R. D. Haguenau.
Ehrhard Jean	l^{t}	Instituteur	Gresswiller.
† Frantz Charles	l^{t}	Ch. d. S.B. d. Fr.	Haguenau.
Gillic Cyrille	s.-l^{t}	Ingén. I.C.S.	Strasbg-Schiltigh.
† Gsell Jean	s.-l^{t}	Etudiant	Sigolsheim.
† Groshens Ernest	s.-l^{t}	Ing. I.C.S.	Strasbg-Eckbolsh.
Haberer Lucien	s.-l^{t}	Instituteur	Bischhofsheim.
† Hartmann Charles	l^{t}	Subst. proc.	Mulhouse.
† Hausswirth Paul	l^{t}	Avocat	Mulhouse.
Hentrich Paul	s.-l^{t}	Agent tech.	Strasbg.
Hering Alfred	l^{t}	Off. d'activ.	Barr.
His René	l^{t}	Ingén. agric.	Strasbg-Cronbg.
† Huber Eugène	l^{t}	Secr. dir. F.M.R.	Mulhouse-Dornach.
Kientzler François	s.-l^{t}	Ingén. agric.	Ribeauvillé.
Kipper Léon	l^{t}	Juge	Strasbg-M'Verte.
† Kirmann Marcel	s.-l^{t}	Off. d'act.	Bischhofsheim.
† Lithard Robert	l^{t}	Juge	Colmar.
Mantzer Alfred	l^{t}	Commerçant	Colmar.
† Matter Antoine	l^{t}	Instituteur	Birlenbach.
† Matter Emile	s.-l^{t}	Off. d'act.	Saverne.
† Matter Frédéric	l^{t}	Employé	Luttenbach près Munster.
† Mattern Frédéric	l^{t}	Instituteur	Roppenheim.
Maurer Paul	s.-l^{t}	Employé	Guebwiller.
† Muller Alphonse	s.-l^{t}	Ingén.-électr.	Colmar.
† Nussbaurn Adolphe	s.-l^{t}	Instituteur	Natzwiller.
Pettermann Edmond	s.-l^{t}	Comm. au trés.	Chatenois.
† Richl Charles	s.-l^{t}	Licenc. Droit	Strasbg-Bischh.
† Rohmer Joseph	s.-l^{t}	Greff. Justice	Neuviller.
Rombourg Albert	s.-l^{t}	Instituteur	Reichshofen.
Sibler Robert	s.-l^{t}	Instituteur	Colmar-Wintzenheim.
Stoll Martin	l^{t}	Professeur	Kaysersberg.
Thuet Joseph	s.-l^{t}	Contr. d. Dous.	Colmar.
Vogel Henri	s.-l^{t}	Planteur	Fertrupp Ste-Marie a Mines.
† Wertz Yvan	s.-l^{t}	Subst. proc.	Colmar.
Wetterwald Charles	l^{t}	Off. d'act.	Jungholtz.
Will Ernest	s.-l^{t}	Rédac. préf.	Strasbg-Meinau.
Wolfensberger Alph.	s.-l^{t}	Commerçant	Vogelsheim-Neuf-Brisach.
† Zemb Paul	s.-l^{t}	Ingén.-électr.	Strasbg-Neubof.

1. Les 22 officiers dont les noms sont précédés d'une croix sont morts au Camp de Neuengamme.

Archives du Secrétariat d'Etat auprès du Ministre de la Défense chargé des Anciens Combattants et des Victimes de Guerre, Direction des statuts et de l'information historique.

« L'indignation et la honte m'étouffaient. Ça, des officiers. Nos alliés ! Il y a des choses qui sont interdites à l'honnête homme, au civilisé, même envers l'ennemi prisonnier. »

Dépouillés, réduits en quelques minutes, ou en quelques heures, à l'état de bétail humain, les prisonniers quittent les lignes pour l'arrière, mais il leur faut souvent marcher entre deux haies de soldats criant leur haine.

Haine explicable par les souffrances imposées aux Russes dès les premiers jours de l'invasion allemande, par les massacres de juifs (35 000 à Kiev en représailles d'un sabotage commis en septembre 1941), par le sort réservé aux populations soupçonnées d'avoir abrité des partisans et par les atroces conditions de vie faites à des prisonniers dont 2 600 000, sur un total de 5 750 000, devaient mourir de faim, de froid ou de maladie dans les camps allemands.

En route vers le front, le soldat alsacien Guy Sager a profité d'une halte de son train pour faire quelques pas. Dans la nuit qui tombe, voici qu'approche un convoi de cauchemar.

La machine tire un wagon à hautes ridelles rempli de soldats allemands en armes, leur mitrailleuse braquée sur le reste du convoi, composé de plates-formes dont il est difficile de deviner le chargement.

« En regardant mieux, je distinguai des hommes empilés les uns sur les autres. Juste derrière, d'autres étaient accroupis ou debout, serrés les uns contre les autres. Chaque wagon était plein à craquer. L'un d'entre nous, mieux averti que moi, laissa échapper trois mots :

— Des prisonniers russes.

Il m'avait bien semblé reconnaître les capotes brunes… mais il faisait presque nuit. Halls me regarda ; à part les brûlures rouges que le froid avait faites à son visage, il était blême.

— Tu as vu, me dit-il tout bas, ils empilent leurs morts à l'avant pour se protéger du froid.

En effet, chaque wagon avait son bouclier de cadavres.

Pétrifié par cette vision affreuse, je ne pouvais détacher mes yeux du spectacle qui défilait lentement devant moi. J'entrevis des faces exsangues, des pieds nus raidis par le froid et la mort.

> Un dixième wagon venait de me dépasser lorsque se produisit une chose encore plus horrible. Le chargement macabre, mal équilibré, venait de laisser glisser quatre ou cinq corps le long de la voie. Le train funèbre ne s'était pas arrêté... »

Oui, la haine s'explique.

Et l'on comprend que les Russes ne fassent pas de différence entre ceux qui se battent sous l'uniforme allemand et qu'ils appliquent, souvent, impitoyablement, la loi du talion.

André Idoux, capturé le 1er novembre 1943 dans la région de Perekot, est dépouillé, dès les premières minutes, de sa montre, de son briquet, de ses gants. Le 2 novembre, il n'aura droit, comme ses camarades de captivité, qu'à une tranche de pain. Le 3 novembre, au soir d'une longue marche, Idoux note : « Les Russes me prennent ma pipe et une glace : passons la nuit en plein air. »

Le 4, les bottes d'Idoux changent de propriétaire. La distribution de trois tranches de pain et d'un morceau de saucisson constitue certainement l'événement le plus important de la journée du 5 novembre. C'est en tout cas le seul qu'André Idoux inscrive sur son carnet. Le 9 novembre, la misérable colonne arrive à Versalone où chaque captif reçoit l'aumône d'une soupe et d'une tranche de pain. La neige commence à tomber. Pieds nus, dans une boue glacée, Idoux et ses compagnons de misère iront, le 13 novembre, de Versalone à Federowka d'où, par train cette fois, ils gagneront Armavir, dans le Caucase. Le 6 janvier, départ d'Armavir pour Moscou. La capitale soviétique ne sera atteinte qu'après vingt jours de voyage. Idoux note alors, le 26 janvier : « Pieds gelés, épuisés de fatigue après 2 kilomètres de marche, arrivée au camp à 18 kilomètres de Moscou. Après la douche, je ne peux plus me tenir debout[1]. »

1. Le 28 janvier, Idoux sera transféré à l'hôpital où il recevra, selon ses propres termes, une « nourriture copieuse : 400 grammes de pain, soupe, 40 grammes de sucre et 40 grammes de beurre, purée, thé avec lait ou vitamines, confiture ».

Dans son carnet de route, Idoux fait allusion à des vols qui ne surprennent personne, mais ne fait pas mention d'assassinats. Il n'en va pas de même du Lorrain Etienne Munig, capturé en janvier 1945, lorsque prend fin la bataille de Budapest.

Les soldats russes qui escortent l'interminable colonne de prisonniers ne s'embarrassent ni des traînards ni des malades : une balle dans la tête règle le sort de ceux qui ne peuvent plus suivre.

Ils sont cinq Lorrains à marcher avec Etienne Munig. On dirait qu'ils ne forment qu'un seul corps. Bras entrelacés, s'entraidant, se réconfortant, se demandant si les promesses de libération complaisamment diffusées par Radio Londres deviendront un jour réalités, évoquant les délicieuses recettes familiales et, presque dans le même temps, spéculant sur la densité de la soupe de l'étape, à condition toutefois que la soupe soit distribuée, ce qui ne sera vrai qu'un jour sur deux, ils marchent, chacun empêchant l'autre de s'effondrer, ils marchent parce qu'ils n'ignorent rien du sort réservé à ceux qui abandonnent.

Dans le misérable quotidien de ces misérables colonnes, il est toutefois des tragédies qui bouleversent des soldats que l'on croyait blasés par plusieurs années d'une impitoyable guerre.

Etienne Munig n'oubliera jamais la mort de ce soldat allemand blessé qui a supplié ses camarades de l'abandonner. Se laissant tomber à terre, il va ramper jusqu'à un fossé. Passent alors deux soldats russes déjà âgés et que l'on pourrait imaginer plus pitoyables que les gamins de l'escorte. Il n'en est rien. Le Russe, qui se tient de l'autre côté de la route, arme son fusil et fait feu. Mais, sous le choc de la balle, l'Allemand ne bronche pas.

> « Entre-temps, le Russe, voyant que sa victime n'était pas morte, arma une seconde fois son fusil et tira de nouveau. Le deuxième coup partit, atteignant notre homme en pleine poitrine, mais ce dernier, soutenu par une volonté surhumaine de survivre, n'avait pas toujours bronché. N'importe quel bourreau aurait fait grâce à sa victime, mais le soldat stalinien... fit manœuvrer la

culasse une troisième fois et tira en pleine figure. Cette troisième balle devait avoir raison de la vie du prisonnier[1]. »

Un mort. Des centaines de morts. Toujours intégrés au morne troupeau, marchant tête basse, Munig et ses camarades lorrains sont alertés par une rumeur persistante.

> « Un long frisson d'horreur nous secoua en voyant le spectacle devant nous. A notre droite, étaient couchés des centaines de fusillés. Les corps étaient bien rangés par lignes de 25 sur quelques dizaines de mètres de profondeur. Ce massacre avait eu lieu dans les règles de l'art. Les condamnés avaient été alignés comme pour une prise d'armes et fauchés ensuite à la mitrailleuse par des soldats qui devaient enjamber les cadavres pour arriver jusqu'à la dernière rangée des victimes. Ces dernières appartenaient à une unité de S.S. Comme on sait que le haut commandement allemand avait incorporé dans les S.S. toutes sortes de jeunes recrues allemandes, et même des Alsaciens-Lorrains, il y avait forcément un bon nombre de victimes innocentes dans ce carnage. Les Soviétiques prenaient simplement leur revanche sur les excès que les premiers S.S. avaient faits lors de l'avance des troupes allemandes en territoire soviétique, surtout envers les partisans et les villages complices. »

Après un séjour de trois semaines dans un séminaire catholique hongrois, séjour au cours duquel une doctoresse russe, parlant remarquablement le français, vint affirmer aux Alsaciens et aux Lorrains qu'ils seraient... dans trois jours transportés en France ou en Afrique du Nord, Munig et ses amis devaient, en compagnie de milliers d'Allemands, être conduits jusqu'à la gare voisine, enfermés dans des wagons à bestiaux qui, au long d'une semaine de voyage, ne seront ouverts qu'une fois par jour... pour le ravitaillement des prisonniers.

---

1. Etienne Munig, *1945 : Sevan, un autre goulag.*

Pauvre ravitaillement, étrangement servi. Les prisonniers reçoivent tout d'abord, dans la boîte de conserve qui leur tient lieu de verre et de gamelle, la ration d'eau de la journée. Une demi-heure plus tard, à la distribution de l'eau, succède la distribution de la soupe. Il faut, alors, soit boire toute la ration d'eau, soit la jeter pour recevoir la soupe, car aucun prisonnier ne possède — quel luxe ce serait ! — deux boîtes de conserve.

Au terme des huit jours de voyage dans le wagon-prison, les prisonniers atteignent Erivan, capitale de l'Arménie, dernière étape avant leur arrivée, à 2000 mètres d'altitude, dans un camp installé près du lac de Sevan.

Camp ignoré de l'immense majorité des Français, Sevan ne le cède en rien aux camps de concentration allemands. Il se peut que l'on y meure différemment, mais le taux de mortalité est au moins aussi élevé, puisque, sur 144 Alsaciens et Lorrains internés à Sevan au début de février 1945, 49 seulement survivront au mois d'août... et 5 lorsque le rapatriement sera effectif[1].

Répartis en trois bataillons, les prisonniers avaient essentiellement pour mission de dériver l'eau du lac de Sevan en direction de la mer Caspienne. A Sevan, comme dans la plupart des camps de concentration allemands, le matériel fait, volontairement ou non, défaut. Arracher des pierres à la montagne, les réduire en morceaux à la masse, transporter ces morceaux jusqu'à la galerie souterraine creusée par les prisonniers à 100 mètres de profondeur est épuisant pour des hommes qui doivent vivre quotidiennement avec 300 grammes de pain fait de pommes de terre et de maïs, 3 soupes, 2 morceaux de sucre et un bol de thé. Encore la soupe est-elle seulement accordée à ceux qui remplissent les normes...

Sevan demeure inconnu. C'est à peine si la sinistre réputation de Tambow a dépassé les limites de l'Alsace et de la Lorraine.

Après la Libération, une politique volontairement ignorante de

1. Comment aurait-on pu connaître les rigueurs et les horreurs de Sevan puisque la quasi-totalité des témoins avait disparu ?

l'une des faces de la réalité devait contribuer à étouffer les drames vécus par des milliers de nos concitoyens à 450 kilomères au sud-est de Moscou, dans la forêt de Rada.

La ville la plus proche du camp 188 s'appelle Tambow et, pour ceux qui en connaissaient l'existence, Tambow deviendra « le camp des Français ».

Non point que seuls des Français aient été enfermés là puisque, sur un total de 68 000 prisonniers, l'administration soviétique recensait des Italiens, des Allemands, des Hongrois, des Roumains, des Luxembourgeois, mais il est vrai que le camp avait été créé, en 1943, pour servir au regroupement des Alsaciens et des Lorrains déserteurs ou capturés.

Les démarches effectuées en mars 1943 par Roger Garreau, représentant la France libre à Moscou, avaient donc été couronnées de succès ? Oui, en ce qui concerne le regroupement. Non, s'agissant du traitement réservé aux prisonniers.

Dans le numéro spécial du bulletin des *Anciens de Tambow,* numéro consacré à l'inauguration, le 23 avril 1983, du monument élevé, à Mulhouse, à la mémoire des Alsaciens et des Lorrains morts en détention en Russie, lorsque le lecteur découvre un dessin représentant l'intérieur des baraques 112 et 22, les baraques des morts, comment n'aurait-il pas une impression de déjà vu ?

Ces corps nus amoncelés, ces cadavres secs, ces visages aux yeux morts enfouis dans les orbites, ces jambes réduites à l'état de bâtons noueux, ces thorax aux côtes saillantes, est-ce Buchenwald ou Dachau ? Non, c'est Tambow, un camp où « personne ne croyait plus à sa survie [1] ».

Durant l'hiver 1944-1945, 3 000 Alsaciens et Lorrains périront de faim, de froid, de ces maladies qu'aggravent la faim et le froid, de mauvais traitements, ou bien d'épuisement, leur organisme affaibli ne pouvant supporter de trop rudes travaux.

Au total, et toutes nationalités confondues, ce sont ainsi 50 à 60 % des prisonniers internés à Tambow qui disparaîtront.

1. Affirmation du président interdépartemental des *Anciens de Tambow,* le 23 avril 1983.

A Odessa, où ils étaient en attente de rapatriement, à la fin de 1944, une dizaine d'anciens « malgré nous », déserteurs de l'armée allemande, mais passés cependant par le camp de Tambow, devaient rédiger, sur papier d'emballage, un rapport concernant les conditions de vie des prisonniers français.

Remis à la Commission française de rapatriement, ce texte n'allait provoquer aucune réaction de la part d'un gouvernement où les communistes étaient représentés et qui ne se souciait guère de mettre en accusation une nation alliée.

Même si, par prudence ou conformisme, tout n'était pas avoué, l'essentiel était, toutefois, révélé dans ces quelques pages, aujourd'hui conservées dans les Archives de la Fédération des Anciens de Tambow.

Il y était dit que les prisonniers étaient logés dans des baraques enterrées dans le sable, pourvues de 6 à 8 petites fenêtres toujours closes, que le toit laissait passer l'eau, que l'éclairage était assuré par des mèches fichées dans des boîtes de conserve pleines de graisse.

Il y était dit que les prisonniers recevaient 700 grammes de pain noir par jour ainsi que trois soupes, mais qu'il ne s'agissait là que d'une ration de principe. Sur la réalité quotidienne, le rapport précise : « La ration de soupe serait normale si, comme c'est le plus souvent le cas, ce n'était que de l'eau salée... Cet hiver, pendant une période de deux mois, par 25 à 35 degrés de froid, la nourriture consistait essentiellement en choux : matin, midi et soir. Ces choux étaient gelés, malpropres, par conséquent très indigestes. Pendant cette " période de choux ", la graisse a fait complètement défaut au camp pendant une vingtaine de jours. Après cette période, ce fut une période de maïs. La conséquence de cette nourriture a été catastrophique. »

Gustave Degen, qui arrivera à Tambow en juillet 1945 — il sera d'abord agréablement surpris par l'allure coquette du camp ainsi que par la propreté des allées —, évoquera longuement le « cacha », plat national russe, à base de riz arrosé de beurre frais ou de lard fondu, mais, à Tambow, le « cacha » n'est plus qu'une mauvaise bouillie de légumes secs : petits pois, millet ou maïs qui, d'où qu'il vienne — de la cuisine « roumaine » ou de la cuisine « française » —, est d'abord

« piraté » par les « cuisiniers » et par d'innombrables parasites qui, du difficilement mangeable, dérobent le moins immangeable [1].

En vérité, seuls quelques Alsaciens et Lorrains conserveront un éphémère mais relativement bon souvenir de la cuisine russe : ceux qui ont participé au grand défilé organisé par les Soviétiques dans les avenues de Moscou.

Par rangs de dix, sous les huées de la foule, des dizaines de milliers de prisonniers viendront en effet, à l'image de ce qui se passait dans l'Antiquité, apporter au peuple vainqueur la preuve de son absolue victoire. Mais ces prisonniers squelettiques, incapables de se traîner sur plus de quelques centaines de mètres, il faut, provisoirement, les remettre en état. 60 000 environ — le « malgré nous » Henri Stocky est du nombre — ont été amenés de leur camp jusqu'à un hippodrome voisin de Moscou. Au cours du voyage, pour tout repas : un hareng quotidien et une tranche de pain. Mais, dans les jours précédant le défilé, comme ils seront gavés ! ! On leur servira des soupes grasses dont ils peuvent reprendre à volonté. Et dont ils reprennent à volonté. Ce qui aura pour résultat de provoquer, en cours de défilé, de désastreuses et nauséabondes coliques.

Regroupés à Tambow dans les baraques 59 à 65, ce n'est que longtemps après la défaite de l'Allemagne qu'il sera possible aux « malgré nous » alsaciens et lorrains de faire connaître leur sort.

Le 28 août 1945, le *Courrier de la Sarre* publie les noms de 27 habitants de Sarreguemines prisonniers à Tambow, mais, le 1er novembre 1946, le destin de 122 « malgré nous » sarregueminois demeure toujours inconnu. Ce n'est là qu'un exemple entre des milliers d'exemples aussi douloureux.

---

1. Dans les camps soviétiques, comme dans les camps de concentration allemands, la discipline intérieure est assurée par les prisonniers.

Il faudra bien du temps avant la cicatrisation de toutes les plaies. Pour les « malgré nous », la victoire des Alliés sur l'Allemagne ne constituera, en effet, qu'une amère victoire.

Certains d'entre eux, revenus en permission et qui avaient pris le risque de se cacher, mettant ainsi en danger de mort leur famille, auront la désagréable surprise, après avoir échappé aux Allemands, de se voir internés par les Américains.

A Sarreguemines, le 10 décembre 1944, ceux qui sortent des caves, où, à l'exemple de Robert Schoeser, ils sont restés trois mois durant, apprendront avec stupéfaction — l'ordre est répercuté par des voitures munies de haut-parleurs — que tous les jeunes ayant porté l'uniforme allemand doivent se présenter à la gendarmerie.

Rassemblés à Woustviller, les « malgré nous » seront conduits par les Américains dans un camp d'internement, fouillés, dépouillés des objets de valeur — et des objets sans valeur — qu'ils ont sur eux, injuriés et traités d'Allemands, de « nazis » par des G.I. aussi ignorants de la situation politique et psychologique de l'Alsace et de la Lorraine que l'étaient — à l'autre extrémité du front — les soldats russes.

Hissés sur des camions découverts, les « malgré nous » traverseront Nancy sous les huées d'une foule qui les prend (ils sont en civil) pour des miliciens. Enfermés à Toul, puis à Stenay, ils aboutiront derrière les barbelés du camp de La Flèche ou du camp de la Blancarde, à proximité d'Aubagne.

Au début de 1945, ils retrouveront pour la plupart la liberté, mais ne retrouveront pas la paix du cœur.

Comment pourraient-ils convenablement parler de leur drame, le faire comprendre à des populations « de l'intérieur » indifférentes et ignorantes ?

Beaucoup souffrent d'ailleurs d'un complexe de culpabilité, face à des compatriotes retrouvés qui font assaut de résistantialisme. Ils devront donc assumer leur histoire dans toute sa dramatique complexité avant de tenter de l'expliquer aux autres.

Il leur faudra de longues années avant de faire reconnaître leurs droits élémentaires, de faire admettre par l'opinion que les « malgré nous » n'étaient nullement des volontaires ; de faire comprendre enfin que Tambow avait été, même s'il n'en portait pas le nom, même s'il n'en était jamais parlé à la radio ou à la télévision, un camp de concentration au même titre que les plus effroyables camps de concentration allemands.

Avant que leurs paroles soient enfin comprises, leurs affirmations tenues pour vraies, grand nombre de ces « malgré nous », qui avaient survécu aux batailles de Russie, aux famines de Tambow, désespérant de la lucidité et de la sympathie de leurs concitoyens français, s'enfermeront dans un silence méprisant ou désespéré.

11

LES HORREURS DE LA GUERRE AU QUOTIDIEN

Toute ville qu'on tue est ma ville, toute chair qu'on torture est ma chair, toute mère qui hurle sur un cadavre est ma mère. Un mort ne console pas d'un mort. Un crime ne paie pas un crime.

CAVANNA
Les Ruskoffs

Le 11 mars 1944, les journaux de l'occupation demandent aux Français qui ont fêté Noël et le Nouvel An d'apporter chez « leur fournisseur habituel » leurs bouteilles champenoises « en bon état ».

Contre remise de quatre de ces bouteilles, ils pourront acheter, au prix réglementé, « une bouteille de champagne d'une de leurs marques préférées qui leur sera livrée en priorité absolue au mieux des possibilités de transport et, en tout cas, avant le 31 décembre 1944 ».

Dans le tumulte d'une guerre mondiale dont les éclats n'épargnent pas la France, il existe des fabricants et des commerçants qui, neuf mois à l'avance, ouvrent des listes d'inscription pour une bouteille de champagne que nombre de Français, assassinés, déportés ou morts sous les bombes, n'auront jamais l'occasion de boire.

En 1944, il est vrai, et plus encore que par le passé, la nourriture demeure le souci quotidien des Français. Fruits, légumes, viande, céréales, envoyés naguère d'Afrique du Nord, d'Afrique occidentale, de Madagascar, et qui franchissaient assez aisément le barrage de croisières anglaises indulgentes, n'arrivent plus depuis novembre 1942.

Les occupants se font toujours plus exigeants. Ils ont certes interdiction « d'acheter à la propriété rurale[1] » et « tous les militaires de la Wehrmacht allemande et des Services annexes doivent se conformer aux règlements français concernant la circulation, les restrictions et la remise de vivres et de boissons dans les hôtels et restaurants », mais ils « s'intéressent étroitement à toutes les branches du ravitaillement... suivent au jour le jour la marche des impositions », signale, au début de 1944, un rapport émanant de la préfecture du Loiret. C'est exact[2] !

Entre le 3 et le 9 avril 1944, et ce n'est qu'un exemple, sur les 209304 œufs collectés dans le Loiret, 150000 iront aux Allemands. Les habitants de villes comme Pithiviers, Gien, Montargis, voient leur ration hebdomadaire de viande tomber, au mois de mars, à 96, 85, voire 60 grammes[3] au lieu des 120 grammes normalement attribués. Dans le même temps, la Commission départementale du ravitaillement précise qu'un « train de bétail à destination de l'Allemagne est parti au complet le 15 avril ».

Quant aux interdictions d'acheter à la ferme, de se faire servir à manger et à boire en dehors des heures fixées par la législation française, les soldats de l'armée d'occupation et particulièrement les auxiliaires russes embrigadés dans certaines unités de la côte atlantique les tiennent pour « chiffons de papier ».

La population de Sore, dans les Landes, se plaint ainsi d'incidents hebdomadaires avec les troupes russes à qui il est interdit de donner de l'eau-de-vie et des liqueurs, mais qui se servent, menacent, tirent des coups de feu contre les habitations et contre les habitants.

Il y aura certes infiniment plus grave mais, dans les communes par bonheur préservées du pire, la population est exaspérée par le poids d'incessantes réquisitions et les maires paysans — à qui il ne sera pas

1. Ordre du 24 décembre 1942 pour l'ex-zone non occupée et dont la teneur sera rappelée en avril 1944, les préfets envoyant aux maires des affiches en langue allemande signées du général Schuberth, chef d'état-major de liaison avec les autorités françaises.

2. En 1943, les autorités d'occupation, qui ont exigé du Loiret 246000 quintaux de fourrages sur une imposition de 267000 quintaux, ont bloqué tous les fourrages dans le département. Les quantités destinées aux besoins civils n'ont été livrées qu'au fur et à mesure des livraisons aux troupes d'occupation. Il en est allé de même pour la paille.

3. Montargis : première semaine de mars.

rendu justice à la Libération — sont épuisés par les batailles quotidiennes qu'ils doivent livrer contre des occupants exigeant aussi bien des bicyclettes que des machines à coudre, du bétail que des fers à repasser, de l'alcool que des voitures automobiles [1].

Dans l'ambition d'empêcher le départ du ravitaillement en direction de l'Allemagne, des maquis se manifestent de plus en plus fréquemment dans les régions où la présence de l'occupant est ténue.

C'est ainsi que nombre de commissions d'achat opérant en Corrèze sont soit empêchées d'agir, soit obligées de prouver que les bêtes qu'elles achètent iront bien au seul ravitaillement local.

Le 14 mars, à Beynat, à peine les six vaches et le veau destinés aux abattoirs de Brive sont-ils chargés dans le camion de M. Bugeat que douze hommes armés les font descendre.

Le responsable de la commission d'achat n° 10 obtient cependant que les bêtes soient réembarquées.

— Vous pouvez prendre livraison, lui dit le chef des maquisards, mais sur votre garantie que ce bétail ne partira pas aux Allemands. Nous sommes pour le peuple et ne voulons pas qu'on le bafoue [2].

Le 22 mars, les résistants corréziens vont se montrer moins compréhensifs. La commission d'achat n° 6 qui se rendait à Neuvic est bloquée sur la route par des maquisards qui lui ordonnent de rebrousser chemin ; le lendemain, c'est la commission n° 2, opérant à Marcillac-la-Croisille, qui se voit interdire tout achat. Dans une lettre adressée au directeur régional du ravitaillement général, le directeur départemental de la Corrèze suggère alors, que « *dans toute la mesure*

---

1. Ordres et contrordres se succèdent. Le 2 mai 1944, le préfet du Tarn-et-Garonne écrit à tous les maires du département pour leur indiquer qu'ils n'ont pas à répondre favorablement aux demandes de renseignements sur les véhicules existant dans la commune, demandes présentées par des unités allemandes cantonnées dans le département. A l'appui de cette lettre et la confirmant, une note de l'état-major de liaison de Montauban. Un mois plus tard, le 1er juin, le même préfet écrit aux mêmes maires pour les inciter à donner satisfaction aux demandes de renseignements et de réquisitions de la Feldgendarmerie ou des officiers allemands.
2. Inédit.

du possible, le transport des animaux soit assuré à l'aide de camions sur lesquels seront placées des banderoles indiquant l'abattoir réceptionnaire ».

Ainsi espère-t-on amadouer des maquisards, de plus en plus intransigeants, en leur faisant connaître la destination exacte du ravitaillement[1].

L'action des maquisards contre le ravitaillement à destination de l'Allemagne peut entraîner d'ailleurs de dramatiques conséquences. Il est 23 h 20, le 7 juillet, lorsque douze maquisards armés pénètrent dans la petite gare de Saint-André-le-Gaz (Isère). Après avoir enfermé personnel de la S.N.C.F. et voyageurs dans la salle d'attente et malgré la présence d'une quarantaine de soldats allemands, qui demeureront comme étrangers à la scène, ils vont s'emparer du contenu de plusieurs wagons de vivres appartenant aux troupes d'occupation et, comme la population manque de pain, ils distribueront des balles de farine aux deux boulangers de la localité. Moins de deux heures après le départ des maquisards — il est 4 h 20 —, milice et feldgendarmerie font irruption dans la gare transformée en centre de rassemblement et d'interrogatoire. C'est sur la place de la gare que les Allemands fusilleront ensuite huit cheminots et les deux boulangers de la commune, dont M. Berthollet, qui sera torturé avant d'être exécuté[2].

Prélèvements allemands accrus, bombardements multipliés qui désorganisent les transports, réticences paysannes face aux impositions, interdits maquisards, croissante progression du marché noir, erreurs de gestion et incohérence du Ravitaillement général qui, en

---

1. Déjà, le 25 octobre 1943, le Comité militaire régional franc-tireur patriote français avait, dans certains départements, interdit la collecte des pommes de terre. « Nous avons appris par un de vos collègues, *disait notamment ce texte,* qu'une réunion des collecteurs de pommes de terre s'est tenue dernièrement à Brive.

Au cours de cette réunion, on a tenté de vous forcer la main pour que vous repreniez la collecte de pommes de terre.

Nous avons l'honneur, afin de dissiper toute confusion, de vous rappeler que nous restons fermement décidés à arrêter le pillage de nos campagnes et que nous appliquerons les sanctions que vous connaissez à tous ceux qui passeraient outre notre avertissement. »

2. L'épicerie-boulangerie de M. Berthollet a été pillée, puis incendiée. Un certain Maurice B..., ancien S.O.L., présent en compagnie de sa maîtresse, à Saint-André-le-Gaz, dans la nuit du 7 au 8 juillet, sera accusé d'avoir prévenu la police allemande.

Plusieurs habitants de Saint-André devaient être déportés.

janvier, alors que les marchés sont vides de légumes, crée un corps d'experts en légumes secs, tout contribue à diminuer le ravitaillement qui devrait aller aux Français.

Dans les journaux de l'époque — une feuille cinq jours sur six, deux le samedi —, la lecture de la maigre rubrique du ravitaillement ne demande que quelques instants. Elle prêterait à rire, tant elle est fantaisiste, si l'on ne savait que, de la pénurie, naissent bien des drames.

Le 17 janvier 1944, la presse annonce ainsi aux Parisiens qu'ils pourront acheter un kilo de choux-fleurs contre... le ticket D.Q. d'octobre 1943. Mais qui a conservé le D.Q. d'octobre ? L'administration se résigne à réclamer le D.Q. de novembre et enfin, ce qui est moins illogique, celui de janvier.

C'est en janvier également — à partir du 6 — que les Parisiens reçoivent 2 kilos de pommes de terre, les premières distribuées depuis le 23 décembre, et qu'ils touchent les 100 grammes d'huile de décembre, mais ils n'auront droit qu'à 60 grammes de margarine sur les 120 grammes promis, les 60 grammes qui font défaut n'étant pas répartis avant le mois de mars.

Qu'il se produise des bonheurs de ravitaillement, alors désordre et gaspillage empêchent les consommateurs d'en profiter.

La campagne des flottilles de Boulogne, Calais, Gravelines, Dunkerque ayant été particulièrement fructueuse, Paris bénéficiera, en janvier et février 1944, d'arrivages importants de harengs. Ce sont 15 wagons qui arrivent ainsi de Gravelines le dimanche 9 janvier. Mais, comme les harengs — 10 tonnes — ont initialement été chargés en vrac, il faut, en gare de La Chapelle, les pelleter pour les placer dans 3 000 caisses hâtivement rassemblées, ce qui ne va pas sans vol et sans pertes.

Lorsque, le 17 février, du requin pèlerin sera mis en vente sur quelques marchés parisiens, requins dont les poissonniers indiquent la recette sur une ardoise,

PÈLERIN !!

se prépare comme du veau
cocotte } *bien épicé*
escalope }

le gaspillage est le même. 9 000 kilos ayant été chargés en vrac au lieu d'être placés dans des caisses, 1 500 seront sottement perdus.

Nouveaux arrivages de harengs à Paris : le 23 janvier, encore un dimanche, et, comme les Halles ne peuvent absorber que 180 des 320 tonnes reçues, c'est en hâte que le supplément est distribué aux collectivités locales ; le 29 février, un arrivage de 550 tonnes sera dispersé entre les Halles et seize « centres d'éclatement » ; le 4 avril, enfin, les autorités décident, en prévision de jours plus difficiles, de stocker 750 tonnes de harengs dont il est entendu qu'ils seront distribués, le moment venu, contre des tickets de viande.

Que les chiffres n'abusent pas cependant. Pour que tous les consommateurs de la région parisienne puissent recevoir 200 grammes de hareng, l'arrivage devrait être de 1 000 tonnes et lorsque, le 15 avril, Orléans bénéficie d'un arrivage chaque personne inscrite n'a droit qu'à un demi-poisson.

Particulièrement dans les grandes villes, la pénurie explique la flambée des prix. A Nice, où la situation alimentaire est catastrophique (il n'y a plus ni viande, ni pommes de terre, ni pâtes), l'huile se vend 1 200 francs le litre, en janvier. Un œuf vaut 40 francs et le beurre coûte 750 francs le kilo. C'est à peu près ce qu'il vaut — 600 à 700 francs — à Paris au mois d'avril. En Normandie, en revanche, on le paie 100 francs et la différence de prix sera à l'origine d'autant de trafics que de fortunes.

Le kilo de miel, qui coûtait 10 à 12 francs avant la guerre, en vaut 200 au marché noir, le jambon salé se paie 350 francs le kilo, une bouteille de vin ordinaire 120 francs.

Dans le même temps — avril 1944 —, les salaires mensuels des employés et ouvriers de l'alimentation générale sont, à Paris, de 1 500 francs pour les hommes, 1 300 francs pour les femmes et, à Toulon, une journée de jardinier — huit heures — est payée 55 francs, une heure de femme de ménage 7 francs. D'après une enquête, réalisée dans le deuxième semestre de 1943, auprès de 2 600 foyers d'assurés sociaux de la région parisienne (2 600 foyers regroupant 6 729 personnes), le revenu moyen mensuel ne dépasse pas 2266 francs par foyer, soit 876 francs par personne[1].

876 francs *pour vivre un mois* alors que, dans certains restaurants de marché noir, cette somme représente à peu près le prix d'un repas.

Pierre D..., restaurateur rue Pierre-Charron, chez qui la police économique a découvert des additions de 1215 et 1456 francs pour deux personnes, de 2005 francs pour trois convives, explique, pour sa défense, qu'il lui faut acheter le caviar 6000 francs le kilo, le jambon 650 francs, le raisin 160 francs la grappe[2].

A côté des réactions de l'opinion sur la situation politique et militaire, les écoutes téléphoniques ou les interceptions de correspondance font état de plaintes constantes contre le détestable ravitaillement, de dénonciations de trafics portant sur l'huile, les pommes de terre, les œufs, la viande, le vin, tous les produits de la terre, ces produits que les paysans jugent insuffisamment rétribués au prix de la taxe, ces produits que les citadins trouvent toujours trop chers lorsqu'ils doivent les acheter au marché noir.

Journal de Mme du Beaudiez, fonctionnaire à Vichy.

> *31 mars. Aujourd'hui, jour de paye. J'ai eu un mouvement de joie en voyant mon traitement augmenté, mais cela n'a pas duré. Mes dépenses sont si lourdes ! 3500 francs ont disparu en quelques heures avec les achats de première nécessité, un chapeau pour Alain, la réparation de son manteau. Mes vêtements à moi sont dans un état déplorable, mes souliers sont percés et j'en ai honte. Il*

1. Cette enquête, réalisée par Jacques Hourdin, sera brièvement publiée par la presse parisienne et longuement par *L'Illustration* (20, 27 mai 1944). Dans le budget type, 71 % des dépenses vont à la nourriture, 7 % à l'habillement, 6 % au logement, 7 % à l'éclairage, au chauffage et à la cuisine, 1 %... à l'éducation des enfants. 95 % des personnes interrogées disent manquer d'aliments.

2. Condamné en juillet 1943 à trois mois de prison et 60000 francs d'amende, Pierre D... a fait appel. En mars 1944, le tribunal augmente les peines et lui inflige un an de prison, 80000 francs d'amende, un an de fermeture de son restaurant.

me faut une paire de chaussures et une jupe marron. J'en aurai pour 1 200 francs, même en prenant une jupe en rayonne[1].

En mai 1944, selon le catalogue du Bon-Marché, un costume tailleur « en beau lainage fantaisie rayé sur fond gris, jaquette doublée rayonne », pour lequel un bon d'achat est naturellement nécessaire, vaut 2 675 francs ; une robe « en beau crêpe rayonne » 850 francs et 33 points de la carte textile ; une jupe en rayonne 185 francs et 23 points ; une jupe en lainage rayé, 285 francs et 27 points.

Les magasins manquent de marchandises et les articles mis en vente sont de mauvaise qualité. A Bordeaux, les Renseignements généraux précisent, en novembre 1943, mais l'indication vaut pour d'autres villes et d'autres mois, que, si les magasins sont « *assez bien approvisionnés en articles textiles, ces étoffes, contenant une faible quantité de laine ou étant uniquement fabriquées avec des produits de remplacement (fibranne, rayonne), ne plaisent pas à la clientèle et se vendent difficilement... Les draps de lit, les couvertures et les couvre-pieds sont introuvables. Les matelas, confectionnés en grande partie avec du coutil de qualité inférieure et garnis de regain, se vendent très peu*[2] ».

La pénurie provoque d'étranges réactions. En mai 1944, Mme G..., qui a giflé l'institutrice de sa fille Liliane, est condamnée à 600 francs d'amende et un mois de prison avec sursis. Pour sa défense, Mme G..., dont le mari est prisonnier, et qui est mère de trois enfants, dira non seulement que l'institutrice a tiré les cheveux de Liliane mais surtout qu'elle l'a condamnée à faire plusieurs fois le tour de la cour. Or, trois fois le tour de la cour, « ça use les souliers ». Et les souliers font défaut dans les familles nombreuses. Il est nécessaire de les ménager.

1. Inédit.
2. En janvier 1944, les Renseignements généraux de Bordeaux soulignent que « les fabricants de chaussures et les grossistes constatent un ralentissement marqué dans la vente des souliers à semelles de bois. Ils craignent de ne pouvoir se défaire des stocks qu'ils possèdent. Aussi désireraient-ils qu'une certaine liberté de commerce leur soit accordée pour leur permettre d'écouler des articles qui risquent de rester à leur charge lorsque les hostilités seront terminées ».

La pénurie provoque des vols d'enrichissement et des vols de misère. C'est ainsi qu'à Nice Charles Andréani, 11 ans, est dépouillé de ses chaussures neuves par deux gamins de son âge.

« Il n'y a plus d'enfants, écrit Jules Rivet, dans *Le Petit Parisien* du 1er février 1944. Les gamins fument, font la noce, pratiquent le marché noir, se moquent dans les trains des vieillards et des dames, sablent le champagne et mettent à mal des colis ou vélos mal surveillés. »

La dégradation générale de la situation et la multiplication des bombardements vont entraîner, d'ailleurs, dans toutes les grandes villes, des souffrances collectives.

C'est ainsi qu'à Paris et dans le département de la Seine 1340 boulangeries sur 4100 doivent fermer leurs portes à partir du 29 mars. La collectivité économise mensuellement 2700 tonnes de charbon, mais les consommateurs accumulent pertes de temps et fatigue.

Il y a plus sérieux. Les voies ferrées étant détruites par les sabotages et les bombardements, le charbon arrive mal dans les usines. Aussi le gaz est-il coupé de 14 heures à 17 h 30 et de 21 heures à 6 heures du matin pour les particuliers, durement sanctionnés, comme ils le sont en cas de dépassement de la consommation d'électricité : 6 jours sans courant pour un dépassement de 10 % de la consommation autorisée, 13 jours pour un dépassement de 30 %.

A partir de la seconde quinzaine de mars, les établissements industriels reçoivent l'ordre de fermer quatre jours sur sept, les cinémas également et les usines qui travaillent directement pour l'Allemagne doivent cesser toute activité le samedi et le dimanche.

Au mois de mai, les restrictions d'électricité sont telles que les Parisiens n'ont de la lumière qu'entre 12 heures et 13 heures, 21 heures et 7 heures du matin.

Les théâtres — qui doivent respecter le couvre-feu et ne sont naturellement pas épargnés par les restrictions de courant — gardent rideau baissé. Deux d'entre eux, cependant, ont trouvé un astucieux moyen de vaincre les difficultés. Grâce à un jeu de réflecteurs captant la lumière du jour et la renvoyant sur scène, le théâtre La Bruyère donnera le 12 et le 13 mai trois représentations du *Dom Juan* de Molière et le Casino de Paris présentera *Pour toi Paris* qui est, la publicité l'affirme : *La plus belle revue du monde.*

Pannes d'électricité ou coupures brutales de courant peuvent avoir des conséquences imprévues. C'est ainsi qu'à la foire de Bordeaux qui se tient traditionnellement au mois de mars, sur les Quinconces, une balançoire électrique s'immobilisera brusquement en position verticale. Pendant une heure, les trois occupants demeureront la tête en bas et, lorsque les pompiers les délivreront, deux d'entre eux présenteront des troubles graves cependant que le troisième, qui avait refusé d'attendre l'arrivée des secours, sera emporté les deux jambes fracturées.

Le 17 mars, 24 stations du métro parisien (Tuileries, Chapelle, Sentier, Billancourt, Muette...) ont été fermées ; 38 autres le seront quelques jours plus tard et la compagnie annonce à des voyageurs sans cesse plus nombreux — 4 millions les jours ouvrables ! — une nouvelle réduction de la fréquence des rames [1].

L'entassement sur les quais est prodigieux et, lorsque la rame arrive, la bousculade devient inouïe, la presse dramatique. La ruée des candidats au transport est conduite par les voyageurs les plus jeunes et les plus forts. Montant « en marche arrière », s'appuyant des deux mains au linteau de la porte, ils donnent, avec leur postérieur, de grands coups pour creuser, dans la masse humaine, des alvéoles où iront se nicher quelques privilégiés.

> « Cet entassement — se souvient Mme Albert L... — permettait à certains mâles vicieux des gestes fort désagréables pour les jeunes filles qui n'appréciaient pas les mains baladeuses. Il y avait toute une stratégie défensive à mettre au point. Il était préférable

1. Au cours de l'année 1938, le métro avait transporté 760 millions d'usagers. Il en transportera 1 365 millions en 1943.

de se placer près des barres d'appui et, sans rien dire, on leur écrasait la main contre la barre. Dans ce cas, eux non plus n'osaient rien dire, et tout se passait en silence. »

Mains baladeuses, puces sauteuses. Dans le métro, les femmes ne récoltent pas seulement des frôlements indiscrets et des caresses indésirables. Les puces prolifèrent comme elles prolifèrent dans les salles de spectacles et dans les appartements. Pour les écarter, le professeur Taron, qui enseigne l'hygiène à la faculté de médecine de Paris, recommande de toujours porter sur soi un sachet contenant de la verveine mélangée à de l'essence de pin.

Métros bondés. Trains bondés aux itinéraires déconcertants puisqu'ils dépendent des sabotages qui interdisent des tronçons de voie, des bombardements qui écrasent des gares et coupent des ponts.

Il n'est pas rare que cinq ou six voyageurs s'entassent de longues heures durant dans des toilettes presque impossibles à atteindre par tous ceux et par toutes celles qui, réprimant à grand-peine leurs « envies », se fraient laborieusement un chemin dans les couloirs, à travers la foule, ses valises, ses colis de victuailles et ses canards vivants et ses poulets morts, et doivent menacer de « faire pipi sur les pieds » pour obtenir le droit de s'isoler un moment…

Le 18 mai, le gouvernement exigera à nouveau que les déplacements des fonctionnaires soient réduits au minimum. Mais ce que l'on peut obtenir d'un fonctionnaire comment l'exiger d'un sportif ?

En mars, cent supporters quittent Perpignan pour assister à la finale de rugby qui, au Parc des Princes, doit opposer leur club à celui de Bayonne. A Brive, leur train ayant déjà sept heures de retard, les supporters feront une collecte et remettront 2 500 francs au mécanicien en lui demandant, en grâce, de pousser les feux. Le train rattrapera une partie de son retard. Cependant, il n'entrera pas en gare assez tôt et c'est quinze minutes seulement avant le coup de sifflet final, que les Perpignanais prendront enfin place dans le stade. Qu'importe puisque Perpignan l'emportera par 20 à 5. Ils seront de la fête et toutes leurs fatigues s'envoleront.

Consulte-t-on les journaux de l'occupation, on y découvre peu de faits divers à l'exception — on le sait — de ces attentats commis par de vrais ou de faux résistants, qui donnent lieu à une constante exploitation politique.

Qu'un fumeur de Sèvres ait réussi, en un temps où le tabac, sévèrement rationné, est l'objet de toutes les convoitises, à s'inscrire chez vingt débitants et à toucher de chacun d'eux les attributions décadaires, ne mérite pas plus de huit lignes. Les sept trafiquants, qui ont volé vingt-cinq tonnes de charbon et comparaissent en janvier 1944 devant la 14e chambre correctionnelle, intéressent la presse uniquement parce que Sacha Guitry se trouvait au nombre de leurs clients.

On parlera bien davantage de Sacha Guitry, d'ailleurs, le 23 mars lorsqu'il gagnera le procès qui, depuis des années, l'oppose à l'actrice Yvonne Printemps, dont il a divorcé le 7 novembre 1934. Ce n'est pas sans quelque stupéfaction admirative — l'histoire des princesses fascine toujours les foules pauvres — que ceux et celles qui doivent vivoter avec moins de 1 500 francs par mois apprendront, en effet, qu'au cours de ses treize années de vie conjugale Yvonne Printemps a reçu de Sacha des bijoux « *représentant au jour de la remise 3 114 000 francs* », somme qui, d'après le tribunal, doit être décuplée (30 millions de 1944), si bien que « Mme Printemps ne saurait prétendre obtenir le paiement d'autres sommes ».

Quoi encore ? Un collecteur de beurre de la Somme s'est approprié 210 tonnes de beurre représentant l'équivalent de 4 millions de rations[1] ; un répartiteur de la région de Poitiers camoufle 10 tonnes de pâtes alimentaires destinées à être vendues quatre fois le prix officiel ; un constructeur du Mur de l'Atlantique réplique, le 14 janvier, au journaliste qui lui a reproché de se rendre en voiture jusqu'à l'hippodrome de Pau, par une lettre impudente et imprudente.

Lettre dans laquelle se trouvent des phrases qui définissent parfaitement la mentalité de bon nombre de profiteurs de l'occupation partis de rien et décidés — certains y parviendront — à arriver à tout.

---

1. Il ne sera puni que d'une peine de trois, puis de six mois d'internement.

« Ce matin, en me levant à neuf heures, j'ai envoyé mon chauffeur chercher les journaux, entre autres *France-Pyrénées,* dans lequel il ne m'a pas été difficile de me reconnaître, ou plutôt de reconnaître ma voiture dans un article intitulé : " Il y a donc encore de l'essence ? " et signé de vous...

Vous êtes étonné que je sois muni de toutes les autorisations nécessaires à circuler ici " momentanément " et à me rendre à l'hippodrome en voiture ? Et pourtant vous n'ignorez pas, vous ne pouvez pas ignorer que ces autorisations ne peuvent m'avoir été délivrées *que par les Autorités allemandes d'occupation* [1]...

Mes chevaux courent à Pau en ce moment et, lorsqu'ils sont à Paris, je jouis de la même faveur en me rendant sur les hippodromes parisiens en voiture. Si vous saviez justement l'orgueil que j'éprouve — à vingt-six ans — à être arrivé par un travail incessant à prouver à toutes ces vieilles croûtes que l'on trouve dans notre bourgeoisie que certains petits Français étaient, tout en étant dix fois plus honnêtes qu'eux, capables de réussir dans la vie. Si j'en ai fait crever beaucoup de jalousie, mon but est atteint en partie et, si j'ai le bonheur de vivre assez longtemps, je les confondrai encore davantage. »

A côté du récit des exploits de ces trafiquants que les époques révolutionnaires voient germer et font proliférer, on trouve, dans la presse de l'époque, quelques faits divers peu ordinaires, même si la pénurie de papier oblige à les condenser en quelques lignes.

A l'instigation de son amant, Pierre C..., étudiant en pharmacie, Lydie F... envoie à son mari, qui travaille en Allemagne, un gâteau empoisonné. Le gâteau à peine expédié, Lydie s'empresse d'écrire au destinataire : « Qu'il ne touche surtout pas à ce gâteau. Il paraît appétissant, mais... » Le mari obéira, mais deux de ses amis

1. Souligné par l'auteur de la lettre adressée d'ailleurs en recommandé à M. Blaise. Document inédit.

Les pompiers de Pau n'ont droit qu'à une allocation mensuelle de 60 litres d'essence.

qui ignorent les remords de la dame se régaleront... et périront[1].

Voici moins dramatique, mais qui illustre les difficultés d'une époque où, gaz, électricité étant rationnés, les bains-douches publics connaissent une anormale affluence.

Deux sœurs, Stéphanie et Georgette D..., se présentent, avec leur serviette et, l'un de ces morceaux de savon ersatz qui ne mousse pas, dans l'établissement de bains tenu par Angelo D... Patron économe, ayant, d'ailleurs, dû réduire sa consommation d'eau et de gaz, Angelo prévient immédiatement ses clientes : elles n'auront droit qu'à un bain pour deux. Stéphanie et Georgette promettent mais, derrière la cloison, Angelo entend bientôt couler l'eau d'un nouveau bain. Il proteste. Il frappe à la porte. Vainement. Alors, s'emparant d'une échelle, il escalade la cloison qui le sépare de ses clientes, saute dans la cabine de bains pleine d'une vapeur bien impuissante à voiler la nudité de Stéphanie et de Georgette, ferme les robinets et sort dignement par la porte. Traîné en justice par Stéphanie et Georgette, Angelo sera acquitté, en février 1944, par des magistrats plus sensibles à la nécessité des économies de gaz qu'à la pudeur des filles.

Broutilles que tout cela. Huit, dix, vingt lignes au maximum pour satisfaire la curiosité des lecteurs ou pour les divertir des combats que la Wehrmacht livre entre Boug et Dniester comme dans les ruines du Mont Cassin, des bombardements anglo-saxons, de l'activité politique des partisans de la collaboration, événements auxquels les journaux consacrent obligatoirement l'essentiel de leur faible pagination.

En mars 1944, cependant, un fait divers fera exception. Un fait divers tellement hors du commun que *L'Illustration,* dans son numéro du 8 avril, expliquera ainsi les raisons qui l'ont poussé à sortir de sa réserve habituelle.

> « *L'Illustration* n'a jamais accordé, au cours d'une existence déjà centenaire, qu'une attention très intermittente à la rubrique des faits divers.

1. Lydie F... sera jugée au mois de mars 1944.

Deux seulement en trente années figurent dans sa collection : les exploits de Landru, à la fin de l'autre guerre, et la mort mystérieuse du conseiller Prince, en 1934. Le cas du Dr Petiot, par son ampleur et le véritable génie criminel qu'il suppose — le mot est du commissaire Massu, chargé de l'enquête —, méritait d'être examiné ici, où nos petits-neveux le retrouveront quand ils feuilletteront les numéros de ces temps difficiles. »

A l'intention des « petits-neveux » des lecteurs de 1944, *L'Illustration* consacrera donc trois pages, quinze photos, quatre dessins et deux graphiques à l'affaire Petiot. Mais, le 8 avril, lorsque paraît le numéro de *L'Illustration,* voici près d'un mois que les Français ont été alertés par la presse quotidienne.

Le 13 mars, *Le Petit Parisien* titre sur deux colonnes de tête. Et ses confrères l'imitent.

UNE NOUVELLE AFFAIRE
LANDRU

Dans un hôtel particulier
du quartier de l'Etoile
On retrouve les restes calcinés
de nombreuses femmes
Le locataire de cet hôtel
le Dr Petiot
est recherché par la police

Le 14 mars, c'est sur deux colonnes toujours que le même journal annoncera que, « *dans l'hôtel de la rue Le Sueur, le Dr Marcel Petiot soumettait ses victimes à une mort lente et affreuse* ». Avec des mots à peine différents, les journalistes de tous les journaux écrivent que l'on se trouve en présence de « *l'une des plus sensationnelles affaires criminelles du siècle* ».

Affaire que le climat de terreur et de clandestinité de l'époque permet seul d'expliquer et de comprendre. Des hommes et des femmes disparaissent alors sans que nul n'ose s'en inquiéter officiellement ou officieusement. Il se peut — juifs ou non — qu'ils aient, clandestinement, pris le maquis ou franchi les Pyrénées. Dans ce cas, pourquoi informer les autorités d'une disparition volontaire ? Ne serait-ce pas mettre en péril un réseau de passage, un maquis ? Il se peut également qu'ils aient été arrêtés par un service de police français ou allemand, enfermés puis déportés et, dans ce cas, toute demande de renseignement risque d'attirer l'attention sur celui qui interroge et le compromettre dangereusement.

En un temps où les réseaux de passage sont nombreux, et souvent d'excellent rapport pour les organisateurs, rabatteurs et passeurs, le Dr Petiot va donc mettre à profit le légitime désir de fuite de juifs traqués et le moins légitime désir de fuite de quelques truands, enrichis par le crime et le marché noir. Il a cyniquement baptisé « *Fly Tox* » le groupe de résistance né de son imagination. Et ses victimes ne seront pas autre chose que de malheureuses mouches prises aux pièges d'un médecin fou et âpre au gain.

C'est un feu de cheminée, un simple feu de cheminée (et non des dizaines de plaintes émanant de familles de disparus) qui permettra de découvrir l'horreur et déclenchera l'enquête.

Il est près de 19 heures, le samedi 11 mars 1944, lorsque M. Marçais alerte la police. De l'immeuble voisin, 21 rue Le Sueur, sort une fumée épouvantable. Et cette fumée pue. On dirait... M. Marçais ne précise nullement à la police que l'odeur fait songer à de la chair brûlée, mais il signale qu'à de nombreuses reprises, déjà, la rue a été empuantie par la fumée de la cheminée du 21. La police du 16e arrondissement délègue deux agents : Fillion et Teyssier. Mais ils trouvent porte close. Personne ne réside, en effet, en permanence dans cet immeuble bourgeois. Cependant, par le concierge du 23, l'un des agents obtient l'adresse, rue Caumartin, et le numéro de téléphone (P.I.G. 77-11) du propriétaire, un certain Dr Petiot, qui vient là, tous les soirs, avec un vélo — seul, ou presque seul moyen de locomotion individuel, en 1944 — auquel est attachée une remorque.

Les policiers téléphonent à P.I.G. 77-11. Ils obtiennent le Dr Petiot, le préviennent du début d'incendie : « Je serai là dans un quart d'heure, répond calmement le médecin. Surtout, attendez-moi, ne fracturez rien en mon absence. »

Comme le quart d'heure se prolonge, que la fumée redouble, les pompiers, arrivés depuis un moment, pénètrent dans l'immeuble par une fenêtre du premier étage. Quelques minutes passent. Puis le caporal-chef Avilla Boudringhin apparaît devant la grille de l'hôtel particulier. Son visage est décomposé.

— C'est de la chair humaine qui brûle, dit-il aux deux agents. C'est affreux, un véritable charnier.

Le caporal-chef Avilla Boudringhin a vu, en effet — il le consignera dans son rapport —, des lambeaux de chair et une main de femme qui pendent par la porte du calorifère entrouverte. Autour du poêle, nageant dans des tas de gravats, de cendres et de chaux vive, des morceaux de corps humains et la moitié d'un cadavre coupé dans le sens de la longueur.

C'est alors que se produit l'un des événements les plus stupéfiants d'une stupéfiante histoire.

Un homme de quarante-cinq ans environ, au visage brun, aux yeux d'illuminé, fend le barrage que la police s'efforce d'établir — car les curieux se pressent maintenant rue Le Sueur. Il pénètre dans l'immeuble, après s'être contenté de déclarer : « Je suis le frère du propriétaire », se dirige vers le sous-sol, va vers le calorifère, attise le feu, puis s'en retourne comme il est venu, à vélo, et se perd dans l'obscurité. On le retrouvera... sept mois plus tard ! Il s'agissait, bien entendu, non du frère du propriétaire mais du propriétaire lui-même, le Dr Marcel Petiot. Comment est-il possible qu'il ait pu s'échapper ? Il ne s'est nullement échappé. Il est sorti le plus paisiblement du monde et sans être inquiété.

Là encore, le mystère ne peut être compris, si l'on oublie les conditions d'existence de cette époque où le plus extraordinaire paraissait ordinaire. Marcel Petiot a simplement dit aux deux agents en faction :

— Mes amis, je risque ma tête. Ici, on fait disparaître les « chleuhs » gênants. Vous avez mis la main sur le groupe d'exécution d'une organisation clandestine. Avouez que ce n'est pas malin ! Laissez-moi partir.

La chance momentanée de Petiot, c'est d'avoir affaire à des policiers « patriotes », naïfs et surpris par l'ampleur de la découverte. Mais, puisqu'on leur dit qu'il s'agit de « chleuhs » qui brûlent... ou de traîtres à la patrie...

Tout de même, après une enquête assez lente à démarrer, on découvrira aisément que ces « chleuhs » n'en sont pas.

Si l'on ignore encore l'identité réelle des victimes de Petiot, les bagages, retrouvés à Courson-les-Carrières, chez un couple ami du médecin, prouvent, à l'évidence, qu'il ne s'agissait pas de membres de la Wehrmacht. Des quarante-cinq valises et malles, les policiers sortent 1 041 pièces d'habillement féminin dont 26 chapeaux, 63 corsages, 57 chemises de nuit, 29 soutiens-gorge, 77 gants, 26 sacs à main, 311 mouchoirs. Ils recensent également 719 pièces d'habillement ayant appartenu à des hommes : 115 chemises, 33 cravates, 28 complets, 69 paires de chaussettes, 3 maillots de bain...

Rue Le Sueur aussi bien que rue Caumartin, au domicile de Petiot, s'entassent enfin des meubles et des objets d'art dépareillés.

Et, peu à peu, le personnage de Petiot se précise.

En vérité, il a commencé à tuer bien avant la guerre cet étrange médecin dont, entre 1917 et 1923, de nombreux psychiatres ont noté le déséquilibre mental et qui, « en temps normal », se signalait par le vol de courant électrique et de livres, comme par la fourniture de stupéfiants à des toxicomanes.

En 1926, il est alors installé à Villeneuve-sur-Yonne, Louisette, sa servante-maîtresse, disparaît mystérieusement alors qu'elle est enceinte ; en 1930, le corps de Mme Debauwe, sa maîtresse, est découvert dans les décombres de sa maison incendiée ; une semaine plus tard, le boulanger Frascot, qui s'était vanté de connaître l'assassin, décède à la suite d'une piqûre faite par l'obligeant Dr Petiot.

Nul, apparemment, ne s'est soucié d'enquêter sur ces trois disparitions. Petiot va poursuivre pendant des années une carrière politique — il sera conseiller municipal, maire, conseiller général, postes dont il devra cependant démissionner pour cause d'instabilité mentale — et une carrière médicale normale malgré les tracts publicitaires extravagants dans lesquels il se présentait comme un véritable « docteur miracle ».

Jusqu'en 1940, il s'était débarrassé de « gêneurs » : deux maîtresses, un curieux. L'occupation et les drames qu'elle fait naître lui offriront l'occasion de « rentabiliser » ses crimes. Il « s'intéresse » donc aux juifs et à certains personnages du « milieu » qui, pour des raisons bien différentes, veulent quitter la France.

Dans un monde où se chuchotent de mystérieuses adresses, l'adresse où l'on peut rencontrer Petiot (ou plutôt le Dr Eugène puisqu'il s'est choisi ce pseudonyme) est donc rapidement connue. A ceux et à celles qui viennent le voir rue Caumartin, car il protège jusqu'au dernier moment l'incognito de son cabinet de la rue Le Sueur, il tient le même langage, dès l'instant du moins où une conversation habilement orientée lui a révélé que ses « malades » avaient de la fortune.

Oui, il peut les faire partir pour l'Amérique du Sud, mais ce sera cher : entre 25 000 et 100 000 francs par personne.

Que les candidats au voyage se munissent de tous leurs bijoux, qu'ils vendent tous leurs biens, qu'ils lui confient — meubles, argenterie — ce qu'ils ne pourront emporter. Il réalisera le tout et leur fera parvenir l'argent recueilli lorsqu'ils auront heureusement gagné l'Amérique du Sud. C'est ce qu'il dit aux époux Kneller qui ont eu le bonheur d'échapper à la grande rafle des 16 et 17 juillet 1942, mais n'échapperont pas à la cellule de la rue Le Sueur. C'est ce qu'il dit aux Stevens, aux Bosch, aux Anspach, à Paul Braunberger, au fourreur Guschinow, à d'autres juifs encore, mais également à plusieurs « malfrats » : Joseph Réocreux (« Jo le boxeur »), Adrien Estébéguy, Joseph Piéreschi enfin qui, après un hold-up réussi, veulent, en compagnie de leurs amies Claudia, Gisèle et Paulette « la Chinoise », « aller planquer le blé quelque part au soleil ».

Chaque fois, le voyage s'achève dans un petit cagibi de la rue Le Sueur.

De son cabinet de la rue Caumartin, Petiot conduit en effet ses clients jusqu'à son cabinet de la rue Le Sueur dont il leur avait caché l'existence. Au fond de la cour d'un hôtel modernisé en 1900, et qu'il a acheté 500 000 francs en mai 1941, plus une rente viagère annuelle de 17 000 francs, Petiot a installé son cabinet de consultation.

Après quelques minutes de bavardage, et sans doute une dernière cigarette, Petiot explique à son client qu'il va maintenant le faire passer, par une ouverture secrète, dans un immeuble voisin, véritable hôtellerie clandestine où il attendra en toute sûreté le jour et l'heure du prochain départ pour l'Amérique du Sud.

Traversant un couloir, Petiot et le client arrivent, en ouvrant une double porte, dans une petite pièce, une « cellule triangulaire », écriront les journaux de 1944. Le médecin s'avance alors vers une porte à double vantail, qui se trouve en face de lui, appuie sur le bouton d'une sonnette. La sonnerie retentit mais la porte ne s'ouvre pas et c'est en vain que Petiot renouvelle la manœuvre.

— Attendez-moi ici, dit-il au candidat au voyage. Je vais sortir, entrer dans l'autre maison et vous ouvrir.

Il sort effectivement de la pièce, repousse la première porte, assujettit une chaîne de sûreté, puis ferme la seconde porte. Dans la petite pièce, où se trouve uniquement placée une chaise, le client de Petiot est alors prisonnier. La porte par laquelle il est entré est verrouillée. La porte qui lui fait face est factice. Appliquée seulement contre le mur plein de l'immeuble voisin, elle ne mène nulle part. La sonnette ne peut faire venir personne. Elle n'est là que pour créer et pour entretenir l'illusion.

Aussi étrange que cela paraisse, il ne sera jamais possible de savoir comment Petiot a tué ses victimes. L'hypothèse la plus fréquemment avancée fut celle de la projection d'un gaz mortel dont le médecin surveillait les effets grâce à un viseur situé à deux mètres de hauteur. Il y accédait en montant sur une borne placée dans une ancienne écurie jouxtant la pièce où se débattait le malheureux, ou la malheureuse, qui lui avait fait confiance.

Ensuite que se passait-il ? D'après les enquêteurs, Petiot revient, le visage protégé par un masque à gaz, achève au besoin le patient d'une piqûre, le charge sur son épaule et va précipiter son cadavre dans une ancienne fosse d'aisances d'où il le retirera plus tard pour le disséquer. L'opération terminée, les restes de la victime placés dans des sacs de la défense passive vidés de leur sable, il se rendra la nuit jusqu'à la Seine...

C'est alors que les Allemands interviennent. Toujours à la recherche des organisateurs — bénévoles ou non — de « chaînes d'évasion », ils arrêtent le Dr Petiot le 21 mai 1943 et, après la libération de Paris, à laquelle il dit avoir participé sous le pseudonyme de *capitaine Valéry*, Petiot tirera bénéfice de cette arrestation qui lui permettra même d'occuper, pendant quelques semaines, un poste de médecin militaire. Il en tirera gloire au cours de son procès[1], évoquant avec cynisme « l'arme secrète » grâce à laquelle il aurait liquidé 63 Allemands et de nombreux traîtres.

Lorsqu'il est relâché de Fresnes le 13 janvier 1944, après sept mois et

1. Petiot a été arrêté le 31 octobre 1944.

demi de détention, Petiot n'a livré aucun de ses secrets aux occupants qui ignorent l'existence du cabinet de la rue Le Sueur et naturellement de la « cellule triangulaire » où 15 juifs et juives ainsi que 9 autres personnes ont péri.

Mais, en prison, Petiot a réfléchi. Désormais, il ne tuera plus. S'il veut — et il le veut — profiter de « l'héritage de ses victimes », il lui faudra, sa liberté reconquise, s'employer à faire disparaître toutes traces de ses crimes. Débiter des cadavres, emporter de nuit dans la remorque d'une bicyclette des sacs remplis de chair humaine, aller les jeter dans la Seine, c'est, en un temps où les contrôles policiers français et allemands se multiplient, prendre de trop grands risques.

A partir de février 1944, Petiot, libéré de Fresnes, achète donc 400 kilos de chaux vive qu'il jette dans la fosse d'aisances.

Lorsqu'il imagine que la chaux a fait son œuvre, il ouvre la fosse et, dans deux chaudières, commence à brûler les débris humains et les ossements préalablement sciés.

Ainsi, jusqu'au samedi 11 mars où, à 8 heures du soir, un voisin trop incommodé par les odeurs en provenance du 21 de la rue Le Sueur alerte la police et donne le départ à ce qui deviendra « l'affaire Petiot [1] ».

« L'affaire Petiot » occupe les premières pages des journaux pendant quelques semaines. Les bombardements anglais et américains les occupent presque chaque jour en cette fin d'année 1943 et dans ces premiers mois de 1944 où, leur fréquence s'amplifiant, ils sont politiquement exploités par les Allemands comme par les journaux et les radios de la collaboration.

1. Petiot sera condamné à mort le 4 avril 1946. Son avocat, Me Floriot, n'a pas plaidé la folie, mais l'inconsistance des preuves. Le 25 mai, à 5 h 05, Petiot ira, « presque en dansant », dira le Dr Paul, vers la guillotine dressée dans la cour de la prison de la Santé.

Sa dernière déclaration ? Celle-ci, qui ne contribuait pas à éclaircir le mystère : « Je suis un voyageur qui emporte ses bagages. »

> « Chaque matin, dorénavant, déclare Philippe Henriot, le 21 avril, nous allons sans doute nous réveiller devant de nouveaux désastres et de nouvelles ruines. »

Et il pose la question que se posent, en effet, les sinistrés devant leurs maisons éventrées, qui pouvaient difficilement passer pour abriter des objectifs militaires, la question que se posent bien des Français même si, l'espérance l'emportant toujours sur la colère, ils n'en continuent pas moins à souhaiter la victoire alliée.

> « On serait curieux de savoir combien d'Allemands ont pu périr dans les logements ouvriers de Saint-Denis, de Saint-Ouen, de La Courneuve, de Noisy-le-Sec, de Bobigny, dans les pavillons de Romainville ou d'Athis-Mons ? »

Les tracts anglais ont indiqué les localités particulièrement menacées, celles où se trouvent des usines fabriquant chars, canons, avions, locomotives : Metz, Nantes, Le Mans, Limoges, Toulouse, Lille, Denain, Strasbourg, Albert, Méaulte, Lyon, Bourges, Clermont-Ferrand et, autour de Paris, Gennevilliers, Bois-Colombes, Argenteuil, Billancourt, Ivry, Courbevoie, sans oublier, à Paris même, le quai de Javel.

Les tracts anglais ont alerté les populations.

> « Vous êtes ainsi avertis que toute entreprise ou usine, située dans l'une des localités que nous venons de citer et occupée à l'une des fabrications que nous avons mentionnées, peut faire l'objet... d'attaques massives. Par conséquent, il est de la plus grande urgence, pour tous les Français qui travaillent dans ces localités, ou qui travaillent ou habitent à proximité des objectifs désignés, de prendre toutes les précautions nécessaires[1]. »

1. C'est à partir de l'automne de 1943 que la radio anglaise multiplie des conseils qui visent d'ailleurs, en provoquant l'exode, à désorganiser la production en faveur de l'Allemagne. Ces conseils suscitent, dès le 26 septembre 1943, cette réplique de Philippe Henriot : « Une usine, c'est un objectif militaire ; toute localité qui possède une usine sera réputée objectif militaire. Cette usine ne travaille pas pour la guerre, dites-vous ! Mais elle travaille pour les Allemands. Sinon, elle pourrait travailler pour eux. Un Allemand, c'est un objectif militaire. Donc, tout point où il y a un Allemand, où il y en a eu, où il pourrait y en avoir, devient un objectif militaire. »

Le conseil est facile à donner. Plus difficile à suivre même si des villes françaises sont totalement évacuées comme Saint-Nazaire, ville martyre, où le bombardement du 9 novembre 1942, par 13 appareils américains volant à haute altitude, a fait 140 morts parmi les jeunes apprentis des chantiers de Penhoët, où les bombardements du 14 et du 17 novembre 1942, puis ceux des 16 et 28 février 1943 précipitent des départs qui iront s'amplifiant jusqu'à l'instant où il ne restera plus, accrochés aux ruines, qu'une soixantaine d'habitants se nourrissant « Au bon accueil » où l'on sert des repas à 25 francs, quelques pompiers sous la direction de M. Briend et Mme de Villers qui conduit l'ambulance de la Croix-Rouge.

Dunkerque, choisie — comme Boulogne-sur-Mer — par les Allemands pour tenir un rôle de forteresse, sera évacuée à partir de février 1944 par les trois quarts des 12000 habitants revenus après le drame de mai 1940.

A Rouen, après les terribles bombardements du 19 avril, de nombreuses familles quittent la ville en direction de Châteaudun, Pithiviers, Nogent-le-Rotrou, Tours même, où leur convoi arrivera d'ailleurs en gare quelques minutes avant un bombardement.

Dès le mois d'avril 1943, à Cherbourg, les Allemands ont exigé le départ de 5 à 6000 habitants. Sous leur pression — autant que sous la pression des fréquents bombardements — la sous-préfecture a dû organiser l'évacuation en direction du Loiret. Mais c'est une direction boudée — 216 personnes seulement se présentent pour le convoi du 23 avril, quand 318 s'étaient inscrites — la plupart des Cherbourgeois préférant se réfugier momentanément dans des communes voisines où ils savent trouver un asile familial.

Mais les communes rurales ne sont pas épargnées par les bombardiers alliés. Comment le seraient-elles, alors qu'elles sont peuplées de troupes allemandes nombreuses et que s'y poursuivent d'importants travaux de fortification ?

Le 18 janvier 1944, L. Audigier, sous-préfet de Cherbourg, précisera au préfet de la Manche que, déjà, plus de 100 communes ont subi des bombardements et doivent être considérées comme particulièrement dangereuses.

Malgré les menaces qui viennent du ciel, malgré les ordres allemands, malgré l'exemple donné par la Kreiskommandantur qui, au début de 1944, quittera Cherbourg pour Valognes, en février il restera encore 27 038 habitants sur les 51 560 que comptait l'agglomération.

C'est qu'il est bien difficile de s'arracher à son foyer, à son travail et à ses habitudes. On le verra dans la zone méditerranéenne où des ordres d'évacuation ont été donnés en mars 1944. Selon les chiffres officiels, 10 000 habitants auraient quitté Montpellier, 8 000 Béziers, 12 000 Narbonne, 17 000 Perpignan et, au 1er avril, les Alpes-Maritimes se seraient vidées de 30 000 personnes, le Var de 70 000, les Bouches-du-Rhône de 90 000, l'Aude de 20 000, les Pyrénées-Orientales de 16 000. Ces chiffres semblent fort exagérés tant est grande l'incrédulité d'une population qu'il faut bouter hors de chez elle pour qu'elle se résigne à monter dans des trains spéciaux en direction de la Lozère, du Cantal, de l'Ardèche[1] et de quelques autres départements au rude climat.

Pendant plusieurs mois, et même plusieurs années, si leur ville n'a pas été systématiquement bombardée, les Français ont prêté aux aviateurs alliés des qualités de précision qu'ils n'avaient pas et ne pouvaient pas avoir. Si les Anglais bombardaient le plus souvent de nuit, chaque équipage étant responsable de sa navigation, de sa visée, de son bombardement[2], tout s'est trouvé modifié au moment de l'arrivée massive d'appareils américains, pilotés par des aviateurs rapidement entraînés, volant généralement de jour à très haute altitude, par sections de trois, sept ou neuf, et lâchant leurs bombes à un signal donné par leur leader.

1. Départements affectés aux évacués de Marseille et de la région. A partir du mois d'avril, un certain nombre de communes de la zone côtière atlantique devront également être évacuées — sur ordre de l'autorité allemande — aussi bien par les enfants que par les malades, les personnes âgées et « les rentiers ».

2. Il ne faut pas oublier le rôle joué par les avions marqueurs (*Pathfinder*) qui, arrivés sur l'objectif, avant les bombardiers, l'éclairaient et l'encadraient grâce à des pots lumineux. L'un des avions-marqueurs, « The Master of Ceremony », avait, en lançant un mot-code, la possibilité de modifier, voire d'arrêter le bombardement. C'est ce qui se produira notamment entre Saint-Lô et Caen, au moment du débarquement, lorsque les bombardiers anglais attaquèrent par erreur une division canadienne. Le mot de code ce jour-là était « Lemon pie » (tarte au citron). Témoignage du général Gallois qui se trouvait dans l'un des appareils.

La volonté de croire et de laisser croire que les Alliés « visent juste » sera cependant si tenace qu'à Rouen, après la nuit terrible du 18 au 19 avril 1944, on fera courir la fable que les Allemands ont fait suivre les deux vagues de bombardiers anglais d'une « troisième vague », spécialement chargée de détruire les habitations !

Il n'en est naturellement rien et c'est à la suite de cruelles expériences que les Français n'accorderont plus crédit, ni confiance aux aviateurs anglo-saxons. Sachant désormais que la bombe est aveugle, ils gagneront des abris qui ne protègent pas de tout, mais évitent souvent le pire.

Nantes bombardée le 16 septembre 1943, on recensera 361 points de chute, 323 maisons détruites, 860 morts et 1500 blessés.

Quelques jours plus tard — le 23 septembre —, la ville subit deux attaques dans la même journée. La première, effectuée par un petit nombre d'avions, atteint essentiellement des objectifs militaires[1]. La seconde — à 19 h 12 — provoque des dégâts matériels supérieurs à ceux du 16 septembre : 460 maisons sont, en effet, totalement détruites[2], mais, alors que les grandes évacuations n'interviendront pas avant quelques jours[3], le nombre des morts et des blessés (250 et 200) est très sensiblement inférieur au nombre des morts (860) et des blessés (1500) du 16 septembre. La population, dès l'alerte donnée, a rapidement gagné les abris.

Il n'en ira malheureusement pas de même à Lyon, le vendredi 26 mai.

Sept à huit cents appareils, venant d'Italie, ont passé la frontière entre Digne et Albertville et se sont divisés en trois groupes, le premier se dirigeant vers Grenoble et Chambéry, le deuxième vers Saint-Etienne, le troisième — il comporte environ 400 appareils — vers Lyon, ville au-dessus de laquelle il évoluera entre 4000 et 6000 mètres d'altitude *pendant près d'une demi-heure* avant de bombarder.

1. On dénombre, pour 45 points de chute, 22 morts et 70 blessés.
2. 400 points de chute ont été recensés.
3. Le 13 octobre 1943, 83000 fiches d'évacuation auront été établies.

Il ne s'agit nullement de donner aux Lyonnais la chance de se mettre à l'abri, mais aux avions le temps de se regrouper. Cependant, les Lyonnais pourraient saisir l'heure de grâce qui leur est accordée — l'alerte a été sonnée à 9 h 48 — avant que ne tombent, à 10 h 43, les premières des 1500 bombes[1] de 500 à 1000 livres. Beaucoup n'en feront rien.

Les bombardiers avaient pour objectifs la gare de Montagny, le triage Guillotière-Perrache et la gare de Vaise.

Les deux premières gares ne sont pas touchées (car il faut compter pour rien la destruction d'un poste de lavage à Lyon-Guillotière), mais tous les quartiers de l'avenue Berthelot, sur une longueur de trois à quatre kilomètres en direction de Perrache, ont été sérieusement endommagés.

En revanche, la gare de Vaise est atteinte par de nombreuses bombes qui détruisent les bâtiments ainsi que le dépôt des machines, rendent momentanément inutilisables de nombreuses voies ferrées et, à l'exception de la voiture-hôpital, n'épargnent pas l'un des deux trains de grand secours dont dispose alors la France, trains grâce auxquels il est possible de nourrir et d'habiller des milliers de sinistrés, de porter secours aux grands blessés, de redonner à tous ceux qui l'ont perdue une identité administrative[2].

Mais, si, à Vaise, l'objectif militaire — c'est-à-dire la gare — a bien été détruit par une offensive aérienne qui, le même jour et à la même heure, visait également la gare de Saint-Etienne et celle de Grenoble, il n'en reste pas moins que de nombreux immeubles ont été touchés, rue du Moulin, rue Bourgey, rue de la Claire, chemin Movillard, quatre rues où la destruction est totale, quai de Serin, atteint par vingt-sept bombes, rue Laporte, rue Saint-Pierre de Vaise et dans une douzaine de rues encore.

---

1. Peut-être davantage. On devait dénombrer 1800 points d'impact. Plusieurs bombes — dont 30 dans le cimetière de la Guillotière — n'éclatèrent pas.

2. Sous l'égide du Service interministériel de protection contre les événements de guerre (S.I.P.E.G.), un train de grand secours interviendra pour la première fois au Creusot après le bombardement du 20 juin 1943. La composition des deux trains — l'un pour la zone Sud, l'autre garé à Paris pour la zone Nord — est quelque peu différente, mais le principe est identique : voiture-hôpital, cuisine avec citerne à eau, voiture-vestiaire, voiture de vivres, voiture administrative permettant l'établissement de nouvelles pièces d'identité.

Au Creusot, 9000 repas seront servis et 12000 pièces de vêtements distribuées.

Des nuages de fumée et de poussière, fumée des incendies, poussière soulevée par les explosions et les effondrements, viennent soudain brouiller un ciel admirable, un ciel bleu carte postale. Des hauteurs de Champagne-au-Mont-Dore, trois petites filles blondes, Michèle, Jacqueline et Annie Briens, blotties entre des rangs de tomates, apeurées, stupéfiées, regardent tomber les bombes et mourir les maisons.

Le bombardement du 26 mai a détruit en totalité 281 immeubles. 1 114 sont momentanément inhabitables. Le nombre des morts s'élève à 700, cclui des blessés à 1 400. Or, d'après un rapport de la Défense passive, sur 390 des 700 morts, il n'a été relevé *aucune blessure apparente*. Les victimes, qui n'avaient pas gagné un abri, ont toutes été tuées par le souffle formidable des explosions. Trois semaines après le bombardement de Lyon, le professeur Bertrand affirmera que ces 390 Lyonnais sont morts « parce que, incorrigibles curieux, ils étaient restés sur le trottoir ou sur la chaussée jusqu'à la minute fatale où il était trop tard pour chercher un refuge ».

390 victimes du souffle, 170 personnes tuées par éclats, chutes de matériaux, écroulement d'étages supérieurs, 140 par coups directs sur les 14 immeubles où la cave a été touchée par la bombe traversant les étages, mais le plus souvent atteignant le trottoir [1] et venant éclater alors dans l'abri, tel est, pour Lyon, le bilan humain du bombardement du 26 mai.

De ces constatations et de celles qui seront faites après étude des immeubles sinistrés, les autorités tireront la conclusion que, si la bombe arrive sur la charpente et traverse les planchers extérieurs, elle explose généralement avant d'atteintre la voûte du sous-sol. L'effon-

1. Il s'agit là du coup le plus meurtrier, car la cave-abri est directement atteinte. C'est ce qui se passera rue Général-de-Miribel où le n° 7 a reçu trois bombes. Dans la cave-abri classée, un coup direct a fait 2 morts et 4 blessés, mais 17 personnes qui se trouvaient dans une alvéole voisine ont été épargnées. En revanche, 6 personnes qui étaient restées au rez-de-chaussée ont été tuées par la chute des paliers.

drement des matériaux assure alors une protection supplémentaire à ceux qui se blottissent dans les caves[1].

Les autorités renforceront les mesures de police. Elles multiplieront les conseils à une population d'autant moins réticente à gagner les abris qu'elle est désormais profondément traumatisée par la violence des raids alliés, par le spectacle des immeubles effondrés, par le nombre des sinistrés (25 000 à Lyon le 26 mai[2]), par les émouvantes cérémonies qui accompagnent les funérailles et les articles presque quotidiennement consacrés aux bombardements qui, en avril, mai et juin 1944, ravagent la France.

1 284 bombardements en mai 1944, 2 307 en juin sur cette terre de France qui reçut, au total, 590 000 tonnes de bombes, soit 22 % du tonnage largué sur l'Europe. Et, pour la période de guerre, un chiffre de morts civils statistiquement mal précisé (60 000 selon les uns, 67 078 selon les autres), mais égal ou supérieur à celui des Anglais, militaires et civils, tués par les bombardements allemands[3].

Toutes les semaines sont tragiques dans cette année 1944 qui s'est ouverte, le 1er janvier, par la sinistre quête des morts et des blessés dans les ruines d'Ivry, de Charenton et d'Alfortville[4]. A 12 h 10, le 31 décembre 1943, « à l'heure, écrira André Salmon dans *Le Petit Parisien*[5], à l'heure où, sans trop de joie permise, bien sûr, les familles s'allaient mettre à table ayant parfois des convives, en dépit de la

1. Ce qui est loin d'être toujours le cas. Après le bombardement de Juvisy par 1 000 avions, « certainement le plus massif qui ait été effectué jusqu'ici sur le territoire français », affirmera le 28 avril 1944 un rapport de la préfecture du Loiret, il a été constaté que, « dans les maisons soufflées, peu de voûtes de caves ont résisté aux poids des matériaux de l'immeuble ». Il est vrai que, dans une zone d'habitation de 400 mètres de large et 900 mètres de long, les entonnoirs de bombes se touchent et même se superposent. Quant au triage de Juvisy, il a complètement été détruit.

2. D'après un rapport émanant de la préfecture du Rhône. Il se peut cependant que ce chiffre ait été majoré pour accélérer l'arrivée des secours. Chaque sinistré reçoit, en effet, une indemnité de 1 000 francs ainsi que des vivres et des vêtements. Des logements sont provisoirement affectés à ceux dont la demeure est détruite ou inhabitable.

3. 60 227 morts pour une population supérieure en nombre. Il est vrai que certaines parties du territoire britannique seront totalement épargnées, l'aviation allemande n'ayant pas le rayon d'action nécessaire pour les atteindre.

4. On dénombrera 262 morts et 237 blessés graves.

5. 3 janvier 1944.

maigre chère d'aujourd'hui », les bombardiers sont venus pour le neuvième bombardement auquel, dans l'année 1943, la région parisienne aura été soumise.

L'année 1944 sera infiniment plus rude avec, du 5 février au 12 août, sur la seule région parisienne 61 bombardements, certains, d'ailleurs, comme celui du 30 mai, sur Maisons-Laffitte et Sartrouville, représentant au total 8 raids en dix-sept heures.

Il s'agit pour les Alliés, qui préparent le débarquement, de désorganiser les défenses allemandes par l'écrasement des gares de triage, l'attaque des aérodromes et des avions au sol, l'incendie des dépôts de carburant et de matériel, la ruine des usines travaillant pour l'industrie de guerre[1].

Mais, à côté d'objectifs effectivement atteints, que d'objectifs manqués ; à côté d'usines égratignées, que de modestes demeures écrasées. Et même lorsque l'objectif est atteint, que de « bavures ». Dans la nuit du 9 au 10 avril 1944, 2194 wagons sur 2959 seront pulvérisés dans la gare de Lille-Délivrance à Lomme, mais à Marquette, Wattignies, Loos, Lambersart, Haubourdin, 500 personnes sont mortes et 3666 maisons ont été détruites.

L'imprécision dramatique de certaines attaques provoquera l'indignation des résistants et, notamment, des responsables des services secrets français qui n'hésiteront pas à parler, le 26 mai, après un bombardement d'Orléans[2] qui a fait près de 300 morts, 2500 sinistrés et touché la cathédrale « de travail d'ivrognes ».

---

1. L'un de mes lecteurs, M. Pierre Gaillard, m'a fait justement remarquer que, même non suivies de bombardement, les alertes étaient cause de nombreuses pertes de temps préjudiciables à la production.

Employé à partir de juillet 1943 au bureau d'études des usines Farman chargées d'étudier et de construire le bombardier Heinkel HE 124, il a scrupuleusement noté le nombre des alertes qui vidaient tous les bureaux de leurs occupants. A Paris, il y en eut 46 en mai et 92 en juin 1944, dont 8 le 6 juin, 7 les 10, 12 et 24 juin.

« Bien que d'une durée relativement limitée (environ 40 minutes), elles s'accompagnaient en réalité, m'écrit-il, d'interruptions de travail de plus longue durée, le temps que le personnel dispersé regagne (lentement) l'entreprise lorsque retentissait le signal de fin d'alerte. Ajouter à ce délai le temps nécessaire à la récupération des calques mis à l'abri, dès le début de l'alerte, dans une cave blindée. »

2. Le mardi 23 mai.

« On se demande, écrivent-ils dans un message adressé à Londres le 30 mai, quel procédé de visée ont employé les aviateurs alliés pour " moucher " la cathédrale en essayant d'avoir l'embranchement des Aubrais. Un tour de force.

Philippe Henriot, dont le crédit avait baissé... est à nouveau très écouté.

Les gens vont jusqu'à dire : " On croirait qu'ils s'acharnent systématiquement sur les villes où a passé Jeanne d'Arc. " Boniments d'homme de la rue ? Laïus de concierge ? Possible. Mais de telles pensées cheminent dans les cerveaux des gens simples que quatre ans d'occupation, de misères et de deuils ont aigris et qui ne croient plus à rien[1]. »

La douleur de centaines de milliers de familles sinistrées sera à l'origine de la protestation des cardinaux et archevêques de France qui, en février 1944, après s'être élevés contre des bombardements aveugles, écrivent : « On dira que ce sont les lois de la guerre. Non ! L'état de guerre, si anormal et inhumain qu'il soit par lui-même, ne justifie pas tous ces procédés. »

Au mois de mai, ils s'adresseront à l'épiscopat anglais et américain pour lui demander d'intervenir auprès des gouvernements de Londres et de Washington, mais le cardinal Gerlier ne pourra que constater, quelques jours plus tard, que l'appel « n'a pas été entendu jusqu'à présent de ceux qui pouvaient lui donner une efficacité bienfaisante ».

A l'instant où le cardinal Gerlier fait part de sa désillusion, la France est en train de vivre la plus tragique de toutes les semaines tragiques.

Pentecôte 1944. Des langues de feu descendent sur les Français, les transforment en torches hurlantes, embrasent et détruisent leurs foyers, ensevelissent ce et ceux qu'ils aiment, sous des tonnes de pierres taillées et jointes pour abriter la vie mais qui, dans le grand désordre de la catastrophe, deviennent autant de pierres tombales.

Les journaux du 30 mai annoncent 150 morts pour Amiens, 120 pour Angers, 305 pour Avignon, 300 pour Chambéry, 1 000 pour Lyon, 1 500 pour Marseille, 316 pour Nice, 870 pour Saint-Etienne où Mgr Gerlier a été bouleversé par le spectacle d'une petite fille amputée

1. Cité par Pierre Nord, *Mes camarades sont morts.*

d'un bras et d'une jambe, dont le père, la mère, les frères et sœurs ont disparu[1].

De toutes les terreurs, d'ailleurs, les terreurs d'enfants sont les plus bouleversantes, tant ellés semblent une injustice du sort. Voici ce qu'immédiatement après un bombardement une petite fille d'Amiens confie à son journal :

> « Ce soir, nous allons nous coucher non sans inquiétude, car toutes les nuits les avions passent sans arrêt et souvent bombardent Amiens et Longueau qui possède une des plus grandes gares de France. Maman a fait sa valise et, à moitié déshabillés, gardant chemise, caleçon et gilet, nous nous mettons au lit. Le réveil marque minuit. Soudain, ouh, ouh, ouh, la sirène mugit, lançant partout son affreux chant de mort. Vite ! Vite ! Nous sautons en bas du lit... Ma petite sœur pleure, maman nous presse et, quatre à quatre, nous descendons les escaliers. Malheur, la valise s'ouvre et tout le contenu se vide pêle-mêle. Alors, le linge et toutes les affaires précieuses et peu encombrantes de la famille y sont replacés en vrac et nous nous sauvons... Adossée à un mur, maman pleure, elle pense à papa qui est prisonnier et à nos cousins qui restent à la gare Saint-Roch, c'est-à-dire l'endroit qui paraît être l'objectif des aviateurs. Peut-être sont-ils tués à l'heure actuelle. »

Ils sont tués.

Alors, les abris. Mais la vie dans les abris constitue parfois une redoutable épreuve. Dans Rouen où, du 19 avril[2] au 22 juin, dix

1. Les chiffres de morts cités par les journaux de l'époque sont supérieurs à la réalité, au moins pour Lyon et pour Saint-Etienne (respectivement 700 et 790 morts).
2. Au cours de ce bombardement, Rouen recevra 345 bombes et Sotteville plus de 4 500 bombes. Le total des morts atteindra 900 morts dans l'agglomération rouennaise.

bombardements vont se succéder dont plusieurs — les 25, 27, 28, 30, 31 mai — s'enchaîneront littéralement comme s'il s'agissait d'assommer la ville, un chef de poste de la Défense passive, M. Roland Lemesle, a tenu son journal.

Voici quelques-unes de ses notes écrites le lendemain de cette terrible journée du 31 mai, qui succède à la terrible journée du 30 mai, où le centre de Rouen a été inondé de bombes et où l'hôtel des Douanes s'est effondré sur des dizaines d'hommes et de femmes qu'il sera impossible de dégager et dont il faudra, dix jours plus tard, recouvrir de chaux vive les corps disloqués et puants.

« *11 heures.* Alerte. Mme Duléry et ma femme se trouvant là, je leur demande de partir immédiatement, car nous sommes dans la zone dangereuse, à peine à 500 mètres du pont. Je ne crois pas à un bombardement, car le ciel est bas, un violent orage venant de se terminer. Bientôt 58 personnes s'entassent dans l'abri de l'école[1]. J'attends avec le personnel du poste.

11 h 6. C'est maintenant le bruit familier des forteresses. Nous descendons dans le petit abri situé sous l'infirmerie de l'école..

11 h 9. Premières bombes. Le bombardement est violent. Notre abri est terriblement secoué. Le vicaire Séron fait réciter des *Ave Maria.* Les bombes tombent toujours autour de notre poste. Enfin, au bout de 10 minutes environ, la première vague est passée.

11 h 20. Nous sortons de l'abri par la cour de l'école et allons rue Herbière voir s'il n'y a pas de blessés à secourir. Angrand descend la rue, de la place de la Pucelle au poste.

11 h 23. Deuxième vague. Nouvelles bombes, mais beaucoup plus proches.

11 h 24. Une bombe d'une tonne tombe sur l'abri. 47 personnes sont tuées sur le coup, parmi lesquelles le brancardier Angrand, le chef d'îlot Fleury, le vicaire Séron. La partie d'abri où nous sommes est aux trois quarts écroulée.

11 h 26. Je fais l'appel de mes camarades. Les bombes arrosent toujours notre secteur. A l'appel, Dagoury ne répond pas et,

1. Il s'agit de l'école Catherine-Graindor.

pourtant, il était près de moi au moment de l'explosion. Mathieu est là et soutient avec l'épaule droite le plafond de ce qui était notre abri. Il a le bras démis. Mlle Bourgeois est blessée aux jambes. Mayeux n'a rien. Je n'entends pas Deleau. Beaucoup de personnes geignent.

11 h 34. La deuxième vague est passée. Je crains que la troisième ne nous soit fatale. « Lemesle, sauvez-moi ». C'est Deleau qui m'appelle : mais il m'est totalement impossible de passer : nous sommes séparés par des briques, des étais, de la ferraille. Le trou par lequel je pourrais passer n'a que trente centimètres de diamètre...

11 h 37. Troisième vague. Les bombes pleuvent encore plus près que tout à l'heure. Ce qu'il reste du plafond de notre abri descend un peu plus. Je crois que, cette fois-ci, c'est fini. »

Ce n'est pas fini. Lemesle restera jusqu'à minuit dans l'abri effondré. Auprès de lui, Dagoury qu'il a réussi à dégager des poutres qui l'écrasaient, Deleau, Pelfrène, Mathieu, Mlle Bourgeois, Mahieux, tassés dans cinq mètres carrés et qui, dans l'incapacité de se tenir debout, prennent place sur un tuyau de descente des eaux crevé qui leur servira de téléphone lorsque, au loin, très loin, ils entendront les premiers coups de pioche des sauveteurs. Derrière un mur, côté est de l'abri, deux pompiers sont bloqués et demandent que l'on vienne à leur secours.

— Y a de l'eau, crie l'un d'eux.

Puis, quelques minutes plus tard :

— Sauvez-nous, sauvez-nous, nous sommes venus pour vous sauver.

Journal de M. Lemesle :

« Nous les encourageons de la voix du mieux que nous pouvons, nous leur assurons que nos camarades viendront les tirer de là. Hélas ! L'eau monte très vite et, supposant qu'ils devaient être couchés, nous les avons entendus mourir en recrachant l'eau ; cela nous a paru atroce, interminable et pourtant leur agonie n'a duré que 2 ou 3 minutes. »

L'eau provient d'un puisard de la rue Herbière qu'une bombe a crevé, elle provient également des lances à incendie qui tentent de maîtriser le feu qui ravage le quartier. Elle a déjà provoqué la noyade de plusieurs des rescapés de l'abri de l'école Catherine-Graindor. Lemesle et ses camarades pourront-ils échapper à la noyade ?

A 15 h 20, dans la grotte artificielle où ils se blottissent, l'eau atteint vingt centimètres. Deux heures plus tard, elle dépasse leurs genoux. Puis, brusquement, en quelques secondes, elle grimpe de trente centimètres et, à tâtons, car leur unique lampe électrique faiblit, il leur faut consolider le toit de leur abri, fait de poutres et de débris, qui menace de s'effondrer.

Silencieusement, tous pensent à la fin qui bientôt sera la leur lorsque le premier miracle se produit : l'eau ne monte plus et, très nettement, le bruit d'une pompe se fait entendre. A minuit, nouveau miracle : Albert Amaury et Victor Biemy, à la tête d'une équipe de secours, atteignent puis dégagent enfin Lemesle et ses camarades.

Parce qu'ils dépendaient — comment aurait-il pu en aller autrement ? — d'organisations créées par Vichy, ou parce qu'un sabotage paraissait plus hardi à effectuer et plus digne d'être célébré qu'un sauvetage, les ouvrages sur l'occupation ne se sont presque jamais intéressés au travail rude, dangereux et le plus souvent bénévole de tous ceux qui s'employaient, dès que les bombes avaient explosé, à lutter contre le feu, contre les décombres, contre la mort, dans une course de vitesse qu'ils n'étaient jamais assurés de gagner.

Quelques-uns, quelques-unes recevront des « médailles d'honneur pour actes de dévouement » : Gabrielle Lavoine, assistante sociale de la S.N.C.F. à Lomme ; Alphonse Touze, équipier de la Défense passive, et, avec lui, mais à titre posthume, quatre membres de la Défense passive du Mans ; Elise Moulinier, aide-infirmière à Aubervilliers ; Victor Renier, brancardier à Alfortville, et puis des pompiers : Champon, Brignon, Tavernier ou Grousson, des pompiers toujours sollicités dans un pays qui a si mal préparé sa défense passive qu'il n'existe, en avril et mai 1944, que 54 pompiers à Rouen pour lutter contre les effets des monstrueux bombardements. Sans doute seront-ils, à plusieurs reprises, aidés par des pompiers venus du Havre, de Dieppe et même de Paris, puisque, au total, 1 060 pompiers ont combattu l'incendie au cours de la « semaine rouge » (30 mai-4 juin [1]) qui devait si cruellement blesser Rouen, mais on demeure cependant confondu devant tant de négligence officielle.

Avec les pompiers, les équipiers de la Défense passive, anciens de « l'autre » guerre ou très jeunes gens qui n'hésitent pas à prendre des risques mortels [2] dans des conditions chaque fois dramatiquement inédites. C'est ainsi qu'à Juvisy, au mois d'avril, les équipes de déblaiement devront opérer sans les 400 pelles et les 400 pioches qui leur étaient destinées. Tous les outils ont disparu sous les ruines du local où ils se trouvaient entreposés [3].

Contrairement à ce que l'on pourrait imaginer, le grand péril retient souvent ces adolescents sur les lieux du péril. A Rouen, les jeunes des Equipes nationales et de la Croix-Rouge étaient 779 lors du bombardement du 30 mai. Ils se retrouveront 798 le 31 mai.

Il n'existe que des tâches obscures, mais il n'y a pas de tâches inutiles lorsqu'il s'agit de porter secours aux femmes et aux hommes en détresse. Pierre après pierre enlever la maison effondrée, creuser une cheminée dans des montagnes de débris, brancarder des blessés couverts de poussière, faire la dernière toilette de morts affreusement déchiquetés, leur trouver un cercueil — car, bien souvent, les cercueils feront défaut —, soutenir les survivants au cours d'éprouvantes cérémonies funèbres — il y aura, le 29 mai, 432 cercueils alignés sur la place Saint-Jean, de Lyon —, aider le Secours national à distribuer aux sinistrés vivres et vêtements, tout cela fait partie des horreurs d'une guerre, vécue au quotidien, par des milliers de garçons et de filles de 16 à 20 ans dont l'Histoire ne parle jamais.

---

1. 11 pompiers dont 6 parisiens devaient être tués au cours de cette semaine rouge et 47 blessés.

2. A la suite du bombardement de Juvisy (avril 1944), 15 membres de la Défense passive seront tués par l'explosion de bombes à retardement. Et il ne s'agit là que d'un exemple.

3. Il n'existe pas que des héros. En mai 1944, le tribunal spécial de Douai condamnera à mort deux pillards : Alexandre R... et René C... Et des hôteliers doubleront ou tripleront le prix des chambres... à l'intention des sinistrés qui se présentent après un bombardement.

QUATRIÈME PARTIE

LES JOURS AVANT LE JOUR

« J'écris ce soir ces quelques pages parce que, pour la première fois, je me sens réellement menacé, et qu'en tout cas les semaines à venir vont apporter, sans doute, au pays tout entier, et certainement à nous, une grande, sanglante et, je l'espère, merveilleuse aventure. »

Jacques BINGEN
texte écrit le 14 avril 1944 un mois avant son arrestation par la Gestapo et son suicide.

12

LES OVATIONS DE PARIS

24 avril 1944. Philippe Pétain a 88 ans. Il est né, en effet, le 24 avril 1856, d'une famille de paysans modestes dans le petit village de Cauchy-à-la-Tour.

Il termine son existence à un poste dont il n'avait jamais rêvé, dans des conditions qu'il n'avait pas voulues, prisonnier d'un monstrueux bouleversement mondial qui a peu modifié ses idées d'homme intellectuellement marqué par le XIXe siècle.

Quatre-vingt-huit ans, le pas demeure ferme, l'allure noble, le front lisse, les joues tendues. Mais cette allure et ce visage, ce visage « incroyable, écrit Martin du Gard, que l'on doit aux Ménétrel, père et fils », cachent mal des défaillances, des abandons, des moments de désespoir devant sa situation de prisonnier d'Etat, comme de brèves et soudaines flambées d'orgueil qui le poussent à croire que seul il pourra « parler assez haut et [s'] imposer aux Allemands et aux Alliés, le jour du tapis vert[1] ».

Il a des mots déconcertants, dont on ne sait s'ils reflètent sa pensée ou s'ils ne sont que la manifestation d'une provisoire perte de conscience.

Au colonel de Gorostarzu, qui revient d'une mission effectuée sur son ordre auprès des services secrets américains installés à Lisbonne, il dira ainsi : « Je n'ai plus que les Allemands pour me protéger. »

Mais le même homme, recevant le 14 mars 1944 Doriot, Bassom-

1. Au général de Lannurien.

pierre et Gaucher qui arrivent du front de l'Est — pour, en ce qui concerne les deux derniers, prendre la direction de la Milice en zone Nord —, les accueille par des paroles surprenantes.

Brinon, qui accompagne les trois hommes, vient de dire :

— Monsieur le Maréchal, voici trois combattants du front de l'Est qui viennent vous apporter leur témoignage de fidélité.

... lorsque la question de Pétain tombe :

— Messieurs, avec qui vous battez-vous ? Est-ce avec ou contre les Russes ?

— Ils se battent contre le bolchevisme, répond Brinon.

Bassompierre ajoute :

— Monsieur le Maréchal, j'ai déjà eu l'honneur l'année dernière de vous apporter le témoignage de fidélité des légionnaires, je vous le confirme et je me permets de vous rappeler que mes camarades meurent en criant : « Vive le Maréchal ! Vive la France ! »

L'allusion aux hommes qui tombent à l'est dans les rangs de la L.V.F. n'intéresse manifestement pas Pétain. C'est Doriot qui retient son attention.

— Il me semble vous avoir vu quelque part ?

— Oui, monsieur le Maréchal, probablement en Espagne lorsque vous étiez ambassadeur.

— Non, je crois plutôt que c'était au Maroc !

— Monsieur le Maréchal, je ne suis jamais allé au Maroc.

— Tant mieux pour vous, car je vous aurais fait fusiller.

Le Maréchal perd-il l'esprit ? Non mais, en 1944, son regard est tourné vers 1925 au moment où, commandant en chef les troupes françaises qui luttaient contre Abd-el-Krim, son rôle et son action étaient dénoncés par Jacques Doriot, alors responsable de la section coloniale du parti communiste français.

Et puis le rideau tombe brutalement sur 1925, se relève sur 1944, puisque Pétain achève la conversation sur des mots mieux en accord avec la situation.

— Ce sont des hommes comme vous dont on aura besoin.

C'est lors de son interrogatoire par le commissaire Seyvoz, le 2 décembre 1946, que Bassompierre rapportera cet entretien. Il terminera sa révélation sur une réflexion mélancolique :

> « A mon sens, le décousu de cet entretien et l'attitude du Maréchal indiquent qu'il n'était pas dans son état normal. Ceci

m'a d'autant plus surpris que, l'année précédente, il m'avait très bien reçu et m'avait paru approuver sincèrement ma mission. Il est peut-être bon de faire remarquer à ce sujet que j'avais été reçu le matin et non l'après-midi. »

Au gré des témoins et suivant le jour et l'heure à laquelle ils ont été reçus, on peut ainsi tracer le portrait d'un homme tantôt prêt à tout abandonner, tantôt s'accrochant, par vanité parfois, par devoir le plus souvent, à un pouvoir vidé de toute réalité mais dont il croit, et dont on lui fait croire, qu'en 1944 encore il protège les Français.

Il se peut que Martin du Gard ait raison lorsqu'il explique que Pétain, sachant ne disposer, physiquement et intellectuellement, que de trois heures de concentration, « se met de lui-même en veilleuse », ces trois heures écoulées. « S'il dit des choses fines et spirituelles, tant mieux. S'il lâche une bêtise ou une imprudence folle, il s'en aperçoit et s'en moque. »

Mais les bêtises, les traits d'esprit puérils, parfois pieusement rapportés par des gazettes et des radios flagorneuses — « Vous vous appelez M. Laporte, c'est pourquoi vous ne la refermez pas », dit-il à l'un de ses visiteurs, et, à ce maire qui se nomme Janvier : « Changez-vous de nom tous les mois [1] ? » — déconcertent ses fidèles, cependant que les imprudences les irritent et les éloignent.

Cette alternance de périodes de moins en moins longues de concentration et de périodes de plus en plus nombreuses de relâchement est ouvertement utilisée par la plupart de ceux qui, de près ou de loin, ayant affaire à lui, spéculent, pour le pire ou pour le meilleur, sur l'inévitable usure de l'âge.

D'Hitler, qui a l'expérience de ceux qu'il appelle « les vieux messieurs » et, à travers Hindenburg, son « vieux monsieur » de 1933, de leur faiblesse vaniteuse, de leur constante référence à un passé défunt, de leur sensibilité aux conseils d'un entourage qu'il suffit de modifier pour les modifier, à Pierre Laval qui s'efforce de toujours être reçu par le Maréchal à la fin de la journée, à Brinon, mais également à Jardel, Tracou ou Ménétrel, ses fidèles, qui s'efforcent, eux, de « remonter l'horloge ».

1. Rapporté par Radio National le 17 mars 1944.

Lundi 24 avril 1944.

La veille, devant l'hôtel du Parc, le Maréchal a reçu l'hommage des enfants et du peuple, cependant que, marchant à ses côtés, un garçon des Chantiers de jeunesse et une cheftaine recueillaient d'innombrables petits bouquets.

Dans la matinée du 24 avril, protocolairement, Pierre Laval, accompagné de cinq ministres, de Rochat et de Guérard, est venu lui présenter les vœux du gouvernement.

A midi, ce sont les collaborateurs directs du chef de l'Etat, ceux qui composent sa maison, partagent sa vie, éprouvent pour lui, malgré et peut-être à cause de ses défaillances, un amour presque filial, qui le reçoivent au pavillon Sévigné.

Le menu sort de l'ordinaire des menus servis à la table du Maréchal. En ces temps de misère tempérée par la débrouillardise, il choquerait s'il ne s'agissait d'un menu d'anniversaire.

Suprême de colin Princesse
Filet de bœuf financière
Petits pois à la française
Poularde Mireille
Cœurs de laitue mimosa
Fromages
Bombe Copellia
Fruits

Vin de Cassis Marquis de Fresques 1938
Moulin-à-Vent 1934
Champagne Impérial Star 1934

C'est le Maréchal qui a souhaité que le champagne, non prévu, achève cependant un mélancolique repas de fête. Il le dira lorsqu'il prendra la parole :

« Mes chers amis,

Vous n'avez pas voulu que nous buvions du champagne ce matin et vous avez eu raison, car nous sommes dans la tristesse.

Je voudrais quand même vous en offrir pour faire passer ce que j'ai à dire. Je ne vois devant nous que malheurs et souffrances. La France va être soumise à une terrible épreuve : notre territoire sera à nouveau ravagé. L'important est de conserver l'espoir. Si la France est détruite, nous la reconstruirons plus belle. J'ai déjà fait des plans pour ma propre maison[1].

Mais nous ne surmonterons l'épreuve que si nous demeurons unis. L'union, vous le savez, a toujours été et reste mon seul but. Dieu veuille que tous les Français m'entendent. »

Le silence est absolu.

Les convives imaginent que le Maréchal a terminé. Non. Du regard, il fait lentement le tour de l'assistance et ajoute ces paroles qui, bientôt, se trouveront justifiées :

— Pour vous, mes amis, vous aurez à souffrir à cause de moi.

Encore une phrase. D'espoir celle-là :

— L'horizon est sombre devant nous, mais plus tard le soleil brillera.

A peine a-t-il rejoint l'hôtel du Parc, voici Pétain informé par Tracou d'un projet imaginé par le général Brécard, grand chancelier de la Légion d'honneur.

Dans la nuit du 20 au 21 avril, Paris a été violemment bombardé et 651 morts ont été découverts sous les ruines du 18e arrondissement, près du Sacré-Cœur, à Saint-Denis et Saint-Ouen.

Paris blessé, que le Maréchal se rende à Paris pour les obsèques des victimes. Le général Brécard le suggère. Pétain en accepte immédiatement l'idée. Afin d'éviter que les partis de la collaboration ne « récupèrent » le voyage, Tracou ne préviendra personne... à l'exception de Renthe-Fink et du général von Neubronn, car le Maréchal ne peut désormais se déplacer en France sans l'accord de l'occupant.

Tracou demande par ailleurs — et obtient d'Abetz — que le contrôle de cette presse parisienne, dont il se méfie à juste titre, soit, pour un jour, exercé par Louis-Dominique Girard.

L'affaire est si bien dissimulée que Laval en ignore tout jusqu'au

---

1. Allusion à la propriété que le Maréchal possède à Villeneuve-Loubet, près de Nice, et dont il pense qu'elle sera détruite.

25 au matin. Enfin informé, c'est sur un ton de colère ironique, qu'à 9 h 30 il interpelle Tracou :

— Alors, on continue à faire des fantaisies dans le grand-duché de Gerolstein. Moi, chef du gouvernement, j'apprends par hasard, par la police allemande, que le Maréchal part dans quelques heures pour Paris. Ce n'est pas sérieux.

C'est sérieux et Laval, calmé par Tracou, qui affirme n'avoir jamais douté de son assentiment, convient avec le Maréchal du protocole à observer. C'est lui qui, aux côtés du cardinal Suhard, accueillera le chef de l'Etat à l'entrée de Notre-Dame.

Dans l'après-midi, lentement, à travers une campagne paisible et par un temps splendide, le modeste cortège : cinq voitures, dont trois de policiers, escortées par huit motocyclistes de la Garde, se met en route [1].

A 19 heures, on fait halte à Melun où le Maréchal est logé à la préfecture. Avant de passer à table, il taquine des gamins accrochés aux grilles de la préfecture.

— Qui est en cage ? leur demande-t-il. Qui est prisonnier ? Est-ce vous ou moi ?

— Nous, nous.

— Nous le sommes tous, réplique le Maréchal, vous comme moi.

Après le dîner et avant de gagner sa chambre, le Maréchal dit à Tracou :

— Paris. J'attends ce jour depuis quatre ans. J'aurais voulu me mettre en bleu horizon, comme autrefois. Je le ferai plus tard... pour mon vrai retour.

Le 26 avril, c'est à 9 h 25 que le Maréchal et sa suite franchissent la porte Dorée. A 9 h 30, le petit cortège, salué par quelques passants qui

1. Dans la première voiture, le Maréchal et Tracou, dans la seconde Ménétrel et le lieutenant-colonel de Longueau Saint-Michel, officier d'ordonnance. Les trois autres voitures sont occupées par six inspecteurs de police français et un policier allemand « destiné, écrit Tracou, à la fois à nous surveiller et à éviter toute difficulté avec les troupes d'occupation que nous pourrions rencontrer en cours de route ».

ont reconnu le chef de l'Etat — les journaux du matin n'ont rien dit de sa visite —, passe avenue Daumesnil, s'engage rue de Lyon, traverse la place de la Bastille et, par les rues Saint-Antoine et de Rivoli, arrive place de l'Hôtel-de-Ville.

Il est 9 h 35 lorsque le Maréchal pénètre à l'intérieur de l'Hôtel de Ville où, depuis une heure environ, l'attendent Pierre Taittinger, Victor Constant et le secrétaire général de l'Hôtel de Ville.

Il est 10 heures lorsque, ayant à ses côtés MM. Bouffet et Bussière, respectivement préfet de la Seine et préfet de police, le chef de l'Etat quitte l'Hôtel de Ville, devant lequel six cents personnes sont rassemblées, pour se rendre en voiture découverte jusqu'à Notre-Dame où les personnalités sont déjà arrivées : ambassadeur d'Italie, consuls généraux de Turquie, de Bulgarie, de Roumanie, d'Espagne et de Hongrie ; Déat, Bichelonne, Cathala, Gabolde, Bonnard, Henriot, Henriot à qui le bombardement de Paris a donné l'occasion d'exprimer une indignation plus violente encore que de coutume. Darnand est également présent qui, du regard, a inspecté les miliciens responsables d'une partie du service d'ordre.

Et les Allemands ? Ils ne tarderont pas à se manifester. Sur le parvis de Notre-Dame, le cardinal Suhard et Pierre Laval, ainsi que Taittinger et Victor Constant[1], s'apprêtent à accueillir le Maréchal lorsque, de deux voitures arrivées en trombe, descendent Oberg, Renthe-Fink, von Bargen et Brinon, qui place les trois Allemands devant les gardes municipaux.

Louis-Dominique Girard s'interpose. Il rappelle à l'ambassadeur de France la volonté du Maréchal de ne pas voir d'Allemands sur le parvis.

— Mêlez-vous de ce qui vous regarde, dit Brinon.

— Précisément, cela me regarde... Veuillez, ajoute Girard à l'intention d'un garde, veuillez aller placer ces trois personnes dans le transept...

Si l'on en croit Tracou, Brinon, qui a suivi les trois Allemands, aurait demandé à Oberg de faire arrêter Girard pour insulte au représentant du Führer.

— Cela m'ennuie tout de même de l'arrêter aujourd'hui...

1. Président du conseil municipal et du Conseil départemental.

Louis-Dominique Girard ne sera donc pas arrêté, mais son destin est scellé[1].

L'incident cependant n'a pas duré plus de quelques secondes et il ne peut être perçu des familles effondrées de douleur, des personnalités déjà installées, de la foule, tenue un peu à l'écart mais qui, une fois le Maréchal entré, va se précipiter à sa suite, si bien que ce sont 3500 personnes qui se pressent dans Notre-Dame et, la messe des morts achevée, se massent sur la place pour acclamer le Maréchal, qui sort à 11 h 5 accompagné du cardinal Suhard et du Chapitre.

La plupart de ces fidèles comptent sans doute au nombre des 3000 personnes qui, entre 11 h 15 et 11 h 35, regroupées place de l'Hôtel-de-Ville, chantent *la Marseillaise, Maréchal nous voilà* et réclament en vain que le Maréchal paraisse au balcon.

A midi, la place de l'Hôtel-de-Ville a repris sa physionomie habituelle. Elle se peuple à nouveau à partir de 13 h 40 lorsque débute l'aménagement, en prolongement de la salle Saint-Jean, d'une petite estrade recouverte de peluche rouge, d'où le chef de l'Etat saluera les Parisiens.

A 14 h 10, il y a là 4000 personnes que rejoignent 500 à 600 enfants des écoles des 3e et 5e arrondissements. A 14 h 30, le chiffre des manifestants atteint 7500; à 14 h 55, lorsque le Maréchal, à qui ont été présentés des jeunes garçons des Equipes nationales qui ont participé aux travaux de déblaiement, paraît au balcon, ce sont 10000 personnes qui sont massées sur la place et aux abords de l'Hôtel de Ville.

10000 ? Pas davantage ? Si l'on en croit Tracou, « la vaste place (de l'Hôtel de Ville) est... noire de monde. Une mer humaine a envahi la rue de Rivoli, l'avenue Victoria, les quais et pris d'assaut les toits ». Quant à André Brissaud, présent parmi ceux qui acclament le Maréchal, il écrira[2], après avoir également évoqué une « foule immense » débordant « dans toutes les rues avoisinantes » : « C'était, en effet, un plébiscite[3] ce 26 avril 1944; comme ce sera un

---

1. Les Allemands exigeront qu'il soit écarté et ne fasse plus partie de l'entourage du Maréchal.

2. *La dernière année de Vichy*.

3. Brissaud fait allusion à l'éditorial radiophonique de Philippe Henriot qui suit immédiatement le voyage du Maréchal. « Libres ? L'étiez-vous aujourd'hui, Parisiens ? Vous avait-on convoqués pour une manifestation officielle ? Y avez-vous été traînés, contraints et forcés par la police de la Gestapo, vous qui vous

plébiscite le 26 août 1944 quand de Gaulle descendra les Champs-Elysées. »

Il n'est pas sans intérêt de citer cette phrase dans la mesure où, par la suite, la journée du 26 avril 1944 a souvent été opposée à celle du 26 août 1944, les foules d'avril aux foules d'août, comme si elles étaient de même importance et de même densité. Pour les tenants de cette thèse, les Parisiens auraient, en somme, acclamé de Gaulle comme ils auraient acclamé Pétain : en nombre égal, sur les mêmes lieux : Notre-Dame, l'Hôtel de Ville, et surtout d'un même cœur.

Or, du déroulement de la journée du 26 avril, nous pouvons tout savoir, non seulement grâce à Tracou qui en dit l'atmosphère et se tient en permanence auprès du Maréchal, mais également, mais surtout grâce à Maurice Toesca, alors en poste auprès du préfet de police Bussière et qui a eu la très heureuse idée de publier[1] tous les renseignements parvenus chronologiquement ce jour-là sur les téléscripteurs de la préfecture de police.

Il y a là le faste et le néfaste, le grandiose et le minuscule. Une journée de Paris sous l'occupation avec ses faits divers ordinaires : le cambriolage d'un magasin de maroquinerie rue de Sèvres ; la fugue d'un garçon de 15 ans qui mesure 1 m 55, porte un veston noir, un pantalon bleu, des chaussures cyclistes ; la mort, à la suite d'un avortement, de Mme T..., demeurant rue Pelleport ; un commencement d'incendie rue de Bagnolet, aux Lilas ; le suicide, à la station de métro Concorde, d'un rédacteur au ministère des Finances ; le vol du sac à main de Mme Marguerite H..., sac à main dans lequel se trouvait, avec les papiers d'identité, une somme de 40 000 francs.

Une journée de Paris sous l'occupation avec ses faits divers liés directement à l'occupation et à la guerre. A 8 h 15, boulevard Malesherbes, Mlle R... a été renversée par une Citroën de l'armée d'occupation qui ne s'est pas arrêtée. A 12 h 15, au métro République,

---

désoliez qu'on ne vous eût pas alertés plus tôt... Paris a voté. Paris s'est prononcé...

« Un vote où le cœur parlait librement, où le parti pris se laissait désarmer, où la mauvaise foi capitulait. MM. Roosevelt, Cordell Hull, Churchill ne veulent pas reconnaître le Comité d'Alger parce qu'ils veulent savoir ce que pense le peuple de France. Et ils souhaitent un plébiscite pour connaître sa volonté. Ils n'ont eu qu'à écouter Paris, en cette journée du 26 avril, pour savoir, sans illusion possible, que le plébiscite est fait. »

1. Dans son livre *Cinq ans de patience.*

deux individus, se disant miliciens, ont refusé de payer leur billet. Conduits au commissariat de la Folie-Méricourt, ils ont été pris en charge par le commandant de la caserne d'Auteuil qui les a placés aux arrêts. A 18 h 15, le capitaine Sézille, président du groupement des amis antijuifs, mort de mort naturelle après avoir envoyé bien des juifs à la plus affreuse des morts[1], est enterré à l'église Saint-Ferdinand. A 19 h 5, le vol de 15 916 titres d'alimentation à la mairie de Thiais est porté à la connaissance de la préfecture de police.

Parmi ces faits divers, prennent place, chronologiquement, les faits et gestes du Maréchal, les faits, gestes et cris de la foule qu'il déplace. Les chiffres cités le sont donc par des professionnels qui n'ont intérêt ni à minimiser ni à exagérer. Et ce sont eux qui affirment que 10 000 personnes se trouvent place de l'Hôtel-de-Ville à 14 h 55.

10 000 personnes, voilà une foule non négligeable dans la mesure où nul n'a été prévenu, où la mobilisation populaire doit tout au bouche à oreille.

Témoin d'une scène qu'il ne devait pas oublier, et qui influencerait son œuvre, André Brissaud décrit l'enthousiasme qui soulève la foule : « Quand, sous un magnifique soleil, le Maréchal parut sur l'estrade improvisée, bien droit dans son uniforme kaki, ce fut une ovation indescriptible. Ce fut du délire. Le Maréchal eut beaucoup de peine à maîtriser son émotion. Il salua en relevant son képi et en l'agitant au bout de son bras tendu[2]. Le silence se fit peu à peu. La gorge serrée, il parla d'une voix hésitante. »

Que dira le Maréchal ? Ses propos très courts ont bien difficilement été entendus de la foule : les micros ne marchent pas[3]. Mais les reporters de Radio-Paris — Jean Hérold-Paquis, Jacques Etievent, Jean Azema — sont présents et voici, tel que je l'ai retrouvé dans les archives de l'Institut national de l'Audiovisuel, tel qu'il a été diffusé le 26 avril 1944, un discours dont, jusqu'à présent, différentes versions avaient été données.

---

1. Sur le capitaine Sézille, cf. *Les Passions et les haines.*
2. André Brissaud écrit que, pour son récit (*La dernière année de Vichy*), il avait eu le privilège de retrouver, dans les années 50, une longue bande d'actualités.
3. Tracou l'affirme et les informateurs de la préfecture de police le confirment. J'ajoute que sur la bande radio, si l'on entend la rumeur de la foule, le discours de Pétain n'est interrompu par aucun applaudissement comme il l'aurait certainement été s'il avait été correctement retransmis.

> « ... C'est impossible[1]. Vous êtes trop nombreux, mais je ne voulais pas passer à Paris sans venir vous saluer, sans venir me rappeler à votre souvenir. Du reste, une circonstance malheureuse m'y a amené. *Je suis venu ici* pour vous soulager de tous les maux qui planent sur Paris. J'en suis encore très attristé, mais c'est une première visite que je vous fais. J'espère que je pourrai venir *facilement* à Paris sans être obligé de prévenir mes gardiens, *je viendrai, je serai donc tout à l'aise et alors,* aujourd'hui, ce n'est pas une visite d'entrée dans Paris que je vous fais, c'est une petite visite de reconnaissance. Je pense à vous beaucoup. J'ai trouvé Paris un peu changé, parce qu'il y a près de quatre *mois* (sic) que je n'y étais pas venu, mais soyez sûr que, dès que je pourrai, je viendrai et, alors, ce sera une visite officielle.
>
> Alors, à bientôt, j'espère[2]. »

La phrase qui concerne les « gardiens », phrase contestée bien à tort par certains[3], vaudra à Tracou et à Louis-Dominique Girard une algarade de Renthe-Fink.

— Vous auriez dû empêcher le Maréchal de parler hors programme. Vous êtes personnellement responsables. Ce texte ne passera pas dans les journaux, je m'y oppose formellement.

En effet, les journaux du lendemain 27 avril ne feront qu'une brève allusion à l'allocution du Maréchal.

Voici ce qu'en dit, par exemple, *Le Petit Parisien* qui a titré, sur toute la largeur d'une première page occupée par cinq photos[4] :

> *Le Maréchal acclamé*
> *par le peuple de Paris*
> La Marseillaise *a été chantée par des milliers de Français*

1. La bande qui se trouve à l'I.N.A. débute effectivement sur ces mots.
2. Les mots en italique ne se trouvent pas dans le texte rapporté par Brissaud (*La dernière année de Vichy*). Du discours du Maréchal, Tracou ne rapporte que ces mots : « C'est une première visite que je vous fais aujourd'hui. J'espère bien revenir plus tard et, alors, je n'aurai pas besoin de prévenir mes gardiens. Je serai sans eux et, alors, nous serons tout à l'aise. A bientôt, j'espère. »
3. Y compris par Fabre-Luce.
4. Cinq journalistes et sept photographes du *Petit Parisien* assureront le compte rendu de la journée.

« Du geste, le chef de l'Etat, qui était entouré du président Laval, des préfets de la Seine et de police, demanda le silence et il dit à la foule combien il était touché par son accueil et qu'il était venu apporter à Paris le témoignage de son admiration pour sa conduite dans l'épreuve. " Ma prochaine visite sera officielle ", ajouta le Maréchal avant de se retirer. »

Cependant, les consignes de la censure de Vichy demandent aux journaux de l'ex-zone libre de s'inspirer, pour leurs titres et commentaires, du texte suivant : « Le Maréchal dit notamment aux Parisiens, du haut du balcon de l'Hôtel de Ville : " Je vous demande, en mon nom et au nom du président Laval, de ne rien faire qui puisse retarder ou compromettre la réalisation de nos vœux ". »

Pétain n'a jamais tenu ces propos aux Parisiens qui l'acclamaient. C'est à la fin du repas, pris dans les salons de l'Hôtel de Ville, qu'il s'est exprimé, autant qu'on puisse le savoir, en ces termes[1].

Sur l'émotion de cette foule réunie place de l'Hôtel-de-Ville, sensible davantage à l'apparition du chef de l'Etat qu'à des paroles peu audibles, l'unanimité sera totale.

Entre bien d'autres témoignages, voici, encore une fois, celui d'André Brissaud :

« J'étais sur cette place... au sein de cette mer humaine débordante d'enthousiasme. Nous écoutions le Maréchal, nous regardions le chef de l'Etat, mais nos yeux étaient attirés par le drapeau français que l'on avait hissé, pour la première fois depuis l'armistice, au campanile de l'Hôtel de Ville. Comme nous étions heureux d'être Français... Maints visages étaient baignés de larmes. »

---

1. Il n'existe des propos de fin de repas aucun enregistrement, aucune transcription absolument fidèle.

Les assistants sont émus. Le Maréchal ne l'est pas moins. Le rapport de police, daté de 15 h 5, précise :

> « Le chef de l'Etat, qui a conclu son allocution en disant " A bientôt, mes chers amis ", a retiré son képi pour saluer la foule qui l'acclamait. Il était très ému et pleurait. »

Par la rue de Rivoli, l'avenue de l'Opéra, la rue de Rome, la rue de Petrograd, la place Clichy, l'avenue de Saint-Ouen et le boulevard Ney, le chef de l'Etat, toujours acclamé, arrive à 15 h 15 à l'hôpital Bichat aux abords duquel stationnent environ 5000 personnes.

Maurice Toesca, qui veut prendre le pouls du peuple de Paris, s'est mêlé à la foule. Interrogeant les uns et les autres, il note que, si les Parisiens de plus de 40 ans sont passifs, ou seulement curieux, beaucoup d'hommes jeunes « semblent prêts d'être émus » et que les enfants de 10 à 15 ans « sont enthousiastes, exaltés, frénétiques ».

A Bichat, où les grands blessés du dernier bombardement sont soignés, le chef de l'Etat ira, durant trente minutes, d'un lit à un autre, prodiguant des paroles de consolation aux malheureux, car il sait, dira-t-il, « que c'est toujours à ceux qui n'ont rien qu'on enlève tout. » Il interroge également les chefs de service sur la gravité des blessures et, dans le reportage radiophonique auquel j'ai fait allusion, on l'entendra dire, devant une femme qui a une plaie du cuir chevelu : « Les cheveux repoussent ! »

« La sortie est triomphale », écrit Tracou. Toesca confirme, qui montre la foule se précipitant dans son sillage.

« Les gaullistes le déclarent gâteux, ajoute encore Tracou. On le voit debout dans sa voiture, frais, solide, bien campé. »

Toesca voit le même homme d'une façon quelque peu différente. Ce qui, pour Tracou, est naturel, lui paraît attitude conventionnelle : « Le Maréchal est un vieillard de belle prestance. De près, son visage marque beaucoup de lassitude, de fatigue, d'émotion, d'usure. Néanmoins, lorsque le nonagénaire monte dans la voiture, il se tient droit ; il veut se maintenir debout tant on l'acclame ; mais le préfet de police qui l'accompagne le force à s'asseoir. »

La voiture du Maréchal se dirige maintenant vers le square de la Tour-Maubourg où Philippe Pétain possède, au numéro 8, son appartement parisien. « En traversant l'avenue des Champs-Elysées, la voiture roule sur un parterre de fleurs », écrit Tracou. C'est sans doute excessif, mais la police note que, tout au long d'un parcours qui a duré vingt minutes, « notamment au rond-point Saint-Philippe-du-Roule, [le Maréchal] a été l'objet de vives manifestations d'enthousiasme de la part de la foule nombreuse qui se pressait sur la voie publique et il a été partout très acclamé ».

Le Maréchal n'est pas revenu au domicile, abandonné le 10 juin 1940, pour se reposer. De 16 h 25 à 17 h 20, il recevra son notaire, bavardera avec quelques amis, parmi lesquels Quinones de Léon, ancien ambassadeur d'Espagne, fera les honneurs de son appartement à ceux qui, depuis Vichy, l'accompagnent, questionnera Adèle, fidèle gardienne des lieux.

A 17 h 20, il quitte un appartement où il ne reviendra jamais. Esplanade des Invalides, place de la Concorde, boulevard Saint-Germain, où les étudiants sont particulièrement nombreux[1], carrefour de l'Odéon, place de la Bastille, partout les ovations reprennent et l'accompagnent. Ainsi jusqu'à la porte Dorée, franchie à 17 h 45.

Le voyage s'achève sur un succès d'autant plus grand que l'improvisation avait été totale et qu'un deuil national l'avait provoqué.

Mais, tandis qu'à Vichy l'on commente toujours le « triomphe[2] » parisien, une crise éclate qui va ruiner ce qui avait été acquis au cours de la journée du 26 avril et donner à la propagande gaulliste, que le voyage à Paris embarrassait, l'occasion de reprendre le dessus.

Dans la matinée du 28 avril, Renthe-Fink pénètre dans le bureau de Tracou.

— J'ai annoncé à Berlin, affirme-t-il, que le message passerait à la radio, aujourd'hui, à midi. Il n'y a plus de raisons d'attendre.

1. L'un de mes lecteurs m'écrira cependant que des étudiants avaient, boulevard Saint-Germain, manifesté leur hostilité au passage du cortège.
2. Le mot est de Tracou.

De quel message s'agit-il ?

Tout a commencé le 25 février lorsque Renthe-Fink est venu, d'ordre de son gouvernement, demander au Maréchal de prononcer un discours indiquant « clairement aux Français la route à suivre » : celle de la collaboration avec l'Allemagne.

Les Allemands ont abaissé et humilié Pétain lors de la crise de novembre et décembre 1943 mais, puisqu'il ne s'est pas retiré, ils exigent qu'il mette davantage encore à leur service ce qu'il conserve de crédit.

Le 25 février, suivant un invariable scénario, Pétain, face aux demandes allemandes, a donc cherché à gagner du temps. Renthe-Fink désire un discours montrant « clairement aux Français la route à suivre », mais toute la politique du Maréchal n'a-t-elle pas été d'entente avec l'Allemagne ? Et puis est-ce bien le moment de « heurter l'opinion » ?

Renthe-Fink, qui ne déteste pas moraliser et faire la leçon, réplique qu'il faut « servir de guide à l'opinion et non pas seulement la suivre ».

Débute alors une discussion sur les mérites respectifs des Allemands disciplinés et des Français individualistes. Pour le Maréchal, il s'agit essentiellement de repousser l'instant d'une détestable échéance. Gagner quelques mois, gagner quelques semaines, dans l'espoir que les événements dénoueront une situation en apparence inextricable, son propos n'a pas d'autre but.

— Les Français sont indisciplinés, monsieur le ministre. Il faut leur faire comprendre les avantages de la politique d'entente avec l'Allemagne. Je dois préserver mon autorité pour plus tard, pour la paix. Je serai alors un chaud et même fanatique avocat de la réconciliation — je préfère ce mot — franco-allemande. Je suis absolument convaincu que c'est une nécessité de notre politique. Et il faut, dans l'intérêt de tous, que je puisse parler à ce moment-là. L'Allemagne aura besoin de la France pour se relever ; et la France aura besoin de l'Allemagne ; les autres nations d'Europe ne comptent pas ; l'Espagne, ce n'est rien, l'Italie ne se relèvera pas facilement.

Voilà, je vous parle clairement. Vous connaissez toute ma pensée. Je ne ferai pas de message maintenant ; mais, plus tard, je parlerai aussi nettement qu'aujourd'hui.

Pour le moment, il faut être prudent. Voyez M. Laval, sa parole : « Je souhaite la victoire de l'Allemagne… » l'a fait honnir de tout le monde. Tout ce qui a une valeur, tout ce qui compte en France s'est levé contre lui. Il regrette cette parole d'ailleurs, mais trop tard[1]...

Comme Renthe-Fink, piqué au vif, déplore « qu'on ne puisse pas dire aux Français qu'on souhaite la victoire de l'Allemagne », Pétain demande à Tracou de lire la lettre envoyée la veille par le maire d'un petit village de l'Ain.

A la recherche d'un maquis, les Allemands ont pillé Abergement, incendié quatre maisons, dont celle du maire, qui conclut sa missive sur ces mots : « Ils nous ont tous jetés à la rue. Tel est le résultat de vingt-cinq ans de dévouement à la chose publique comme : maire, chef communal de la Légion et président de la Commission d'achat n° 10. »

Revenu dans le bureau de Tracou, qui insiste sur l'état d'exaspération de l'opinion française, Renthe-Fink admet que l'instant n'est sans doute pas bien choisi pour tenter de rallier les Français à la politique de collaboration.

Mais l'entrevue du 25 février n'est que la première d'une longue suite de sévères batailles.

Le 10 mars, Renthe-Fink monte à nouveau à l'assaut. Il récidive le 16, le 20, le 23 mars !

Aiguillonné par Ribbentrop, il veut désormais obtenir de Pétain, moins un discours en faveur de la collaboration qu'un discours contre « le terrorisme ».

— L'opinion française est convaincue, dit-il à Tracou, que le Maréchal sympathise secrètement avec la Résistance, tout en approuvant publiquement le maintien de l'ordre. Cela cause un grand trouble dans beaucoup d'esprits et accroît l'audace des forces du désordre...

Le 29 mars, à la demande de Ribbentrop, qui croit tenir une occasion d'obtenir une déclaration sans équivoque de Pétain, il se présente à 22 heures chez Tracou. A Alger, le colonel Cristofini, chef de cette Phalange africaine dont on sait la brève aventure[2], vient d'être condamné à mort, plusieurs de ses subordonnés sont empri-

1. Tracou a rapporté ce dialogue dans *Le Maréchal aux Liens.*
2. *Cf.* p. 201.

sonnés et vont passer en jugement. Que le Maréchal intervienne. Il le fera certes par un communiqué à la presse « réprouvant les procédés judiciaires d'Alger », un soldat ne pouvant « être tenu pour responsable des ordres qu'il reçoit », mais Berlin juge ce texte mou, incolore, insuffisant. Aussi, le 6 avril, Renthe-Fink porte-t-il un coup direct.

— Vous devez comprendre, dit-il au Maréchal, que le Führer veut connaître la position politique exacte des Chefs d'Etat et de Gouvernement. Nous ne pouvons plus admettre de position douteuse. Il faut être avec nous ou contre nous, et le dire nettement.

« Nettement », c'est précisément la position que le Maréchal se refuse toujours à adopter.

Et, comme Tracou ergote, dit que, si le Maréchal se met à parler « comme Goebbels », tous les Français penseront que ce sont les Allemands qui s'expriment par sa bouche, Renthe-Fink, que cette résistance exaspère, dans la mesure où elle exaspère Ribbentrop, fait planer sur Vichy la menace « de décisions foudroyantes qui peuvent tomber comme l'éclair ». Il évoque ce qui vient de se passer en Hongrie, en Hongrie où, soupçonnant avec raison le gouvernement Kállay de négocier avec les Anglo-Saxons et avec les Soviétiques, Hitler, après avoir convoqué en Allemagne le régent Horthy, a fait procéder, le 19 mars, à l'occupation totale du pays, au remplacement de Kállay par Sztojay, ancien ambassadeur à Berlin, qui s'est immédiatement entouré d'hommes d'extrême droite, à « l'intégration » brutale de l'économie hongroise dans l'économie de guerre allemande, à l'arrestation et à la déportation de 437 402 juifs, jusqu'alors relativement épargnés [1].

---

1. Dirigée depuis 1920 par l'amiral Miklos Horthy, dernier commandant en chef de la flotte austro-hongroise, la Hongrie devait se rapprocher de l'Allemagne nazie et de l'Italie mussolinienne à partir de 1933. Elle y était incitée tant par la géographie que par un sentiment de frustration né de ce traité de Trianon (4 juin 1920) qui l'avait privée de territoires, notamment au profit de la Tchécoslovaquie, mais également de la Pologne, de la Roumanie et de la Yougoslavie.

En 1938 (c'est-à-dire après Munich), la Hongrie allait, grâce à l'Allemagne, retrouver des territoires dont la Tchécoslovaquie se trouvait ainsi amputée. En 1939, après la défaite de la Pologne, les dirigeants hongrois ne prirent cependant pas parti pour l'Allemagne ; ils accueillirent 150 000 réfugiés polonais et s'efforcèrent même (malgré la relative menace que faisait peser sur leur politique *les Croix Fléchées,* parti d'inspiration nazie, et les très réelles menaces d'une Allemagne toute-puissante) de ne pas rompre totalement avec l'Angleterre. Cependant, après avoir adhéré le 20 novembre 1940 au pacte tripartite qui liait son sort à celui de l'Allemagne, de l'Italie et du Japon, puis déclaré la guerre à la Yougoslavie, la

Après le départ de Renthe-Fink, Pétain demanda à Tracou :

— Que se passera-t-il si je maintiens mon refus ?

— Renthe-Fink sera rappelé.

— Bonne affaire !

— Hitler vous déposera ou vous placera dans une situation telle que vous serez contraint de vous retirer.

— Bonne affaire encore.

— La grande majorité des préfets et des fonctionnaires abandonneront leurs fonctions. Ils n'attendent que cette occasion. Le pouvoir passera aux mains de l'équipe collaborationniste avec le programme que vous connaissez. La résistance sera étouffée dans le sang et les prisonniers seront mobilisés pour la guerre allemande.

Une fois encore, cette menace incite le Maréchal à céder.

Barrage ébranlé par les incessants coups de bélier allemands, il estime cependant demeurer encore un barrage utile. Il se résignera donc à prononcer, écrit Tracou, « un message condamnant le terrorisme — non l'action contre l'ennemi —, la différence est essentielle ».

Il se peut que Tracou le pense sincèrement mais, cette « différence essentielle », les Français ne la découvriront pas, les journaux et radios ne la mettront pas en valeur, leurs commentaires insistant, au contraire, sur la condamnation globale de l'action anti-allemande.

Pétain, le premier, n'est pas dupe. On lui a soumis plusieurs textes, sur lesquels Renthe-Fink a donné son avis, et, le 19 avril, alors qu'il se croit condamné à prononcer le soir même un discours qui souillera son image, il rédige, comme pour soulager sa conscience, cette note attristée :

Hongrie entrera en guerre contre la Russie et enverra un contingent de 250 000 hommes sur le front de l'Est. Mais, à partir de 1943, le gouvernement Kállay, dans la perspective de la défaite allemande, devait multiplier les contacts secrets tant avec les Anglo-Saxons qu'avec les Soviétiques.

C'est pour en finir avec cette attitude qu'Hitler a décidé, le 19 mars 1944, l'entrée en application du plan *Margharita* qui, étudié à partir de septembre 1943, prévoyait l'occupation totale du pays, ainsi que son exploitation économique intensive et sa mise au pas politique.

« Si je prononce ce discours tel quel, je risque de mettre la France en révolte, c'est une responsabilité que je ne puis accepter à cause des conséquences douloureuses qui peuvent en découler.
Philippe Pétain[1]. »

La note de Pétain est écrite dans la matinée. Quelques heures plus tard, il semble s'être résigné à accepter ce qui lui paraissait inacceptable puisque, recevant plusieurs chefs départementaux de la Légion des Combattants, il leur dira :

— Vous entendrez ce soir un discours dont certaines phrases vous seront très désagréables ; *elles vous le seront moins qu'à moi-même*[2]. Je vous demande de les expliquer autour de vous. Je n'ai pas d'autre choix que de me soumettre ou de me démettre. Et je n'ai pas le droit d'abandonner mon poste.

Neuf jours s'écouleront encore avant que les Français ne prennent connaissance du discours prévu pour le 19 avril.

Ils devront ce répit à une intervention... du général von Neubronn. Pétain, s'entretenant en quelque sorte d'ancien combattant à ancien combattant d'une tout autre guerre, a fait lire à von Neubronn le texte qu'il s'apprêtait — le micro était installé — à prononcer.

L'envoyé spécial du Führer, le général allemand, a le courage de dire au Maréchal que, s'il était français, il ne pourrait, sans révolte, entendre certaines phrases.

« Fort de ce soutien inattendu[3] » (ô combien inattendu), Tracou fait ramasser câbles et micro. Il n'y aura pas de discours, dit-il à Renthe-Fink. Le Maréchal a consulté et les avis ont tous été hostiles[4].

Le combat recommence car Renthe-Fink, s'il se lassait, s'il renonçait à vaincre l'obstination du Maréchal, serait rappelé par Berlin.

---

1. La note se trouvait, en 1945, au dossier du Maréchal mais, lors du procès, ses défenseurs n'en donneront pas connaissance.
2. Je souligne intentionnellement.
3. Tracou, *Le Maréchal aux liens.*
4. Bien entendu, il n'est nullement question de l'avis donné par le général von Neubronn.

Voici donc, dans la matinée du 21 avril, Renthe-Fink à nouveau dans le bureau du Maréchal qui fait immédiatement état de la réprobation de ses interlocuteurs.

— J'ai vu des maires, des préfets, la Légion, tout le monde me dit que, si je prononce cette phrase, si je parle de l'Allemagne, je révolterai les Français. Je n'aurai plus qu'à m'en aller.

— Mais non, monsieur le Maréchal. Vous devez parler comme un chef. Un chef ne commence pas par consulter ses troupes.

Il faut rapporter tout au long, et dans son intensité dramatique, la scène qui va suivre pour apprécier les moyens de résistance employés par Pétain et pour discerner les limites de cette résistance, dès lors que le chef de l'Etat a choisi — ou se laisse imposer — une tactique de décrochages successifs qui ne peut que retarder l'instant de la défaite.

Dans l'espoir de ne pas prononcer des mots qu'il déteste, Pétain commence par dénoncer les représailles auxquelles se livre l'armée allemande.

— ... En ce moment, l'opinion française est révoltée par les procédés sauvages — c'est le mot — de vos troupes. Pour un seul soldat allemand tué, on massacre je ne sais combien de Français généralement innocents. Il se passe des choses effroyables dans les prisons. Nous réprouvons ces procédés. Nous sommes arrivés à un état de civilisation qui ne nous permet pas d'admettre la politique des otages.

L'attaque brutale lancée par le Maréchal choque Renthe-Fink. Il ne peut laisser dire que les troupes allemandes « se conduisent sauvagement ». Il faut, explique-t-il, il faut comprendre l'état d'âme de soldats harcelés et qui, presque chaque jour, voient quelques-uns de leurs camarades tués par des francs-tireurs.

Un instant, Pétain croit avoir trouvé la solution. Une phrase lénitive pourrait, sans doute, « faire passer » une phrase odieuse.

— Si vous consentiez à ce que je dise, dans le message, que les troupes allemandes n'exerceront plus de représailles, cela fera[it] très bon effet sur l'opinion.

Comment Renthe-Fink pourrait-il accepter que soit faite une promesse que l'armée allemande, il le sait, ne tiendra pas ?

Il se dérobe donc mais, dans l'espoir de le sensibiliser aux drames vécus par la population française, le Maréchal demande à Tracou de lire des rapports infiniment plus dramatiques que celui dont il avait donné connaissance le 25 février.

Il ne s'agit plus, cette fois, comme à Abergement, de maisons pillées et incendiées. Tracou a en main le rapport envoyé par les autorités départementales après le massacre d'Ascq où, le 1er avril, 86 Français ont été assassinés par les S.S. de la Panzerdivision Hitler Jugend.

La tragédie d'Ascq, qui a bouleversé toute une région et qui émeut le maréchal Pétain, a eu pour origine un sabotage sans importance. Dans la nuit du 1er au 2 avril le train 649355, dans lequel ont pris place 400 waffen S.S. arrivant de Russie, tandis que sur les plates-formes, 60 blindés et véhicules divers ont été arrimés, approche de la gare d'Ascq lorsqu'une explosion l'immobilise. Les dégâts sont ridicules : six wagons ont subi des dommages qui seront réparés sur place en quelques heures ; sur la voie trente-cinq traverses sont à remplacer ainsi qu'un contre-rail, quatre tringles de connexion et un manchon de réglage. Deux pneus d'un véhicule et une boîte de vitesses ont été endommagés. Il n'y a eu aucune victime parmi les soldats.

Les résistants locaux ont agi non seulement avec une imprudence folle, qu'ils paieront de leur vie[1], mais également avec une inexpérience fatale. Les Allemands vont réagir avec la fureur et la brutalité d'hommes accoutumés aux représailles contre les partisans soviétiques.

A partir de 23 h 15, conduits par les aspirants Jura et Wetzlmayer ; par les sous-lieutenants Kudoche et Hauer, des petits groupes de SS vont se répandre dans Ascq, fouiller les maisons et piller, s'emparant aussi bien de huit cadenas chez Pierre Brienne que d'une boîte de lacets et d'un foulard chez Mlle Cuvelier ; de 3 000 francs, de deux paires de gants, d'une croix en or chez M. Trackoen[2] que de 6 000 francs, 25 kilos de sucre, 5 kilos de pâtes, un kilo de café vert, 30 bouteilles de vin, trois bagues en or, un poste de T.S.F. et bien d'autres choses encore chez M. Dewailly[3] dont la demeure se trouve à

1. Le 30 mai, le conseil de guerre de la Feldkommandantur 678 de Lille a condamné à mort Paul Delécluse, Eugène Mangé, Henri Gallois, Louis Marga, Raymond Monnet, Daniel Depriester, Jeanne Cools, responsables de l'attentat d'Ascq.

A l'exception de Jeanne Cools, ils seront fusillés le 7 juin à 16 heures. Ils ont appris la veille le débarquement anglo-américain.

2. Qui sera au nombre des fusillés.

3. Léon Dewailly, qui revient en voiture d'une partie de coqs à Baisieux, sera arrêté par les Allemands un peu avant minuit et se trouvera au nombre des premiers fusillés.

quelques mètres du lieu de l'attentat. Ils pillent vingt-cinq maisons. Rue Marceau, rue de la Gare, rue Courbet, rue Foch, rue Mangin, rue Faidherbe, rue de l'Abbé-Lemire, rue Nationale, 131 portes et 272 fenêtres trop lentes à s'ouvrir[1] malgré leurs coups redoublés sont enfoncées.

Tout cela ne serait rien s'ils ne poussaient vers le passage à niveau des dizaines d'hommes mal réveillés, apeurés et qui ne comprennent pas ce qu'on leur veut. S'ils ne tuaient au presbytère l'abbé Gilleron et deux réfugiés, Gustave et Claude Averlon ; s'ils n'assassinaient, dans la rue, le vicaire Cousin, Depoorter, Catoire, Dewailly, Rouneau et Sabin.

Auprès du train accidenté, arrivés par petits groupes, 75 à 85 civils, hommes et femmes, se trouvent bientôt agglutinés sous la menace des fusils.

Les Allemands chassent les femmes. Les femmes, que leur instinct ne trompe pas, qui s'accrochent à leurs maris comme pour leur faire une cuirasse. Les femmes éloignées, le massacre commence. Les Allemands tuent presque à bout portant des hommes qu'ils avaient tout d'abord fait grimper dans un wagon, puis ceux qui tentent de fuir et ceux qui arrivent encore et qui, découvrant vingt à vingt-cinq cadavres en désordre sur le sol, comprennent que leur destin est scellé, leur existence terminée.

Munis de lampes électriques, des S.S. vont et viennent. Ils sont là pour, d'un jet de lumière ou du pied, vérifier qui est mort et qui ne l'est pas. Alors, celui qui n'est pas mort encore, qui bouge, qui geint, est achevé.

Lorsque les secours arriveront, presque au goutte-à-goutte — deux gendarmes français, puis le capitaine Guillemain, de Roubaix, des cheminots allemands qui conduisent à Ascq le Dr Delezenne ou bien se trouvent sur place[2], trois ambulances réclamées à la préfecture de Lille par un lieutenant de la Feldgendarmerie, deux équipes de la Croix-Rouge, le frère Florimond-Marie, du pensionnat Saint-Jean-Baptiste-de-la-Salle à Annappes, quelques assistantes sociales —, ce

1. C'est principalement rue Marceau, rue de la Gare et rue Faidherbe que les commandos allemands ont agi.

2. Des territoriaux détachés du bataillon 908 se trouvaient à Ascq pour surveiller la circulation. Faute de pouvoir empêcher les crimes S.S., ils ont averti plusieurs habitants et facilité leur fuite.

sont 86 morts et 8 blessés que l'on découvre et que l'on relève entre 3 heures et 10 heures du matin.

Il est 14 h 50, le 2 avril, lorsque le convoi allemand quitte la gare d'Ascq.

Il est 14 h 50 lorsque s'ouvrent les portes de l'école communale où, déposés sur trois rangs, visages mutilés, mains dressées comme pour arrêter les balles, les fusillés sont offerts aux pleurs de familles chancelant de douleur[1].

Renthe-Fink n'a pas sourcillé à l'évocation du drame d'Ascq. Tracou donne ensuite lecture de la lettre dans laquelle le maire de Rouffignac, en Dordogne, explique comment, le 31 mars, lancés à la poursuite d'une quinzaine de maquisards[2], des soldats allemands ont investi son village, tué deux juifs, violé une jeune veuve de guerre, incendié 110 maisons.

« Voilà, Monsieur le Maréchal, la triste histoire d'une commune sans défense dont le sort immérité restera dans l'avenir un exemple qu'il ne m'appartient pas de qualifier. »

Tracou a terminé la lecture de la lettre du maire de Rouffignac et, comme Renthe-Fink, cette fois encore, ne manifeste aucune émotion, le Maréchal va prendre un document dans sa bibliothèque.

Il s'agit de l'ordre du jour qu'en 1918, général en chef, il avait adressé à ses soldats vainqueurs, à l'instant où ils pénétraient en Allemagne.

> « La France a souffert dans ses campagnes ravagées, dans ses villes ruinées. Elle a des deuils nombreux et cruels. Les provinces

1. Les Allemands n'ont pas osé avouer le chiffre des victimes. Ils exigeront qu'il ne soit pas cité. Mais le *Réveil du Nord* tournera l'interdiction en publiant, dans sa rubrique d'Ascq, la longue liste des décès des 1er et 2 avril.

Les arrestations de quelques-uns des auteurs présumés du massacre auront lieu entre le mois de mai 1945 et la fin de l'année 1947. Au terme du procès qui eut lieu à Lille, à partir du 2 août 1949, 8 des 9 accusés présents devaient être condamnés à mort, mais la sentence ne fut jamais exécutée. En 1955 et 1956 les condamnés étaient libérés des prisons françaises.

2. Les maquisards ont capturé deux soldats qui seront rapidement libérés par la Wehrmacht.

délivrées ont eu à supporter des vexations et des outrages odieux. Mais, en pays allemand, vous ne répondrez pas aux crimes commis par des violences qui pourraient vous sembler légitimes dans l'excès de vos ressentiments. Vous resterez disciplinés, respectueux des personnes et des biens.

Après avoir battu votre adversaire par les armes, vous lui en imposerez encore par la dignité de votre attitude... »

— Voilà, poursuit le Maréchal, après avoir achevé sa lecture, voilà, monsieur le ministre, nous n'avons fusillé presque personne, nous n'avons pas fait de représailles, ni pris d'otages innocents.

— Les circonstances n'étaient pas les mêmes, monsieur le Maréchal. Nous vous demandons aujourd'hui de dire que l'Allemagne défend l'Europe ; vous l'avez dit autrefois dans un message à la L.V.F.

Le Maréchal proteste et tend les deux volumes contenant ses messages à Renthe-Fink, qui cherche, ne trouve pas, tandis que le Maréchal, reprenant les ouvrages, lit des passages de son message du 12 août 1941[1], puis de celui du 30 octobre 1940[2], pour souligner que les « modalités » de la collaboration n'ont jamais été discutées, comme cela avait été promis à Montoire, et que le 13 décembre, dont avec humour ou cynisme il rend les Allemands responsables, a tout compromis.

Renthe-Fink, qui comprend le piège dans lequel le Maréchal veut le faire tomber, se rebelle.

— Monsieur le Maréchal, ce n'est plus la peine d'évoquer de vieux souvenirs. Nous nous éloignons du sujet. Il s'agit de notre point de vue d'une seule chose : que vous reconnaissiez publiquement la défense de l'Europe par l'armée allemande.

---

1. « Quant à la collaboration offerte au mois d'octobre 1940 par le Chancelier du Reich dans des conditions dont j'apprécie la courtoisie, elle est une œuvre de longue haleine et n'a pu encore porter tous ses fruits. Sachons surmonter le lourd héritage de méfiance légué par des siècles de discussions et de querelles pour nous orienter vers les larges perspectives que peut offrir à notre activité un continent réconcilié. »

2. « C'est librement que je me suis rendu à l'invitation du Führer [à Montoire]. Je n'ai subi de sa part aucun diktat, aucune pression ? Une collaboration a été envisagée entre nos deux pays, j'en ai accepté le principe. Les modalités en seront discutées ultérieurement. »

— Il est inutile de prolonger cette discussion, réplique sèchement Pétain.

— Je dois constater, monsieur le Maréchal, qu'il vous paraît impossible de prononcer le nom de l'Allemagne dans un discours public.

C'est la dernière phrase adressée par Renthe-Fink au Maréchal. Ce n'est pas son dernier mot.

D'ordre de Berlin — qui lui a fait savoir que la situation était désormais « très sérieuse » —, il revient à la charge auprès de Tracou et fait agir Struwe auprès de Laval, laissé jusqu'alors relativement en dehors du conflit.

Laval a-t-il eu une influence décisive ? Walter Stucki, ministre de Suisse à Vichy, l'affirme qui, le 4 mai 1944, transmet à son gouvernement un rapport sur le discours du 28 avril dans lequel se trouvent ces mots :

> « Pendant longtemps, et de façon très vive, Pétain s'est refusé, notamment il y a encore environ une semaine, face à Renthe-Fink, de dire quoi que ce soit concernant l'Allemagne. Là-dessus, Renthe-Fink a mobilisé Laval, qui a menacé Pétain de conséquences graves et a pu finalement le faire changer d'avis[1]... »

Pour convaincre Pétain, Laval utilise la méthode qui — même après la douloureuse expérience du : « je souhaite la victoire de l'Allemagne » — demeure la sienne. Qu'importe, explique-t-il, qu'importe la paille des mots si l'on peut préserver le grain des choses.

— D'ailleurs, ajoute-t-il, l'opinion a beaucoup évolué ; la crainte du bolchevisme se répand dans tous les milieux et votre message ne choquera personne.

« Ce n'est vraiment pas la peine d'ouvrir une crise pour cela au moment où j'ai tant de difficultés à contenir les ambitions de Déat et de son équipe de fous. »

1. Raymond Tournoux, *Le royaume d'Otto*.

Pétain gagnera encore quelques jours. Son anniversaire d'abord, le voyage à Paris ensuite constituent autant de bonnes raisons de dérobades mais, le 28 avril, Renthe-Fink utilise l'arme du chantage.

— J'ai annoncé à Berlin que le message passerait à la radio aujourd'hui, à midi. Il n'y a plus de raison d'attendre.

Une raison existerait toutefois. Le Maréchal a décidé, en effet, de remercier les Parisiens de leur accueil. Deux messages du chef de l'Etat le même jour et deux messages aussi différents, est-ce possible ? « Encore une minute, monsieur le bourreau. » Mais monsieur le bourreau ne se montre pas, cette fois, d'humeur à céder.

— On ne peut plus retarder, réplique Renthe-Fink. Je sais que M. de Ribbentrop sera lui-même à l'écoute. Je n'ai jamais rien vu de pareil. Tout le monde ment, c'est à en perdre la tête.

26 février-28 avril, la bataille aura duré deux mois. Elle s'achève, comme il était prévisible, par une nouvelle abdication du Maréchal.

A 19 h 40, avec une stupéfaction qui augmente à chaque phrase, les Français entendent un discours qui, sans réserve aucune, dénonce toutes les formes de résistance et voudrait poser comme une lourde pierre tombale sur les espoirs de libération.

> « Français,
>
> Notre pays traverse des jours qui compteront parmi les plus dramatiques qu'il ait connus. Excités par des propagandes étrangères, un trop grand nombre de ses enfants se sont livrés aux maîtres sans scrupules qui font régner chez nous un climat avant-coureur des pires désordres. Des crimes odieux, qui n'épargnent ni les femmes ni les enfants, désolent des campagnes, des villes et même des provinces, hier paisibles et laborieuses.
>
> Le gouvernement a la charge de faire cesser cette situation et il s'y emploie : mais il est de mon devoir de vous mettre personnellement en garde contre cette menace de guerre civile qui détruirait tout ce que la guerre étrangère a épargné jusqu'ici. »

Le Maréchal pourrait borner là son propos et développer le seul thème de la lutte contre un « terrorisme » qui n'est pas toujours — il s'en faut — l'œuvre de véritables résistants, terrorisme dont souffrent principalement les paysans et dont le récit indigne le chef de l'Etat, particulièrement hostile à cette forme de guerre révolutionnaire.

Les conditions de la mort, en mars, de Mme D..., femme d'un chef milicien périgourdin, qui a été crucifiée encore vivante et dont le corps est resté exposé pendant plusieurs jours, l'ont particulièrement bouleversé.

Mais Philippe Pétain ira infiniment plus loin en épousant, pour dénoncer ce qui se passe en Afrique du Nord, pour confondre dans une même réprobation communisme, gaullisme et giraudisme, les thèses et presque les mots de Philippe Henriot.

> « Ceux qui poussent la France dans cette voie invoquent la prétention de la libérer. Cette prétendue libération est le plus trompeur des mirages auxquels vous pourriez être tentés de céder. C'est le même égarement qui poussa naguère des Français à renier leur parole et leur serment pour sacrifier à un faux idéal patriotique dont nous voyons aujourd'hui les fruits en Afrique du Nord.
>
> Le bolchevisme, qui s'est servi d'eux, les écarte à présent et, sur une terre française, nous assistons au spectacle de tribunaux, illégaux, condamnant à mort des Français coupables d'avoir obéi à mes ordres. La dissidence a préparé là-bas la voie au communisme. L'indiscipline engendre chez nous le terrorisme. L'un et l'autre sont deux aspects du même fléau. Ils se couvrent du pavillon du patriotisme, mais le vrai patriotisme ne saurait s'exprimer que par une fidélité totale. On ne compose ni avec son devoir ni avec sa parole. Ceux qui, de loin, lancent des consignes de désordre ne participent pas aux risques qu'ils vous font courir. Ils voudraient entraîner la France dans une nouvelle ouverture dont l'issue ne saurait être douteuse. »

Suivent des appels aux « fonctionnaires, militaires et simples citoyens ». Que leur demande le chef de l'Etat ? Non seulement de ne pas commettre d'attentats susceptibles d'engendrer des représailles, mais encore de garder « une attitude correcte et loyale envers les troupes d'occupation ».

Si les mots ont toujours un sens, comment oser demander aux Français d'obéir à la définition que le dictionnaire donne d'une « attitude loyale », celle qui « obéit aux lois de l'honneur, de la probité, de la droiture et de la fidélité » ?

Mais Pétain poursuit et, dans le style moralisateur et paternaliste qui était celui des *Messages,* il s'adresse aux jeunes qui brûlent du « désir de servir », aux paysans, aux ouvriers, à ses anciens soldats, aux parents « qui n'ont pas toujours montré à leurs enfants leur véritable devoir ».

A tous, il demande de ne pas répondre à l'appel de voix « qui ne sont pas des voix françaises », de ne pas participer à l'action des groupes de résistance qui compromettent « l'avenir du pays » et prononce enfin cette phrase qui avait fait l'objet de si tumultueux débats, que Renthe-Fink réclamait obstinément, que l'entourage immédiat de Pétain souhaitait voir écartée ou profondément adoucie, qui avait choqué jusqu'au général von Neubronn et qui se retrouve, sans modification aucune, cruellement inacceptable pour l'immense majorité des Français qui voient le destin de leur pays ainsi attaché au destin d'une Allemagne nazie dont les rigueurs de la guerre révèlent chaque jour davantage l'odieux visage.

> « Quand la tragédie actuelle aura pris fin et que, grâce à la défense du continent par l'Allemagne et aux efforts unis de l'Europe, notre civilisation sera définitivement à l'abri du danger que fait peser sur elle le bolchevisme, l'heure viendra où la France retrouvera sa place.
>
> Cette place sera fonction de la discipline qu'elle aura montrée dans l'épreuve et de l'ordre qu'elle aura su maintenir chez elle. »

Tracou et certains familiers du Maréchal avaient espéré que le chef de l'Etat établirait au moins quelques différences entre le « terrorisme aveugle » et « l'action contre l'ennemi » de soldats français qui, en Italie par exemple, se battent avec honneur et gloire. Il n'en est rien.

Philippe Pétain avait non seulement compris, mais écrit[1], que la phrase sur l'Allemagne, championne du continent et de la civilisation chrétienne, révolterait les Français. On pouvait penser qu'elle disparaîtrait. Elle n'a pas disparu. Et les Français, qui ignorent tout des affrontements entre Pétain et Renthe-Fink, seront justement révoltés non seulement par *une* phrase, mais par la quasi-totalité d'un discours tout entier favorable aux thèses de l'ennemi, tout entier hostile aux résistants, quels que soient leurs origines, leur mouvement, leurs actes.

D'ailleurs, l'exploitation du discours, telle qu'elle est ordonnée par la censure de Vichy et la censure de Paris, ne permet aucun doute sur la volonté allemande de compromettre définitivement le Maréchal.

Si les journaux de l'ex-zone non occupée ont reçu l'ordre de titrer sur ces phrases : « *La dissidence a préparé, là-bas* [en Afrique], *les voies au communisme. L'indiscipline engendre chez nous le terrorisme. L'un et l'autre sont deux aspects du même fléau* », la presse de Paris, sur huit colonnes, parfois soulignées de rouge (c'est le cas du *Petit Parisien*), annonce :

Dans un important discours radiodiffusé à la nation,
Le maréchal Pétain condamne énergiquement
Le même fléau : le terrorisme et la dissidence.

La phrase sur la défense du continent par l'Allemagne est précédée, dans le titre, de ces mots qui accentuent ce qu'elle a de choquant. « *Et il* [le Maréchal] *ajoute ces paroles pleines de confiance et d'espoir :* " *Quand la tragédie actuelle aura pris fin et que, grâce à la défense du continent par l'Allemagne...* " »

Dans leurs commentaires, les journalistes de la collaboration exploitent immédiatement le discours du chef de l'Etat. « Si, dans quelques consciences troublées, écrit Robert de Beauplan, éditorialiste du *Matin,* pouvait encore subsister un doute, le Maréchal, par la position qu'il a prise, l'a dissipé. »

Depuis Londres, le 29 avril, Maurice Schumann ne dit pas autre chose, s'il le dit autrement. Pour le gaulliste, comme pour le collaborationniste, il est important que ce qui demeurait toujours trouble et mystérieux dans l'attitude d'un Maréchal, difficilement saisissable, habile à se réfugier derrière des mots prêtant à interprétation et glose, soit dissipé.

C'est à 21 h 25 que Schumann parle :

« Grâce à la défense du continent par l'Allemagne... »

« Quand Pétain — oui, Pétain ! — eut, hier, prononcé ces mots, beaucoup de Français qui avaient pris sur leur colère de l'écouter jusque-là sentirent que la limite de leur patience était atteinte... A dater de cet instant, l'homme qui naquit à Verdun et mourut à Vichy s'était exclu lui-même de la nation qui, d'elle même, l'avait depuis longtemps exclu. »

Les réactions des tenants de la collaboration, comme celles des partisans du gaullisme, sont parfaitement logiques. Plus représentatives de l'évolution des psychologies vont être celles des pétainistes. Sur ce point, Tracou est formel. Il n'a rencontré que des hommes consternés, à l'image de ce lieutenant-colonel de Longueau, un fidèle cependant, qui, après avoir accompagné le Maréchal à Paris, vient dire son désarroi moral et son profond désaccord.

— Je ne peux plus rester, je vous demande de prier le Maréchal de me rendre ma liberté. Je veux aller retrouver mes frères d'armes dans l'armée secrète ; je veux me battre.

A peine le discours du 28 avril prononcé, les Allemands formulent une nouvelle exigence. Craignant un débarquement anglo-américain, dont ils pensent qu'il pourrait débuter le 7 mai, imaginant qu'un maquis aux ordres d'anciens officiers de l'armée de l'armistice tenterait alors d'enlever le Maréchal, à moins qu'il ne prenne l'initiative de s'évader, Renthe-Fink, qui tremble, paraît-il, d'entendre à son réveil : « *Ici Alger, le Maréchal vous parle* » (ce qui est ne rien comprendre à de Gaulle), assignera au chef de l'Etat une résidence proche de Paris et plus facile à surveiller que l'hôtel du Parc.

C'est Brinon qui a réquisitionné le château de Voisins, en Seine-et-Oise. Prévenu depuis quelques jours, Pétain a demandé :

— Comment est-ce Voisins ?

— Oh ! monsieur le Maréchal, il y a une entrée, une entrée !...

— Vous savez, ce qui m'intéresse, ce n'est pas l'entrée, c'est la sortie.

Que le Maréchal parte contre son gré, c'est évident et il le dit au nonce, Mgr Valerio Valeri, venu lui apporter les vœux du corps diplomatique.

La politique définie par le Maréchal peut bien, aujourd'hui, être presque unanimement rejetée, sa personne conserve, surtout à Vichy, une large part du prestige ancien.

Parmi la foule (3000 personnes) qui, le dimanche 7 mai, s'est rassemblée devant l'hôtel du Parc, Maurice Martin du Gard a reconnu bon nombre « de fonctionnaires hostiles au régime ». Il se peut qu'ils se trouvent là en simples spectateurs mais, lorsque le Maréchal paraît, ce sont des acclamations sans fin et, lorsqu'il s'avance vers ceux qui applaudissent, il reçoit, fleurs jetées, enfants hissés vers lui, mains tendues vers sa main, l'hommage sincère d'une population fidèle, alors que tout a changé, aux lointaines images de 1940.

Racontant la manifestation, une dépêche de l'Office français d'information écrira, et *ce passage sera censuré par le cabinet de Pierre Laval* : « Les cris, les appels de la foule, montant vers le Maréchal, rappelaient les adieux les plus poignants de l'Histoire de France. »

Parmi tous ceux et toutes celles qui se pressent devant l'hôtel du Parc, Mme du Beaudiez. A la date du 8 mai, elle a noté : « Il effleure doucement ma main. “ Monsieur le Maréchal ”, murmurai-je, et j'éclatai en sanglots. Il pressa un instant le bras d'Alain-Philippe [son fils] qui lui dit “ Au revoir ”. »

Ce n'est qu'après un déjeuner, commencé à 11 h 30, que le départ pour Voisins aura lieu. La Maréchale dit à son mari :

— Vous n'allez pas dormir en voiture, j'espère !

— 375 kilomètres après mon repas sans faire la sieste, vous plaisantez ! Je vais mettre votre chapeau, vous le mien, et vous saluerez à ma place !

Maurice Martin du Gard, qui rapporte le mot, écrit qu'il fit beaucoup rire mais, à 13 h 30, repas achevé — un repas que le Maréchal a pris « ému et de fort bon appétit comme d'habitude [1] » —, il ne s'agit plus de rire.

1. Maurice Martin du Gard.

L'attitude de la foule au moment du départ de Pétain est telle que les Allemands interdiront, non seulement la publication du compte rendu des manifestations, mais encore la reproduction d'un communiqué émanant du cabinet du chef de l'Etat.

Prévenus en temps utile, les journaux de Paris observeront la consigne. Il en ira autrement pour les journaux de province dont le tirage débute beaucoup plus tôt. Tous ceux qui paraissent dans l'ancienne zone non occupée publieront donc un compte rendu de l'Office français d'information sur les manifestations qui ont accompagné le départ du Maréchal. Mais ce compte rendu a été « *caviardé* » sur l'ordre du cabinet de Pierre Laval.

Il est intéressant de faire connaître l'intégralité de la dépêche de l'Office français d'information en reproduisant, *en italique*, les coupures pratiquées par Guérard, directeur du cabinet de Laval.

Grâce à ce document inédit, on pourra mieux connaître et les réactions de la population de Vichy, et celles de l'entourage direct de Laval.

LE DÉPART DU MARÉCHAL POUR LA RÉGION PARISIENNE

Vichy, 7 mai. — Le Maréchal de France est parti, dans les premières heures de l'après-midi, pour la région parisienne où il a décidé [1] de faire un séjour temporaire.

Le président Laval, chef du gouvernement, entouré de quelques ministres, est allé saluer le chef de l'Etat qui achevait de déjeuner dans sa salle à manger, en compagnie des collaborateurs immédiats qui l'accompagnent dans son voyage.

Dans le hall, se pressaient de nombreux attachés de cabinets ministériels, des parents de ceux qui s'en vont, des habitués et quelques journalistes. *La tristesse des départs se lisait sur tous les visages, tandis qu'au-dehors plusieurs milliers de personnes,*

1. La décision, on le sait, n'a nullement appartenu au Maréchal, mais aux Allemands.

prévenues par une mystérieuse télépathie, attendaient silencieusement la venue du Maréchal[1].

Un peu avant 13 h 30, le Maréchal, *le visage grave,* apparaît suivi du président Laval. Madame la maréchale Pétain, les membres des cabinets civil, militaire et du secrétariat particulier, portaient des fleurs — la plupart offertes par des anonymes — qui, tout à l'heure, formeront un parterre dans la voiture du Maréchal. Le chef de l'Etat serre de nombreuses mains, entend des vœux, *ce souhait maintes fois exprimé :*

— *Dieu vous garde, monsieur le Maréchal.*

Mais l'heure passe. Dehors, les voitures attendent. Bientôt, le chef de l'Etat franchit la porte de l'hôtel et, bouleversé d'émotion, reçoit en pleine poitrine ce cri sorti de centaines de bouches :

— Vive le Maréchal, vive la France !

D'un geste, le chef de l'Etat remercie.

La foule entonne *La Marseillaise.* Le Grand Soldat demeure un instant immobile, les yeux fixés sur ce peuple *qui voudrait le garder près de lui. Ceux qui sont à ses côtés voient des larmes perler au bord de ses paupières.*

Puis, de nouveau, le Maréchal salue d'un geste large de la main et monte en voiture.

C'est le départ. La longue voiture noire[2] démarre, suivie de quelques voitures d'escorte, dans une tempête de vivats et de bravos[3].

Il est 13 h 30.

Maintenant, c'est le silence. Un grand vide se fait. La foule se disperse lentement.

En face du drapeau, les gardes sont toujours au port d'armes. A un commandement, les trois couleurs sont ramenées. Les hommes de la garde personnelle du Maréchal de France défilent sans musique et regagnent leur cantonnement.

---

1. Les passages à supprimer (ici en italique) sont encadrés de bleu dans le texte O.F.I.

2. Il s'agit d'une voiture de marque américaine.

3. « Laval resta longtemps découvert et le salua deux longues minutes de son chapeau gris… La foule courut derrière le cortège et prit le parc en transversale pour gagner la rue où s'engageait le Maréchal », Maurice Martin du Gard.

Ainsi, tandis que les Allemands privent les Français de la zone initialement occupée du récit des manifestations qui ont salué le départ du chef de l'Etat, Guérard, au nom de Pierre Laval, élimine du compte rendu destiné à ceux de l'ex-zone non occupée tous les éléments émotionnels[1].

Du château de Voisins, construit au début du siècle par le comte de Fels, où Pétain arrive à 22 heures après un voyage au cours duquel sa limousine a été « encadrée » par onze voitures de policiers allemands[2], le général Serrigny écrira qu'il semblait « plus indiqué pour abriter des amants romantiques qu'un vieillard de quatre-vingt-huit ans, qui déteste la solitude et préfère le jardinage à la nature ».

Sans doute, à Voisins, les pièces sont-elles nombreuses et vastes, mais rien n'est prêt pour accueillir le chef de l'Etat et il a fallu, en toute hâte, faire venir des draps de l'hôpital de Versailles, des couvertures et des lampes de défense passive de l'Intendance.

Sans doute un vaste parc, une forêt enveloppante, une majestueuse pièce d'eau mettent-ils en valeur le château, mais parc, forêt et même pièce d'eau, qui pourrait être utilisée pour l'amerrissage d'un hydravion, inquiètent les Allemands qui barrent les routes et — en

1. D'après Limagne, *Ephémérides :* « Pétain a quitté Vichy aujourd'hui à 13 h 30 ; on le fait savoir au public par une dépêche d'abord datée de Vichy, puis par une autre datée de Paris. C'est cette dernière que nous publions (dans le journal *La Croix*) à insérer sans mention d'origine, ni date :

" Le Maréchal, qui a fait entrevoir, lors de sa récente visite à Paris, qu'il pourrait avoir l'occasion d'y revenir, s'est décidé à faire un séjour temporaire dans la région parisienne. Le Maréchal se rapproche ainsi des populations les plus éprouvées par la guerre et auxquelles va toute sa sollicitude. "

Le matin avait eu lieu, devant l'hôtel du Parc, une dernière relève solennelle de la garde dont les (journalistes) accrédités n'avaient pu parler, mais sur laquelle on vient de diffuser un Havas » (en réalité, une dépêche O.F.I.).

Le lundi 8 mai, la consigne 175 précise que « les photos relatives au départ du Maréchal et à la cérémonie des couleurs ne doivent pas être publiées jusqu'à nouvel ordre ».

2. 11 sur un total de 17. Mme Pétain dira également que les motocyclistes allemands étaient au nombre de 18.

collaboration avec la police française — multiplient les poste de garde (il y en aura 38 le jour, 44 la nuit), ainsi que les patrouilles dont la vigilance ne rassure qu'imparfaitement Renthe-Fink qui s'est installé à Rambouillet, à l'hôtel du Grand Veneur.

Reçu par Pétain, dès le lendemain de son arrivée à Voisins, Philippe Henriot, sans faire connaître le lieu où réside désormais le Maréchal — c'est un secret protégé par la censure —, indique, dans son éditorial, que le chef de l'Etat, « fidèle à la promesse qu'il avait faite lors de son voyage à Paris, a tenu à se rapprocher de la capitale française et de cette population de la région parisienne qui sert depuis quelques semaines de cible favorite aux escadrilles ennemies ».

Telle est d'ailleurs la thèse officielle[1]. Si Pétain n'a pas choisi de quitter Vichy de son plein gré, c'est de son plein gré qu'il se rend à Rouen dévastée par de nouveaux bombardements.

Abetz a donné immédiatement l'autorisation. Jeanne d'Arc l'inspire comme elle inspire, entre 1940 et 1944, tous les adversaires de l'Angleterre. Il dira à Tracou :

— Mais c'est une idée magnifique ! Le Maréchal allant honorer Jeanne d'Arc à Rouen, face à l'Angleterre. Savez-vous que Jeanne d'Arc aurait pu être une héroïne germanique ? La Ligue des seigneurs catholiques de notre vieil empire lui avait envoyé une délégation pour la prier de venir en Bohême prendre la tête de la lutte contre les Hussites...

Philippe Henriot — dans un discours prononcé à Lyon — s'emparera, de son côté, du voyage à Rouen pour déclarer que la leçon de Jeanne est une leçon « d'unité française » et dénoncer « les dissidents, les traîtres, les émigrés, les mercenaires de l'étranger », mais le Maréchal ne dira rien ce jour-là qui puisse alimenter la presse de la collaboration.

---

1. La consigne 1534 du 9 mai exigeait des journaux de l'ex-zone non occupée qu'ils titrent sur trois colonnes. « Le Maréchal, chef de l'Etat/s'est installé provisoirement en zone Nord./Il prépare le programme des visites/qu'il désire faire dans les villes dévastées. »

Flanqué de l'inévitable Renthe-Fink, le Maréchal arrive à 1.
heures dans une cité dévastée où la cathédrale, inaccessible et mutilée, se dresse au milieu d'un immense champ de décombres.

« On n'avait rien plaint au bûcher, il effrayait par sa hauteur », avait écrit Michelet en évoquant le supplice de Jeanne. Ici, c'est la ville presque tout entière, quartier par quartier, qui, depuis juin 1940, avait servi de bûcher.

Lorsque le Maréchal, après avoir déposé une gerbe sur la dalle marquant l'endroit où périt Jeanne, gagnera l'église Saint-Ouen, il sera accueilli par Mgr Petit de Julleville, qui commence par ces mots un bref discours de bienvenue :

> « J'aurais voulu vous accueillir dans ma cathédrale, mais hélas ! elle a beaucoup souffert, c'est une grande blessée et il faudra peut-être des années pour lui rendre sa splendeur d'autrefois. Je suis heureux néanmoins, monsieur le Maréchal, de vous recevoir dans cette basilique de Saint-Ouen, témoin de la grandeur de notre passé.
>
> Je tiens à cette occasion à vous assurer de notre respect et de notre reconnaissance. Je dirai plus, et je ne pense pas vous déplaire en employant cette expression : de notre affectueux attachement. »

Qu'en est-il, à cet instant, de l'attitude de la population rouennaise ? Entre les deuils de la ville et les deuils qui la menacent, elle ne manifeste pas, reconnaît Tracou, « la joyeuse animation parisienne ». Marcel Baudot écrit, de son côté, que Pétain a été reçu « très froidement » à Rouen[1]. Mais R.-G. Nobécourt, témoin direct de la scène, raconte que, lorsque, au son des grandes orgues, le Maréchal et l'archevêque de Rouen avaient, côte à côte, remonté la grande nef, « malgré toutes les désillusions, malgré tous les schismes et tous les ralliements à une autre " paroisse " », ceux qui acclamaient Pétain demeuraient encore nombreux.

1. *L'opinion publique sous l'occupation.*

Revenu à Voisins après un rapide arrêt à Louviers, à Evreux, ainsi qu'au château de Mme X... où, pour reprendre un mot de Jacques Isorni, « il avait passé clandestinement de tendres heures », Pétain, qui s'ennuyait fort, recevra de nombreux visiteurs parmi lesquels ce Marcel Déat que les Allemands lui avaient imposé.

Introduit par l'amiral Platon, qui s'est naïvement chargé d'organiser le retour en grâce du directeur de *L'Œuvre,* Déat, puissamment escorté, arrivera à Voisins le 16 mai. Entre deux hommes qui ne s'aimaient pas, on pourrait imaginer un entretien difficile, voire houleux. Bien au contraire — et le journal de Déat portera trace des excessives amabilités de Pétain — le Maréchal félicitera le ministre du discours qu'il vient de prononcer à l'occasion de la Fête du travail. Pour ne pas être en reste d'amabilités, Déat trouvera bien des mérites à cette Charte du travail dont il n'avait cessé de dénoncer, dans *L'Œuvre,* la platitude et l'inconsistance. Tout se passera de manière si imprévue et si déconcertante qu'à son retour de Voisins, Déat confiera à son journal :

> « Insistant sur son accord profond avec moi, le Maréchal me dit : *Je vous aiderai tant que je pourrai. Dites-moi seulement ce dont vous avez besoin. D'ailleurs, nous nous reverrons. J'ai encore des choses à vous dire. Nous allons d'abord subir l'attaque. Après je vous verrai, et il y aura des gens étonnés. Mais nous ferons ce que nous voudrons. Nous serons libres.* »

Propos mal entendus ou mal rapportés ? Mais il serait surprenant que Déat ait tout mal entendu et tout mal rapporté. Décalage mental du Maréchal qui oublie — on a vu que cela lui arrivait — la véritable nature de son visiteur ? Le vieux soldat bat-il la campagne ou « se paie-t-il la tête de son interlocuteur », s'est demandé Raymond Tournoux qui, le premier, a eu accès au journal de Déat [1] ? Poser la question et ne pas pouvoir lui apporter de réponse certaine illustre, une fois encore, la difficulté de comprendre parfaitement un homme dont l'ironie peut se cacher sous l'apparente incohérence du discours, dont les divagations et les absences provoquées par l'âge peuvent être camouflées par quelques traits furtifs de lucidité.

---

1 Cf. *Le Royaume d'Otto.*

Après Déat, et le même jour, c'est le maréchal von Rundstedt, commandant en chef du front Ouest, qui se présente. Il a reçu une mission et, sans conviction, va la remplir. Sur un signe de lui, son fils, qui l'accompagne, sort de sa serviette le plan du secteur d'Abbeville sur lequel des indications ont été portées au crayon rouge : « *Déjeuner à l'état-major de la 10e division blindée* », « *Thé à l'état-major de la énième division.* »

Ainsi se matérialise l'autorisation annoncée quelques jours plus tôt par Abetz : le chancelier étant d'accord pour que le maréchal Pétain visite une série de fortifications du Mur de l'Atlantique, von Rundstedt vient proposer itinéraire et cérémonial.

Comment pareille idée a-t-elle pu naître ? Il est exact que le Maréchal, après avoir assisté à la projection d'un film de propagande sur le Mur de l'Atlantique, a, sous forme de boutade, émis le vœu d'inspecter, tour à tour, les défenses côtières allemandes et les préparatifs de l'attaque anglo-américaine. Informés, les Allemands ont immédiatement compris le parti que leur propagande pourrait tirer de pareille visite. C'est pourquoi von Rundstedt, muni de ses cartes, se trouve le 17 mai en présence du maréchal Pétain. Tandis que son entourage, craignant que le chef de l'Etat ne succombât à la tentation d'une inspection, dont l'intérêt militaire lui apparaîtrait seul, attend dans l'inquiétude la fin de la visite, Philippe Pétain se débarrasse d'un von Rundstedt, en vérité peu pressant, en déclarant qu'il préférait reporter son voyage aux jours qui suivraient la bataille. Ainsi serait-il mieux à même de constater la solidité des fortifications.

Si le maréchal von Rundstedt se retire sans insister, il n'en va pas de même de Renthe-Fink pour qui le refus de Pétain équivaut à un « véritable camouflet » infligé au chancelier Hitler. On le verra donc insister, jouer de la séduction et de la menace, associer, contre leur gré, à son offensive aussi bien Abetz que le général von Neubronn. Au grand soulagement de Tracou et de Ménétrel, Pétain, dont on soupçonne qu'il a hésité, se délivrera cependant de Renthe-Fink en lui disant que les Français ne lui pardonneraient pas cette « inspection » du Mur de l'Atlantique.

Autres visites politiquement importantes, celles de Pierre Laval et de Darnand. Le chef du gouvernement, qui, en compagnie de Mme Laval, déjeunera à la table du Maréchal le 18 mai, ne croit pas encore à la défaite de l'Allemagne. Le 17 février 1944, recevant Walter Stucki, ministre de Suisse à Vichy, il lui avait montré, avant d'expliquer qu'il faudrait faire la paix à Paris et que le « père » Staline y viendrait, deux lettres qu'il conservait toujours sur lui. L'une émanait d'un général prisonnier de guerre, l'autre d'un Français ayant souvent l'occasion de se rendre en Allemagne. Ces deux lettres évoquaient non seulement les impressionnantes réserves allemandes en hommes et matériel classique, mais encore les armes secrètes en fabrication.

A plusieurs reprises, en homme qui souhaite une paix de compromis entre le Reich et les Anglo-Saxons, Laval fera allusion aux confidences de ces deux correspondants. (« Ils ont une arme secrète, dira-t-il, en mai, à Martin du Gard, ça peut encore faire du vilain [1]. »)

Qu'il ait foi en son « étoile » personnelle, ou place ses espoirs dans les capacités de redressement militaire d'une Allemagne chancelante, mais non encore accablée, Pierre Laval, le 18 mai 1944, ne paraît déconcerté par rien.

— On m'insulte, on me jette des pierres, dit-il au Maréchal, mais ça m'est égal ; je suis sûr d'avoir raison contre tous les Français réunis.

Le chef de l'Etat et le chef du gouvernement s'entretiendront principalement des événements d'Alger et des conséquences qu'ils

---

1. La propagande allemande faisait, il est vrai, allusion, depuis 1942, à des armes nouvelles et révolutionnaires. Et ce n'était pas simple artifice de propagande. A la fin de la guerre, mais trop tard pour qu'elles puissent en modifier le cours, les Allemands firent intervenir les bombes volantes (V1 et V2), des fusées antiaériennes téléguidées, des bombes planantes, armes auxquelles il faut ajouter les premiers avions à réaction et les sous-marins électriques pouvant naviguer en immersion périscopique pendant 15 000 milles.

A partir de l'été 1943, les bombardements alliés puis le manque de carburant gênèrent considérablement les efforts allemands, mais il ne faut pas oublier que, faisant notamment allusion aux V1 et V2, Eisenhower écrira : « Il semble probable que, si les Allemands avaient réussi à mettre au point et à employer ces nouvelles armes six mois plus tôt qu'ils le firent, notre invasion de l'Europe fût devenue difficile, peut-être même impossible. »

sont susceptibles d'avoir en France, les Allemands exigeant, en représailles de l'exécution du lieutenant-colonel Cristofini, chef de la Milice africaine[1], que des exécutions de résistants aient lieu en France — ce qui sera malheureusement le cas — et qu'il soit procédé à l'arrestation de proches parents des autorités d'Alger.

En Joseph Darnand, dont Tracou écrit qu'il lui parut un « homme étrange, à la fois simple et difficile à saisir, plein de vertu guerrière et sans autorité », Pétain devait trouver un interlocuteur pessimiste. Aux questions du Maréchal sur le développement du « terrorisme », il répondit qu'une véritable armée hétéroclite de 50000 hommes était disséminée dans les départements du Centre. Armée, selon lui, peu gênante pour les Allemands, impossible à réduire par la Milice qui ne disposait que de 20000 hommes et dont l'activité accrue ne pouvait que précipiter l'intensité des représailles.

Une fois de plus, le Maréchal devait déplorer la dissolution de l'armée de l'armistice, le 27 novembre 1942.

— Elle m'aurait obéi, dit-il. Avec elle, j'aurais maintenu l'ordre et je l'aurais fait agir au bon moment.

C'était rêver. Au moment où se déroulent les conversations entre Pétain et Laval, Pétain et Darnand, le contrôle de la situation échappe totalement à des hommes qui ne maîtrisent plus une administration presque tout entière dans le camp de la Résistance ; qui n'ont plus l'adhésion d'une population que les souffrances nées des bombardements, les terreurs inspirées, ici et là, par la présence de bandes anarchiques n'empêchent nullement d'appeler de leurs vœux un débarquement allié qui mettra fin tout à la fois à l'occupation allemande et aux bombardements qu'elle provoque, aux excès des bandes et aux représailles qu'ils suscitent.

Depuis longtemps, Laval n'a plus d'audience ; Darnand n'en a jamais eu, hors du petit cercle milicien ; Pétain, lui, peut encore rassembler des foules. Il en donnera la preuve dans les jours précédant

1. *Cf.* p. 299.

le débarquement, même si ces foules, moins nombreuses qu'en 1940 et 1941, moins chaleureuses aussi, applaudissent moins une politique qu'une image coloriée selon leurs vœux de l'instant.

Ni les Allemands ni Pétain n'étaient satisfaits du séjour à Voisins d'où le Maréchal avait fait quelques sorties en direction de l'Ecole nationale de Bergerie de Rambouillet ; de Versailles, où la reine Amélie du Portugal l'avait reçu ; de Louveciennes où la maréchale Joffre lui avait dit que, dans les circonstances présentes, son mari « serait à ses côtés ».

Il fut donc décidé de revenir, sinon à Vichy, du moins dans un château proche de Vichy, et d'y revenir avant la fin du mois de mai afin d'éviter d'être pris dans les mouvements de troupes que provoquerait inévitablement le débarquement attendu.

Mais, avant de regagner l'Allier, le Maréchal avait souhaité rendre visite à ces provinces de l'Est que les bombardements n'épargnaient pas.

Le 26 mai, à 8 heures, le Maréchal quitte définitivement Voisins. A midi, il s'arrête à l'hôtel de France de Sézanne pour un déjeuner qu'il a désiré frugal — « un œuf à la coque suffira », a-t-il affirmé, en se rendant à la cuisine — et qui sera copieux puisque, à 88 ans, son appétit ne l'a nullement abandonné.

A Nancy, où il arrive quelques heures plus tard, la foule s'est rassemblée place Stanislas. Les Allemands ayant eu la décence de retirer leurs drapeaux et l'intelligence de ne pas apparaître, les Nancéiens, sur la place où flotte le tricolore des emblèmes des anciens combattants, peuvent avoir l'illusion d'être enfin rendus à eux-mêmes.

Aucun discours n'a été préparé.

Pétain improvise. Maladroitement, d'ailleurs. Prolongeant par d'excessives répétitions un texte qui eût gagné à être bref et dont plusieurs phrases lui seront violemment reprochées.

Nancéiens[1],

Tout à l'heure, par votre chant, vous m'avez appelé. Eh bien, le Maréchal, le voici ! (*longue ovation*) J'ai eu bien des pourparlers avant d'arriver jusqu'ici. Mais enfin j'ai réussi à m'échapper et à venir jusqu'à vous (*ovation*). Et pourquoi suis-je venu ici ? Eh bien, il y a très longtemps, très longtemps, que j'avais envie de vous voir. Je suis allé dans quelques villes importantes mais mon cœur me disait que je n'avais pas vu toutes celles qui me tenaient le plus à cœur (*ovation*).

Et pourquoi Nancy ?

A la foule attentive le Maréchal raconte qu'il a connu, à Nancy, ses premiers succès scolaires et qu'avant la guerre, pendant la guerre, après la guerre de 1914-1918, il est, à plusieurs reprises, venu dans la ville.

C'est alors que se produit un incident que Pétain exploitera très mal et la résistance très bien. Deux avions allemands, qui vont atterrir, survolent la foule à basse altitude. La voix du Maréchal est couverte par le bruit, mais il reprend ainsi :

— Vous voyez que tout le monde s'intéresse à vous (*ovation*), même les aviateurs. Mais soyez tranquilles, tant que je serai là vous n'aurez pas de mésaventures (*ovation*) ; je ne dis pas en cela qu'ils me l'ont promis parce que je ne suis pas entré en contact avec eux (*ovation*), voilà tout, mais soyez sans inquiétude. Je voulais vous dire aussi que tout n'est pas rose dans mon métier, vous le devinez sûrement. Je rencontre des contradicteurs, j'ai des ennuis, mais quand je pense à la façon dont les populations me reçoivent, je reprends immédiatement confiance, et alors, à la suite de ma visite ici je deviendrai inébranlable dans mes propos (*ovation*).

Le discours pourrait s'achever là, ce serait acceptable, mais le Maréchal, comme si le survol des avions allemands lui rappelait les Français tués par les bombardements anglais et américains — il y en

1. Je reproduis ici le texte enregistré à l'époque et qui se trouve aux Archives de l'I.N.A.

aura 7000 dans la dernière semaine de mai —, se croit obligé de poursuivre :

> — Cela ne veut pas dire que j'empêcherai la foudre de tomber sur vous, j'entends par la foudre, n'est-ce pas, ce genre de promenade que font de temps en temps, au-dessus de vos têtes, un de ces aviateurs qui vient de passer chez vous. Mais ce n'est pas celui-là. *Celui-là n'a pas de mauvais desseins sur vous. Il me semble l'avoir reconnu.* Eh bien, il y en a qui ont de mauvais desseins, vous savez bien qu'ils prétendent attaquer la France[1].

Les journaux, sous contrôle allemand, reproduiront naturellement la phrase sur les avions allemands qui « *n'ont pas de mauvais desseins* » et Pierre Bourdan, le 28 mai, dans son émission de la B.B.C., s'indignera des « étranges propos » du Maréchal, tout en précisant honnêtement que « l'audition était faible ».

Il a, cependant, fort bien entendu, même si l'entourage du Maréchal s'efforce de maquiller l'incident en prétendant que le chef de l'Etat se serait exclamé : « *En voilà qui n'étaient pas invités à notre fête*[2]. »

Paul Reynaud, le 24 juillet 1945, témoignant au procès du Maréchal, rappellera de son côté, en la déformant quelque peu, la phrase sur les avions allemands[3], comme il exploitera les appels que, toujours à Nancy, le Maréchal a lancés à la résignation et à l'abstention.

> Nous sommes obligés d'accepter que deux adversaires se battent sur notre sol, vous voyez dans quel état peut être le pays. Eh bien, je viens vous dire qu'il ne faut pas vous préoccuper, ni vous en mêler, aucun Français ne doit se mêler à ce conflit. Il faut rester bien tranquille, regarder les gens se battre et ne pas se mettre dans un parti ou dans un autre parce que vous subiriez des représailles épouvantables. Par conséquent, il s'agit d'être sages (*ovation*) et bien sages. Avoir le courage de ne pas se mêler des

1. Je souligne intentionnellement et je précise, une fois encore, qu'il s'agit du mot à mot du discours, avec ses redites et ses faiblesses.
2. C'est ce qu'affirme Tracou dans *Le maréchal aux liens*.
3. « Ne vous inquiétez pas, dit le Maréchal Pétain, celui-là ne vous fera pas de mal. Je ne vous en dirai pas autant des autres. » Propos tenus par Paul Reynaud, le 24 juillet 1945.

affaires des autres. Mais, c'est très courageux déjà parce que le sentiment impétueux des Français peut difficilement, n'est-ce pas, se libérer d'un geste qui le conduirait à celui qu'il considère comme son ennemi.

Dans les minutes qui vont suivre, le Maréchal, à plusieurs reprises, répétera « *ne pas prendre part* », « *ne pas se mêler des affaires des autres* », « *rester bien tranquille* ». Peut-être est-ce parce que ses paroles ne soulèvent plus un seul applaudissement — la bande radio en fait foi — qu'il insiste à nouveau, comme s'il voulait convaincre une foule brusquement devenue, non point hostile, mais réservée.

> Je suis obligé de vous parler en public et de vous dire des choses qui ne vous sont pas toujours agréables. Ce que je viens de vous dire cependant, « ne pas se mêler des affaires des autres », que ce soit agréable ou non, eh bien, il faudra suivre mon conseil.

Le Maréchal quitte Nancy le 27 mai et, après une brève visite à Epinal en ruine, le voici « salué par une immense clameur[1] » à Dijon, où les haut-parleurs ne fonctionnent pas et où la foule couvre heureusement sa voix car, selon Tracou, Philippe Pétain, mal réveillé de sa sieste, a été « fort mauvais ».

Enfin, dans la matinée du 28, le chef de l'Etat est de retour à Vichy. Il ne s'agit que d'une halte. Craignant une attaque du maquis contre la capitale provisoire de l'Etat français autour de laquelle ils ont multiplié points fortifiés et obstacles, les Allemands le pressent de rejoindre sa nouvelle résidence : le château du Lonzat, à 17 kilomètres de Vichy.

Mai s'achève dans le fracas des bombes. Juin débute dans le fracas des bombes. Par-dessus les populations terrifiées, hommes et femmes

1. Tracou, *Le Maréchal aux liens.*

dont chacun se blottit sur sa douleur ou sur sa terreur, les chefs des deux camps se lancent des défis et se disent assurés de la victoire.

Goebbels, le 3 mai, a affirmé : « *Nous pouvons être sûr du succès de l'Allemagne* », Rommel revenant d'une inspection sur la côte méditerranéenne a déclaré : « *L'adversaire sera stupéfait.* » Quelques jours plus tard, il se trouve à Cherbourg pour constater — et la presse de Paris fait largement mention de son observation — que « *le Mur de l'Atlantique résiste aux bombes du plus fort calibre* ».

De son côté, la radio de Londres annonce, le 9 mai, que des « *événements capitaux se préparent* », demande aux Français, le 12, de se tenir en état d'alerte, diffuse, le 27, des instructions précisant la conduite à tenir lors du débarquement et des premiers combats : ne pas se laisser entraîner dans un nouvel exode mais se réfugier dans une cave solidement étayée après avoir constitué une importante provision d'eau et de vivres.

Quelques jours plus tôt [1], les Anglais ont donné aux Français de Londres l'autorisation d'employer enfin les mots « *insurrection nationale* » et Waldeck-Rochet, parlant à Londres, le 27 mai [2], au nom du Comité central du parti communiste français, adresse aux Français un message dans lequel, après avoir rappelé que le Conseil national de la Résistance a décidé de faire distribuer les armes qui serviront à paralyser les mouvements des renforts allemands, il les invite à la lutte.

> « Selon Henriot et les autres canailles de Radio-Vichy et de Radio-Paris, la pire des erreurs que pourraient commettre les Français serait de soutenir le débarquement allié à l'ouest en se soulevant contre l'occupant...
>
> A la vérité, ces pantins d'Hitler redoutent le débarquement parce qu'ils tremblent pour leur peau. Mais, pour les Français qui n'acceptent pas l'esclavage, il n'est qu'un seul désir, s'unir, s'armer, se battre pour bouter dehors l'envahisseur. »

A Vichy, capitale des rumeurs, où, selon Nicolle, « tous les bobards sont lancés et recueillis avec une candeur qui dépasse l'imagination »,

1. Autour du 20 mai.
2. *Cf.* p. 523.

à Vichy, où le gouvernement — mais faut-il encore employer ce mot ? — n'a plus aucune autorité sur une administration isolée par les maquis, suspecte aux Allemands[1], ayant toutes les peines du monde à résoudre les problèmes qui se posent quotidiennement aux populations, seul Laval conserve un calme étonnant mais naturellement sans influence sur les événements.

Le 1er juin, le Dr Bertrand, maire de Lyon, vient inviter le Maréchal à se rendre dans sa ville meurtrie par les bombardements et où le manque de farine se fait cruellement sentir.

C'est le 5 au matin que Pétain quitte Vichy pour Lyon, après avoir appris que Rome était tombée entre les mains des Alliés. Dans la voiture, où il se trouve en compagnie de Tracou et de Ménétrel, il se montre très gai, chantonnant *La Madelon* et *Tipperary*.

La réception de Lyon est certes convenable, mais l'enthousiasme, qui rappellerait les grands enthousiasmes patriotiques du 18 novembre 1940, fait défaut. La ville souffre encore trop des terribles bombardements de mai, elle attend avec trop d'impatience sa libération pour attacher au voyage du Maréchal une importance autre que sentimentale.

A Lyon, où les arrestations de résistants ont été nombreuses, la main de la Gestapo vient d'ailleurs de s'abattre, le 15 mai, sur le préfet régional Bonnefoy[2]. Le Maréchal recevra Mme Bonnefoy et lui dira que, son crédit épuisé, il n'a rien pu obtenir en faveur de son mari, pas plus qu'il ne peut, désormais, obtenir quelque adoucissement que ce soit pour les milliers de Français arrêtés par les Allemands.

Le Maréchal recevra également Charles Maurras comme de coutume, accompagné, tant est grande la surdité du maître, de son « interprète » qui lui parle en appuyant fortement son nez contre le sien. Hors du temps et de la réalité, Maurras dira au Maréchal :

---

1. C'est dans la nuit du 14 au 15 mai que seront arrêtés douze préfets dont quatre préfets régionaux. *Cf.* p. 83.
2. Qui, déporté, périra en mer sur un navire-prison allemand.

— Le voyage à Paris fut un coup de maître. Vous tirez le bien du mal, un homme d'action peut tirer parti de tout...

Voici bien longtemps que Pétain n'a plus la possibilité d'être « un homme d'action » dans un monde où l'action appartient à ceux qui disposent des armées les plus nombreuses et possèdent les armes les plus efficaces.

C'est en Ardèche, dans la maison de campagne d'un industriel, M. Glaizal, que, le 6 juin, le Maréchal apprend le débarquement.

Selon Tracou, le cabinet du chef de l'Etat aurait été avisé, « par une voie discrète », que le débarquement aurait lieu le 5 ou 6 juin[1].

Si, dans l'entourage du Maréchal, il n'y a pas grande surprise, à Vichy, malgré tous les indices qui laissaient prévoir l'imminence d'une opération militaire de grande envergure, on s'affole. Dès l'annonce du débarquement, les rues de la capitale provisoire ont été barrées par des chevaux de frise[2]. Dans la mesure où elle possède des tickets, la population s'est ruée sur les boulangeries pour faire provision de pain. Dans la mesure où elle possède de l'argent, elle s'est précipitée vers les banques pour vider les comptes.

Pierre Laval a téléphoné au Maréchal pour lui demander, devant la gravité de la situation, de regagner sans tarder Vichy.

Cependant, le chef de l'Etat ne renonce pas à son voyage à Saint-Etienne où, à la suite du dernier bombardement, on a déjà identifié 900 morts.

Ce n'est pas sans appréhension que le petit entourage du Maréchal le voit se diriger vers la grande cité ouvrière où les privations sont nombreuses, les salaires insuffisants, les propagandes gaulliste et communiste actives. La réception de la foule ouvrière dépassera cependant en ampleur et ferveur patriotique celle de Lyon, celle de bien d'autres villes où, depuis plusieurs mois, une prudente bourgeoi-

1. Tracou donne le texte du message qui, selon lui, précisait la date de l'opération. « *Les moutons ne seront pas tondus avant mardi* », écrit-il, indique le mardi 6 juin comme " jour J " probable. » Il se peut, mais, sur les 160 messages d'alerte confirmés le 1er juin, pas un seul ne correspond à celui que cite Tracou.

2. Dans la soirée, la plupart des mesures de sécurité seront rapportées.

sie mesurait ses applaudissements. Alors que le pouvoir va définitivement changer de mains, Saint-Etienne entendait-il montrer à Philippe Pétain que, discutable, son rôle n'avait pas été inutile ?...

Le Maréchal se trouve toujours à Saint-Etienne lorsque les Français, qui prennent la radio de l'Etat français — sont-ils nombreux alors qu'innombrables sont ceux qui s'efforcent « d'accrocher » Londres ? —, entendent un message du chef de l'Etat, dont ils ignorent qu'il a été exigé, le 23 décembre 1943, par une lettre du maréchal von Rundstedt[1].

Dans la perspective d'un débarquement anglo-américain, von Rundstedt avait réclamé, en effet, que les Français prennent leur part de « travaux servant directement à la protection de leur pays » et, surtout, face à des troupes allemandes arrivant du front de l'Est, où elles n'étaient pas habituées à ménager les populations, qu'ils se comportent « avec calme et loyauté », faute de quoi l'armée allemande « utilisera[it] tous les moyens pour garantir la sécurité de ses arrières ».

A la lettre de von Rundstedt, le maréchal Pétain avait répondu le 20 janvier en faisant savoir, non seulement que le chef du gouvernement [Laval] donnerait aux services publics, et plus particulièrement aux préfets, les instructions nécessaires à la sauvegarde de l'ordre, mais encore qu'il adresserait personnellement un appel à la population française.

Cet appel, les Allemands veulent non seulement le connaître mais le contrôler et l'inspirer. Ils veulent également qu'il soit enregistré bien avant l'instant du débarquement.

Harcelant Tracou, harcelant Pétain, Renthe-Fink, une fois encore, se mettra à l'œuvre. Après six semaines de discussions, après que dix projets eurent été rédigés (dont l'un par Renthe-Fink !), on finira par s'accorder sur un texte que le Maréchal enregistrera le 17 mars en présence du seul Jean Tracou.

1. En novembre, au cours d'un entretien avec le Maréchal, von Rundstedt avait déjà évoqué le problème du débarquement et de ses conséquences.

C'est ce texte, mis en quelque sorte « en conserve », qui est porté à la connaissance des Français, par la radio, le 6 juin, par la presse le 7.

> « Français,
>
> Les armées allemandes et anglo-saxonnes sont aux prises sur notre sol. La France devient ainsi un champ de bataille.
>
> Fonctionnaires, agents des services publics, demeurez fermes à vos postes, pour maintenir la vie de la nation et accomplir les tâches qui vous incombent.
>
> Français, n'aggravez pas nos malheurs par des actes qui risqueraient d'appeler sur vous de tragiques représailles. Ce serait l'innocente population française qui en subirait les conséquences.
>
> N'écoutez pas ceux qui, cherchant à exploiter notre détresse, conduiraient le pays au désastre. La France ne se sauvera qu'en observant la discipline la plus rigoureuse.
>
> Obéissez donc aux ordres du gouvernement. Que chacun reste face à son devoir.
>
> Les circonstances de la bataille pourront conduire l'armée allemande à prendre des dispositions spéciales dans les zones de combat. Acceptez cette nécessité, c'est une recommandation instante que je vous fais dans l'intérêt de votre sauvegarde.
>
> Je vous adjure, Français, de penser avant tout au péril mortel que courrait notre pays si ce solennel avertissement n'était pas entendu. »

Sans doute, les Allemands jugent-ils ce texte « mou et attentiste ». Ils auraient souhaité qu'en une phrase le Maréchal indiquât que, dans les zones de combat, l'autorité de la Wehrmacht se substituait systématiquement à celle de l'administration française.

Qu'importent leurs vœux. Tel qu'il est, le discours du Maréchal sera sans efficacité véritable sur une population soulevée d'espoir et d'enthousiasme.

13

SANGLANTE, EFFROYABLE ET MERVEILLEUSE AVENTURE

> « Je désire, sur le plan moral, que ma mère, ma sœur, mes neveux, ma nièce ainsi que mes amis les plus chers, hommes et femmes, sachent combien j'ai été prodigieusement heureux durant ces huit derniers mois.
>
> Il n'y a pas un homme sur mille qui, pendant huit jours de sa vie, ait connu le bonheur inouï, le sentiment de plénitude que j'ai éprouvés en permanence depuis huit mois.
>
> Aucune souffrance ne pourra jamais retirer l'acquis de la joie de vivre que je viens d'éprouver si longtemps. »

Le 14 avril 1944, lorsque Jacques Bingen, au début d'une admirable lettre qui sera son testament, écrit ces mots, l'ancien délégué général par intérim du Comité français de la Libération nationale n'a plus qu'un mois à vivre.

Arrêté le 13 mai, en gare de Clermont-Ferrand, dans des conditions dont Henri Noguères dira qu'elles étaient presque aussi troublantes que celles qui avaient conduit à l'arrestation de Jean Moulin, Jacques Bingen s'empoisonnera à l'aide de la pilule de cyanure dissimulée dans son mouchoir alors qu'à la suite d'une infructueuse tentative d'évasion, il allait être interrogé au siège de la Gestapo, à Chamalières.

Ainsi les Allemands ne pourront-ils tenter d'arracher ses secrets à un homme qui, depuis son arrivée en France, dans la nuit du 15 au

16 avril 1943[1], connaissait presque tout de la Résistance métropolitaine ; avait efficacement contribué à la mise en place des Comités de la Libération ; incité Londres à toujours prendre davantage en considération la force confuse et bouillonnante des maquis ; n'ignorait rien des conflits de personnes, d'intérêts et de partis qui tourmentaient la Résistance et s'était quotidiennement trouvé mêlé à la préparation de l'insurrection nationale.

Cette insurrection que les Allemands tentent de prévenir en envoyant, dans des départements où leur présence est fluide, des colonnes punitives qui se font précéder, accompagner ou suivre de ces repris de justice qui forment la bande de Bony et Lafont ou bien encore de ces Nord-Africains enrôlés par la Gestapo et qui laisseront, dans le centre de la France, d'épouvantables souvenirs.

Aux côtés de ces « auxiliaires » cruels, d'autres « auxiliaires » aussi cruels recrutés parmi des prisonniers russes affamés ou parmi des prisonniers indiens ayant combattu, en Afrique, avec les troupes britanniques.

A l'intérieur d'une armée dont, en 1944, la plupart des divisions comptent de 5 à 15 % d'auxiliaires étrangers[2] (*Hilfswillige*), il existe, commandement excepté, des unités entièrement russes ou indiennes. L'armée d'occupation comporte donc des régiments de Mongols, d'Azerbaïdjanais, de Géorgiens, de Cosaques, basés notamment dans le Morbihan, un régiment indien dont un bataillon cantonnera dans la région d'Arcachon.

En avril, dans un excès de servilité, la presse de l'occupation consacrera de ridicules reportages à ces Géorgiens et à ces Caucasiens

---

1. Jacques Bingen, qui sera déposé dans un champ d'Ile-de-France, au cours d'une opération aérienne, avait été accrédité par André Philip, commissaire à l'Intérieur, comme Délégué du Comité français de la Libération nationale pour la zone Sud.

Mais il assurera l'intérim de Bollaert, délégué général, lorsque celui-ci se préparera à partir pour Londres (en décembre 1943) et, naturellement, après son arrestation en mars 1944.

On trouvera l'essentiel de la lettre de Bingen dans Noguères, tome IV, p. 630 *sqq*.

2. Ainsi, la 2e Panzer, « *Das Reich* », compte théoriquement 14 727 hommes dont 714 Hilfswillige.

que les photos montrent toujours à cheval, que les journalistes baptisent « champions de la liberté » et dont ils affirment qu'ils sont capables de repousser les tentatives de débarquement anglo-américain[1].

Mais, plus qu'à lutter contre les blindés alliés, ces hommes, dont plusieurs déserteront d'ailleurs pour rejoindre les maquis, seront utilisés dans les forêts françaises et contre ces villes : Mussidan, Brantôme[2], Niversac, Mouleydier, qui n'oublieront jamais leur passage.

C'est dans les premières semaines de 1944 que les Allemands entreprennent, systématiquement, en effet, des actions de représailles collectives ne s'exerçant plus seulement contre des otages pris dans des camps de concentration mais contre des villageois ou des citadins raflés au hasard. C'est en mars que, faute de pouvoir détruire le maquis *Bir Hakeim,* ils « inaugurent » — si j'ose écrire — à Nîmes une méthode qu'ils appliquent depuis longtemps en Russie et rééditeront, en juin, à Tulle : la pendaison de civils.

C'est en arrivant à bicyclette par la route d'Uzès qu'Henri Noguères, qui traversait Nîmes pour rejoindre Montpellier, découvrira, accrochés à des cordes fixées au parapet, six cadavres qui pendent sous le viaduc du chemin de fer.

> « Les jambes dépassaient très largement et, chaque fois qu'un car ou un camion passait sous le viaduc, il les heurtait, imprimant aux corps un sinistre balancement. Les quelques passants se hâtaient, osant à peine lever les yeux. Les rares automobilistes arrivant de face freinaient brutalement, puis repartaient et passaient sous ce gibet improvisé. »

---

1. Notamment dans *Le Petit Parisien* des 6 et 13 avril. Les « troupes de l'Est » auront un important centre de repos à Lesvellec.

2. En mars 25 résistants, parmi lesquels Georges Dumas, chef régional N.A.P., seront extraits de la prison de Limoges et fusillés à Brantôme par des Allemands furieux de n'avoir pu anéantir le maquis *Marius.*

A la sortie de Nîmes, six autres corps se balancent aux branches des arbres du boulevard Jean-Jaurès et trois (ou cinq)[1] autres victimes seront relevées tard dans la nuit.

Dans la forme de guerre livrée par la résistance, la population civile, qui n'a ni le temps de fuir ni la possibilité de se battre, se trouve toujours la plus immédiatement exposée à des représailles qui visent, en répandant la stupeur et en faisant régner la terreur, à la couper des « terroristes », les privant ainsi d'abri, de secours financier et de ravitaillement[2].

Or un résistant ne peut vivre sans mille et une complicités.

Lorsque, le 5 avril 1944, il est parachuté « blind » — c'est-à-dire sans être attendu par un comité de réception — Alain Griotteray, qui arrive d'Alger pour reprendre la direction de son réseau de renseignements, a choisi de sauter au-dessus de la grande prairie qui fait face au château d'Orion, dans les Basses-Pyrénées, sur l'ancienne ligne de démarcation et à quelques kilomètres de la frontière espagnole.

Il sait trouver là un refuge puisque Orion a donné son nom à son réseau et tenu un rôle capital dans les passages en direction de l'Espagne. Mais, ayant quitté la France depuis février 1943, comment serait-il au courant de la situation dans une région que l'on peut justement imaginer infestée d'occupants en alerte ?

Lorsqu'il touche terre il est plus d'une heure du matin. Il n'a pas réussi à décrocher son parachute des arbres où il s'est emmêlé. Il a perdu sa valise jetée depuis l'avion et suspendue à un parachute indépendant.

Cependant lorsqu'il aperçoit une lampe qui s'allume dans une ferme, lorsqu'il entend un chien aboyer, un homme approcher, Griotteray tente le tout pour le tout. Dans la nuit il se fait reconnaître comme « un ami du château » par Laulhé qui décrochera son

1. Les témoignages divergent en effet, les uns avançant le chiffre total de quinze pendus, les autres de dix-sept.

2. Le Haut-Jura connaîtra des heures tragiques à la suite d'un accrochage entre maquisards et Allemands près de Molinges. A Saint-Claude, le dimanche 9 avril — jour de Pâques et jour des « Pâques rouges » —, tous les hommes de 18 à 45 ans ont dû se rendre sur la place du Pré. Là, 307 seront désignés pour Montluc, Drancy et Compiègne, les camps d'Allemagne enfin où 172 périront, mais le « bilan » du mois d'avril sera plus élevé encore si on l'étend à tout le département du Jura, puisque le nombre des fusillés s'est élevé à 56, celui des emprisonnés à 456.

parachute blanc, retrouvera sa valise, lui apportera alors, qu'il est caché dans les bois, une inoubliable omelette. Retrouvailles avec la France : une omelette, la nuit, dans un bois béarnais !

Plus tard, Marie Flandé viendra chercher Griotteray pour le conduire au château où Mme Labbé[1] l'installera dans les combles en attendant qu'on lui confectionne des papiers d'identité de meilleure qualité que ceux fournis par les services américains d'Alger, qu'il reprenne contact avec ses camarades de réseau et puisse, au milieu du mois, gagner enfin Paris.

Comment ce qui est vrai pour un résistant ne le serait-il pas pour une troupe de dix, vingt ou cinquante maquisards. Que les complicités viennent à lui manquer, elle est perdue. Ce n'est pas par hasard si, à partir de février, les Anglais, sur vingt-quatre containers parachutés, en rempliront un, puis deux de vivres à forte valeur nutritionnelle[2].

Sans doute les maquisards affamés n'oublieront-ils ni le pain, ni le fromage offerts ; sans doute les hommes, trempés de pluie, transis de froid, épuisés, se souviendront-ils toujours du foin des granges odorantes, mais quelle reconnaissance plus grande garderont des blessés que tout menace lorsqu'ils sont accueillis, réconfortés, pansés, soignés, par des hommes et des femmes, au dévouement souvent oublié, mais qui méritent bien de la Résistance.

Blessé en janvier au cours d'un engagement avec la Milice, Cyril Lazare est conduit par ses camarades, au terme d'une épuisante marche d'une heure et demie... chez des réfugiés israélites : les Marcu.

> « La maison est à l'écart du village, perdue au milieu des arbres. De la salle commune, de plain-pied, monte une échelle vers un grenier dont l'orifice est pratiquement invisible, une fois l'échelle tirée.
>
> Ce grenier sera mon refuge ; mes compagnons me serrent la main et me laissent ; je n'ai pas d'armes : elles sont trop nécessaires aux combats.

1. Mme Labbé a perdu son fils Jacques lors des combats de 1940 et son fils Paul, qui avait rejoint l'Algérie, vient de périr en service commandé.
2. Décision prise le 8 février (un container de vivres pour 24 containers), puis le 1er mars (2 pour 24 containers).

Les Marcu sont très inquiets de ma présence qui aggrave leur cas. Mais que faire ? Le maquis les a aidés à se camoufler ; ils nous aideront...

Après quelques jours, la fièvre vient ; de ma plaie [à la jambe], coule un jus épais, rouge orangé et d'une odeur insupportable. Je ne vois plus personne, on me monte en vitesse de quoi manger. Je soigne moi-même la plaie ; je lis de très vieux almanachs ; mais la fièvre monte encore et je commence à avoir des hallucinations.

Par miracle, la domestique du curé apprend qu'un blessé demeure sans soins dans une ferme, vient me voir, se remue et obtient qu'on me dirige sur l'hôpital d'Evian. Un traîneau à cheval me conduit au village. Là m'attend un taxi qui me conduit à l'hôpital. Je suis indifférent à tout. Piqûre antitétanique dès l'arrivée. Le lendemain matin, je suis opéré. »

Il est impossible d'imaginer aujourd'hui ce que des mots d'une aussi quotidienne banalité que : « *domestique du curé* », « *traîneau à cheval* », « *taxi* », « *hôpital* », « *opération* » pouvaient, en 1944, dissimuler de périls vaincus à force d'héroïsme.

Malgré les ordres d'avoir à dénoncer tous les blessés par balles et tous les suspects qu'on leur amenait, ou qui se traînaient jusqu'à eux, bon nombre de médecins n'hésiteront pas à remplir un devoir d'autant plus difficile que la Gestapo tendra des pièges aux praticiens soupçonnés de servir la Résistance [1].

La Gestapo, mais aussi la police française, enlève parfois des blessés des hôpitaux où ils sont en traitement. A Marseille, le 20 mai 1944, le jeune F.T.P. Yves Lariven, qui vient de subir l'ablation de la rate, est sorti de l'hôpital de la Conception par des G.M.R., attaché sur

1. Le docteur Jean Cabanac verra ainsi se présenter à son cabinet l'un des responsables de la Gestapo de Grenoble. L'homme, qui parle très correctement le français, vient solliciter... un certificat médical lui permettant d'échapper au S.T.O. Le docteur Cabanac ne tombera pas dans le piège et, identifiant son interlocuteur sous son déguisement, il l'examinera avec le plus grand soin avant de lui fournir un certificat médical justifié par une hypertension artérielle dont il a pris soin d'exagérer l'importance. Quelques jours plus tard, Jean Cabanac rejoindra le maquis Stéphane dont le médecin vient d'être tué par les Allemands.

une poussette, conduit à la prison Chave où il sera immédiatement fusillé[1].

Les représailles allemandes atteignent-elles leur objectif ? Oui, dans un certain nombre de cas et au moins pour un certain laps de temps. Rédigée après le drame du Vercors, une note[2] de la Résistance précise que l'opinion, « mal préparée et peu soutenue, est manifestement émue et ébranlée », qu'elle « a fléchi au premier coup dur », que l'on entend dire : « Ils s'en prennent aux Boches, en tuent, puis s'en vont. Et, quand la Gestapo est venue fusiller cinq hommes sur la place de Gresse [en Vercors][3], ils ont pu opérer en toute tranquillité. Les maquis se sont bien gardés de se montrer. » Et, à Servoz, où les Allemands ont pris trente otages, les « vieux » ne se privent pas de critiquer les jeunes, des « puceaux qui ne savent même pas tenir un fusil » et exposent inutilement tout un village.

En France il est difficile, sinon impossible, de mener la guérilla assez loin de toute agglomération pour que les Allemands renoncent à des réactions brutales et se limitent à des opérations militaires[4]. Mais que dire de ces attentats qui se déroulent en pleine ville ? On a vu l'exemple d'Ascq[5], où l'inefficacité d'une explosion ayant simplement entraîné quelques heures de retard du convoi attaqué ne modérera nullement la cruauté de la répression. Voici l'exemple de Lyon où la mort, le 10 janvier, de deux soldats allemands est sanctionnée, le lendemain, par l'exécution de 22 otages raflés immédiatement dans le quartier.

Le 8 mars, à 19 h 15, alors qu'un détachement de troupes allemandes passe rue Montlosier, trois grenades, lancées par des

1. Lariven avait été blessé dans une tentative de récupération de cartes d'alimentation boulevard Baille, tentative au cours de laquelle un agent de police avait été tué, deux autres, ainsi qu'un passant et un bébé, sérieusement blessés. A plusieurs reprises la police demandera au docteur Dalmas, qui a opéré Lariven, s'il est transportable. Devant ses réponses négatives, elle passera outre et enlèvera le blessé.

2. Note dont je possède la photocopie, signée « *L'Amiral* », ayant pour destinataire « *Henri via André* ».

3. Arrondissement de Grenoble, canton de Monestier-de-Clermont.

4. Certains chefs de maquis — Stéphane, par exemple — interdiront, tout attentat à proximité d'un village et, à plus forte raison, dans un village.

5. Cf. p. 451.

garçons de la première compagnie F.T.P. de Clermont-Ferrand[1], explosent et font un mort, 5 blessés graves et 27 blessés légers, chiffres très éloignés de ceux qui seront revendiqués par les auteurs de l'attentat : 27 morts et 40 blessés. Chiffres, surtout, sans commune mesure, comme l'écrira plus tard le commandant de la subdivision de Clermont-Ferrand[2], avec les pertes de la population civile : 183 arrestations, cinquante exécutions.

Faisant le récit de la violente offensive de février-mars contre les maquis de l'Ain, Romans-Petit affirmera que la méthode des Allemands était invariable : « Ou ils prenaient un habitant pour les diriger vers telle ou telle ferme qu'eux-mêmes indiquaient, ou ils étaient guidés par un milicien. »

Charles Faivre et Marius Roche confirmeront. Racontant leurs combats et leur fuite haletante dans le sud de l'Ain, ils écriront : « Les Allemands sont bien renseignés sur nos mouvements et l'emplacement de nos unités. » Et encore : « Le lieutenant Girousse a toutes les raisons de se croire en sécurité *pour quelques jours*[3]. Accompagné de Maxime, il va reconnaître les emplacements pour la mise en place des sentinelles. *Au bout de quelques minutes*[3], ils sont surpris par l'arrivée d'un détachement qui aussitôt les attaque. »

Que les *quelques jours* de sécurité puissent être réduits à *quelques minutes* suppose l'existence sinon d'un réseau, du moins d'un nombre important d'informateurs agissant par passion politique et principalement par anticommunisme, par esprit de vengeance, goût de l'argent ou encore pour se débarrasser de « voisins » gênants, exigeants, capables d'attirer la foudre des représailles.

Les Allemands ne sont pas les responsables uniques de la chasse aux maquisards.

1. Dont dépendent quatre détachements : Marat, Danton, Carnot et Marceau.

2. Cf. *Puy-de-Dôme, Service historique de l'Armée.* Le commandant de la subdivision (Duplessis) écrira que cette attaque a été engagée avec « inconséquence. »

3. Je souligne intentionnellement.

Même si une fraction, toujours plus importante, des forces de l'ordre « ferme les yeux » comment, à une époque où les gendarmes *sont alertés et se déplacent pour un coq volé* (cela se passe à Cézy, dans l'Yonne et en avril 1944) [1], comment ne seraient-ils pas alertés et ne se déplaceraient-ils pas pour des attentats ou pour des vols d'argent, de tabac, de vivres dont on ne sait exactement, lorsqu'ils sont commis, et cela importe assez peu aux volés, s'ils profiteront ou non à la Résistance ?

Entre les gendarmes et une partie de la Résistance il y a, d'ailleurs, « incompatibilité » d'humeur et de principes. Les gendarmeries sont certes attaquées, puisque l'on sait y trouver des armes, mais les gendarmes sont attaqués dans la mesure où leur connaissance du pays, des habitants et des habitudes en fait de redoutables adversaires pour qui entendrait imposer un jour la loi révolutionnaire.

L'élimination (ou la paralysie) de la gendarmerie demeure donc, pour certains, un objectif que l'on ne saurait nier ou négliger, de même que l'on ne saurait nier ou négliger les réactions de forces de l'ordre qui, assez souvent compréhensives envers les maquis dépendant de l'Armée secrète, se montreront, la plupart du temps, impitoyables à l'égard des F.T.P

Le *Journal officiel* est riche en citations accordées à ces officiers de gendarmerie qui ont « dirigé avec une grande maîtrise une série d'opérations ayant amené la capture d'une bande de dangereux malfaiteurs » ; qui, « attaqués par une cinquantaine de terroristes [ont] su, par de judicieuses dispositions, maintenir l'intégrité du poste confié à [leur] honneur militaire ».

A côté de citations en faveur d'hommes — gendarmes, G.M.R., gardiens de la paix — qui ont tué, un plus grand nombre, il est vrai, de citations à la mémoire d'hommes qui ont été tués, souvent sans avoir fait usage de leur arme, comme le gendarme Marcel Commun, abattu alors qu'il tentait d'intercepter les assassins d'un secrétaire de mairie.

Le gouvernement de Vichy décore les membres des forces de l'ordre.

Il arrive que les Allemands les récompensent également. Mais de quelle insultante façon ! En leur faisant parvenir — ce document inédit

1. Les gendarmes découvriront la volaille toute cuite dans la fosse d'aisances où, pressentant qu'elle allait être découverte, Mme X... l'avait jetée.

le prouve — des cartes d'alimentation... qui « paient » la capture, et peut-être la vie de cinq Français. Pour l'honneur, on voudrait que les « petites attentions » de l'armée allemande aient été renvoyées à l'expéditeur. Ce n'est nullement certain.

Feldkommandantur 541 Biarritz, le 6 juin 1944
Service administratif
Service annexe Biarritz
A2.V. F/MA

A Monsieur le Préfet
Mont-de-Marsan

OBJET : Arrestation de terroristes dans la région de X...
SUITE : Votre lettre du 25/5/44.

J'ai appris avec satisfaction que les brigades de la gendarmerie française de X... et de Y... ont arrêté au début du mois dernier cinq terroristes et les ont mis hors d'état de nuire. Je vous prie, Monsieur le Préfet, d'exprimer ma reconnaissance aux gendarmes ci-dessous nommés et qui se sont tout particulièrement distingués lors des opérations dirigées contre des terrotistes armés.

1. Capitaine A..., commandant de la section de gendarmerie de X...
2. Adjudant B...
3. Gendarme C. .
4. Gendarme D...
5. Sous-officier E...
6. Gendarme H...
7. Gendarme I...

Je vous prie d'adresser à chacun des susnommés une des cartes d'alimentation jointes à ma lettre comme une petite attention de l'armée allemande.

Le Feldkommandant
Elster[1]

1. C'est volontairement que je n'indique pas le nom des intéressés non plus que le nom des communes. Les initiales sont toutes volontairement erronées.

Français contre Français.

Les maquisards ayant voulu délivrer trois des leurs, faits prisonniers par les G.M.R. sur la route de Treignac-le-Lonzac, en Corrèze, un accrochage aura lieu le 29 janvier. Trois morts du côté des G.M.R., quatre chez les maquisards.

Mais, dans la soirée, une automobile transportant trois habitants de Treignac : Mme Vergne, cultivatrice ; M. Pierre Chassagne, forgeron, et M. Louis Bretagnolle, sera criblée de balles par les G.M.R. qui l'ont confondue avec une auto du maquis.

Il faut lire le rapport établi par la préfecture de la Corrèze, à la suite de l'interception de 234 lettres, pour prendre la mesure exacte des multiples réactions provoquées par ce drame.

Réactions des habitants qui manifestent violemment leur hostilité aux G.M.R. que beaucoup appellent les « vaches noires » et à qui — lorsqu'ils sont tués — les menuisiers locaux refuseront l'aumône d'un cercueil [1].

> « ... Toute la ville manifestait devant le cantonnement des G.M.R. et voulait les tuer tous...
>
> ... On a dû ouvrir les prisons pour recruter cette pègre, car ils ont des figures à part... S'ils n'étaient pas partis, on aurait assisté à une drôle de bataille, car il montait 450 maquis de Périgueux.
>
> ... Les femmes leur crachaient à la figure et les filles leur tiraient la langue et toute la population ont été (*sic*) les traiter de têtes de Boches. C'était du joli, je n'avais jamais vu autant.
>
> ... De leur côté, il doit y avoir 5 morts, plusieurs blessés, personne n'a voulu leur faire de cercueil, ils ont été obligés de les emporter sans être ensevelis. »

Réactions des habitants qui ont pieusement suivi les obsèques des victimes du drame.

> « Les obsèques ont eu lieu à 2 heures, jamais Treignac n'a tant vu de monde, les rues, les routes, les places, tout était noir de

1. Les G.M.R. seront remplacés par la Garde mobile qui ramènera le calme. Le préfet de la Dordogne, arrivé le 2 février, s'était rendu dans les familles des victimes. Darnand viendra, de son côté, décorer un certain nombre de G.M.R.

monde, deux grands camions de fleurs, une fourragère transportait les cercueils qui ont été inhumés ici... Une collecte faite pour tous les frais existant à Treignac a rapporté 40000 francs, Chamberet, le Lonzac, Chamboulive, Lacelle n'ont pas encore versé, on estime que ça montera à plus de 60000 francs, hier [1er février] et aujourd'hui les magasins, les ateliers, boulangeries, tout est fermé... »

Mais également réactions des habitants qui craignent pour l'avenir et l'écrivent, sans deviner que leur courrier sera ouvert et lu par la censure postale, qui transmettra à la préfecture les passages les plus significatifs.

> « Drôle de pays où il ne fera pas bon, si un jour les affaires s'aggravent ; pays de fanatiques, bornés et bêtes, sauvages, très sauvages. Il y avait aux obsèques des « jeunes gens » à tête sombre, aux regards de fauve, qui vous auraient fait peur au coin d'un bois. Des types à tout faire un jour de révolution ».

Enfin réactions des habitants scandalisés par les vengeances du maquis.

> « Il exagère le maquis. Au L..., ils ont accusé deux hommes de les avoir dénoncés. Ils les ont ligotés et plongés vivants dans une fosse à purin où ils les ont laissés mourir. C'est sauvage. Ils volent en plein jour, tuent, incendient et personne n'ose rien dire car ce serait la mort. [1] »

Dénonciation, voilà le grand mot lâché. Celui qui servira de justification à des meurtres qui n'en avaient pas, comme à des meurtres qui pouvaient en avoir.

La Marseillaise du Centre, journal clandestin du *Mouvement de Libération nationale*, publie, dans son numéro de mars 1944, une quinzaine de noms suivis de brèves précisions : « *Appointé de la*

1. Pour ces correspondances, c'est volontairement que je ne cite ni le nom de l'expéditeur habitant toujours Treignac, ni celui des destinataires.

Gestapo, livre les patriotes à ses amis les Boches », « *Elle est en instance de divorce, fait la noce dans les cafés à la mode*[1]*; cette femme très dangereuse sert d'indicatrice à la Gestapo* » ou, plus simplement encore, « *agent de la Gestapo* ».

Ces quelques mots vaudront souvent condamnation à mort et, très longtemps encore après la Libération, les habitants des petites villes et des villages garderont obstinément le silence sur certaines disparitions de 1944.

En voici un exemple entre cent.

Le 24 août 1951 — DONC SEPT ANS APRÈS LES ÉVÉNEMENTS —, le chef du service des Renseignements généraux de la Corrèze écrit au préfet qui l'a chargé d'une enquête sur le décès de Mme Emilie X...

> « J'ai l'honneur de vous faire connaître que diverses personnes du L..., interrogées par mes soins sur les circonstances de la disparition de la susnommée, *se sont refusées à toute déclaration, même verbale.* La seule raison de cet hermétisme inaccoutumé réside dans le fait que *l'hypothèque de la peur* qui a régné pendant de longs mois dans le secteur du fait des opérations effectuées par les F.T.P.F. n'est pas encore levée. La population craint en effet le retour de semblables circonstances et ne veut rien dire ou faire qui puisse lui être reproché dans l'avenir.[2] »

Mais les soupçons de délation, la délation elle-même ne sauraient excuser certaines exécutions accompagnées de supplices ou de mises à mort collectives.

Lorsque M. L..., employé de chemins de fer, est assassiné à Landevant, dans le Morbihan, à qui fera-t-on croire que le viol de sa femme et de la domestique puisse être utile à quelque cause politique que ce soit ?

Lorsque, dans le canton corrézien de Treignac, M. Lavinadière, maire de Soudaine, a les oreilles coupées et les yeux crevés, les

---

1. De Périgueux...
2. La population rendait responsable l'ami alsacien de Mme X... des arrestations du 5 avril 1944, ainsi que de l'incendie de plusieurs maisons et de la destruction de plusieurs camps de maquis. La maison de Mme X... n'avait pas été épargnée et elle-même était demeurée un mois emprisonnée à Limoges. Libérée, elle était alors arrêtée par un groupe d'hommes armés qui aurait découvert dans son sac à main une liste d'habitants favorables à la Résistance. (Document inédit.)

« résistants » ne comprennent-ils pas qu'ils se comportent comme les barbares qu'ils dénoncent ?

Lorsque M. Couturier, directeur d'école dans l'Isère, à qui ses bourreaux reprochent d'avoir accompagné les maires de la région dans leur visite au maréchal Pétain, est condamné à fumer une dernière cigarette obligatoirement frappée de la francisque, puis à lire la prière des agonisants, en quoi cette cérémonie de dérision ajoute-t-elle à la noblesse de la cause défendue par les exécuteurs ?

Ces faits, et bien d'autres, sont rapportés par une presse qui, si elle dit l'horreur de certains crimes, cache toujours les raisons qui parfois les expliquent, car il n'est que trop vrai qu'il existe des délateurs qui fournissent aux Allemands des noms, des adresses, des listes.

Voici, d'ailleurs, l'essentiel d'une lettre écrite le 2 juin 1944 par Mme B... au chef de la Kommandantur de Saint-Flour.

> « Mon Commandant,
>
> Je crois de mon devoir de vous prévenir que le maquis est en train de se réorganiser à A... Ils se proposent de ne plus faire de maquis, de grouper beaucoup d'hommes, mais des îlots de cent hommes disséminés sur toutes les routes, à 100 ou 200 m de distance, dans le but de mitrailler tous vos soldats qui passent.
>
> Cela me révolte, aussi je préfère vous prévenir avant qu'il ne soit trop tard, afin que vous puissiez faire le nécessaire assez tôt. Il y a ici une équipe terrible contre les Allemands ; il serait bon de la mettre dans l'impossibilité de nuire, sans quoi ils vont recommencer de piller et qui sait encore.
>
> Si vos troupes viennent, je pourrai vous donner les noms des plus terribles réfractaires, mais *il faudrait que vos officiers soient habillés en Français afin de ne pas donner l'éveil dans le quartier qui est entièrement gaulliste,* car je craindrais des représailles, vu que j'ai été menacée plusieurs fois que ma maison sauterait...
>
> *Après réflexion, je préfère que vous n'envoyiez personne, ce serait trop dangereux.* J'espère que vous pourrez trouver les coupables sans moi. Il y a le nommé Raymond X... qui a fait beaucoup de mal... A... Roger, rentier, M. et Mme D... (le personnel), Ch... employé de mairie... »

Vingt-six noms suivent, vingt-six noms représentant un total d'une cinquantaine de personnes, car Mme B... associe, le plus souvent, la femme au mari et, pour certains de ceux qu'elle dénonce, la famille proche ou lointaine est également désignée à l'occupant[1].

En dehors des localités directement touchées, il n'est pas certain, d'ailleurs, que d'aussi dramatiques événements alertent des familles égoïstement blotties sur elles-mêmes.

Le 21 mai 1944, les Renseignements généraux de la Gironde, tout en précisant que le département est épargné, affirment que « la longue énumération des attentats effectués en France laisse assez indifférente la population... qui semble s'être habituée à ces nouvelles de presse qu'elle considère comme des faits divers ».

Et qui sont présentés comme des faits divers.

Neuf lignes, par exemple, dans *Le Bourguignon* du 28 avril 1944, pour dire l'assassinat, à Brienon-sur-Armançon, de M. Henri Grain, garde-voie et de Mme Boulmeau. « *Les agresseurs circulaient en automobile* » indique la dépêche qui ne précise pas qu'ils étaient commandés par un repris de justice qui, sous le nom de « *capitaine Jo* », dirigeait l'un des maquis de la forêt d'Othe.

En mai 1943, comme si elle avait le pressentiment de ce qui allait être son destin, Mme Boulmeau, qui se dévouait au service des prisonniers et de leurs familles, mais ne cachait pas son hostilité envers les bandes qui mettaient en coupe réglée commerçants et paysans de la région, écrivait dans son journal intime.

> Gardez-moi, mon Dieu, de toute idée de rancune et de vengeance... Gardez-moi aussi de jamais faiblir sous la crainte ou la menace. Une Française chrétienne ne fuit pas devant les responsabilités.

1. Document inédit. Mme B... sera condamnée à mort.

Donnez-moi la force d'âme d'en accepter le sacrifice et la peine comme une faveur de votre part, ô mon Dieu, vous qui voulez éprouver parfois la fidélité des âmes [1].

La guerre étant une grande gaspilleuse d'hommes, seul l'exceptionnel de l'horreur peut arriver à troubler un instant les consciences.

Sur le registre de l'état civil de Voiron, petite ville de 15 000 habitants, célèbre par ses usines de tissage de soie et de coton, la mort de Danielle Jourdan est inscrite sous le n° 127.

N° 127 JOURDAN DANIELLE (2 ANS)

Le vingt avril mil neuf cent quarante-quatre, vers vingt-trois heures, est décédée, au domicile de ses parents, Danielle Jourdan, née à Voiron le dix juin mil neuf cent quarante et un, fille d'Ernest Frédéric Jourdan et de Florentine Euphrosine Marie Blanc, son épouse, domiciliés à Voiron, route de Grenoble...

Ernest Frédéric Jourdan, 43 ans, n° 125 sur le registre d'état civil de la mairie de Voiron, et Florentine, Euphrosine, Marie Blanc, épouse d'Ernest Frédéric Jourdan, 41 ans, n° 126 sur le registre d'état civil, sont morts également « *en leur domicile le vingt avril mil neuf cent quarante-quatre vers vingt-trois heures* ».

Avec eux ont été tués, toujours vers vingt-trois heures, la mère de Mme Jourdan, âgée de 61 ans; sa tante, Mme Lèche, 81 ans; MM. Nicoud et Gauthier, deux miliciens, qui se trouvaient de garde ce soir-là chez Ernest Jourdan, chef de la section de la Milice à Voiron, « condamné à mort » le 14 avril dans l'émission de Londres : *Honneur et Patrie*.

Deux élèves de l'Ecole nationale professionnelle de Voiron — elle

1. Inédit.

se trouve située presque en face de l'atelier de chaudronnerie des Jourdan —, Jean Colonna, 20 ans, Edouard Girard, 19 ans, inspirés et guidés par l'un de leurs surveillants, se sont faits les exécuteurs d'un ordre (ou d'une suggestion) radiophonique qui, certes, ne visait pas toute une famille mais qui — innocents et responsables, exécutés et exécuteurs — conduira, en quelques jours, dix personnes au tombeau.

Publiée dans les quotidiens du 22 avril, la nouvelle de l'attentat de Voiron ne bénéficiera, d'abord, que d'une place modeste : de 20 à 25 lignes en première page. Les journaux sont, il est vrai, tout occupés du récent bombardement de Paris qui a fait 651 morts. Il faut attendre une semaine avant de voir le drame exploité. *Le Petit Parisien* publie alors, en première page de son numéro du samedi 29 avril, sept photos du massacre, et le commentaire de Marius Larique est particulièrement violent. Evoquant le meurtre de la petite Danielle, il écrit, avec une sombre ironie, qu'elle était sans aucun doute :

> « ... une affreuse Française ayant de toute évidence partie liée avec les Allemands. Les tueurs ne veulent point qu'elle échappe à leur châtiment ; ils lui tirent trois balles dans la tête et, pour être bien sûrs que cette criminelle de lèse-patrie ne guérira pas, d'une quatrième balle ils lui donnent le coup de grâce ».

En 1944, Voiron n'est pas la petite cité paisible que l'on peut imaginer. La Milice s'y montre active, la Résistance également. Ernest Jourdan, ancien combattant de 1914-1918, ne se contente nullement d'un rôle de propagandiste. Il a participé à l'interrogatoire de résistants conduits à son domicile, assisté, en compagnie de plusieurs miliciens de Voiron, à l'exécution de Paul Vallier ; initié Maurice, son fils de dix-sept ans — qui, absent de la ville, sera, le 20 avril, le seul à échapper au massacre — au maniement des armes et fait de lui non seulement un vendeur du journal milicien *Combats*, mais également son informateur.

Interrogé le 1er février 1945 par le commissaire Col, le jeune Maurice Jourdan fournira la liste de ceux et de celles qui auraient permis à la Milice de faire arrêter le juif Willer, de plastiquer le magasin de M. Tezier[1], celui de M. Martin, d'organiser enfin le pillage des magasins Boule et Bonnat[2] et de la villa de M. Michallat.

Toujours d'après les indications fournies le 1er février 1945, Ernest Jourdan aurait été, en mars 1944, à l'origine de l'arrestation de trois juifs : Dyk, Herzig et Muller. Par ailleurs, dans une ville où rôde la peur et où deux camps s'affrontent violemment, Gauthereau, un jeune milicien, a été assassiné en février et, le 12 mars, Ernest Jourdan lui-même a fait l'objet d'un attentat, ce qui explique la présence, le soir du drame, de deux gardes du corps à son domicile.

Un drame incompréhensible — ce qui ne veut pas dire qu'il soit ou puisse être justifié —, si l'on se refuse à prendre en compte les rumeurs, les délations, les vengeances, les représailles, enfin les passions et les haines qui déchirent une petite cité à l'approche de la Libération, mais prennent racine dans les souvenirs, les passions et les haines de 1934 et de 1936.

Cependant, ce même Jourdan, si actif contre la Résistance, s'est efforcé de réduire l'agitation qui s'est emparée de l'Ecole professionnelle lorsque six élèves ont adhéré à la Milice et il s'est formellement opposé à l'arrestation de M. Barbet, directeur de l'École.

Par ailleurs, ses assassins ne sont pas pour lui des inconnus. Il les reçoit à son domicile, à sa table parfois et c'est parce qu'ils évoluent « en pays de connaissance » qu'ils pourront, le 20 avril, se présenter vers 22 h 30, bavarder un moment aussi bien avec Jourdan et sa femme qu'avec les deux jeunes miliciens de garde, avant de sortir leurs revolvers et de se livrer à l'atroce carnage que l'on sait.

Un témoin raconte les obsèques qui se dérouleront en présence de deux foules silencieuses mais aux sentiments violemment opposés.

> « J'ai encore dans les yeux le souvenir de cette silhouette d'adolescent — Maurice Jourdan — cassé en deux par la douleur, suivant sept corbillards : toute sa famille rayée par

1. Qui sera maire de Voiron à la Libération.
2. M. Bonnat et son fils seront déportés.

quatre chargeurs de Sten. Bouleversée, mais vibrante de fureur contenue, une foule, celle qui suivait le jeune orphelin. Mais aussi une autre qui regardait. Je me rappelle encore d'étranges regards. Image de la France, coupée en deux et s'affrontant avec haine et douleur dans la peur.

Obsèques dignes, suivies de représailles. On fouille, on arrête, on fusille.

Voiron fourmille durant quelques semaines de G.M.R. et de miliciens.

L'espace se rétrécit chaque jour de plus en plus. Je veux dire l'espace paisible[1]. »

L'enquête n'a pas tardé à révéler que les armes ont été fournies à Colonna et à Girard par Paul Durand, un surveillant de l'Ecole professionnelle et, bien que Colonna ait été exclu de l'Ecole le 12 avril, c'est l'Ecole qui, le 26 et surtout le 27 avril, sera la cible de la Milice à la suite d'une dramatique séance où, très pâle et déprimé, Girard va indiquer les noms de 16 de ses camarades auxquels il admet avoir parlé de l'attentat.

Chacun des 16 garçons est alors conduit dans le bureau du directeur pour une confrontation avec Girard. Puis tous les suspects sont enfermés à Grenoble et à Lyon, cependant que Voiron est livré aux policiers et aux miliciens qui, pendant plusieurs jours, perquisitionnent, arrêtent, alimentent une émotion qui aura bien du mal à retomber[2]

Dans la matinée du 3 mai, Jean Colonna, Edouard Girard, Paul

1 Inédit.

2. Le directeur de l'Ecole, M. Barbet, sera arrêté dans la nuit du 3 au 4 mai et, dans la même nuit, MM. Millier, Gardère, Martin, Biessy. Parmi les seize élèves arrêtés, six ainsi que M. Soulet seront déportés.

Le samedi 5 mai, l'Ecole sera licenciée, sous la surveillance d'une centaine de G.M.R. gardant les principaux carrefours de la ville.

Cependant, dans les mois qui suivront la Libération de Voiron, Yves Farge, alors commissaire de la République à Lyon, répondant à une lettre du père de Jean Colonna écrira : « Il faut qu'on fasse la lumière sur ce drame. Il faut, et vous avez raison de l'exiger, qu'on réhabilite votre enfant. Je vais plus loin encore : qu'on lui rende les honneurs » (lettre du 17 octobre 1944).

Jarriand et le surveillant Paul Durand comparaissent devant la Cour martiale de Lyon qui, à l'exception du jeune Jarriand renvoyé devant le Parquet, les condamne très rapidement à la peine de mort. Le temps d'une dernière lettre, et peut-être d'une dernière prière, l'exécution suit la condamnation.

Il est 14 h 10, en effet, lorsque les trois jeunes gens sont conduits dans un fossé du fort de la Duchère.

Exceptionnellement, ils ne font pas face au peloton.

Ils ont été attachés visage tourné vers le poteau et c'est leur dos qu'ils offrent aux fusils d'un peloton d'exécution dans lequel des volontaires, écœurés par le drame de Voiron, ont pris place, cependant que les élèves de l'Ecole professionnelle, ainsi que le surveillant général, ont été condamnés à les regarder mourir [1].

La presse de l'occupation s'emparera de l'image de la petite Danielle Jourdan pour flétrir le terrorisme et de l'acte de Colonna, de Girard, de Durand pour flétrir les terroristes, mais il est bien des drames dont elle ne dit rien aux Français, bien des exécutions dont les Français ne savent que ce que disent, imposés par l'autorité allemande, les « Avis » entourés d'un cadre noir.

Cruelle et terrible litanie.

Le 1er mars, annonce dans la presse de l'exécution de « huit terroristes » à Besançon ; le 2, de 15 autres à Châlons-sur-Marne ; le 3 de 9 « bandits » à Vannes ; le 4, des 22 condamnés à mort du groupe Manouchian ; le 10, de 15 hommes à Dijon.

En avril, 31 « terroristes » sont fusillés le 14 ; 17 le 16 ; 27 le 17 ; trois garçons de Landerneau sont exécutés le 22 et, le 23 avril, 11 jeunes tombent sous les balles allemandes. Le 5 mai, ce sont 23 Français et un Espagnol qui meurent à Quimper ; le même jour, 13 « jeunes bandits qui avaient attaqué le commissariat de police de Saint-Dié » ; le 7 mai, 5 communistes, Henri Bâtonnier et Jean Fritsch, de Saint-Maixent, Roland Bernier et René Proust, de Saivres, Charles Plessard, de

1. Selon la presse de l'époque, Jean Colonna aurait écrit à sa mère : « J'ai cru agir en patriote, et j'ai été un misérable. J'ai tué des gens alors que je n'en avais pas le droit. »

Chatellerault, sont fusillés ; le 9 mai, 12 résistants ; le 10, 5 hommes, dans l'Yonne, dont un fermier et son fils accusés d'avoir abrité des maquisards...

A tous ces morts, les Allemands interdisent qu'il soit accordé plus que les quelques mots des « Avis » ou des communiqués qui disent un nom, un prénom, la date de la condamnation, qui est le plus souvent celle de l'exécution et, parfois, des motifs : « *sabotage* », « *appui donné à l'ennemi* », qui, pour des millions de Français, font de ces « terroristes » les héros de la guerre de l'ombre.

En une seule occasion, les occupants transgresseront une règle générale. Ce sera, au mois de février 1944, lors du procès de ces « 24 terroristes » étrangers qui, grâce à la personnalité de Manouchian, leur chef ; grâce au poème inspiré à Louis Aragon, bien après l'événement, par les circonstances qui avaient entouré leur mort, comme par l' « affiche rouge » qui l'annonçait, franchiront le temps et se trouveront, en 1985, au cœur d'un débat dans lequel la passion politique l'emporta trop souvent sur la recherche de la vérité historique.

Trente journalistes de Paris, de province et de l'étranger ont été invités — une invitation à laquelle il n'était guère possible de se dérober — pour assister au procès qui, entre le 15 et le 21 février, aura pour cadre l'un des grands salons de l'hôtel Continental, rue de Castiglione.

Voici d'ailleurs en quels termes le journaliste (anonyme) d'*Aujourd'hui* a décrit la « salle d'audience » : « Les persiennes sont fermées et les ors rutilent sous le feu des lustres. On ne peut s'empêcher d'évoquer les bals qui se donnaient ici. On se croirait volontiers au soir, et dehors c'est le matin. Neuf heures viennent de sonner. »

« *Les bals qui se donnaient ici.* » L'image est affreuse, car c'est la mort qui invite.

Il est 9 h 10 lorsque les juges, un lieutenant-colonel, deux officiers assesseurs, font leur entrée dans une salle étroitement surveillée par des soldats et des gendarmes allemands. Un officier a la charge de l'accusation. La défense est « assurée » par six caporaux commis d'office... qui n'auront rien à dire, ne diront rien et dont la mission se bornera uniquement à présenter le recours en grâce des condamnés.

Tous les assistants se lèvent. Et les 24 accusés, enchaînés deux par deux, se lèvent également. Après l'interrogatoire d'identité, 16 d'entre eux seront conduits dans une salle voisine et 8 seulement, dont Manouchian, demeureront face à des magistrats qui ont décidé de juger séparément auteurs d'attentats et responsables de déraillements.

Mais, avant que les débats véritables ne commencent, le lieutenant-colonel président s'adresse aux journalistes. Que leur dit-il ? Qu'il attend d'eux une information complète afin que les Français soient mis en garde contre les périls qui les menacent.

Traduisant parfaitement la pensée du président allemand, René Bénedetti, qui assure le compte rendu pour *L'Œuvre,* écrira :

> « Il est regrettable qu'un tel procès ne puisse se dérouler en place publique. Nombre de Français candides constateraient combien ils sont trompés, combien aussi ils sont menacés dans leur vie et dans leurs biens... Ils verraient se dresser, s'étendre sur Paris, sur la France, l'ombre monstrueuse du bolchevik derrière les tueurs de la " résistance " et de la " libération ". »

Si les Allemands ont exceptionnellement convoqué la presse, si pendant trois jours — les 19, 21 et 22 février — le « procès des 24 » se trouve en tête de première page de tous les journaux — quatre colonnes dans *Le Matin* —, si, dans un temps de pénurie, un lignage important est accordé au récit des audiences, c'est qu'il s'agit, pour les occupants, d'exaspérer la xénophobie, l'anticommunisme et l'antisémitisme d'une partie de la population.

Avec infiniment de talent, le poème d'Aragon traduira cette volonté allemande.

> *L'affiche qui semblait une tache de sang*
> *Parce qu'à prononcer vos noms sont difficiles*
> *Y cherchait un effet de peur sur les passants.*

Sur les 24 accusés, en effet, deux seulement sont français, deux seulement ont des noms faciles à prononcer : André Rouxel et Georges Cloarec.

Les autres sont juifs, sont étrangers. Ils s'appellent Fingerweig, Wasjbrot, Martyniek, Witchitz, Grzywacz, Boczov... sont nés en Pologne, en Hongrie, en Espagne, en Italie et il semble, c'est la thèse que soutiendra bien plus tard Auguste Lecœur[1] — mais c'est également l'idée suggérée dès février 1944 par la *Pariser Zeitung* —, qu'un tri judicieux ait été opéré parmi la centaine de résistants[2] arrêtés à Paris entre le 16 et le 18 novembre, qu'une sélection ait été faite afin de ne présenter au procès de l'hôtel Continental que des « étrangers typés », au nombre desquels ne se trouverait « aucun blond aux yeux bleus », « de nationalités différentes » (elles sont au nombre de sept), coupables d'actes qui leur vaudront certainement la mort.

La presse peut donc se déchaîner. Les photos publiées ne seront jamais celles des deux Français, dont *L'Œuvre* écrira qu'ils sont « les moins hideux », et qui se trouvent là comme pour servir de repoussoir et pour illustrer la grande bêtise et l'étroite subordination de ces jeunes garçons qui se laissent prendre aux pièges gaullo-judéo-bolcheviques[3] !

On montrera donc, en indiquant toujours la nationalité, Manouchian *(arménien),* Boczov *(juif hongrois),* Wasjbrot *(juif polonais),* Rayman *(juif apatride),* Alfonso *(espagnol).*

Sous la plume du journaliste d'*Aujourd'hui,* Manouchian aura « un regard d'oiseau de nuit, c'est exactement le type d'homme à ne pas rencontrer au coin d'un bois ». Pierre Malo, qui écrit dans *Le Matin,* le verra ainsi : « Des cheveux de jais, des yeux de nuit, des sourcils touffus dont les pointes s'allongent sur les tempes où elles rejoignent la partie inférieure du visage allongé comme un groin... »

« Intelligent... », poursuit Malo. « D'ailleurs, d'une intelligence remarquable », écrit le journaliste d'*Aujourd'hui.* Et celui de *L'Œuvre* reconnaît que « certains émergeaient du troupeau : Missak Manouchian, Alfonso, Rayman ». Contraints, et partisans d'ailleurs,

1. Dans la revue *Est et Ouest* de juillet-août 1985. Auguste Lecœur a appartenu, pendant la guerre, à la direction clandestine du parti communiste.

2. 108 exactement parmi lesquels 58 juifs et 29 étrangers. La *Pariser Zeitung,* journal destiné aux troupes d'occupation, dit, dans son premier compte rendu d'audience, que 70 « individus » avaient été déférés devant la cour martiale allemande, « que les moins compromis avaient été condamnés à diverses peines de travaux forcés, mais que, pour les 24 autres, le jugement allait être rendu. »

3. La *Pariser Zeitung,* qui ne s'adresse pas à une clientèle française, parlant de Rouxel et de Cloarec, écrira qu'ils ont « une expérience du crime digne de vieux routiers ».

les journalistes présents ne renoncent pas à toute liberté de jugement... dès l'instant où reconnaître l'intelligence d'un accusé c'est, implicitement, aggraver sa responsabilité !

Qui sont-ils, ceux que les Allemands veulent clouer au pilori et qu'ils feront entrer dans l'histoire ?

Des hommes qui appartiennent presque tous à la M.O.I. (Main-d'œuvre immigrée) créée en 1924 afin de recueillir, d'aider et d'encadrer les étrangers antifascistes, juifs bien souvent, mais aussi polonais, hongrois, espagnols républicains venus chercher asile et refuge en France.

J'ai dit, dans *Le Peuple réveillé*[1], quelles avaient été leurs actions lorsque le parti communiste avait commencé à utiliser pour la guerre clandestine la science militaire de ceux qui s'étaient battus en Espagne et l'esprit de sacrifice de jeunes juifs qui avaient vu leur famille engloutie par les trains de la déportation.

Au sein de la M.O.I. parisienne, ils seront répartis en « détachements » d'une trentaine d'hommes : le premier est hongrois, le deuxième juif polonais, le troisième italien, le quatrième espagnol et, depuis juillet 1944, Missak Manouchian a la responsabilité de ces quatre détachements.

Mais Szlama Grzywacz, Wolf Wasjbrot, Cesare Luccarini, Robert Wichitz, Marcel Rayman n'ont pas attendu la fin de 1943 pour frapper l'occupant. L'hôtel Pierre Ier de Serbie saute le 11 août 1942 ; trois soldats allemands sont tués dans les couloirs du métro *Nation* le 18 octobre 1942 ; Wasjbrot lance, le 3 janvier 1943, une bombe sur une compagnie allemande. Toutefois, c'est bien dans l'été et dans l'automne de 1943 que leurs actions iront se multipliant.

Jusqu'à atteindre les chiffres cités par l'affiche — l'*affiche rouge* — que les Allemands éditeront à 15 000 exemplaires et apposeront sur les murs des grandes villes de France ? Non. On se trouve, une fois encore, ici, devant d'importantes différences de chiffres, différences

1. Tome IV de *La Grande Histoire des Français sous l'occupation*, p. 341-346.

explicables par l'âpreté de la guerre psychologique qui, dans chaque camp, suppose, voire exige, la déformation de la vérité.

L'affiche allemande éditée sous le titre :

Des libérateurs !
La Libération !
par l'armée du crime

est illustrée par la photo de 10 des accusés du procès des 24, trois scènes de déraillement, deux photos de cadavres, une photo représentant bombes et revolvers.

Sous chaque photo de « terroriste », son identité. Il y a ainsi 7 juifs dont 5 Polonais, un communiste italien, un « Espagnol rouge » et un Arménien : Manouchian. Chaque nom est suivi du nombre des attentats commis ou prétendument commis. Fait-on le total, on arrive à *145 dont 16 déraillements*. Manouchian, présenté comme le « chef de bande », est « crédité », à lui seul, de 56 attentats, ayant fait 150 morts et 600 blessés.

Or, lors du procès, tous les journaux parisiens citeront les mêmes chiffres : *37 attentats, 14 déraillements,* ainsi qu'une opération de racket dans une ferme de Seine-et-Oise, opération menée par Kubacky, « un Polonais grassouillet, au visage porcin, aux yeux éblouis de stupidité », écrira *Aujourd'hui,* mais qui n'a rien obtenu des paysans à qui il réclamait 40 000 francs et s'est retiré sans qu'un seul coup de feu ait été tiré.

En février, les Allemands ont-ils, face à la presse, volontairement minimisé leurs pertes ? Il ne le semble pas [1].

Il est plus vraisemblable que, pour les besoins de la propagande — l'affiche plus les comptes rendus de presse —, les Allemands aient *augmenté* le bilan des « terroristes » présentés comme presque tous juifs (7 sur 10 sur l'affiche, 9 sur 24 au procès) et comme tous communistes.

---

1. Le 19 février, *L'Œuvre* donnera la liste de 18 attentats ayant fait 7 tués et 32 blessés allemands. *Le Matin,* de son côté, parlera de 13 soldats allemands, de 4 Français et de 2 Italiens tués ; de 30 soldats allemands, de 30 Français et d'un Italien blessés. En octobre 1944, le groupe Manouchian a réalisé 17 opérations. Le dernier communiqué du groupe est daté du 13 novembre. Il revendique l'attaque, le 12 à 13 h 30, de deux colonels allemands dont les serviettes étaient « bourrées de dollars et de devises ».

La plupart des accusés — Manouchian le premier — devaient cependant se défendre d'appartenir au parti et il est curieux de voir avec quelle insistance les journalistes présents rapportent les déclarations par lesquelles ils affirment relever uniquement d'Alger et du Comité de la Libération nationale. *L'Œuvre,* qui n'hésitera devant aucun amalgame, écrira même que « les grands chefs étaient vraisemblablement de hauts seigneurs de l'industrie, de valeureux officiers en disponibilité ». Des comparaisons seront établies entre la rétribution mensuelle des accusés (2 300 F) et la solde des « dissidents » de l'armée d'Afrique. Le bruit, enfin, sera répandu de la promotion prochaine de certains d'entre eux au grade d'officier[1].

L' " information " donnera même matière, le 21 février, à ce titre du *Matin :*

Les 24 terroristes du M.O.I.
devant le tribunal militaire de Paris.

Certains des inculpés,
chefs d'exécution ou tueurs chevronnés,
allaient être promus officiers
de l'armée de la Libération.

Exigée par les Allemands dans le but d'exaspérer l'antisémitisme, l'anticommunisme, mais également l'antigaullisme, la présence des journalistes permettra cependant de porter à la connaissance des Français quelques-unes des motivations des accusés.

C'est ainsi que Rayman dira au président :

— Je rappelle au tribunal mon impossibilité de vivre sans lutter contre la force allemande... Je me considérais comme un soldat et je me considère encore comme mobilisé.

Que Wasjbrot, dont la famille a été arrêtée et déportée à la suite des rafles de juillet 1942, répliquera à ses accusateurs :

— Il est normal que les juifs combattent les Allemands puisque les Allemands nous combattent.

Qu'Alfonso, qui se défendra d'avoir appartenu à l' « armée rouge »

1. Dans sa dernière lettre, Manouchian écrira à sa femme : « Après la guerre, tu pourras faire valoir ton droit de pension de guerre en tant que ma femme, car je meurs en soldat régulier de l'armée de la Libération. »

espagnole, mais se glorifiera d'être un ancien de l' « armée républicaine », affirmera :

— Les ouvriers doivent défendre leurs intérêts là où ils se trouvent.

Il n'a fallu que trente minutes au tribunal pour délibérer et pour rapporter 23 sentences de mort, Migatulski étant renvoyé devant les autorités françaises. Quant à Golda Bancic, car il se trouvait une femme parmi les « 24 », une Roumaine, qui, avant l'action, apportait les armes à ses camarades, les Allemands annoncent que son recours en grâce vient d'être accepté. Mais la mort la rattrapera. Transférée en Allemagne, Golda Bancic sera décapitée à la hache, à Stuttgart, le 10 mai 1944.

Ce jour-là, elle aurait fêté son trente-deuxième anniversaire.

Pierre Malo, du *Matin,* qui observe les accusés au moment de la lecture du verdict, écrira qu'ils l'ont accueilli « avec indifférence ».

S'il en est bien ainsi, c'est l'indifférence sublime qui naît du courage et de l'acceptation d'un sacrifice dont tous, ou presque tous, devinaient depuis longtemps qu'il serait, un jour, fidèle au rendez-vous.

Reconduits pour quelques heures dans leurs cellules, ayant alors le droit d'écrire ce qui sera leur dernière lettre, ces hommes laissent tomber le masque de l'indifférence. L'amour les habite, et non la peur.

Missak Manouchian à sa femme Mélinée :

« Fresnes, le 21 février 1943

Ma chère Mélinée, ma petite orpheline bien-aimée,

Dans quelques heures, je ne serai plus de ce monde. Nous devons être fusillés cet après-midi à 15 heures. Cela m'arrive comme un accident dans ma vie, je n'y crois pas, mais pourtant je sais que je ne te verrai plus jamais.

Que puis-je t'écrire ? Tout est confus en moi et bien clair en même temps.

Je m'étais engagé dans l'armée de Libération en soldat volontaire et je meurs à deux doigts de la victoire et du but. Bonheur à ceux qui vont nous survivre et goûter la douceur de la Liberté et de la Paix de demain. »

Léon Goldberg, dont toute la famille a été victime de la rafle de juillet 1942 :

« Chers parents,

Si vous revenez (et je le pense), ne me pleurez pas. J'ai fait mon devoir en luttant tant que j'ai pu.

J'aurais voulu vous voir une dernière fois et vous tenir dans mes bras, seulement ce n'est pas possible. Enfin, vous aurez encore deux fils qui deviendront des hommes. J'ai combattu pour que vous, Henri, Max, ayez une vie meilleure si vous revenez et aussi pour qu'ils ne revoient pas une autre guerre dans vingt ans[1]. »

Willy Szapiro, ancien responsable du parti communiste en Palestine, puis en Autriche, arrêté le 27 octobre 1943, après le déraillement d'un train de permissionnaires allemands, à sa femme enceinte :

« Mon enfant bien-aimé,

Après quatre mois, je peux écrire une lettre, hélas triste ? Car je vais être fusillé.

J'ai eu quatre mois très durs, mais je n'ai pas fléchi, car je sais à quoi j'ai consacré ma vie. Naturellement, il est douloureux d'abandonner la belle vie. Maintenant, je l'espère, notre enfant tant attendu est venu au monde et ne pourra connaître son papa.

Beaucoup de rêves pour toi, ma chérie, et pour notre petit chéri. »

En 1985, lors des incidents provoqués par la projection, longtemps différée, du film de Mosco : « *Des " terroristes " à la retraite* », plusieurs accusations visaient le parti communiste. L'une d'elles,

1. De la famille de Léon Goldberg, personne n'est revenu.

portée par Ganier-Raymond, auteur du livre *L'Affiche rouge,* devait être rapidement écartée. En vérité, il s'agissait d'une insinuation, puisque Ganier-Raymond reconnaissait s'avancer sans preuves, lorsque, intervenant dans le film, il laissait entendre que la direction des F.T.P. avait choisi de sacrifier les détachements M.O.I. et peut-être — l'idée était suggérée — de les livrer aux Allemands.

Selon la seconde accusation, le parti aurait refusé à Manouchian et à ses hommes, qui se sentaient et se savaient traqués, l'autorisation de quitter Paris pour une ville de province moins étroitement surveillée.

A cette accusation, Auguste Lecœur et Charles Tillon — qui ont aujourd'hui rompu avec le P.C. mais occupaient, en 1944, des postes importants de responsabilité — répondront que la M.O.I. ne dépendait pas du P.C.F. mais, directement, de Moscou[1].

Lecœur insistera particulièrement sur l'importance de cette « double direction » qui aurait empêché la transmission des consignes de sécurité aux membres de la M.O.I., sacrifiés ainsi aux thèses jusqu'au-boutistes de « la maison mère », c'est-à-dire du Kremlin.

La troisième accusation reprenait un thème développé, quinze ans plus tôt, par Claude Lévy[2] comme par Roger Pannequin[3] et que l'on peut ainsi résumer : « *Silence sur les juifs étrangers. Laissons aux Français de souche la gloire et les honneurs.* »

Les étrangers, et non seulement les juifs étrangers, ont-ils été éliminés de l'histoire de la Résistance au profit des nationaux qui se seraient attribués leurs succès et, plus tard, leurs médailles ?

Si elle est excessive, l'accusation n'est pas totalement fausse. Les récits, historiques ou non, consacrés à la Résistance n'ont, en effet, jamais accordé aux combattants étrangers la part qui leur revenait. Xénophobie ? Difficulté, pour un écrivain, d'intéresser les Français aux aventures d'hommes que la victoire du fascisme avait naguère chassés de leur pays, que le triomphe du communisme va bientôt y rappeler ? Repli, après la guerre, sur leur groupe d'origine, d'hommes n'ayant ni les habitudes de vie, ni les pôles d'intérêt, ni les facilités de communication (journaux, livres, radio) des Français ? Sans doute.

1. Cf. *Est et Ouest,* juillet-août 1985.
2. *Les Parias de la Résistance* (1970).
3. *Adieu camarade.*

A l'instant où la mystique va se changer en politique et où faits d'armes et décorations auront une évidente valeur électorale, il est également possible, puisqu'ils sont exclus de cette compétititon, que les étrangers représentent comme un gisement d'héroïsme dans lequel certains puiseront sans vergogne.

Il faut enfin rappeler — même si cela fait partie des vérités toujours masquées — qu'ardents dans le combat pour la Libération bien des étrangers le seront également dans le combat pour l'épuration. De leur présence, les départements et les régions où ils furent les plus nombreux et les plus actifs ne conservent donc pas un souvenir unanimement sympathique.

Le parti communiste ne pouvait ignorer ces réticences populaires. Par prudence politicienne, elles l'ont peut-être conduit à minimiser le rôle de la M.O.I., dont l'action débordait très largement la région parisienne, pour tenter, et réussir, une opération d' « aryanisation » de la Résistance.

Alors que le procès des « 24 » a donné lieu — et pour la première fois — à une très large exploitation dans la presse de la collaboration, *L'Humanité* clandestine l'évoque brièvement (14 lignes) dans son numéro du 1er mars 1944. Certes, sous le titre *Ils sont morts pour la France,* mais sans citer un seul nom des fusillés, dont il est simplement écrit qu'ils étaient venus en France « comme émigrés politiques ou comme immigrés économiques ».

La modestie de l'information contraste avec les 85 lignes accordées le 1er novembre 1943 — dans un journal clandestin réduit à une seule feuille — à l'exécution de Julien Hapiot, de Lacazette, de Delaune et de Georges Smets. Il est vrai que Julien Hapiot avait été secrétaire de la Jeunesse communiste ; Lacazette, commandant de F.T.P. ; Delaune, instructeur du Comité central ; Smets, secrétaire régional dans le Nord.

Il est vrai également que Julien Hapiot, après avoir écrit d'une façon très émouvante qu'il faisait répéter à son ami, Robert Henri, les couplets de La *Marseillaise*, « car, ajoutait-il, c'est au chant de nos aïeux que nous irons au poteau d'exécution », terminait son message en adressant ses adieux au « grand parti communiste français », « à ses chefs courageux et clairvoyants ».

Ce salut — pas plus que le cri « Vive le parti communiste ! », qui achève tant de lettres de communistes condamnés à mort —, on ne le trouve dans aucune des dernières lettres des « 24 » du groupe

Manouchian, du moins dans celles qui, aujourd'hui, ont été publiées[1].

Les communistes ne seront pas les seuls à sous-estimer l'action des immigrés.

Pendant la guerre, l'émission gaulliste *Ici Londres* fera rarement écho à la résistance active des étrangers. Non par ignorance, par politique. Il s'agit de ne pas fournir de prétexte à la xénophobie populaire et de « franciser » au maximum la Résistance.

Le 3 mai 1944, évoquant les victimes des cours martiales instituées par Vichy et faisant référence à l'appel à la loyauté que le Maréchal vient d'adresser aux fonctionnaires, Maurice Schumann déclarera d'ailleurs :

> « Ce qui revient à dire, à proclamer, à claironner que ces fameux " hors-la-loi ", ces prétendus " bandits juifs et orientaux " condamnés par les cours martiales sans même avoir comparu... ce sont (Pétain dixit) des fonctionnaires français, des militaires français, de simples citoyens français, des jeunes gens français brûlés par l'ardeur de servir, des anciens de Verdun et leurs dignes enfants. »

Les hommes de Manouchian ont été arrêtés non par les Allemands, mais par les policiers de la brigade spéciale du commissaire David, à la suite de filatures, de trahisons et d'imprudences[2].

1. Le parti communiste fait cependant état d'un tract de 4 pages intitulé *La Vérité sur un procès*, tract qui débute ainsi : « Il y a quelques jours, les Boches ont organisé un procès à grand spectacle contre 24 patriotes qu'ils ont criminellement condamnés à mort. »

Auguste Lecœur (*Est et Ouest*, juillet-août 1985) affirme que ce texte « revu et corrigé, avait été écrit après la Libération, pour les besoins d'un livre » (*Pages de gloire des vingt-trois*). La lecture très attentive du tract communiste ne confirme pas la thèse de Lecœur. Il me paraît, en effet, impossible que, rédigé plusieurs années après la Libération, ce long document n'ait pas comporté un certain nombre d'erreurs même légères qui ne s'y trouvent pas.

2. Cf. *L'Affiche rouge* et *Le Monde* du 2 juillet 1985.

Evoquant les conditions de ces arrestations, Auguste Lecœur mettra en cause « le manque de vigilance et le non-respect des règles de sécurité » des F.T.P. de la M.O.I.[1], ces règles que le parti ne cessait cependant de rappeler.

Dans le métro, dans la rue, à l'entrée comme à la sortie des cinémas, dans les gares, les contrôles des polices française et allemande vont, en effet, se multipliant, à mesure que se multiplient les actes de résistance et qu'augmentent, avec les besoins de l'Allemagne en travailleurs français, les chiffres des réfractaires.

Entre 18 et 45 ans, il ne suffit d'ailleurs pas d'exhiber une banale carte d'identité. A ce document, il faut ajouter certificat de recensement, certificat de démobilisation, attestation de domicile, carte de ravitaillement, carte de travail et attestation d'employeur, le cas échéant, également, un certificat prouvant que l'on est prisonnier libéré ou encore que l'on a été exempté du travail en Allemagne. Sur tous ces documents — allemands ou français, allemands et français —, tampons, cachets et numéros d'ordre doivent être correctement apposés. Que l'un fasse défaut ou paraisse douteux, la catastrophe est certaine.

Pour tous les clandestins que compte la France de 1944, et qui ne sont pas seulement des résistants mais également des juifs désireux d'échapper aux persécutions raciales, il est donc nécessaire que le faux soit aussi vrai que le vrai, ce qui requiert, de la part de faussaires amateurs que rien n'avait préparés à ce métier, mortel en cas de capture, un long et difficile apprentissage avant que soit acquise la maîtrise nécessaire.

Car, si des maires, des fonctionnaires se font bien, ici et là, fournisseurs de VRAIS FAUX-PAPIERS, ils ne pourront répondre à toutes les demandes.

Voici l'exemple de Michel Bernstein. Parce qu'il est juif et désire, depuis Lyon, regagner Paris, il fabriquera sa première fausse carte d'identité. Pour imiter le sceau d'une mairie et d'un commissariat de

1. Lecœur mettra à profit l'occasion pour rappeler les précautions qu'il prenait dans la clandestinité, après avoir été promu à la direction nationale du P.C. Grâce à ces précautions, il put, dès son premier rendez-vous, se rendre compte que le responsable politique de la région parisienne était suivi. A la Libération, il apprendra que cette filature avait provoqué l'arrestation de 22 militants.

police, il gravera, successivement et vainement, sur bois, sur cuivre et sur matière plastique. C'est finalement la gélatine, la banale pâte à polycopier, qui lui permettra d'apposer sur son nouveau nom : *Rollin,* et sur sa nouvelle identité des cachets ayant toute l'apparence de l'authenticité, puisqu'ils lui permettront de franchir victorieusement, entre Lyon et Paris, cinq contrôles policiers.

Arrivé à Paris, ayant pris contact avec Philippe Viannay, qui fut à l'origine de *Défense de la France,* l'un des mouvements les plus courageux, les plus efficaces et les moins démagogiques des années 41-44, Bernstein apprendra à devenir un véritable et remarquable faussaire. Dans son petit logement de la rue Mazarine, dont il ne sortira qu'*une seule fois,* en mai 1943, pour aller se loger rue de Tournon, il réunira les livres capables de lui apprendre la typographie, l'imprimerie, le travail du caoutchouc et découvrira bientôt qu'il doit abandonner la gélatine. Certes, elle permet la fabrication d'une cinquantaine de faux documents par semaine. Mais c'est par centaines, puis par milliers que, désormais, les mouvements les réclament.

Il devient indispensable de s'industrialiser. Aidé par sa femme Monique, qui sera le véritable chef de l'atelier clandestin[1], par Charlotte Nadel, par le dessinateur Guichardot, par Emile Courmont, qui dans son atelier de la rue Saint-Denis établit les clichés en zinc, par l'imprimeur Grou-Radenez, courageux comme tant d'imprimeurs l'ont été durant l'occupation[2], Bernstein réussira, après vingt-quatre heures de travail et d'angoisse, la copie parfaite d'un cachet qui lui a été momentanément confié.

Il s'agit de celui de la mairie de Pencran, dans le Finistère.

Bernstein est si heureux du résultat enfin obtenu que, dans une manifestation de triomphe et de joie presque enfantine, il timbrera des dizaines de feuilles de papier vierge... *Mairie de Pencran... Mairie de Pencran... Mairie de Pencran.*

Au cachet de la mairie de Pencran succédera celui de la mairie d'Argent-sur-Sauldre, dans le Cher ; de la mairie de Cadalen, dans le Tarn ; de celle de Denneville, dans la Manche ; d'Etables, en Ardèche ; des dizaines, puis des centaines et des milliers de cachets : *12 000 au total,* dispersés à travers les réseaux dont ils feront le

1. Et assumera les plus grands risques car c'est elle qui transporte dans des paniers à double fond les documents réalisés par l'atelier de faux.
2. Grou-Radenez sera arrêté et déporté.

bonheur, dont ils assureront la sécurité, qu'il s'agisse de timbres des mairies françaises, des commissariats, des préfectures, des ministères, des grandes écoles ou des différents timbres de l'autorité allemande, Gestapo comprise.

Michel Bernstein fera mieux sans doute. Il rédigera le *Manuel du faussaire*, édité par *Défense de la France* en 1943, puis actualisé en avril 1944.

C'est l'inconscience de certains faussaires amateurs qui a mis Bernstein en éveil. N'a-t-il pas découvert une carte d'identité prétendument délivrée en 1938... mais timbrée d'un cachet de l'Etat français du maréchal Pétain !

A l'intention de ceux qui se lanceront dans la fabrication de faux papiers, Bernstein multiplie donc les recommandations. Comme lieu de naissance, comme lieu de résidence, il conseille de ne jamais choisir Paris ou une grande ville, les vérifications étant trop rapidement et trop facilement effectuées. A la rubrique signalement, ne jamais inscrire « *yeux noirs* », le noir des yeux n'existant pas pour l'état civil. Timbrer avec des timbres à 13 francs, le timbre à 15 francs ayant été rapidement retiré de la circulation. Ecrire toujours à l'encre noire les mentions de la carte d'identité, les écrire avec une plume et non à l'aide d'un stylo. Se garder des photos prises dans un « photomaton ». Elles peuvent constituer un piège redoutable puisque les photomatons ne sont en service qu'à Paris et dans deux ou trois grandes villes.

Lorsqu'il remet de fausses cartes d'identité, Bernstein pousse le scrupule jusqu'à communiquer, sur la commune de naissance ou de résidence, quelques renseignements qui peuvent se révéler sauveurs, en cas d'interrogatoire poussé. Est-il pensable, en effet, de prétendre habiter une commune de 1 200 habitants, un village de 230 âmes et de ne connaître ni le nom du maire ni celui du curé ?

En recevant sa carte d'identité timbrée, par exemple, de Vicq-sur-Nahon, dans l'Indre, le clandestin recevra également ce texte bref mais parfaitement renseigné :

Vicq-sur-Nahon (Indre)

50 km N.-O. de Châteauroux
1 150 h., agglom. 230 h.
Maire : Ferrand (A.)
Notaire : Langlois

Instit. : M. et Mme Labroche
Curé : Guillemain
Agricul. : Beaujard, Cloué, Gautier, Limousin, Trouvé
Hameaux : Andilles, Faix, La Forêt, Le Plaix, La Verrerie.

Journal de Bernstein :

« Février, mars, avril passent lentement. Nous attendons le débarquement. Il n'est pas possible que le printemps se termine sans qu'il ait lieu. Nous n'en pouvons plus. Depuis dix-huit mois, nous sommes coupés de tous les nôtres... Pas de nouvelles de Michèle, la sœur de Monique, de Grou-Radenez, de Boisseau[1], de Jean-Jacques, déportés en Allemagne. Et nous sommes nous-mêmes à bout de force. Si cela dure encore, nous serons pris comme les autres et notre compte est bon.

... L'atelier ne marche plus qu'au ralenti. C'est fini. A quoi bon continuer, puisque mai s'est terminé sans débarquement. Il y a assez de tampons en circulation : nous en avons fabriqué plus de douze mille, utilisé plus de trois cents zincs, préparé l'impression de centaines et de centaines de milliers de faux papiers. »

Tandis que Bernstein, autour de qui les arrestations se multiplient, et qui vit aussi strictement cloîtré dans son petit appartement de la rue de Tournon qu'il vivait cloîtré dans le petit appartement de la rue Mazarine, connaît, après l'ivresse d'un immense travail, la mélancolie des jours vides et inquiets, la France entière est emportée par un phénomène d'accélération militante comme il s'en produit rarement dans l'Histoire.

Il est impossible de recenser *tout* ce qui se passe dans *tous* les départements français dans ces semaines et dans ces jours qui

1. Adjoint au maire de Clichy, Georges Boisseau a fourni les premiers modèles de papiers et de tampons.

Je dois à l'amitié de M. Michel Bernstein les renseignements concernant son activité ainsi qu'un certain nombre de documents (faux papiers, faux timbres à l'effigie du maréchal Pétain, cachets divers) dont il a bien voulu me faire don.

précèdent le Jour, mais voici pour l'un d'eux, parmi les plus importants puisqu'il s'agit de la Corrèze, comment se traduit la montée en puissance de la Résistance.

Au 30 mai, l'Armée secrète de basse Corrèze, regroupant 33 maquis, compte 25 officiers et 2400 hommes ; celle de haute Corrèze, 38 officiers, 90 sous-officiers et 790 hommes répartis en 16 maquis. En Corrèze-Centre, enfin, 35 officiers et 298 hommes.

De leur côté, les F.T.P. corréziens annoncent 5862 hommes, groupés en 14 bataillons.

Ce sont les F.T.P. qui revendiqueront d'ailleurs le maximum d'actions dans le département : 3 pour l'année 1942, 63 pour 1943, 43 entre le 1er janvier et le 6 juin 1944.

Quatre sabotages de voies ferrées ont lieu le 1er mai ; le 4, la voie ferrée est coupée à Eyrein, Saint-Fréjoux et Alleyrat ; le 17 mai, à Bonnagues, locomotive et wagons d'un train de marchandises déraillent ; le 25 mai à Alleyrat, après avoir évacué les voyageurs, les maquisards lancent et laissent partir à la dérive le train Ussel-Tulle.

Le parti communiste a décidé de faire, de la nuit du 31 mai au 1er juin, une nuit de répétition générale. Les routes sont barrées autour d'Egletons ; les ponts de Vernéjoux, Lanau, Saint-Projet, Spontour s'effondrent ; des pylônes de lignes de transport de force sautent dans 6 localités.

En mai 1944, la gendarmerie de la Corrèze enregistrera encore 7 coupures de lignes téléphoniques ; 8 attaques contre des mairies où viennent de parvenir les titres d'alimentation ; 42 incursions dans des débits de tabac[1] ; 27 cambriolages de bureaux de poste ou de perception qui rapporteront au total 573310 francs, les sommes les plus importantes étant dérobées à Meymac où, le 16 mai, le coffre-fort de la perception a été vidé de 170000 francs cependant que, le 22 mai, 15 maquisards ne trouveront que... 750 francs dans la caisse du bureau de poste de Laroche-Canillac.

Dix-sept entrepôts de marchandises sont visités. En disparaîtront aussi bien huile, essence, pneus que sucre, savon, vin, conserves, outils, papier. Le 21 mai, à Egletons, 100 maquisards enlèveront tout le matériel de la cordonnerie Fleignac, toutes les liqueurs et le vin du magasin Moneger ainsi que deux des camions de la Compagnie

1. Dans 29 de ces débits, le tabac enlevé sera payé par les maquisards.

générale industrielle. Des Chantiers de jeunesse de Lapleau, de Chamberet disparaissent matériel de couchage et vêtements ; des postes de guet et des casernes de Donzenac, Lissac, Saint-Rémy, ce sont des effets militaires qui prennent la direction du maquis.

Cinquante vols au détriment de la population sont enregistrés[1] ; ils concernent surtout des véhicules, mais également du tissu, du lard, des œufs (100 douzaines, le 16 mai, à l'épicerie Girard, de Queyssac), une vache, du saucisson (300 kilos, le 19 mai, à l'usine Chassagnard, d'Egletons), des machines à écrire et des allumettes.

Enfin, treize personnes appartenant à la Milice, à la Légion des combattants ou à la L.V.F. seront enlevées et deux au moins assassinées.

Sur ce que pouvait être la vie quotidienne dans le centre de la France, à la fin du mois de mai 1944, voici un témoignage inédit. Il émane du vétérinaire de 1re classe M..., envoyé le 31 mai en Corrèze pour surveiller la fabrication des conserves de viande à l'usine Mazeyrat, d'Egletons.

> « A 18 heures, j'étais à l'usine et le directeur m'informait qu'il ne pouvait assurer la marche dans les conditions actuelles du fait que le “ maquis ” règne en maître dans la région, surtout depuis la mi-mai. Sa maison et son entrepôt ont été l'objet d'une visite à main armée au cours de laquelle tous les produits alimentaires, conserves personnelles, ont été raflés.
>
> Le soir même, j'avais confirmation de visu de l'état des choses qu'il m'avait dépeint. A 23 heures, les F.T.P. occupaient la ville sans coup férir et se livraient à leurs actions habituelles sur lesquelles je ne m'étendrai pas (exécutions, perception, gendarmerie, “réquisitions ”), quelques instants plus tard ils cognaient violemment à la porte de l'usine et de la maison Mazeyrat pour demander la camionnette et les produits fabriqués.

1. Pour le mois de mai 1944.

Le lendemain matin, après explosions, mousqueterie, je n'avais plus de téléphone ni de train pour rendre compte de ma mission. Aussi, au moyen d'un car, je comptais aller à Uzerche pour gagner Limoges. Mais, 10 km plus loin, les F.T.P. arrêtaient les voitures et gardaient les voyageurs à Corrèze. L'après-midi, je fus requis pour participer aux travaux de défense de cette ville, construction de barricades. Ils attendaient une réaction qui ne vint pas. Toujours pas de téléphone, ni de train et, cette fois-ci, plus de car ; à pied, puis au moyen d'un taxi trouvé heureusement, je réussis à rejoindre Brive — où je fus arrêté un moment par les Allemands — et enfin Périgueux, dimanche.

En conclusion, il est regrettable que la Corrèze, pays d'élevage, ne puisse fabriquer des conserves de viande et que l'usine Mazeyrat, de construction récente, avec du matériel neuf, des frigorifiques, reste inemployée, mais, tant que l'ordre n'est pas assuré — les gens vivent sous le régime de la peur, voire de la terreur —, il n'est pas possible de fabriquer quoi que ce soit, parce que la production sera enlevée aussitôt par les F.T.P., ce qui n'est pas le but du marché. »

Ces attaques de mairies, de bureaux de poste, de débits de tabac, de magasins appartenant aux Chantiers de jeunesse sont consécutives à la rapide progression des effectifs de maquis qu'il faut ravitailler, armer, transporter et solder, Londres ne pourvoyant pas, et ne pouvant pourvoir, à tout.

Le 11 mai, la mission *Union,* qui a quitté l'Angleterre le 6 janvier et vient de rentrer de France, écrit dans la partie de son rapport qui concerne les finances :

« Ici (c'est-à-dire dans la Drôme, l'Isère et la Savoie), nous avons trouvé une situation extrêmement sérieuse. Des maquis et des organisations locales venaient des plaintes qu'ils étaient " sans un sou ". Ces plaintes étaient fondées. Toutes sortes d'expédients étaient utilisés pour obtenir de l'argent. Des stocks de tabac étaient pris dans les bureaux de vente et vendus au marché noir, des appels à la charité locale ; il est à peu près certain que, parfois, des actes de brigandage ont été montés et exécutés. Il est tragique de penser que des hommes et des femmes ont gaspillé des heures d'efforts et risqué leur vie à cause d'une insuffisante fourniture de papier-monnaie. »

Encore ce texte est-il rédigé avant la fin du mois de mai, c'est-à-dire avant la crue brutale des effectifs, dont il faut rappeler la soudaineté.

Pour les 13 départements de la 4e Région militaire[1] : Charente, Charente-Maritime, Corrèze, Creuse, Deux-Sèvres, Dordogne, Gironde, Indre, Indre-et-Loire, Lot-et-Garonne, Vendée, Vienne, Haute-Vienne, le général de la Barre de Nanteuil a réalisé un remarquable travail de synthèse[2] auquel il n'est pas assez souvent fait référence, « la persévérante culture du faux », pour reprendre un mot de Michelet[3], l'emportant trop souvent sur la recherche de la vérité.

Travaillant sur les dossiers collectifs des 256 maquis homologués en 4e Région, le général de La Barre de Nanteuil a pu mesurer la progression de la résistance populaire dans les 13 départements.

Le 1er juillet 1942, les maquis, dispersés sur 13 départements, comptent 4519 hommes.

Le 1er janvier 1943... 9471.
Le 1er juillet 1943... 16962.
Le 1er janvier 1944... 27548.
Le 6 juin 1944... 75452.
Le 1er juillet 1944... 97922.
A la fin d'août 1944... 153928.

---

1. Il s'agit de la 4e Région militaire telle qu'elle fut définie le 18 février 1946 lorsque la France fut divisée en 10 régions militaires. La 4e, ayant pour siège Bordeaux, c'est à Bordeaux que devaient être réunis les dossiers des maquis homologués.

2. *Historique des unités combattantes de la Résistance (1940-1944) en 4e Région militaire. Synthèse sur les 13 départements* (Service historique du ministère des Armées, 1974).

3. *Renaissance et réforme.*

Si l'on excepte la surpopulation des jours précédant la Libération, lorsque les maquis rassemblent bon nombre de « prévoyants de l'avenir », rassurés par la tournure des événements, on observera qu'avant le débarquement c'est le premier semestre 1944 qui connaît la plus forte augmentation des effectifs.

Le 6 juin, les maquisards les plus nombreux se trouvent dans les départements de l'ancienne zone non occupée... dont voici une justification en apparence paradoxale. Par ordre d'importance, ils sont donc, essentiellement, en Dordogne, Corrèze, Creuse, Haute-Vienne, Indre et Lot-et-Garonne [1], six départements où ils se comptent 62 530 sur les 75 452 recensés dans les 13 départements.

C'est également dans les départements de l'ex-zone non occupée que, du 1er janvier 1944 au 6 juin, les « actions » (parachutages, sabotages, coups de main) seront les plus fréquentes : 628 en Dordogne, 285 en Lot-et-Garonne, 185 dans la Creuse, 183 dans l'Indre, 151 en Haute-Vienne, 124 en Corrèze, soit 1 556 au total sur les 2 056 recensées dans les 13 départements de la 4e Région militaire.

Les anciens soldats de l'armée de l'armistice, les garçons des Chantiers de jeunesse ne sont pas étrangers au gonflement des effectifs comme à la multiplication d'actions dont les F.T.P. prennent le plus souvent l'initiative, assument la responsabilité, ce qui sera lourd de conséquences politiques bénéfiques pour le parti communiste puisque, aux élections de 1946, sur les 25 sièges de député attribués à la Dordogne, à la Corrèze, à la Haute-Vienne, au Lot-et-Garonne, à la Creuse et à l'Indre, il en emportera 12 [2].

La sécheresse des statistiques ne doit pas faire oublier le bouillonnement de patriotisme dont, entre cent exemples, le mont Mouchet, le Vercors, Saint-Marcel, offriront des exemples fameux.

---

1. 23 957 en Dordogne où ils n'étaient que 5 714 au 1er janvier 1944 ; 16 290 en Corrèze ; 8 299 pour la Creuse ; 8 146 pour la Haute-Vienne ; 6 789 pour l'Indre et 5 031 pour le Lot-et-Garonne. En revanche, la Gironde, dont la population est très supérieure à celle des départements précédents, ne compte que 2 574 maquisards.

2. Aux législatives de 1936, dans ces six départements, le parti communiste avait obtenu 5 sièges de député sur 29. En 1978, il n'en aura plus que 3.

Lorsque, le 20 mai, Emile Coulaudon, sergent infirmier de réserve, mais chef régional des F.F.I. d'Auvergne, donne l'ordre de « levée en masse », il compte sur la passion qui soulève les masses à l'approche du débarquement pour quadrupler ou quintupler ses 2700 maquisards.

Il l'a dit, le 30 avril, devant le Comité régional de Libération, réuni en Haute-Loire, dans la ferme du Boitout, sur la commune de Sainte-Marguerite.

Parmi ceux qui l'écoutent plaider chaleureusement la thèse du rassemblement de 10 à 15000 hommes au mont Mouchet, dans la région de Chaudes-Aigues et au Livron, Henry Ingrand, Georges Ganguilhem, Maurice Jouanneau, Raymond Perrier, Jean Butez, Pierre Girardot, Charles Edlin, Robert Huguet, René Ribière, Jean Lépine, Serge Zapelski[1] et le major britannique Maurice Southgate.

Parachuté en janvier 1943, Southgate, qui sera l'un des 27 agents britanniques (sur 1600 envoyés en France) à recevoir le *Distinguished Service Order,* jouera un rôle psychologique capital dans la mobilisation du mont Mouchet.

N'a-t-il pas donné l'assurance que les Anglais parachuteraient massivement armes et commandos ? Deux autres missions britanniques conforteront Coulaudon dans cet espoir.

Espoir largement déçu. Les messages de la radio de Londres, les conversations entre résistants évoquent ces parachutages qui font aujourd'hui partie de toute la littérature sur l'occupation. Mais sait-on que les sorties des avions anglais et américains à destination des maquis se soldent souvent par de cuisants échecs dont sont responsables les conditions atmosphériques, les avaries mécaniques, la D.C.A. allemande, la mauvaise préparation de certains terrains et des équipes de réception ?

Le 10 février 1944 la commission franco-britannique réunie à Londres est bien obligée de constater que, sur 186 sorties au profit du maquis, 11 seulement ont été réussies, ce qui découragera d'ailleurs Winston Churchill d'accélérer l'armement des maquis français qui, par politique plus que pour des raisons techniques, ne recevront jamais de mortiers et devront attendre avril 1944 pour voir tomber du ciel des

1. Représentant respectivement *Combat, Libération, Franc-Tireur,* le *Mouvement ouvrier français,* le *parti socialiste,* le *parti communiste,* le *Front national,* les *F.T.P.* et pour Ribière l'Allier, pour Lépine le Cantal, pour Zapelski la Haute-Loire.

armes antichars, bazookas et Piats[1], encore en très petit nombre : 142 bazookas et 77 piats en avril ; 500 bazookas et 247 piats en mai.

Sans doute existe-t-il quelques terrains de « récupération » à l'image de celui qu'Harold Rovella a équipé dans le Lot, entre Saint-Céré et Aurillac et qui, protégé par trois maquis locaux, muni d'une balise de radioguidage et d'instruments qui permettent à Rovella — qui parle anglais — d'entrer en contact avec les équipages des Lancaster, des Halifax ou des Stirling égarés, mais des terrains comme « *Chénier* », puisque tel est son nom de code, ne sauraient suffire à tout[2].

Il se passera donc, pour le mont Mouchet, ce qui s'est passé pour Glières et ce qui se passera pour le Vercors.

Trop d'illusions, entretenues de bonne foi, par des envoyés de Londres, rapidement conquis par le jeu périlleux et séduisant de la guerre clandestine ; trop d'illusions accueillies avec joie par des résistants dont elles rejoignent les vœux ; trop d'illusions, qui servent sans doute les desseins du Haut Commandement allié en obligeant les Allemands, qui prennent la menace au sérieux, à disperser leurs troupes, trop d'illusions conduiront nécessairement à beaucoup de désillusions et de rancœurs.

La radio de Londres, qui a longtemps entretenu l'espoir, exaspère désormais l'enthousiasme.

Le 12 mai, André Gillois a demandé aux Français qui n'appartiennent encore à aucun mouvement de résistance de se mettre à l'abri des rafles allemandes, aux mères de famille de se mettre à l'abri des bombardements en évacuant les grandes villes.

Le 13 mai, le communiste Waldeck Rochet, alors même que les Anglais n'autorisent pas encore l'emploi des mots « insurrection nationale[3] », débute ainsi son allocution radiophonique :

---

1. Bazooka M1, arme antichar de l'armée américaine, lançant un projectile de 1 kg 500 à 300 mètres, projectile perçant 100 mm de blindage.

Piat, arme antichar en usage dans l'armée britannique.

2. Entre le 6 janvier et le 8 juin le terrain « *Chénier* » recevra plus de 220 containers ainsi que de très nombreux paquets. A la suite d'un important parachutage effectué le 29 janvier, les armes reçues seront transportées vers Toulouse.

3. Ils ne donneront leur accord que le 20 mai, et avec réticence, après avoir diffusé une « directive n° 1 » qui demande aux populations des pays occupés non point d'agir contre l'ennemi mais seulement de l'observer, de repérer les mouvements de ses troupes et les emplacements de ses dépôts afin de les faire connaître aux armées de la Libération.

> « Avec l'offensive alliée qui sera déclenchée à l'Ouest et à l'Est, c'est l'heure de l'insurrection nationale qui va bientôt sonner. »

S'érigeant — peut-être ne l'a-t-on pas assez remarqué — en véritable responsable militaire et politique, Waldeck Rochet demande aux « masses mobilisées » de paralyser les moyens de transport ennemis, de couper les lignes électriques, de prendre d'assaut les dépôts d'armes et de munitions, de tendre des embuscades, d'occuper les bâtiments publics, de capturer ou de tuer les miliciens, de chasser les autorités de Vichy et de les « remplacer par des délégations patriotiques ».

Le 27 mai, annoncé d'une façon solennelle par Jacques Duchesne, qui affirme aux auditeurs que Waldeck Rochet va leur apporter « les précisions indispensables » à l'organisation du soulèvement national et à la forme qu'il doit prendre « selon les catégories de citoyens et de lieux », le dirigeant communiste reprend, en les amplifiant, les consignes données une semaine plus tôt.

Quoi qu'il en soit, Coulaudon est au sommet de l'optimisme lorsque, le 20 mai, il lance l'ordre de levée en masse.

> « L'armée de la Libération est maintenant constituée au cœur de nos montagnes d'Auvergne.
>
> Je rappelle aux chefs responsables qu'en dehors des hommes auxquels a été confiée une mission précise (sabotage, épuration, renseignement) tous les hommes sans exception (sédentaires ou maquis) doivent nous rejoindre.
>
> Les défaillants seront rayés des Forces françaises de l'intérieur et de la Libération.
>
> Chaque homme doit emporter :
> — Sa meilleure paire de souliers et de sabots ;
> — Chaussettes et linge de corps ;
> — Une ou deux couvertures chaudes ;
> — Ses armes, s'il en a reçu ;
> — Si possible, une tente ou bâche par dix hommes.
>
> Le chef de corps doit s'assurer d'un camion qui servira au transport des troupes.
>
> Il y a grand intérêt à rejoindre immédiatement, avant que les

routes ne soient barrées et que le plan allemand (listes noires) ne soit mis en application.

Au maquis,
Le 20 mai 1944
Le chef régional des F.F.I.

Gaspard[1] »

Des milliers de volontaires — dont beaucoup croient revenus ces jours de 1939 où l'on ne pouvait se dérober à la mobilisation générale — arriveront par petits groupes.

Il en viendra, avec deux camions d'armes, du maquis d'Ally. Il en viendra de Clermont-Ferrand. Le docteur Meyniel, qui rejoindra le 6 juin, a levé en cours de route quarante volontaires à Malbo[2] et à Narnhac et, ainsi, doublé sa troupe.

Les hommes accourent en si grand nombre qu'Henry Ingrand, installé depuis le 8 mai dans la forêt de la Margeride, écrira plus tard que l'ampleur de la « mobilisation » avait de « beaucoup » dépassé ses espérances.

Sur le nombre de ceux qui ont répondu à l'appel de Gaspard, l'accord sera impossible à faire. 11 000 hommes, diront plusieurs historiens, dont Robert Aron ; 3 500 groupés en 15 compagnies, affirmera Ingrand, auxquelles viendront s'ajouter une compagnie de transport, des pionniers, un groupe de dépannage, les hommes des transmissions, le service de santé avec le docteur Bloch et ce corps franc qui, sous le commandement de « *Judex* » et de « *Danton* », justifie, par l'amour qu'il porte à la bouteille avant le combat, comme par sa bravoure pendant le combat, le nom dont il s'est affublé : « *Les Truands*[3] ».

Plus modestement, le colonel Gaspard — à l'occasion des cérémonies marquant le 40e anniversaire du mont Mouchet — déclarera qu'en dix jours de mai les effectifs du maquis étaient passés de 100 à 2 700 hommes armés.

Armés. Voilà le mot essentiel. Faute de pouvoir être convenable-

---

1. Pseudonyme du colonel Coulaudon.
2. Cantal, arrondissement de Saint-Flour.
3. Lors des combats de juillet, le corps franc perdra les deux tiers de ses effectifs.

ment armés, beaucoup de volontaires devront repartir en effet et, dès le 2 juin, après un premier assaut mené par 500 Allemands, Jean Trollet, radio de la mission *Benjoin,* alertera Londres : « Maquis attaqué. Manque de munitions, de fusils-mitrailleurs Brenn et français, de mitrailleuses américaines et Hotchkiss, de torpilles, de bazookas et de munitions de tout genre. Faire parachutage spécial même ce soir[1]. »

La montée de paysans et d'ouvriers vers le mont Mouchet a l'ampleur, l'enthousiasme et le désintéressement d'un départ pour la croisade. Ceux qui abandonnent leur village ignorent tout de ce qui les attend et qu'il leur faudra, après quelques jours seulement d'amalgame avec des compagnons de hasard, affronter les plus vieilles et les plus impitoyables troupes du monde.

Ce même enthousiasme anime les maquisards du Vercors, ce Vercors dont on sait l'histoire[2] et qui, « inventé » par un homme seul — Pierre Dalloz —, a été adopté par les chefs de la Résistance.

Certes, depuis le début de 1944, les Allemands, alertés par les parachutages et par les attentats contre les voies ferrées, ont multiplié les opérations « coups de poing ». Ils ont attaqué Les Barraques-en-Vercors le 22 janvier ; le maquis de Malleval le 29 ; le monastère d'Esparron le 3 février ; le pont du Martinet le 4 mars ; la ferme Perronnet, où se trouvait installé le P.C. secret du commandant Descour, le 18 mars.

Malgré ces opérations coûteuses en vies humaines, en destructions de dépôts d'armes et de vivres ; malgré la tentative menée, entre le 16 et le 26 avril, par la Milice et les G.M.R., pour couper le Vercors de

1. Selon le télégramme passé à Londres, l'engagement du 2 juin aurait fait de 30 à 50 victimes du côté allemand, 5 blessés du côté français. Ces chiffres ne correspondent sans doute pas à la réalité, pas plus d'ailleurs — on le verra dans le tome VIII — que ne correspondront les chiffres cités pour la bataille des 10-11 juin où, selon le colonel Gaspard, les Allemands auraient perdu 1400 morts et 1700 blessés quand ils reconnaissent seulement 20 morts et 60 blessés.

2. *L'Impitoyable Guerre civile,* p. 243-260.

toutes ses sources de ravitaillement [1], l'idée de peupler cette forteresse naturelle de milliers de maquisards locaux, que viendraient appuyer, aux créneaux et aux mâchicoulis, des parachutistes alliés, hantera toujours les esprits les plus humbles comme les plus subtils.

A Grenoble, le commandant Descour et son état-major préparent l'implantation sur le terrain de huit bataillons de parachutistes.

A Alger, où Chavant, l'un des patrons du Vercors, a fini par arriver le 23 mai, les esprits sont prêts à tout si les effectifs ne le sont pas. Chavant, en présence des officiers du « Centre opérationnel des projets spéciaux », parle du parachutage de 2500 hommes. Ses interlocuteurs, d'autant plus aimables et chaleureux qu'ils sont sans pouvoir sur les Alliés, maîtres des opérations aériennes, le trouvant sans doute timoré, affirment que ce sont 4000 soldats qui pourraient tomber du ciel pour aider le Vercors.

A Londres, le 5 juin, Dalloz, convoqué d'urgence par le B.C.R.A., reçu par le colonel Combault et le capitaine Miksche, puis par le colonel Henri Ziegler, peut légitimement croire que le Vercors sera pris en compte par la stratégie des Alliés alors que ceux-ci ne lanceront bientôt, *sur la totalité du territoire français,* les mots d'ordre de guérilla que pour masquer le véritable lieu du débarquement.

Mont Mouchet, Vercors, Saint-Marcel. Dès le 15 mai, le colonel Eon avait proposé au B.C.R.A. de constituer un maquis breton dans les monts d'Arrée. Tout a été préparé à Saint-Marcel [2], dans un paysage de landiers boueux, couverts d'ajoncs et de bruyère, par des hommes comme Guimard, Maurizur, Mounier, Musset, Pontard. Sous la direction de Maurice Chenailler, dit *colonel Morice,* chef départemental F.F.I., des dépôts de vivres et de munitions (le terrain a reçu 29 parachutages avant le 6 juin) ont été préparés ; des cabanes ont été

1. Si l'intervention de l'abbé Gagnol contribuera à sauver 12 jeunes gens, la plupart de Vassieux-en-Vercors, André Doucin, ancien officier au 159e R.I.A. et pharmacien à Saint-Nazaire-en-Royan ; Casimir Enzinjeard, facteur à Omblèze, et Paul Mially, agriculteur à Upie, seront fusillés après avoir été condamnés par un tribunal de la Milice, cependant que 6 maquisards étaient arrêtés. Déportés à Dachau, deux d'entre eux, Bernard et Diebold ne devaient pas revenir.

2. Arrondissement de Vannes.

camouflées sous les broussailles ; des tranchées creusées ; des points d'appui aménagés. Le rapport allemand du 22 juin, qui rendra compte de la prise du camp de Saint-Marcel, s'étendra longuement sur la qualité d'installations et de « fortifications de campagne » vieilles de deux mois environ et qui ont pu être édifiées, à l'usage des 7000 hommes qui se mettront en marche le 6 juin, sans que la garnison allemande de Ploërmel, à 20 kilomètres de là, ait été alertée.

En apparence cependant, les Allemands font « comme si »...

Comme si rien ne pouvait ébranler, renverser, détruire ce mur de l'Atlantique contre lequel se rassemblent, en Angleterre, 50000 hommes, les 1500 chars et les 3000 canons qui doivent débarquer le premier jour, les 7500 avions chargés de les protéger, les milliers de navires chargés de les transporter.

Comme si l'activité résistante n'était qu'une démangeaison passagère.

A Paris, les musiques militaires ont, depuis juillet 1940 — quatre ans bientôt —, l'habitude de se faire entendre le dimanche. Pourquoi changer l'ordre des choses ?

Le dimanche 28 mai, la musique du commandant du Grand Paris donne un concert Wagner aux Champs-Elysées sous la direction du chef Klamberg et, sous le kiosque rococo du jardin du Luxembourg, c'est la musique de la Luftwaffe qui se fait entendre à partir de 16 heures. Au programme, Beethoven, Bruckner, Haydn, Verdi et Wagner.

Harmonies qui, cependant, cachent mal l'inquiétude.

Comment les Allemands ignoreraient-ils la prodigieuse augmentation du trafic radio clandestin, passé de 114 messages en janvier 1943 à 329 en juillet de la même année, puis à 1101 en mars 1944, 1221 en avril, 1624 en mai[1] ?

---

1. Il s'agit du trafic en direction du B.C.R.A. (Bureau central de renseignements et d'actions). En juin, le nombre des messages sera de 3587.

Les radios souffraient cruellement des recherches allemandes. Au début de l'occupation, la « moyenne de vie » d'un radio ne dépassait pas 3 mois et les pertes avaient été de 72 % pour les opérateurs engagés en 1941, de 80 % pour ceux de

Comment ne seraient-ils pas inquiets de la multiplication des sabotages et des attentats ? Dans *L'Impitoyable Guerre civile,* j'ai fait état des rapports des 25e et 64e Corps d'armée allemand qui stationneront en Bretagne pendant toute la durée de l'occupation.

Si entre janvier et novembre 1943, le nombre des sabotages dans la zone du 25e Corps ne dépasse pas mensuellement la dizaine, en avril et en mai 1944, il y a plusieurs mois déjà que la situation a évolué. C'est en décembre, en effet, que les occupants ont renforcé leurs mesures de sécurité, décidé de ne plus faire circuler par le train les troupes de représailles car « c'est chez les cheminots français qu'on trouve le plus d'indicateurs, de saboteurs et de terroristes », ordonné que soient arrêtés et fouillés « même des gens paraissant inoffensifs ».

Pour avril, les Allemands enregistrent, en Bretagne, 18 attaques contre leurs soldats, attaques qui feront 7 tués et 3 blessés, mais également 30 coupures de lignes téléphoniques, 8 sabotages de voies ferrées, l'incendie en gare de Brest de 110 000 litres d'essence et 11 500 litres de gas-oil. Pour mai, 20 attentats font 3 tués et 8 blessés allemands, tandis que le chiffre des sabotages des lignes téléphoniques se monte à 17, celui des sabotages des voies ferrées à 11.

Les rapports allemands ne dissimulent nullement l'inquiétude des états-majors. « Les exactions commises par les terroristes ont pris une forme insupportable. Il ne se passe pas de jour sans que soient commis de nombreux attentats et sabotages, sans que des soldats allemands soient tués ou blessés, ou qu'un matériel précieux soit enlevé. »

Voici ce que le Haut Commandement allemand peut lire, le 11 avril, sous la signature du général commandant le 25e Corps d'armée, général qui ordonne d'ailleurs que les tribunaux militaires siègent désormais sur les lieux mêmes de l'arrestation, afin d'éviter tout

---

1942, de 83 % pour ceux qui « pianotaient » au cours du premier semestre de 1943. Ces chiffres désastreux et lourds de conséquences, car l'arrestation d'un radio entraînait souvent la destruction d'un réseau, voire sa manipulation par les Allemands et des tentatives d'intoxication des Anglais, sont cités par Jean Fleury, responsable des réseaux radio rattachés au B.C.R.A. Ils tomberont cependant à 15 % entre le 1er juillet 1943 et le 1er juillet 1944, alors que le trafic ne cesse de croître. Ce résultat remarquable sera obtenu grâce à l'action de Fleury et de ses amis du réseau *Electre* qui réussit à centraliser tout le trafic des renseignements de la zone Sud et surtout grâce à l'école clandestine fondée par Claude Wolf, dans le Dauphiné, école dont le but est de « professionnaliser » les opérateurs clandestins, afin de leur donner les meilleures chances d'échapper au repérage allemand.

transfert de suspect — qui donne lieu à des tentatives, souvent réussies, d'évasion — et tout retard dans les condamnations.

Se transporte-t-on à l'autre extrémité de la France, on trouve, sous la plume du chef d'état-major du Commandement sud, des préoccupations identiques. Le 11 mai, il alerte l'état-major principal, l'informant qu'il faut s'attendre à des « concentrations de terroristes dans les départements du Cantal, de la Corrèze, du Puy-de-Dôme avec objectif de s'emparer de ces départements et d'y faire des préparatifs pour l'accueil des parachutistes ».

C'est à la suite de ce message que le IIIe Bataillon du 95e régiment de sécurité sera transféré en Corrèze, le IVe dans le Cantal et que toute circulation automobile sera interdite dans ces deux départements ainsi qu'en Dordogne, dans la Creuse et le Puy-de-Dôme entre 21 heures et 5 heures[1].

C'est à la suite d'un accrochage, dans lequel un détachement d'escorte de la 932e Prévôté de Clermont-Ferrand a perdu 10 morts, le 25 mai, que troupes et services recevront l'ordre de ne se déplacer qu'en convois et que des patrouilles volantes fortement armées assureront le contrôle des principaux axes routiers.

C'est parce que le commandant de l'état-major principal de liaison 588, de Clermont-Ferrand, réclame le 1er juin « l'envoi de troupes pour anéantir [les] préparatifs de mobilisation particulièrement dans la région est-Saint-Flour » que sera rassemblée, sous le commandement du général von Brodowski, et la direction effective du général Jesser, une force importante[2] qui comprend également 15 « équipes d'interrogatoire » dont on sait à quels excès elles se livreront sur les résistants, comme sur des populations qui ne peuvent rester à l'abri d'un conflit où la terreur et la torture, au même titre que l'avion et le canon, sont malheureusement des armes.

---

1. Dans le Cantal, la mesure sera étendue, le 20 mai, à la circulation hippomobile ainsi qu'à la circulation à bicyclette.
2. Groupe d'intervention de la gendarmerie (280 hommes) ; 958e bataillon de D.C.A. motorisé ; 3 compagnies de Tartares de la Volga ; 100e régiment de sécurité à l'exception de la compagnie blindée et de la compagnie antichar ; un groupe de reconnaissance ; 5 compagnies du 461e bataillon de grenadiers ; le 28e groupe d'artillerie légère, 2 compagnies du 95e régiment de sécurité ; les 15 équipes d'interrogatoire évoquées ci-dessus et une ou deux escadrilles de la Luftwaffe.

Le général Heinz Lammerding, commandant la 2e Panzer, voyait juste et rendait aux maquis le plus éclatant hommage lorsqu'il écrivait, le *5 juin… à quelques heures seulement du débarquement :*

> *« L'essor des maquis dans la zone Cahors/Aurillac/Tulle représente une menace qui pourrait exercer une influence défavorable sur les opérations en cas de débarquement. »*

Et c'est dans cette perspective qu'il « proposait » l'arrestation de 5 000 garçons des classes 1945 et 1946 et décidait de faire partout savoir que *« trois terroristes se[raient] pendus (et non fusillés) pour tout Allemand blessé et dix terroristes pendus pour tout Allemand tué ».*

Selon Lammerding, de telles mesures suffiraient à « pacifier » la région et il n'y aurait « plus de problèmes pour les opérations dans l'éventualité d'une invasion ».

Quelle erreur ! Et comme c'est mépriser le peuple français.

14

LES COLÈRES DE DE GAULLE

Si nous ne dormons pas, c'est pour guetter l'aurore
Qui prouvera qu'enfin nous vivons au présent.

Robert DESNOS,
mort en déportation

Le 1er juin 1944, répétés à 12 h 30, 15 h 30, 18 h 30 et 21 h 15, passent sur la B.B.C. 161 messages d'alerte pour les régions et les réseaux S.O.E. [1] dépendant de l'Intelligence Service.

Ouvrez l'œil et le bon concerne le nord de la France.

Ma femme a l'œil vif la Région parisienne.

Le chameau est poilu le Limousin et le Périgord.

Nous gaverons les canards est envoyé à l'intention du réseau *Pimento,* opérant dans le Sud-Est ; *Le ramoneur a pris un bain* à celle du réseau *Scholer; Les sanglots longs des violons* touche *Ventriloquist* qui, à l'arrière des côtes bretonnes et normandes, doit saboter les voies ferrées.

C'est le 31 mars que les responsables militaires de la Résistance avaient reçu des consignes d'action dont ils devaient prendre connais-

1. Le S.O.E. (Special Operations Executive) agit parallèlement au B.C.R.A. qui dépend, lui, des Français.

sance après le passage, sur la B.B.C., de messages personnels indiquant la proximité du débarquement.

Ainsi, dès le 28 avril, Pommiès, qui commande dans les Hautes- et Basses-Pyrénées, l'Ariège, le Lot, le Gers et une partie de la Haute-Garonne, à 6000 hommes environ de l'Armée secrète, peut diffuser une note indiquant les phrases : « *Messieurs, faites vos jeux* », « *Le rideau est tombé* », qui mettront ses troupes en état d'alerte.

Les messages transmis par Londres le 1er juin, et ceux qui le seront le 5, correspondent à des plans ayant tous pour but de retarder, dans ces huit, dix, vingt-quatre heures où le destin hésitera, l'arrivée des renforts allemands sur les plages de débarquement.

Des noms, ou des couleurs de convention, leur ont été attribués. Le « *Plan tortue* » ordonne l'obstruction des voies de communication ; le « *Plan vert* » le sabotage des voies ferrées ; le « *Plan violet* » la destruction des lignes téléphoniques ; le « *Plan rouge* » et le « *Plan noir* » l'attaque des dépôts de munitions et des dépôts de carburant.

A chaque « plan » correspondent des phrases d'alerte ou d'exécution qui, à la demande du colonel Ziegler, ont été choisies, à Londres, par Max Petit pour faciliter la mémorisation. Les résistants concernés par « *Le bétail va paître au pré* », « *Le sapin reste toujours vert* » ou encore « *Son costume est couleur de billard* » savent ainsi qu'ils devront, dans le cadre du « *Plan vert* », agir contre les voies ferrées.

Tandis que se prépare le plus prodigieux des soulèvements populaires, les consignes de presse, qu'elles émanent de Vichy ou des autorités allemandes, continuent à masquer la vérité et à tenter de distraire l'opinion des événements désormais en marche.

CONSIGNES DU 1er JUIN 1944

« Les journaux publieront obligatoirement :

1. Les informations sur les bombardements des villes françaises ainsi que les dépêches :

— "L'évêque d'Angers, à son tour, flétrit les bombardements aériens."

— “21 000 Marseillais se trouvent privés de leurs habitations.”

2. La dépêche : “ Une brigade de Staline est créée en Afrique du Nord. ”

3. Sur une colonne en tête ou deux colonnes en corps de page, obligatoire pour tous les journaux, la dépêche : “ Le communisme soviétique n’a pas évolué. ”

4. Obligatoire pour tous les journaux, la dépêche : “ Un nouveau contingent de volontaires français de la Waffen S.S. est parti en camp d’instruction.” »

Le 2 juin, les journaux apprennent obligatoirement aux lecteurs que, depuis le 1er janvier, les « Anglo-Américains ont perdu 8 331 avions au cours de leurs attaques ». Ils ne disent pas que, le 2 juin, l’aviation allemande dispose seulement de 319 appareils pour la France entière, ce qui rend parfaitement illusoire l’affirmation du gauleiter Sauckel sur la « victoire finale de l’Allemagne », affirmation que les journaux sont priés de reproduire dans leur numéro du 5 juin.

Et que disent les consignes du 5 juin, à quelques heures du débarquement[1] ?

Consigne 199 : « La consigne 198 est abrogée. »

Datée du 4 juin, la consigne 198 interdisait qu’il soit fait mention du tour cycliste de Haute-Vienne !

Consigne 201 : « La consigne 200 est levée. »

Que disait la consigne 200 ? Qu’il était interdit, jusqu’à nouvel ordre, de reproduire les informations d’agence sur le séjour de M. Philippe Henriot en Allemagne.

Dans leurs journaux du 6 juin 1944, les Français apprendront donc que Philippe Henriot se trouve en Allemagne et que le tour cycliste de Haute-Vienne a bien lieu.

Quelle importance ces consignes puériles peuvent-elles avoir alors que les Français sont attentifs au moindre signe : à ces grands vols de bombardiers qui traversent le ciel ; aux défis que, d’une rive à l’autre, se lancent les chefs des armées ennemies ; aux multiples

1. Il s’agit, dans ce cas, de consignes à l’intention des journaux de l’ex-zone non occupée

difficultés de circulation sur un territoire aux voies ferrées hachées par les bombes, aux routes contrôlées par le maquis ? Et même aux plus futiles des indices...

Journal du Dr Lowys, médecin en Savoie le 5 juin 1944.

> « Serait-ce la fin prochaine de la guerre ? Des annonces reparaissent dans les journaux. " *On ne trouve pas maintenant le tissu X..., mais pensez plus tard à notre marque.* " Un dessin représente une chiromancienne qui examine la main d'un client et lui dit : " *Et je vois que vous mangerez bientôt beaucoup de bon chocolat Z...* [1] ". »

La Libération ? Oui, mais quelle part aura la France dans les événements ? Et de quelle France s'agira-t-il, puisque Alger et Vichy se disputent toujours le pouvoir et, sous les yeux des Américains, arbitres véritables de la situation, revendiquent pour aujourd'hui et pour demain la légitimité ?

C'est encore, c'est toujours aux Américains que de Gaulle se heurtera dans la semaine précédant le débarquement. C'est contre eux qu'il lui faudra vigoureusement lutter afin que, libérée des Allemands, la France ne tombe pas dans l'instant sous la tutelle d'Alliés, certes amicaux, mais bien résolus — comme ils l'avaient fait en Afrique du Nord après le débarquement — à conserver ou à mettre en place une administration jugée suivant des critères d'efficace obéissance, étrangers, en tout cas, à ces critères patriotiques et politiques sur lesquels les gaullistes fondent leur opinion.

Dès septembre 1943, de Gaulle avait eu communication d'un mémorandum américain secret « concernant la participation française à l'administration du territoire libéré en France métropolitaine ».

Ce mémorandum, adressé par le gouvernement des Etats-Unis au gouvernement britannique, était bien fait pour le mettre en fureur ; ne précisait-il pas, dès les premières phrases,

> « Le territoire libéré en France métropolitaine sera traité en ami. Cependant, le commandant en chef des forces alliées aura

1. Inédit.

tous les droits d'occupation militaire résultant de la guerre. *Il agira sur la base qu'il n'existe pas de gouvernement souverain en France. Il ne négociera pas avec le gouvernement de Vichy, sauf pour transférer l'autorité dans ses propres mains*[1]. »

« *Pas de gouvernement souverain...* » En quelques mots, tout était détruit de ce que de Gaulle et les résistants s'étaient acharnés à construire. Entrant dans le détail, l'article 2 du mémorandum américain précisait, en effet, que les fonctionnaires français et le personnel judiciaire seraient nommés, ou confirmés, par le commandant en chef des armées alliées et par ses « délégués autorisés ».

On était bien loin des commissaires de la République, des Comités de la Libération et de l'architecture administrative édifiée aussi bien à Alger qu'en France occupée par le Comité général d'Études et par le Conseil national de la Résistance.

Sans doute les Américains avaient-ils prévu que le Comité français de la Libération pourrait attacher à l'état-major allié les officiers d'une mission de liaison. Ces officiers seraient, « autant que possible », consultés sur les nominations « de citoyens français à des postes administratifs ou judiciaires », mais leur avis ne serait ni obligatoire ni déterminant. Le texte s'achevait sur ces mots insupportables aux gaullistes :

> « Ces mesures ont pour but de créer, aussitôt que possible, des conditions qui permettent *le rétablissement d'un gouvernement français représentatif et conforme aux vœux librement exprimés du peuple français*[2]... »

Sans doute l'A.M.G.O.T. *(Allied Military Government of Occupied Territories)* n'avait-il pas été créé par les Américains à l'intention de la seule France. Sans doute des officiers n'avaient-ils pas été longuement formés à Yale et à Charlottesville aux subtilités de l'administration civile européenne pour régner uniquement sur les populations normandes et bretonnes, même s'il est vrai que, bien

1. Je souligne intentionnellement.
2. Je souligne intentionnellement.

avant le débarquement, les Américains avaient choisi, parmi leurs officiers, celui qui devrait être maire de Cherbourg.

Sans doute, enfin, entrait-il beaucoup plus de pragmatisme que de machiavélisme dans la décision américaine de ne pas laisser à des troupes combattantes le soin de régler les problèmes de ravitaillement, de maintien de l'ordre, de remise en marche de la vie administrative et de la vie tout court, qui se poseraient inévitablement dans des régions bouleversées par la guerre, son tumulte et ses innombrables destructions.

Mais comment de Gaulle aurait-il pu accepter que la gestion des territoires libérés ne lui revienne pas ? Et que les Américains décident du moment où le peuple français pourrait « librement » élire son gouvernement ?

Les Français n'ont-ils pas, d'ailleurs, un gouvernement ? Celui qui, depuis Alger, ordonne, légifère, règne sur de vastes territoires et, aux côtés des Alliés, engage des troupes toujours plus nombreuses.

Non. Non, les Français n'ont pas de gouvernement.

C'est ce que réplique, le 2 décembre 1943, au nom du Département d'Etat, M. Dunn à Henri Hoppenot, qui représente Alger à Washington. Hoppenot a protesté contre la prétention américaine de créer, à l'intention de la France, non seulement une administration, mais encore une MONNAIE. Et, comme Hoppenot dit que la Belgique et les Pays-Bas, à l'instant de leur libération, jouiront d'un tout autre traitement[1], Dunn réplique :

— Ces deux nations ont un gouvernement, vous n'en êtes pas un !

Informé que les Etats-Unis et l'Angleterre se montreront intraitables et qu'Eisenhower, commandant en chef des armées alliées, aura plein pouvoir pour s'accorder, en France, « avec n'importe quelle prétendue autorité[2] », de Gaulle ne cesse de manifester son irritation.

> « La France, déclare-t-il le 27 mars 1944 devant l'Assemblée consultative provisoire, la France n'a pas besoin, pour décider de la façon dont elle rétablira chez elle la liberté, de consulter les opinions qui lui viendraient de l'extérieur de ses frontières. Et,

1. Les gouvernements belge, néerlandais, norvégien, réfugiés en Angleterre depuis 1940, ont signé avec les Etats-Unis et l'Angleterre des accords prévoyant le respect par l'A.M.G.O.T. de leur souveraineté politique et judiciaire.
2 Télégramme de Pierre Viénot le 21 mars 1944.

quant au gouvernement provisoire de la République, lui qui, depuis juin 1940, n'a pas cessé de se tenir fermement sur le terrain de la démocratie en même temps que de la guerre, il se passe, je vous assure, de toute leçon qui ne lui viendrait pas de la nation française qu'il est, au surplus, seul qualifié pour diriger. »

C'est la première fois que de Gaulle emploie la formule « *gouvernement provisoire de la République* » qui sera définitivement adoptée le 26 mai, publiquement annoncée le 2 juin. La presse américaine relève le fait, mais ne signale pas que de Gaulle, dans un raccourci politique ambitieux, date de ce mois de juin 1940, où il se trouvait seul et démuni, la naissance du « gouvernement provisoire de la République ».

Le 21 avril, le Général revient à la charge au cours d'une conférence de presse uniquement décidée pour lui permettre d'affirmer que « l'administration française à établir en France ne dépend naturellement que des Français ». A l'intention des journalistes américains présents à Alger, qui ne s'y tromperont pas puisqu'ils titreront : « *Les Français doivent gouverner la France, dit le général de Gaulle* », il ajoute :

> « Soyez certains que les Français n'accepteront en France d'autre administration que l'administration française. Par conséquent, cette question est tranchée d'avance. »

Dans son esprit, c'est évident. Encore faut-il convaincre les Alliés que de Gaulle, une fois encore fixe et ferme sur ses positions, demeurera intraitable.

A Pierre Viénot, son ambassadeur à Londres, il télégraphie donc le 25 mai :

> « Si le président Roosevelt et M. Churchill ont des scrupules à nous reconnaître comme gouvernement, nous estimons que c'est leur affaire et nous ne leur demandons rien. Les réalités françaises n'en seront pas changées. (...)
>
> Nous sommes l'administration française. Il y a nous, ou bien le chaos... Il est certain que nous n'accepterons aucune supervision, ni aucun empêchement sur l'exercice de nos pouvoirs. En particulier, cette prétention, maintenue par Washington, que le

commandement étranger pourra battre monnaie, ne sera pas admise par nous. »

Ce texte est envoyé en clair. C'est-à-dire que les Anglais en ont immédiatement connaissance. Et de Gaulle ne doit pas en être mécontent. La querelle avec les Alliés est si grave, en effet — ce n'est pas la première mais c'est certainement l'une des plus importantes puisqu'elle éclate à un moment historiquement décisif — que les Anglais ont pris, en avril, de détestables et humiliantes sanctions.

De Gaulle ayant refusé d'aller aux Etats-Unis sans y être officiellement invité par le président Roosevelt[1] et le débat sur l'A.M.G.O.T. s'envenimant, les Anglais ont décidé que ne seraient plus transmis *les télégrammes chiffrés* que les délégations diplomatique et militaire françaises de Londres échangeaient avec Alger. Ils ont naturellement invoqué des raisons de secret militaire. Qui peut être dupe ? Assuré d'être lu immédiatement, puisqu'il ne dispose plus du chiffre, de Gaulle durcit donc le ton de ses télégrammes à Viénot, à qui il interdit d'avoir quelque rapport que ce soit avec les Anglais et avec les Américains, lui-même fermant sa porte à Duff Cooper, ambassadeur de Grande-Bretagne à Alger.

C'est dans ce détestable climat que de Gaulle a reçu de Churchill, le 23 mai, une invitation à se rendre en Angleterre. Invitation accueillie sans enthousiasme puisque de Gaulle, le 25 mai, écrit à Viénot ces phrases désabusées :

> « J'ai fait souvent l'expérience de témoignages apparents de bonne volonté prodigués soudain du côté anglais et qui avaient pour résultat, sinon pour objet, soit un avantage concret recherché à nos dépens, soit une facilité procurée à une

1. Dans son souci d'apaiser la querelle, Churchill avait proposé à de Gaulle d'intervenir pour que la demande d'un entretien avec Roosevelt soit favorablement accueillie. C'était faire de De Gaulle le solliciteur, ce qu'il ne voulait et ne pouvait accepter.

manœuvre tentée par M. Roosevelt sur l'opinion publique et qui ne visait pas à nous favoriser. »

A-t-il tort, a-t-il raison ? Raison et tort, sans doute, comme tous les hommes, importants mais non indispensables, qui pensent que tout s'ordonne autour d'eux alors qu'ils demeurent à la périphérie des grands événements.

Tenté de repousser l'invitation de Churchill, dont il pense qu'elle est destinée à lui forcer la main, à lui faire accepter l'inacceptable A.M.G.O.T. et l'inacceptable « fausse monnaie » américaine, de Gaulle ne peut toutefois décider sans interroger ses ministres.

On débattra donc le 2 juin à Alger du voyage à Londres. De ce débat, de Gaulle, qui entend rester source unique de ses décisions, ne dira rien dans ses *Mémoires de guerre.* C'est par Le Troquer, notamment, que nous savons qu'il y a eu discussion, que de Gaulle n'était nullement favorable à un voyage dans lequel il ne voyait qu'une « mise en scène » destinée à lui faire « couvrir et endosser la fausse monnaie dont les Alliés voulaient inonder la France comme les Allemands l'avaient inondée de monnaie d'occupation, les achats par les troupes alliées, l'administration étrangère ».

C'est par Le Troquer enfin que nous connaissons les détails d'un vote qui aurait donné 11 voix contre 5 au principe du voyage en Angleterre[1], ainsi que la réflexion désappointée de De Gaulle, au terme d'une séance achevée à 21 h 45.

— J'ai maintenant votre avis, mais il n'est pas certain que j'irai à Londres. Il m'arrive vraiment souvent de n'être pas d'accord avec vous. Vous ne me comprenez pas. Si je ne vais pas à Londres, je cesserai peut-être de diriger le Comité...

Il entre dans le propos de De Gaulle bien autre chose que de la bouderie. Duff Cooper, à qui il a fini par ouvrir sa porte, lui a dit, le 23 mai, qu'il n'était pas possible de donner au monde l'impression d'une rupture entre la Grande-Bretagne et la France, à l'instant où se préparaient des événements dont allait dépendre, avec le sort de la bataille, le sort de la France. Il le lui répète à 23 heures le 2 juin et, le 3, de Gaulle annonce à ses ministres, réunis en séance extraordinaire, qu'il a accepté de se rendre en Angleterre. Acceptation liée à la

1. Trois ministres sont absents.

promesse formelle qu'il pourrait, non seulement, correspondre en code avec Alger, mais encore qu'il disposerait de tous les moyens nécessaires pour rejoindre, à son heure, l'Algérie[1].

De ces hésitations et de ces débats, une lettre de Churchill à Roosevelt, en date du 4 juin, fait d'ailleurs mention.

> « Le Comité de Gaulle a décidé, à une large majorité, que le général devait accepter mon invitation à venir ici. Il a grommelé, mais Massigli et divers autres ont menacé de donner leur démission s'il ne s'exécutait pas. Nous l'attendons à J moins 1. »

De Gaulle quittera Alger dans l'après-midi du 3 juin.

La veille, dans un télégramme destiné à renforcer les arguments de Duff Cooper, Churchill lui avait écrit :

> « Venez maintenant, je vous prie, avec vos collègues, aussitôt que possible et dans le plus grand secret. Je vous donne personnellement l'assurance que c'est dans l'intérêt de la France. Je vous envoie mon propre York, ainsi qu'un autre York, pour vous. »

Les « collègues » de De Gaulle — le mot a dû le faire sursauter — ne quitteront pas Alger. Au grand dépit de la plupart d'entre eux qui s'attendaient à être du voyage, du débarquement en France, des premières décisions, des premières émotions et des premières ovations[2].

Avec de Gaulle, Duff Cooper. Dans l'autre appareil, des militaires et des familiers : Palewski, le général Béthouart, le colonel Billotte, Geoffroy de Courcel, Teyssot. Après escale à Casablanca et à

---

1. Le 29 mai, répondant à Duff Cooper qui lui a transmis l'invitation de Churchill, de Gaulle écrit : « Je vous sais gré, d'autre part, de m'assurer que, dans le cas où je me trouverais en Grande-Bretagne, j'y disposerais d'une entière liberté de mouvement et de communication. »

2. Le Troquer, par exemple, bien que « commissaire délégué à l'administration des territoires métropolitains », ne pourra quitter Alger que le 5 août.

Gibraltar, les deux appareils se posent à 6 heures du matin, le 4 juin, sur l'aérodrome de Croydon, près de Londres.

A l'hôtel Claridge, où il s'est rendu immédiatement, de Gaulle trouve une lettre de Churchill, écrite depuis le train spécial où le Premier britannique s'est installé pour mieux suivre le déroulement des opérations.

« Mon cher Général de Gaulle,

> Bienvenue sur ces rivages ! De très grands événements militaires vont avoir lieu. Je serais heureux que vous puissiez venir me voir ici, dans mon train, qui est près du quartier du général Eisenhower, et que vous ameniez une ou deux personnes de votre groupe... »

Il est 13 heures lorsque de Gaulle, Viénot, les généraux Koenig et Béthouart, après deux heures de route, arrivent devant une petite gare où stationne le train de Churchill, qui reçoit les Français, entouré de son cabinet de guerre.

A de Gaulle, tendu, « ulcéré d'être ainsi invité en spectateur »[1] et spectateur à l'instant où le rideau va se lever, Churchill, dont les mains tremblent d'émotion, expose les préparatifs d'un débarquement que le mauvais temps vient de faire repousser.

Churchill dit les divisions qui composent le premier échelon, les 11 000 avions, les 4 000 bateaux. Il dit les chars et les canons. Il y a quatre ans, le désastre de Dunkerque venait de prendre fin. Alors, du côté français et du côté anglais, on comptait les avions par dizaines, les chars par centaines et les hommes qui sortaient du tumulte et des orages de la bataille arrivaient désarmés et abattus. L'alliance s'évanouissait dans l'égoïsme qui naît de toute défaite et bien peu, dans le monde, croyaient aux chances d'une Angleterre solitaire face à cette armée allemande qui venait de ressusciter les victorieuses chevauchées napoléoniennes.

Quatre ans. Quatre ans seulement pour redresser le cours du destin. Comment Churchill, qui ne douta jamais dans les jours sombres, n'en tirerait-il pas une légitime fierté et comment de Gaulle, associé de juin 1940, ne rendrait-il pas hommage à l'homme qui, malgré toutes les

1. Général Béthouart, *Cinq Années d'espérance.*

traverses, menaces, querelles de préséance et disputes essentielles, l'a finalement constamment soutenu et lui a permis d'être là, ce 4 juin 1944 ?

Après le temps accordé à l'exposé des préparatifs du débarquement, après le temps dû aux compliments et à l'évocation des souvenirs, il faut en venir aux affaires. C'est à la fin du déjeuner que rebondira, entre Churchill et de Gaulle, le conflit sur le rôle que jouera — ou ne jouera pas — l'administration alliée dans les territoires libérés.

De ce conflit, Churchill a laissé un récit agacé d'homme qui avait en tête des soucis infiniment plus importants et qui souhaitait, sans y croire — n'avait-il pas écrit le jour même à Roosevelt : « Je n'attends pas qu'on puisse faire grand-chose avec de Gaulle » —, se débarrasser d'un revers de main de problèmes auxquels les événements, de toute façon, apporteraient solution et remède.

De ce conflit, de Gaulle a laissé un récit noblement écrit, en phrases destinées à l'Histoire telle qu'il la souhaite, où les héros, avant de mettre en action les armes les plus modernes, parlent la langue de Chateaubriand.

De ce conflit, il existe au moins un troisième récit, plus sec, plus heurté, plus vraisemblable. Celui qu'en a laissé le général Béthouart. La trame est celle de Churchill et de De Gaulle, mais les mots, du moins, s'ébattent en toute liberté [1].

Après avoir évoqué l'incertitude dans laquelle le mauvais temps, brusquement survenu, plaçait Eisenhower, maître suprême de la décision, Churchill interroge.

— En attendant, nous pourrions parler politique ?

— Politique ? Pourquoi ? réplique de Gaulle.

— Nous pourrions parler de l'administration des territoires libérés, engager sur ce sujet des négociations à Londres. Je suis convaincu que nous arriverions à un accord. Vous pourriez ensuite aller à Washington et y obtenir celui du président auprès duquel je serais intervenu.

— Rien ne presse, répond le général. C'est la guerre, faites-la, on verra après.

« C'est la guerre, faites la guerre. » De Gaulle répète une formule

1. *Cinq Années d'espérance.*

qui a le don d'exaspérer des Anglais qui, depuis quatre ans, précisément, font la guerre. Ernest Bevin, ministre travailliste du Travail, lance :

— Si le général de Gaulle refuse de parler politique, le parti travailliste considérera son attitude comme une injure envers la Grande-Bretagne.

De Gaulle, note Béthouart, se retourne, « le toise et explose » :

— Comment, voici neuf mois que nous avons envoyé des propositions. Vous ne nous avez jamais répondu et, maintenant, alors que l'attaque est imminente, vous nous prenez à la gorge. Allez, faites la guerre avec votre fausse monnaie !

Churchill reprend la parole. C'est, à nouveau, pour plaider la cause d'un accord avec les Etats-Unis, car l'Angleterre ne peut ni ne veut prendre aucune position qui la séparerait d'un allié à qui elle doit tout. Le matin même, Churchill n'a-t-il pas écrit à Roosevelt : « Votre charmante lettre du 20 mai m'a causé beaucoup de joie. Notre amitié constitue mon plus grand réconfort parmi les complications sans cesse plus nombreuses de cette guerre exigeante » ?

C'est alors que Churchill prononce des paroles que de Gaulle devait immortaliser et qui, fidèlement ou non rapportées, qu'importe, dès l'instant où elles traduisaient parfaitement l'état d'esprit du Premier ministre britannique, allaient, pendant de très longues années, définir toute la politique étrangère de la Grande-Bretagne.

— Nous allons libérer l'Europe, mais c'est parce que les Américains sont avec nous pour le faire. *Car, sachez-le ! chaque fois qu'il nous faudra choisir entre l'Europe et le grand large, nous serons toujours pour le grand large. Chaque fois qu'il me faudra choisir entre vous et Roosevelt, je choisirai toujours Roosevelt*[1].

Tout finira cependant par des toasts.

Churchill lève son verre « à de Gaulle, qui n'a jamais accepté la défaite », de Gaulle au Premier ministre britannique, « à l'Angleterre, à la victoire, à l'Europe ».

1. *Mémoires de guerre : l'Unité,* p. 224.

L'ambiance, qui était à la crise, paraît apaisée lorsque de Gaulle, quelques minutes plus tard, se trouve dans la baraque aux parois tapissées de cartes où le calme Eisenhower, au milieu des éléments déchaînés, de la pluie et du vent qui battent les cantonnements et soulèvent la mer, doit décider de lâcher ou de retenir les troupes du premier assaut.

L'exposé d'Eisenhower, dont les qualités intellectuelles ne sont pas sans rappeler celles de Joffre, ramène de Gaulle, Koenig, Béthouart, Viénot aux problèmes militaires de l'heure, ceux qui, en permanence, habitent l'esprit du commandant en chef et de ses grands subordonnés : Montgomery, Tedder, l'amiral Ramsay, rivés désormais aux pronostics que livrent, deux fois par jour, les spécialistes de la météorologie.

Le débarquement, sous peine d'être reporté d'un mois, ne pouvant avoir lieu que jusqu'au 7 juin, Eisenhower a la courtoisie de demander à de Gaulle : « Qu'en pensez-vous ? » Et de Gaulle a l'habileté de répondre qu'il approuve par avance le parti que prendra le commandant en chef. « Cependant, ajoute-t-il, je vous dirai seulement qu'à votre place je ne différerais pas. Les risques de l'atmosphère me semblent moindres que les inconvénients d'un délai de plusieurs semaines qui prolongerait la tension morale des exécutants et compromettrait le succès. »

Tout pourrait en rester là si ne venait s'étendre, sur « la claire perspective du combat, l'ombre d'une artificieuse politique [1] ».

Tendant à de Gaulle, qui s'apprête à se retirer, un texte dactylographié, Eisenhower lui dit :

— Voici la proclamation que je me dispose à faire à l'intention des peuples de l'Europe occidentale, notamment du peuple français.

Il ne faut pas longtemps à de Gaulle, qui n'a cessé d'être sur ses gardes, pour découvrir dans ce message les idées et les mots qui le rendent inacceptable.

> « Citoyens français,
>
> ... Parce que le premier débarquement a eu lieu sur votre territoire, je répète pour vous, avec une insistance encore plus grande, mon message aux peuples des autres pays occupés de

---

1. Charles de Gaulle, *Mémoires de guerre : L'Unité*, p. 225.

l'Europe occidentale. Suivez les instructions de vos chefs. Un soulèvement prématuré de tous les Français risque de vous empêcher, quand l'heure décisive aura sonné, de mieux servir encore votre pays. Ne vous énervez pas et restez en alerte.

Comme commandant suprême des Forces expéditionnaires interalliées, j'ai le devoir et la responsabilité de prendre toutes les mesures nécessaires à la conduite de la guerre. *Je sais que je puis compter sur vous pour obéir aux ordres que je serai appelé à promulguer*[1].

L'administration civile de la France doit effectivement être assurée par des Français. *Chacun doit demeurer à son poste, à moins qu'il ne reçoive des instructions contraires*[1]. Ceux qui ont fait cause commune avec l'ennemi, et qui ont ainsi trahi leur patrie, seront révoqués. *Quand la France sera libérée de ses oppresseurs, vous choisirez vous-mêmes vos représentants ainsi que le gouvernement sous l'autorité duquel vous voudrez vivre*[1] »

A de Gaulle, qui proteste, Eisenhower, sans doute embarrassé, mais bien plus évidemment occupé d'autres soucis, dit qu'il ne s'agit là que d'un projet susceptible de modifications.

De Gaulle, dans la matinée du 5 juin, s'applique donc à gommer tout ce qui laisserait supposer qu'Eisenhower puisse « donner des ordres » aux Français, garantir leur poste aux fonctionnaires de Vichy, annoncer au peuple le moment où, pour lui, les conditions de se rendre aux urnes se trouveront réunies. Il ne tarde pas à apprendre que le message, dont Eisenhower assurait qu'il s'agissait d'un projet, est imprimé depuis quinze jours déjà et que 12 millions d'exemplaires seront largués sur la France avec les premières bombes du débarquement !

Dupé, scandalisé que pas un mot ne soit dit « de l'autorité française qui, depuis des années, suscite et dirige l'effort de guerre » du peuple français, de Gaulle va se cuirasser de fermeté et de froide colère.

Depuis des mois, 300 officiers français suivaient des cours de liaison administrative sous la direction du lieutenant-colonel Hettier de Boislambert. Le Haut Commandement allié les réclame puisque les

1. Je souligne intentionnellement.

opérations vont débuter. De Gaulle les refuse tout net. De qui, en effet, sur le terrain, sur les premières plages, dans les premiers villages libérés, de qui seraient-ils les interprètes et les porte-parole ?

De de Gaulle et du gouvernement provisoire de la République ou du général Eisenhower et du président Roosevelt ?

Même si elle paraît irritante et déplacée, la position du chef de la France libre ne comporte aucun byzantinisme, mais une constance de pensée et une irréfutable logique.

Le mouvement d'humeur rejoint ici la fidélité à ces principes qui, depuis le désastre de juin 1940, ont guidé Charles de Gaulle et lui ont permis de défendre toujours, par-delà une France humiliée et démembrée, la France ressuscitée.

C'est la même volonté et la même logique qui le guident lorsqu'il refuse de participer, dans l'ordre et à l'heure prévue par Londres, à la ronde oratoire des chefs d'Etat.

Charles Peake, envoyé par le Foreign Office, lui a expliqué le scénario radiophonique du 6 juin. Aux peuples d'Europe qui sauront que le débarquement vient d'avoir lieu, s'adresseraient successivement, dans la matinée, le roi de Norvège, la reine des Pays-Bas, la grande-duchesse de Luxembourg, le Premier ministre de Belgique, le général Eisenhower, Charles de Gaulle.

Se succédant à l'antenne, ces chefs d'Etat et ces responsables donneraient l'impression d'une parfaite unanimité. C'est ce que de Gaulle ne saurait accepter. Parlant immédiatement *après* Eisenhower, il paraîtrait avaliser les propos du commandant en chef, il semblerait approuver tout ce qu'il désapprouve et conseiller aux Français d'écouter et de suivre les ordres américains. Il sortira donc du rang où l'on a voulu l'insérer. Comme ces acteurs qui se distinguent à l'instant de saluer, il choisit son moment.

Les autres auront parlé dans la matinée. Il parlera à 17 h 30.

Et rien n'y pourra faire. Que, jusqu'à 2 heures du matin, Viénot se fasse « engueuler » par Churchill, comme il ne s'est « jamais fait engueuler[1] », qu'importe. Il en faudrait bien davantage pour influencer la décision de De Gaulle, même si cette décision doit entraîner, entre le Premier ministre britannique et lui, une brouille

1. Témoignage de Pierre Viénot au général Béthouart.

qui ne s'apaisera tout à fait qu'à Paris, dans les fanfares et les ovations d'un 11 novembre triomphal.

Le matin, Eisenhower a dit aux Français : « *Pas de soulèvement prématuré. Ne vous énervez pas et restez en alerte.* »

A 17 h 30, de Gaulle leur dit : « *Pour les fils de France, où qu'ils soient, le devoir simple et sacré est de combattre par tous les moyens dont ils disposent.* »

Le matin, Eisenhower a dit aux Français : « *Je sais que je puis compter sur vous pour obéir aux ordres que je serai amené à promulguer.* »

A 17 h 30, de Gaulle leur dit : « *Pour la nation qui se bat, les pieds et les poings liés, contre l'oppresseur armé jusqu'aux dents, le bon ordre dans la bataille exige plusieurs conditions. La première est que les consignes données par le gouvernement français et par les chefs français qu'il a qualifiés pour le faire à l'échelon national et à l'échelon local soient exactement suivies.* »

Le matin, Eisenhower n'avait utilisé que des mots plats et conventionnels, des phrases de gestionnaire de la bataille.

A 17 h 30, de Gaulle fait vibrer les âmes.

> « *La Bataille suprême est engagée !*
>
> *Après tant de combats, de fureurs, de douleurs, voici venu le choc décisif, le choc tant espéré. Bien entendu, c'est la bataille de France et c'est la bataille de la France.* »

Pas un mot qui n'exalte et ne porte l'auditeur jusqu'à ces mots qui achèvent ce grand morceau de littérature patriotique et, tout à la fois, d'appel aux armes.

> « *La bataille de France a commencé. Il n'y a plus dans la nation, dans l'Empire, dans les armées qu'une seule et même volonté, qu'une seule et même espérance. Derrière le nuage si lourd de notre sang et de nos larmes, voici que reparaît le soleil de notre grandeur.* »

Mais, pour nous, comme pour quarante millions de Français, le 6 juin est encore à venir.

Le 5 juin, à partir de 21 h 15, les messages indiquant que le moment est arrivé de passer à l'action tombent par grappes de la B.B.C.

Messages pour les régions : « *Croissez roseaux; bruissez feuillages* », « *Le coq dresse sa tête* », « *Que dit la petite pomme d'api* », « *Le premier accroc coûte deux cents francs* », « *Mathurin adore les épinards* », « *Elle se hâte avec lenteur* ».

Message pour les réseaux : « *On peut aller au cinéma sans aucun danger* », « *Nicole est une jolie poupée brune* », « *Elle fait de l'œil avec le pied* », « *Saint Pierre en a marre* », « *Berce mon cœur d'une langueur monotone* ».

Deux cents messages environ qui, dans la nuit, mettent en route vers les points de rassemblement ou les objectifs désignés des milliers et des milliers de Français.

« *Il fait chaud à Suez* » et, lorsqu'ils entendent ces mots, ils se dirigent vers Saint-Marcel, les garçons de Ploërmel, de Josselin, de Malestroit, de Lanouée.

« *Véronèse était un peintre* », « *Le père la Cerise est verni* » et, lorsqu'ils entendent ces mots, les hommes de Pommiès savent qu'ils doivent, dans le Sud-Ouest, commencer leurs opérations de sabotage et de guérilla.

« *Je cherche des trèfles à quatre feuilles* », « *Les tomates doivent être cueillies* » et, dans la région de Montbéliard, ils seront 163 paysans, sous le commandement d'Emile Joly[1], à prendre le maquis au-dessus d'Etouvans.

Longue nuit du 5 au 6 juin pour tous ces hommes qui, en France occupée, attendaient le moment de passer à une autre forme d'action que celle qu'ils avaient jusqu'à présent connue.

Longue nuit pour tous ces hommes des bois, mal et peu armés, mais qui vont s'associer à la formidable armée qui débarque, lui apporter le secours des arbres en travers des routes, des rails désarticulés, des ponts effondrés, des villages et des villes soudainement occupés malgré le péril certain des représailles, du trouble immense jeté dans une

1. Qui sera tué le 8 juillet.

armée allemande qui, si loin qu'elle soit de l'essentielle bataille des plages, découvre qu'elle n'est sûre de rien, qu'elle doit craindre chaque tournant de la route, chaque arbre de la forêt, chaque bicoque du village.

Longue nuit du 5 au 6 juin pour les Français du commando Kieffer. Vers 13 heures, le 5, lord Lovat, le chef des commandos, a réuni les hommes sur l'aire de rassemblement du camp de Titchefield où ils s'entraînent avec passion et méthode. Autour de lui, groupés sans distinction de grade, d'unité, de nationalité, ils l'ont entendu annoncer que le « D. Day » était pour demain.

A l'intention des Français, il a ajouté :

— A nos camarades français, je leur dis, les Boches, on les aura.

Longue nuit...

La mer est mauvaise et les hommes n'ont pu dormir dans les deux barges que les vagues bousculent. Mais dormiraient-ils si la mer était d'huile alors qu'ils s'apprêtent à débarquer sur une côte formidablement défendue et qu'ils savent — Lovat le leur a dit — que les commandos subiraient cinquante pour cent de pertes ?

Longue nuit. Il y a là le lieutenant Guy Vourc'h qui a rejoint l'Angleterre en 1940, dans une petite barque longtemps perdue dans le brouillard d'octobre. Il y a là Derrien, Guerre, Le Floch, Le Morvan, Faure, Bolloré, l'abbé de Naurois qui, le dimanche 4, a dit la messe pour les catholiques du camp.

Il y a là ceux qui seront blessés dans quelques heures, face à Riva-Bella-Ouistreham. Le commandant Philippe Kieffer, qui sera atteint à deux reprises ; Pinelli, qui embrassera le sol de France alors qu'exploseront les obus de 88 et que fileront autour de lui les balles de mitrailleuses de la défense allemande ; Casalonga, qui fête ses vingt et un ans au milieu du plus prodigieux et du plus mortel des feux d'artifice ; Bucher, Lahouze, Beux, Mazéas, Bouarfa, Piaugé, Leostic, Laventure, Cabellan, d'autres encore.

Il y a là ceux qui vont mourir : Dumanoir, à qui un éclat ouvrira le ventre ; le docteur Lion atteint d'une balle en plein cœur, Rollin, Renault, Rousseau, Flesh, d'autres encore dont les plaies seront immédiatement recouvertes par des légions de puces de mer.

Nuit du 5 au 6 juin. Sombre encore, menaçante et douce au cœur, la côte française s'allonge face aux hommes du n° 4 Commando qui savent que leur destin va se décider sur des plages faites pour des jeux d'enfants et des amours d'adolescents.

Longue nuit du 5 au 6 juin pour Julien Helfgott. Il est l'un des maquisards capturés après la bataille de Glières et condamné à mort. Déjà, il a vu plusieurs de ses camarades quitter la prison d'Annecy pour le poteau d'exécution.

Longue nuit, comme toutes les autres longues nuits, lorsque le corps ignore et craint ce qui l'attend à l'aube.

Mais, à 7 heures du matin, le gardien Manquat, qui toujours s'est montré amical pour les captifs, lui glisse un billet : « *Débarquement réussi à 6 heures en Normandie, tout va bien*. »

> « J'ai tremblé de tout mon corps. Que ce jour, dans cette cage, m'a paru magnifique. Une allégresse grisante s'emparait de moi ; les murs s'effaçaient soudainement ; je me voyais d'un seul coup très grand, très fort, envahi de ce bonheur qui me faisait répéter sans cesse : " J'ai enfin vu se lever le jour du débarquement". »

Julien Helfgott vivra, s'évadera, luttera.

Le 6 juin 1944, pour lui, comme pour des millions de Français, débute la grande aventure qui, à travers joies et douleurs, conduira enfin tout un peuple vers la liberté.

Le prochain ouvrage, le huitième de
LA GRANDE HISTOIRE
DES FRANÇAIS
SOUS L'OCCUPATION
aura pour titre
JOIES ET DOULEURS DU PEUPLE LIBÉRÉ

REMERCIEMENTS

Ce septième tome doit beaucoup à mes lecteurs. Je l'ai reconnu avec joie dans mon introduction. Mais, cette fois encore, j'ai trouvé auprès de ma femme les conseils et les encouragements moralement indispensables. Qu'elle en soit remerciée.

Je tiens à remercier également Mme Antoine, Mme Claverie, Mme Chantal Cazenave, Mlle France Mongabure, dont l'aide, depuis le début de cette longue entreprise, m'est toujours précieuse.

A la Bibliothèque du Sénat, à la Bibliothèque de Documentation Contemporaine, aux Archives du ministère de la Guerre, aux Archives départementales de la Corrèze, j'ai, comme de coutume, reçu un accueil efficace et sympathique.

Le Service pour l'entretien des sépultures militaires allemandes, de Maisons-Laffitte, m'a également été d'un utile concours dans mes recherches sur Glières.

Mes remerciements aussi pour leur témoignage à :

Mme Denise Aimé-Azam, MM. Jean Amado, Daniel Ambrogi, Claude Anjot, Mme J. Ario, MM. André Aron, Serge Aubert, Marcel Aurat.

Mme Balachowsky, MM. Pierre Bailly, Georges Ballyot, Paul Bartaire, le colonel Maurice Barret, le général de la Barre de Nanteuil, Mme Madeleine Baudoin, MM. Max Barrioux, Jacques Baumel, André Bayle, Mme du Beaudiez, MM. Michel Bellan, Pierre Bellier, A. Beltzinger, Michel Bernstein, Mme Paul Bertier,

M. A. Besson, Mmes Marie-Antoinette Bireau, Jamy Bisserier, MM. Raymond Blaise, Henri Blanc, J. Blouet, Marcel Boisjardin, M. Boden, M. Bollé, le docteur François Bolot, Marcel Bonnet-Voisin, Michel Bongiraud, Adrien Bonzy, Louis Bordel, Fernand Bouchardy, du Boucher, Jean Boutin, le docteur Guy Bourcart, Mme Nicole Bourgain, MM. Louis Boyé, Roger Boyenval, A. Bramoullé, le colonel Louis Brandon, Louis Briens, D. Browaeys, Roger Bruge, Jacques Bruneau, de Bussac, Frédéric Busser.

MM. P. Camus, Pierre Cardot, Laurent Casalonga, René Chailler, le colonel Pierre Challon-Belval, Émile Charpenel, Mme Chatelin, M. le général Chevance Bertin, M. André Chrétien, Mme Odile Christophe, M. le commandant Humbert Clair, MM. Yves Cohendet, Israël, Anselme Crevel.

M. le docteur Henri Dalmas, M. André Daubos, le docteur Jean Debelut, Mme Delahay, M. Deleuze, Mme Deltroff-Baticle, MM. Hélie Denoix de Saint-Marc, Gérard Dépollier, René Derennes, Deroy, Georges Desray, L. Deymès, Jean Diot, Marc Dubourg, André Ducasse, René Dupont.

M. Paul Emmery, Mme Jacqueline Erbar, MM. Pablo Escribano, Jacques d'Étienne, M. le commandant Even.

M. le général Fayard, MM. Paul Flecher, Jean Fleury, André Forestier, le docteur Michel Fournier, M. Jacques Fournier.

MM. Pierre Gaillard, Gaillot, Henri Gal, M. le général Gallois, le docteur Galtier d'Auriac, M. le général Fernand Gambiez, MM. Gandon, Jacques Gans, Guy Garoche, Paul Gaume, Mme Gaumet, M. le colonel Gentgen, MM. Henri Girousse, Francis Glattauer, Alain Griotteray, Paul Guichonnet, M. le professeur Georges Guidollet, MM. Georges Guillaudot, Christian Guillaume.

M. le colonel Hachette, Mmes Annie Hamon, Nadine Helfter, M. Michel Hollard, M. le général Hounau, MM. Frédéric Hulot; Adolphe Jacoutot, Dominique Jacquelin, Pierre Jean, Claude Jeandet, Mme et M. Jeanjacquot, docteur Jodin, MM. René Jomain, Daniel Joubert, M. le colonel Louis Jourdan, MM. Pierre Julitte, Michel Junot.

Docteur Labregère, MM. René Ladet, Roger Lafaye, Paul Lagleyze, Lambroschini, Charles Laprèvote, Jean Lamouche, Bertrand Laroche, Mme Lécurou, MM. Louis Lefort, Édouard

Legenne, André Lener, M. l'abbé Bernard Letourneux, Mme Level, MM. Albert Ley, Raymond Lipa, Jacques Longué, Henri Longuechaud, docteur Lowys, Mme Annette Lyautey.

M. Étienne Madrange, le colonel Jean Magne, MM. Claude Mahé, Gérard Le Marec, Jean Maréchaux, Jean Masendès, M. le docteur Massonie, Mme Marie-Louise Mollo, MM. Mègevand, Alphonse Mètral, Meyer, Raymond Millet, Mme de Montangon, Mme Théodose Morel, Mme Henri Moulard, MM. Pierre Mouton, Richard Muller.

MM. Raoul Naudin, Nédelec, Mme Nègre, MM. André Nied, Pierre Nigon, J.-B. Nival, M. l'Ambassadeur Léon Noël.

Mme Paintendre, M. le chanoine de Panazaud, le docteur Henri Pannetier, MM. Charles Pautrat, André Pèchereau, Jean Peckert, Pecout, Bruno Permezel, Alain Petit, Mme Jeanine Pezet, MM. Jean-Cyrille Plagnat, Poirson, Jacques Poivre, Pierre Pomès, Hubert Puthod, Guy Quincy.

MM. Augustin Raffaëlli, Émile Raybaud, Paul Rebstock, Jean Rémy, Mme A. Renaud, MM. Aimé Requet, Alexis Rey, Mme Ricaud-Dussarget, MM. Jacques Robichon, Robillard, Jean de la Rocque, Jean Rosenthal, Harold Rovella.

MM. Charles Sadron, Saint, Guy Saint-Hilaire, Mme et M. Jean-Marie Saulnier, MM. Schiffley, Sadi Schneid, M. l'ambassadeur Albert de Schonen, MM. Maurice Sechter, Stevenin, Robert Storck, Pierre Soutif.

MM. Jean Tariel, René Théry, Thomé, Travers, Maurice Trouiller ; M. le général Vallette d'Osia, MM. Guy Valton, Marc Varey, Mme Vernen, M. René Vignol, Mme Marie-Madeleine Vix-Blondé, M. Fernand Vucharat, Mme et M. Jean de Wailly, Mme Nicolas Waldmann, docteur Roger E. Watson, M. Claude Weill-Vidal, M. le colonel Wesel, M. Laurent Wetzel, M. Wintzenrith, le colonel Christian Wyler, M. le général Henri Ziegler, M. Henri-Jacques Zivry.

BIBLIOGRAPHIE

ABETZ (Otto) : *Histoire d'une politique franco-allemande* (Stock, 1953).

ADÈS (Lucien) : *L'aventure algérienne 1940-1944. Pétain-Giraud-de Gaulle* (Belfond, 1979).

A la recherche du passé. Les misères de la guerre. Témoignages d'enfants (C.D.R.P. Amiens).

AMERY (Odette) : *Nuit et brouillard* (Berger-Levrault, 1945).

AMORETTI (Henri) : *Lyon, capitale 1940-1944* (France Empire, 1964).

AMOUROUX (Henri) : *La vie des Français sous l'Occupation* (Fayard, 1961).

ANDRIEU (Claire) : *Le programme commun de la Résistance* (Edit. L'Erudit, 1984).

Année politique (L') 1944-1945 (Edit. du Grand Siècle, 1946).

ARBAUMONT (Jean d') : *Entre Glières et Vercors. Vie et mort du capitaine Bulle* (Gardet Édit., Annecy, 1972).

ARON (Robert) : *Histoire de Vichy* (Fayard, 1954).
— *Histoire de la Libération de la France* (Fayard, 1959).
— *Histoire de l'Epuration* (Fayard, 1974).

ASTIER DE LA VIGERIE (Emmanuel d') : *Les dieux et les hommes, 1943-1944* (Julliard, 1952).

ASTIER DE LA VIGERIE (Henri d') : *Textes choisis par Bernard d'Astier de la Vigerie* (Gerbos, Paris, 1980).

AUGARDE (Jacques) : *La longue route des tabors* (France Empire, 1983).

AULAS : *Vie et mort des Lyonnais en guerre* (Horwath, 1974).

AUPHAN (amiral) : *Histoire élémentaire de Vichy.*

BAREL (Virgile) : *Cinquante années de lutte* (Ed. sociales, 1966).

BARRE DE NANTEUIL (général de la) : *Historique des unités combattantes de la Résistance (1940-1944) en 4e Région militaire. Synthèse sur les 13 départements : Charente, Charente-Maritime, Corrèze, Creuse, Deux-Sèvres, Dordogne, Gironde, Indre, Indre-et-Loire, Lot-et-Garonne, Vendée, Vienne, Haute-Vienne* (Service historique de l'armée, 1974).

BASSOMPIERRE (Jean) : *Frères ennemis* (Amiot Dumont, 1948).

BAUDOT (Maurice) : *L'opinion publique sous l'Occupation. L'exemple d'un département français 1939-1945.* (P.U.F., 1960).

BAUDOUIN (Madeleine) : *Histoire des groupes francs (M.U.R.) des Bouches-du-Rhône de septembre 1943 à la Libération* (P.U.F., 1962).

BELLESCIZE (Diane de) : *Les neuf sages de la Résistance. Le Comité général d'Etudes dans la clandestinité* (Plon, 1979).

BELLIER (Pierre) : *La vie à Châteauroux* (Badel, 1984).

BÉMOUVILLE (Guillain de) : *Le sacrifice du matin* (Robert Laffont, 1983).

BÉNÉ (Charles) : *L'Alsace dans les griffes nazies* (6 tomes Fetzer-Raon-l'Etape, 1961).

BERTEIL (Louis) : *L'armée de Weygand* (Edit. Albatros, 1975).

BÉTHOUART (général) : *Cinq années d'espérance* (Plon).

BIDAULT (Georges) : *D'une résistance à l'autre* (Les presses du siècle, 1965).

BIDAULT (Mme Suzanne) : *Souvenirs de guerre et d'Occupation* (La Table ronde 1973).

BIGEARD (Marcel) : *Pour une parcelle de gloire* (Plon, 1975).

BILLOTTE (Pierre) : *Le temps des armes* (Plon, 1972).

BLANCKAERT (Serge) : *La Deuxième Guerre mondiale à Dunkerque* (Blanckaer frères, 1978).

BLOND (Georges) : *Pétain* (Presses de la Cité, 1966).

BOISSIÈRE (Marcel) : *Au service de la France sous l'Occupation* (Grande Imprimerie de Blois, 1956).

BOLLORÉ (Gwenn-Aël) : *Commando de la France Libre* (France Empire, 1983).

BONTE (Florimond) : *Les antifascistes allemands dans la Résistance française* (Edit. sociales, 1969).

BOPP (Marie Joseph) : *L'Alsace sous l'occupation allemande* (Mappus-Le Puy).

BORWICZ : *Ecrits des condamnés à mort sous l'occupation allemande* (P.U.F 1954).

BOSSON (A) : *Les maquis de Franche-Comté* (France Empire, 1978).

BOULADOU (G.) : *Maquis du Massif central.*

BOUR (Robert) : *Un Lorrain dans la Kriegsmarine* (France Empire, 1977).

BOURDET (Claude) : *L'aventure incertaine* (Stock, 1975).

BOURGET (Pierre) : *Un certain Philippe Pétain* (Casterman, 1966).

— *Paris, année 44. Occupation. Libération. Epuration* (Plon, 1984).

BOUTET (Gérard) : *Ils étaient de leur village...* (Denoël).

BRINON (Fernand de) : *Mémoires* (Imprimeries réunies, 1949).

BRISSAUD (André) : *La dernière année de Vichy* (Librairie académique Perrin 1965).

BRUN (Gérard) : *Technocraties et technocrates en France, 1914-1945* (Albatros, 1985).

BUTTIN (Paul) : *Le procès Pucheu* (Librairie académique Perrin, 1965).

CALMETTE (Arthur) : *L'O.C.M. (Organisation civile et militaire)* (P.U.F., 1961).

CANAUD (Jacques) : *Les maquis du Morvan* (Pelux, Autun).

CARTIER (Raymond) : *La Seconde Guerre mondiale* (Presses de la Cité, 1980).

CASSOU (Jean) : *Une vie pour la liberté* (Robert Laffont, 1981).

CATE (Curtis) : *Saint-Exupéry* (Grasset, 1973).

CATROUX (général Georges) : *Dans la bataille de Méditerranée* (Julliard, 1949).

CAVANNA : *Les Ruskoffs* (Belfond, 1979).
CERF-FERRIÈRE (René) : *L'Assemblée consultative vue de mon banc* (Editeurs français réunis, 1974).
CÉRONI (général M.) : *Le corps franc Pommiès* (2 vol. Imprimerie du Parc. Muret, 1984).
CHABAN-DELMAS (Jacques) : *L'ardeur* (Stock, 1975).
CHAMBE (général René) : *L'épopée française d'Italie* (Flammarion, 1952).
— *Au carrefour du destin, Weygand, Pétain, Giraud, de Gaulle* (France Empire, 1983).
CHAMBRUN (René de) : *Pierre Laval devant l'Histoire* (France Empire, 1983).
CHAPSAL (Jacques) : *La vie politique en France de 1940 à 1958* (P.U.F., 1984).
CHARBONNEAU (Henry) : *Les mémoires de Porthos* (2 vol., La Librairie française, 1980).
CHARBONNIÈRES (Gérard de) : *Le duel Giraud-de Gaulle* (Plon, 1984).
CHATELIER (Bernard Le) : *Matricule 51306. Mémoires de déportation* (La Bruyère, 1984).
CHAUVENET (docteur André) : *Une expérience de l'esclavage* (Office général du livre).
CHAUVY (Gérard) : *Lyon 40-44* (Plon, 1985).
CHURCHILL (sir Winston) : *Mémoires sur la Deuxième Guerre mondiale.* T.V. L'étau se referme (Plon, 1952).
CLOPIN (Jean-Pierre) : *Groupes francs* (Imprimerie Louis Léger, Villeurbanne).
COLSON (Francis Louis) : *Le temps des passions. De Jean Moulin à la Libération* (Presses de la Cité, 1974).
CONQUET (Alfred) : *Auprès du maréchal Pétain.* (France Empire, 1970).
CORMAND (Reine) : *La vie d'une famille face à la Gestapo* (Amoudruz-Thonon, 1972).
COURTOIS (Stéphane) : *Le P.C.F. dans la guerre* (Ramsay, 1980).
DAILLER (général Pierre) : *Nous étions alors capitaines à l'armée d'Afrique* (Nouvelles Éditions latines, 1978).
DAINVILLE (colonel A. de) : *L'O.R.A. La Résistance de l'Armée* (Lavauzelle, 1974).
DANAN (Yves Maxime) : *La vie politique à Alger de 1940 à 1944* (Librairie R. Pichon et R. Durand-Auzios).
DANSETTE (Adrien) : *Histoire de la libération de Paris* (Arthème Fayard, 1946).
DAUENDORFER (Jules) : *J'étais un malgré nous* (Presses et imprimeries de Léon Louis et Cie à Bouley).
DEBRÉ (Michel) : *Trois républiques pour une France* (Albin Michel, 1984).
DEBÛ-BRIDEL (Jacques) : *De Gaulle et le CNR* (France Empire, 1978).
DECÉZE (Dominique) : *La lune est pleine d'éléphants verts* (Ed. J. Lanzmann et Seghers, 1979).
DEGEN (Gustave) : *Malgré nous. De la Wehrmacht à Tambow* (Alsatia, 1951).
DELARUE (Jacques) : *Trafics et crimes sous l'occupation* (Fayard, 1968).
DELPERRIÉ de BAYAC (Jacques) : *Histoire de la Milice* (Fayard, 1969).
— *La guerre des ombres* (Fayard, 1975).
DESTREM (Maja) : *Les commandos de France. Les volontaires au béret bleu* (Fayard, 1982).

DETREZ (chanoine L.) : *Quand Lille avait faim* (S.I.I.C. Lille).
— *Tragédies en Flandres* (en collaboration avec Chatelle) (J. Tallandier, Lille, 1953).
Dictionnaire de la Seconde Guerre mondiale (2 volumes. Larousse, 1979).
DILLENSCHNEIDER (Joseph) : *Les passeurs lorrains* (Pierron, 1979).
DODIN (Robert) : *La résistance dans les Vosges* (éd. du Sapin d'or, Epinal).
DOMINIQUE (Jean-François) : *L'affaire Petiot* (Ramsay, 1980).
DREYFUS (Paul) : *Histoires extraordinaires de la Résistance* (Fayard, 1977).
DUQUESNE (Jacques) : *Les Catholiques français sous l'Occupation* (Grasset, 1966).
DURANDET (Christiane) : *Les maquis bretons* (France Empire, 1973).
— *Les maquis de Provence* (France Empire, 1974).
— *Les maquis d'Auvergne* (France Empire, 1975).
DUROSELLE (Jean-Baptiste) : *L'abîme, 1939-1945* (Imprimerie nationale, 1982).
EISENHOWER (général Dwight D.) : *Croisade en Europe* (Robert Laffont, 1949).
ELGOZY (Georges) : *La vérité sur mon corps franc d'Afrique* (Ed. du Rocher, 1984).
ESCHOLIER (Raymond) : *Maquis de Gascogne* (Milieu du monde, 1945).
ESEBECK : *Rommel et l'Afrika Korps* (Payot, 1950).
EVEN (commandant Edouard) *présente, traduit et annote.*
— *Le XXV*e *Corps d'armée allemand en occupation en Bretagne.*
— *L'état-major principal de liaison n*o *588 de Clermont-Ferrand* (1er janvier-23 août, 1944).
— *Extraits du journal de marche* (28 avril 1944-10 septembre 1944) *du groupe d'armées G* (Service historique de l'armée).
EYCHENNE (Emilienne) : *Les Pyrénées de la liberté. Les évasions par l'Espagne, 1939-1945* (France Empire, 1983).
FABRE-LUCE (Alfred) : *Journal de la France 1939-1944* (Fayard, 1969).
FACON (Patrick) : *La coopération franco-alliée pendant la campagne de Tunisie : le problème aérien* (Service historique de l'armée de l'air).
FAJON (Etienne) : *Ma vie s'appelle liberté* (Robert Laffont, 1976).
FAUVET (Jacques) en collaboration avec DUHAMEL (Alain) : *Histoire du parti communiste français :* tome 2 (Fayard, 1965).
FERNET (vice-amiral) : *Aux côtés du maréchal Pétain* (Plon, 1953).
FERRO (Maurice) : *De Gaulle et l'Amérique. Une amitié tumultueuse* (Plon, 1973).
FLAVIAN : *Ils furent des hommes* (Nouvelles Éditions latines, 1948).
FOUCHET (Max-Pol) : *Un jour je me souviens...* (Mercure de France, 1968).
FOURCADE (Marie-Madeleine) : *L'arche de Noé* (Plon, 1983).
Françaises à Ravensbrück (Les) (Denoël-Gonthier, 1965).
FRED (capitaine) : *Bataillon Violette* (Imprimerie Fabrègue Saint-Yriex, 1981).
FRENAY (Henri) : *La nuit finira* (Robert Laffont, 1973).
— *Volontaires de la nuit* (Robert Laffont, 1985).
FRÉVILLE (Henri) : *Archives secrètes de la Bretagne* (Ouest-France, 1985).
FROSSARD (André) : *La maison des otages, Montluc 1944* (Fayard, 1983).
GAMBIEZ (général Fernand) : *La libération de la Corse* (Hachette, 1973).
GANIER-RAYMOND (Philippe) : *L'affiche rouge* (Fayard, 1975).
GARCIN (Paul) *Interdit par la censure 1942-1944* (Ed. Lugdunum, 1944).

GASCARD (Louise) : *Ma Lorraine au tragique destin* (Pierron, 1978).
GAUCHER (Roland) : *Histoire secrète du parti communiste français* (Albin Michel, 1974).
GAULLE (général Charles de) : *Mémoires de guerre* (Plon, 1956).
— *Discours et messages pendant la guerre* (Plon, 1970).
— *Lettres, notes et carnets* (Plon, 1983).
GAUSSEN (Dominique) : *Le Kapo* (France Empire, 1966).
GENET (Christian) : *La libération des deux Charentes. Soldats en sabots* (Aubin, Poitiers, 1985).
GEORGES (colonel) : *Le temps des partisans* (Flammarion, 1978).
GILBERT (Charles) : *Soldats bleus dans l'ombre* (Le Cercle d'or, 1977).
— *La montagne héroïque,* 2 vol. (Le Cercle d'or, 1981).
GILLOUIN (René) : *J'étais l'ami du maréchal Pétain* (Plon, 1956).
GIRAUD (général Henri) : *Un seul but, la victoire* (Julliard, 1949).
— *Discours et messages prononcés du 8 novembre 1942 au 30 mai 1943* (Ed. de la Maison Française, New York, 1943).
GISCLON (Jean) : *L'escadrille La Fayette* (France Empire).
GMELINE (Patrick de) : *Commandos d'Afrique* (Presses de la Cité, 1980).
GODEFROY (Georges) : *Le Havre sous l'Occupation* (Imprimerie de la presse, Le Havre).
GOSSE (Lucienne) : *René Gosse, 1883-1943. Chronique d'une vie française* (Plon, 1962).
GOSSET (Pierre et Renée) : *Expédients provisoires* (Alger, 1944).
GRENIER (Fernand) : *Ce bonheur-là* (Ed. sociales, 1974).
GROUSSARD (Georges) : *Service secret* (La Table Ronde, 1968).
GUÉHENNO (Jean) : *Journal des années noires* (N.R.F., 1947).
GUERIFF (Fernand) : *Saint-Nazaire sous l'occupation allemande* (Ed. Les Paludiers, La Baule, 1974).
GUÉRIN (Alain) : *La Résistance,* 4 vol. (Club Diderot).
GUINGOUIN (Georges) : *Quatre ans de lutte sur le sol limousin* (Hachette, 1974).
GUINGOUIN et MONEDIAIRE (Gérard) : *Georges Guingouin, premier maquisard de France* (Limoges, Souny, 1983).
GUN (Nérin E.) : *Le secret des archives américaines* (Albin Michel, 1979).
HALIMI (André) : *La délation sous l'Occupation* (Alain Moreau, 1983).
HASTINGS (Max) : *La division « Das Reich » et la Résistance* (Pygmalion, 1983).
HEISER (Eugène) : *La tragédie lorraine* (3 tomes) (Imprimerie Pierron, Sarreguemines, 1983).
HENRIOT (Philippe) : *Et s'ils débarquaient* (Ed. Inter-France, 1944).
HETTIER DE BOILAMBERT (Claude) : *Les gens de l'espoir* (Plon, 1978).
HOFFET (Frédéric) : *Psychanalyse de l'Alsace* (Flammarion, 1951).
HOOVER INSTITUTE : *La vie de la France sous l'Occupation* (3 vol., Plon, 1957).
HOSTACHE (René) : *Le Conseil national de la Résistance* (P.U.F., 1958).
— *De Gaulle 1944* (Plon, 1978).
ICI LONDRES : T. IV, *La forteresse Europe* (10 juillet 1943-8 mai 1944) (La Documentation française, 1975).
INGOLD (général) : *L'épopée Leclerc au Sahara* (Berger-Levrault, 1948).
IPPECOURT : *Les Chemins d'Espagne* (Gaucher, 1948).

ISORNI (Jacques) : *Philippe Pétain* (2 vol., La Table Ronde, 1972 et 1973).
JACKSON (W. G. F.) : *La bataille d'Italie* (Robert Laffont, 1969).
JACQUELIN (André) : *Lettres de mon maquis* (Ed. Roblot, 1975).
JOURDAN-JOUBERT (Louis), HELFGOTT (Julien), GOLLIET (Pierre) : *Glières, première bataille de la Résistance* (association des rescapés des Glières, Annecy, 1946).
JOURS DE GUERRE : *Chronologie illustrée de la Seconde Guerre mondiale* (Sélection du Reader's Digest, 1980).
JOXE (Louis) : *Victoires sur la nuit, 1940-1946* (Flammarion, 1981).
JUIN (maréchal Alphonse) : *Mémoires,* T. 1. *Alger, Tunis, Rome* (Fayard, 1959).
KATZ-BLAMONT (Emile) : *L'Assemblée consultative provisoire* (Alger, 1944).
KERSAUTY (François) : *De Gaulle et Churchill* (Plon, 1982).
KETTENACKER (Lothar) : « La politique de nazification en Alsace » *in Saisons d'Alsace n°s 65 et 68* (Edit. Istro, Strasbourg, 1978).
KLARSFELD (Me Serge) : *Le mémorial de la déportation des Juifs de France* (édité par B. et S. Klarsfeld., B. P. 137-16, 75763, Paris Cedex 16).
KOELTZ (général Louis) : *Une campagne que nous avons gagnée : Tunisie 1942-1943* (Hachette, 1959).
KUPFERMANN (Fred) : *Pierre Laval* (Masson, 1976).
LACAZE (André) : *Le tunnel* (Julliard, 1978).
LACOUTURE (Jean) : *De Gaulle.* T. 1. *Le rebelle* (Seuil, 1984).
LAFFITTE (Jean) : *Ceux qui vivent* (Hier et aujourd'hui, 1947).
— *La pendaison* (Julliard, 1983).
LAHAYE (Simone) : *Libre parmi les morts* (Ed. Berg International, 1983).
LAMBERT (Raymond, Raoul) : *Carnet d'un témoin (1940-1943)* (Fayard, 1985).
LANGLADE (général Paul de) : *En suivant Leclerc* (Au fil d'Ariane, 1964).
LANVIN-LESPIAU (lieut.-col.) : *Liberté provisoire* (Imprimerie nationale en occupation. Voralberg, 1945).
LAPIE (Pierre Olivier) : *De Léon Blum à de Gaulle* (Fayard, 1971).
LATTRE (maréchal Jean de) : *Reconquérir* (Plon, 1985).
LAUNAY (Jacques de) : *Histoire contemporaine de la diplomatie secrète* (Imprimerie Rencontre, Lauzanne, 1965).
LAURENS (Anne) : *Les rivaux de Charles de Gaulle* (Robert Laffont, 1977).
LÉAUTAUD (Paul) : *Journal littéraire* (Mercure de France).
LE BOTERF (Hervé) : *La Bretagne dans la guerre* (France Empire, 1971).
LE GOYET (colonel Pierre) : *La campagne d'Italie, une victoire quasi inutile* (Nouvelles Éditions Latines, 1985).
LEMBLÉ (Jean) : *J'ai perdu la guerre avec eux* (Ed. Ducourtioux, Angers, 1979).
LE MOIGNE (Louis) et BARBANLEYS (Marcel) : *L'armée secrète en Haute-Corrèze* (Impr. Reveret et Ardillon, Moulin-Yzeure, 1979).
LE TROQUER (André) : *La parole est à André Le Troquer* (La Table Ronde, 1962).
LEVY (Claude) : *Les parias de la résistance* (Calmann-Lévy, 1970).
LIDDELL HART (Sir Basil H.) : *Histoire de la Seconde Guerre mondiale* (Fayard, 1973).
LIMAGNE (Pierre) : *Ephémérides des quatre années tragiques* (Bonne Presse, Paris, 1947).

LONGUECHAUD (Henri) : « *Conformément à l'ordre de nos chefs...* » (Plon, 1985).
LOTTMAN (Herbert, R.) : *Pétain* (Seuil, 1984).
MABIRE (Jean) : *Chasseurs alpins. Des Vosges aux djebels, 1914-1964* (Presses de la Cité, 1984).
MADRANGE (Etienne) : *Dans les bois corréziens en 1944* (Imprimerie Maugein. Tulle, 1980).
MANOUCHIAN (Mélinée) : « *Manouchian* » (Les Éditeurs français réunis, 1974).
MAREC (Gérard Le) : *La Bretagne dans la Résistance* (Ouest-France, 1983).
— *Lyon sous l'Occupation* (Ouest-France, 1984).
MARTIN-CHAUFFIER (Louis) : *L'homme et la bête* (Ed. Gallimard, 1948).
MARTIN-CHAUFFIER (Simone) : *A bientôt quand même...* (Calmann-Lévy, 1975).
MARTIN DU GARD (Maurice) : *La Chronique de Vichy* (Flammarion, 1975).
MARTINET (J.-C.) : *Histoire de l'Occupation et de la Résistance dans la Nièvre* (Edit. Delayance, 1978).
MARTINIÈRE (A. de La) : *Nuit et brouillard à Hinzert* (Université François Rabelais, Tours).
MARUÉJOL (R.) et VIELZEUF (A.) : *Le maquis Bir Hakeim* (Chez les auteurs, 49, rue Saint-Rémi, Nîmes, 1947).
MASSU (général Jacques) : *Sept ans avec Leclerc* (Plon, 1974).
MAUREL (Micheline) : *La passion selon Ravensbrück* (Les éditions de Minuit, 1965).
MAYER (Daniel) : *Les socialistes dans la résistance* (P.U.F., 1968).
MERGLEN (Albert) : *La vérité historique : Drames et aventures de la Seconde Guerre mondiale* (La Pensée universelle, 1985).
MESSAC (Régis) : *Pot-pourri fantôme* (Edit. Bellenand).
MEY (Eugène) : *Le drame de l'Alsace* (Berger-Levrault, 1949).
MICHEL (Henri) : *Les courants de pensée de la Résistance* (P.U.F., 1962).
MICHELET (Claude) : *Mon père, Edmond Michelet* (Presses de la Cité, 1971).
MICHELET (Edmond) : *Rue de la Liberté, Dachau 1939-1945* (Seuil, 1955).
MOCQ (Dr J.-M.) : *Ascq 1944, la nuit la plus longue* (Actica-Edition, 1971).
MOREAU (Serge, Henri) : *Thorens, berceau du maquis* (Alp. Impression, 1945).
MORSE (Arthur) : *Pendant que six millions de juifs mouraient* (Robert Laffont, 1968).
MOURIN (Maxime) : *Tentatives de paix dans la Seconde Guerre mondiale* (Payot, 1949).
MUELLE (Raymond) : *Le 1er bataillon de choc* (Presses de la Cité, 1977).
MUNIG (Etienne) : *1945 : Sevan, un autre goulag pour « incorporés de force »* (Fédération des anciens de Tambow).
MURPHY (Robert) : *Un diplomate parmi les guerriers* (Robert Laffont, 1965).
MUSARD (François) : *Les Glières* (Robert Laffont, 1965).
MUSELIER (vice-amiral) : *De Gaulle contre le gaullisme* (Edit. du Chêne, 1946).
NICOLLE (Pierre) : *Cinquante mois d'armistice* (André Bonne, 1947).
NOBECOURT (R. G.) : *Rouen désolée* (Edit. Médicis, 1948).
NOGUÈRES (Henri) en collaboration avec DEGLIAMME FOUCHÉ :
— *Histoire de la Résistance en France,* 5 vol. (Robert Laffont).
— *La vie quotidienne des résistants de l'armistice à la Libération* (Hachette, 1984).

NOGUÈRES (Louis) : *Le véritable procès du maréchal Pétain* (Fayard, 1955).
ORDIONI (Pierre) : *Tout commence à Alger* (Stock, 1972).
OUZOULIAS (Albert) : *Les fils de la nuit* (Grasset, 1975).
PACAUT (René) : *Maquis dans la plaine. De la Saône au Danube avec les résistants bressans et les chasseurs du 2e B.C.P.* (Les Dossiers de l'histoire, 1981).
PAILLAT (Claude) : *L'échiquier d'Alger.* T. 2. *De Gaulle joue et gagne* (Robert Laffont, 1967).
PAILLOLE (Paul) : *Services spéciaux, 1939-1945* (Robert Laffont, 1975).
PANNEQUIN (Roger) : *Les années sans suite.* T. 1. *Ami si tu tombes.* T. 2. *Adieu camarades* (Sagittaire, 1976-1977).
Parti (le) communiste dans la résistance (Edit. sociales, 1967).
PASSY (colonel) : *Missions secrètes en France* (Plon, 1951).
PAXTON (Robert O.) : *La France de Vichy* (Seuil, 1973).
PECHEREAU (André) : *Les vendanges de Miranda* (Edit. Le Cercle d'Or, 1983).
PÉDRON (André) : *Matricule F 34900. De Montluc à Belsen* (s. d., sans nom d'éditeur).
PEYROUTON (Marcel : *Du service public à la prison commune* (Plon, 1950).
PICIRELLA (Joseph La) : *Témoignages sur le Vercors, Drôme-Isère* (Rivet, Lyon, 1979).
PIERRE-BLOCH (Jean) : *Mes jours heureux* (Edit. du Bateau ivre, 1974).
PIERQUIN (Bernard) : *Journal d'un étudiant parisien sous l'Occupation* (Imprimerie graphique de l'Ouest, 1983).
PIERRARD (Pierre) : *Lille et les Lillois* (Bloud et Gay. S.d.).
PINEAU (Christian) : *La simple vérité* (Julliard, 1960).
PLOTON (abbé Robert) : *De Montluc à Dora.*
PROCÈS *(les) de collaboration* (Fernand de Brinon, Joseph Darnand, Jean Luchaire) (Albin Michel, 1948).
PUCHEU (Pierre) : *Ma vie* (Amiot-Dumont, 1948).
RAHN (Rudolf) : *Un diplomate dans la tourmente* (France Empire, 1980).
RAÏSSAC (Guy) : *Un combat sans merci. L'affaire Pétain-de Gaulle* (Albin Michel, 1966).
RASSINIER (Paul) : *Le mensonge d'Ulysse. Regard sur la littérature concentrationnaire* (Edit. bressanes, 1950).
RAULET (colonel) : *Alfred de Vigny a-t-il menti ? La garde au plateau des Glières.*
RICHET (Pr. Charles), RICHET (Jacqueline), RICHET (Olivier) : *Trois bagnes* (J. Ferenczi, 1945).
RICKARD (Charles) : *La Savoie sous l'Occupation* (Ouest-France, 1985).
RIOND (Georges) : *Chroniques d'un autre monde* (France Empire, 1979).
ROBICHON (Jacques) : *Le corps expéditionnaire français en Italie* (Presses de la Cité, 1981).
ROMANS-PETIT (Henri) : *Les maquis de l'Ain* (Hachette, 1974).
ROUANET (Anne et Pierre) : *L'inquiétude outre-mort du général de Gaulle* (Grasset, 1985).
ROUSSET (David) : *L'univers concentrationnaire* (Edit. du Pavois, 1946).
RUBY (Marcel) : *La résistance à Lyon* (L'Hermès, Lyon, 1974).
RUFFIN (Raymond) : *Journal d'un J 3* (Presses de la Cité, 1979).
— *La résistance normande face à la Gestapo* (Presses de la Cité, 1981).

SAINT CLAIR (Simone) : *Ravensbrück, l'enfer des femmes* (Tallandier, 1945).
SANGUEDOLCE (Joseph) : *Résistance : De Saint-Etienne à Dachau* (Edit. sociales, 1973).
Sapeurs-pompiers du Havre. Soldats du feu 1939-1944 (Ancienne Imprimerie Marcel Etaix, Le Havre, 1948).
SCHAEFFER (Eugène) : *L'Alsace et la Lorraine. Leur occupation en droit et en fait* (Librairie de droit et de jurisprudence, 1953).
SCHMITT (général) : *Toute la vérité sur le procès Pucheu* (Plon, 1963).
SCHUMANN (Maurice) : *Honneur et Patrie* (Edit. du livre français, 1946).
— *La voix du couvre-feu* (Plon, 1964).
SERIGNY (Alain de) : *Echos d'Alger (1940-1945)* (Presses de la Cité).
SERIGNY (général) : *Trente ans avec Pétain* (Plon, 1959).
SERVAN-SCHREIBER (Jean-Claude) : *Le huron de la famille* (Calmann-Lévy, 1979).
SHIRER (W. L.) : *Les années de cauchemar* (Plon, 1984).
SILVANI (Paul) : *Corse des années ardentes* (Ed. Albatros, 1976).
SILVESTRE (Paul et Suzanne) : *Chronique des maquis de l'Isère* (Edit. des Quatre Seigneurs, Grenoble, 1978).
SIMONIN (général Paul) : *Des Francs-Comtois dans la Résistance* (Edit. Marque-Maillard, 1983).
SOUSTELLE (Jacques) : *Envers et contre tout* (Robert Laffont, 1947).
STARCKY (Georges) : *L'Alsacien* (France Empire, 1983).
STEIN (Louis) : *Par-delà l'exil et la mort. Les républicains espagnols en France.* (Ed. Mazarine, 1981).
STEINMETZ (Jean) : *La Babouchka* (Edit. Jean-Pierre Gyss).
STUCKI (Walter) : *La fin du régime de Vichy* (Ed. de la Baconnière, Neufchâtel, 1947).
THOMAS (Georges Michel) : *Le Finistère dans la guerre* (Edit. de la Cité, Brest, Paris, 1979).
THOME (Edgar) : *Spécial Air Service* (Grasset, 1980).
TILLION (Germaine) : *Ravensbrück* (Seuil, 1973).
TILLON (Charles) : *On chantait rouge* (Robert Laffont, 1977).
TOESCA (Maurice) : *Cinq ans de patience* (Emile Paul, 1975).
TOLAND (John) : *Adolf Hitler* (Pygmalion, 1978).
TOLLET (André) : *Le souterrain* (Edit. sociales, 1974).
TOURNOUX (Jean Raymond) : *Pétain et de Gaulle* (Plon, 1964).
— *Pétain et la France* (Plon, 1980).
— *Le royaume d'Otto* (Flammarion, 1982).
TRACOU (Jean) : *Le maréchal aux liens* (André Bonne, 1948).
Tragédie de la déportation. Témoignages des survivants des camps de concentration allemands, choisis et présentés par Olga Wormser et Henri Michel (Hachette, 1954).
TROUSSARD (Raymond) : *L'armée de l'ombre. Le maquis Bir Hakeim* (Angoulême, 1981).
TRUFFY (abbé Jean) : *Mémoires du curé du maquis de Glières* (Edit. Atra, 1979).
Université (De l') aux camps de concentration. Témoignages strasbourgeois.

(Publication de la Faculté des Lettres de l'Université de Starsbourg, Les Belles Lettres, 1947).
VALLOTTON (Benjamin) : *Fascistes et nazis en Provence. Journal d'un Suisse pendant l'Occupation. 1942-1944.* (Mercure de France, 1945).
VEILLON (Dominique) : *Le « Franc-Tireur », un journal clandestin, un mouvement de résistance* (Flammarion, 1977).
— *La collaboration. Textes et débats* (Librairie générale française, 1984).
VERITY (Hugh) : *Nous atterrissions de nuit* (France Empire, 1982).
VIELZEUF (Aimé) : *Au temps des longues nuits* (Ateliers Henri Péladon, Uzès).
— *Les Bandits* (Imprimerie Chastagnier, Nîmes, 1982).
Villes (nos) dans la tourmente. Le Creusot (17 oct. 1942-20 juin 1943), *Nantes* (16 et 23 septembre 1943).
VISTEL (Alban) : *La nuit sans ombre* (Fayard, 1970).
VITTORI (Jean-Pierre) : *Une histoire d'honneur. La Résistance* (Ramsay, 1984).
WARLIMONT (général) : *Cinq ans au G.Q.G. de Hitler* (Paris, Bruxelles, Edit. Elsevier, Séquoia, 1975).
WOLFANGER (Dieter) : *Nazification de la Lorraine mosellane* (Edit. Pierron, 1982).
WOLFF (Pierre) : *Journal d'un résistant mosellan* (Edit. Pierron, 1981).
ZAHNER (Armand) : *Le soldat honteux* (Edit. Salvator, Mulhouse, 1972).

QUOTIDIENS CONSULTÉS :

Aujourd'hui ; le Cri du Peuple ; le Figaro ; l'Humanité (clandestine) ; le Matin ; le Monde ; les Nouveaux Temps ; le Nouvelliste ; l'Œuvre ; Pariser Zeitung ; le Petit Parisien ; le Républicain Lorrain ; le Quotidien de Paris.

HEBDOMADAIRES ET MENSUELS :

Au Pilori ; Combats ; Est et Ouest ; la Gerbe ; l'Illustration ; Journal Officiel ; Je suis partout ; Maine Libre (Cahiers du) ; Républicain (le) Savoyard ; Revue d'histoire de la Deuxième Guerre mondiale ; Revue historique des armées.

TABLE DES MATIÈRES

Introduction 13

I. LE FLÉAU S'INCLINE

1. *La dernière bataille de Pétain* 17

En novembre 1943, Pétain veut s'adresser au pays. – Laval hostile à des modifications constitutionnelles qui rendraient le pouvoir au Sénat et à la Chambre des députés. – Les Allemands interdisent l'émission du message du Maréchal. – Pétain se considère comme dans l'impossibilité d'exercer ses fonctions. – La situation en Italie explique l'évolution de l'entourage du Maréchal. – Pétain travaille à une Constitution placée sous le patronage de la République. – Les remontrances d'Anatole de Monzie. – Maurice Sarraut assassiné par les collaborateurs. – Abetz attendu à Vichy.

2. *Darnand, Henriot, Déat au gouvernement* 47

Ribbentrop évoque la « résistance permanente » du Maréchal. – Il demande que toutes les modifications de lois soient désormais soumises au Reich et que le gouvernement français soit remanié. – Conciliabules et affrontements autour de la réponse que doit faire Pétain. – Laval et Pétain veulent démissionner. – Pétain s'incline finalement devant les exigences allemandes. – Oberg impose Darnand

Libération... – Mais de Gaulle refuse que Maurice Thorez revienne de Moscou. – La politique communiste : ne pas diviser. – Georges Bidault élu président du Conseil national de la Résistance après l'arrestation de Jean Moulin. – Le parti communiste infiltre la Résistance. – De Gaulle réplique par l'envoi en France occupée de délégués militaires. – La nomination de Chaban-Delmas. – La conclusion d'un long conflit de compétence.

II. SUR LES DRAPEAUX, LA GLOIRE

6. *L'armée ressuscitée* 175

Les résistants qui ont franchi les Pyrénées sont emprisonnés par les Espagnols. – La vie quotidienne au camp de Miranda. – L'arrivée à Casablanca. – Sollicitations des « giraudistes » et des « gaullistes ». – Le portrait de Pétain toujours en place en Algérie. – Deux aviateurs du groupe *La Fayette* rejoignent la France. – Giraud s'attache à réarmer l'armée d'Afrique dont le rôle a été important après le 8 novembre 1942. – Bilan de la bataille de Tunisie. – La fin de la Phalange africaine. – Sans informer de Gaulle, Giraud prépare la libération de la Corse. – Le *Front national* anime la résistance corse. – L'épopée du bataillon de choc. – Comment Juin est nommé à la tête des troupes d'Italie. – Son rôle dans la victoire qui ouvre la route de Rome.

7. *Etat de siège en Haute-Savoie* 221

La Haute-Savoie avant Glières. – 18 inspecteurs de police assassinés. – Vichy institue les cours martiales. – Maurice Schumann lance un véritable ordre de mobilisation... – ... Mais les Anglais sont réticents et exigent que la Résistance soit incitée à la prudence. – Policiers, miliciens, Allemands de plus en plus nombreux. – Quel devait être le rôle du plateau de Glières ? – Un débat toujours en cours. – Tom Morel, personnage de légende. – L'influence de Jean Rosenthal.

et faiblesses des maquis dans treize départements du centre de la France. – Mont Mouchet et Vercors. – Les inquiétudes allemandes face à la Résistance.

14. *Les colères de De Gaulle* 531

Les messages de Londres le 1er juin. – Et les consignes de Vichy, ce même 1er juin 1944. – Le débarquement va avoir lieu, mais qui administrera la France libérée ? – Les ambitions américaines. – AMGOT et « fausse monnaie ». – Le Comité français de la Libération nationale devient gouvernement provisoire de la République. – De Gaulle, invité à Londres, hésite à s'y rendre. – Les raisons de ses réticences. – Le voyage finalement décidé, de Gaulle arrive en Angleterre le 4 juin. – Une entrevue houleuse avec Churchill. – De Gaulle, scandalisé par les propos qu'Eisenhower entend tenir aux Français, décide de parler à son heure. – Ce qu'il dit aux Français le 6 juin. – Les messages d'action lancent la grande offensive de la Résistance. - Dans la nuit, les hommes du commando Kieffer approchent de la côte normande. – Dans sa prison, Julien Helfgott apprend le débarquement.

Remerciements 553

Bibliographie 557

Achevé d'imprimer le 24 septembre 1985
sur presse CAMERON,
dans les ateliers de la S.E.P.C.
à Saint-Amand-Montrond (Cher)
pour le compte des éditions Robert Laffont
6, place Saint-Sulpice-75279 Paris Cedex 06

Dépôt légal : octobre 1985.
N° d'Édition : L 584. N° d'Impression : 2018/1345.

Dépôt légal : octobre 1985.
N° d'Édition : L 284. N° d'Impression : 2086-1345